"매일 30분씩 꼼꼼하게 독해하면, 4주 후 현대시 선지 판단력이 달라진다"

하루 30분, 현대시 트레이닝

수능 국어 만점을 위한 **선지 판단력 강화** 프로그램

1 day 30 minute 4 week

30MIN

문제

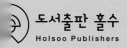 도서출판 홀수
Holsoo Publishers

"매일 30분씩 꼼꼼하게 독해하면, 4주 후 현대시 선지 판단력이 달라진다"

하루 30분,
현대시 트레이닝

수능 국어 만점을 위한 **선지 판단력 강화** 프로그램

1 day   30 minute   4 week

30
MIN

도서출판 홀수
Holsoo Publishers

수능 국어 현대시 만점을 위해서는 모르는 작품을 만나도 지문을 읽고 문제를 풀 수 있는 힘이 있어야 합니다. 흔히들 그 힘이 '해석'에 있다고 생각하지만, 수능 국어 현대시 시험은 객관식인 만큼 '해석'은 출제자가 하는 것이고, 우리는 지문에 쓰여 있는 그대로를 왜곡 없이 읽고 선지를 통해 제시된 해석이 적절한지 '판단'만 하면 됩니다.

◯ 『하루 30분, 현대시 트레이닝』은 4주(28일) 동안 현대시 지문을 꼼꼼하게 독해하고 선지 판단을 하는 과정에서 **현대시 지문 독해 시의 이상적인 사고 과정을 체화**하고 **선지를 빠르고 정확하게 판단할 수 있는 힘**을 기를 수 있도록 구성하였습니다.

◯ 고2 학력평가 및 고3 학력평가, 모의평가, 수능에서 엄선한 **다양한 난이도의 지문과 문제**를 통해 수능 국어 현대시 만점을 위한 **단계별 학습**을 해 나갈 수 있습니다.

◯ 학생들의 편의를 고려하여 문제 책과 해설 책을 분권하였으며, '**4주 완성 계획표**'를 함께 제공합니다. 해설 책의 '**하루 30분, 수능 국어 만점을 향해 가는 28일**'을 채워 가며 자신의 학습 진도를 확인할 수 있습니다.

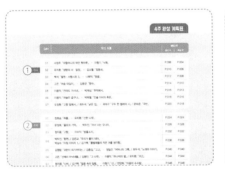

◯ 도서출판 홀수 홈페이지(www.holsoo.com)의 '질문과 답변' 게시판을 통해 궁금한 점을 질문할 수 있습니다. 빠르고 정확한 답변으로 공부를 도와드리겠습니다.

『하루 30분, 현대시 트레이닝』으로
　　　　4주 후, 달라진 현대시 지문 독해력과 선지 판단력을 확인해 보세요!

1주차 지문 독해의 원리

1주차에서는 본격적인 선지 판단 훈련에 앞서 현대시 지문을 객관적으로 읽는 훈련을 할 거야.

1주차 화자와 대상 파악하며 읽기

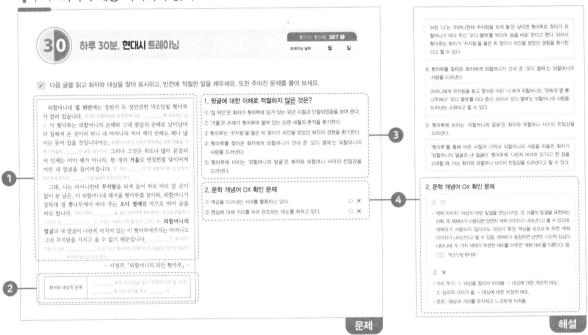

1. 지문의 내용을 이해하는 과정을 보여 주는 '사고의 흐름'의 빈칸을 채워 보자. 선택형으로 제시된 부분은 둘 중 옳은 설명에 표시하면 돼. 이때 시에서 말하고 있는 사람인 '화자'와 화자가 관심을 가지고 바라보고 있는 시적 '대상'을 찾아 지문에 표시하는 것도 잊지 마!

2. 지문에서 화자와 대상을 파악했다면, 이를 토대로 '화자와 대상의 관계' 박스의 빈칸을 채우면서 둘 사이의 관계를 정리해 보자.

3. 1번 문제는 지문의 핵심에 대한 이해도를 점검할 수 있는 문항으로 구성했어. 지문에서 근거를 찾아 선지의 적절성 여부를 하나하나 판단하며 지문을 제대로 이해했는지를 확인하자.

4. 2번 문제는 작품의 표현상 특징에 대해 묻는 문항이야. 해설 책에 제시된 문학 개념어의 정의와 지문 속의 구체적인 근거를 확인해 보면서 필수적인 문학 개념어를 실전적으로 학습할 수 있어.

2주차　화자와 대상 파악하며 읽기 ➕ 선지 판단의 공식 익히기

<table>
<tr><td colspan="2" align="center">**선지 판단의 공식**</td></tr>
<tr>
<td>① 작품</td>
<td>'나'는 '다섯 물과, ＿＿＿＿＿＿＿'에 흩어진 철이('너')를 부름, '＿＿＿＿＿ 구름 밖'과 '하늘가'에 어디로 향해야 '＿＿와 마주 서는 게냐'고 묻고 있음</td>
</tr>
<tr>
<td colspan="2">**선지** ➡ '너'와의 거리에서 오는 '나'의 안타까움이 나타나 있다. ○ ✕</td>
</tr>
</table>

<table>
<tr>
<td>② 작품</td>
<td>'나'는 '어어이 어어이 ＿＿＿＿＿ 높여' '너'를 부르며 '너와 마주' 서고 싶어함</td>
</tr>
<tr>
<td colspan="2">**선지** ➡ '너'로 인해 떠올린 고향에 대한 '나'의 그리움이 드러나 있다. ○ ✕</td>
</tr>
</table>

2주차에서는 1주차와 마찬가지로 ❶ – ❷ – ❸ – ❹의 순서에 따라 빈칸을 채우고 문제를 푼 후, '선지 판단의 공식'을 통해 1번 문제의 선지를 다시 꼼꼼하게 분석해 보자. 각 선지의 판단 근거가 되는 내용을 지문에서 직접 확인하는 훈련을 통해 선지를 판단하는 바른 습관을 기를 수 있을 거야.

3주차　화자와 대상 파악하며 읽기 ➕ 〈보기〉 문제 선지 판단의 공식 익히기

<table>
<tr><td colspan="3" align="center">**〈보기〉 문제 선지 판단의 공식**</td></tr>
<tr>
<td>① 〈보기〉 나무의 변화는 ＿＿＿＿＿＿＿을 통해서 일어남</td>
<td>➕</td>
<td>작품 '＿＿＿＿＿＿＿＿＿＿ / 온 혼으로 애타면서 속으로 몸속으로 불타면서 / 버티면서 거부하면서', '밀고 간다, 막 밀고 올라간다'</td>
</tr>
<tr>
<td colspan="3">**선지** ➡ '이게 아닌데 이게 아닌데'는 나무가 변화를 지향하며 자기 부정을 하는 장면으로 볼 수 있다. ○ ✕</td>
</tr>
</table>

3주차에서는 〈보기〉가 포함된 문제의 선지 판단 공식을 배워볼 거야. 선지 판단의 근거가 되는 〈보기〉의 내용과 지문의 근거를 생각해보고, 이를 바탕으로 선지의 정오를 다시 한번 판단하면 돼.

4주차　화자와 대상 파악하며 읽기 ➕ 설명글의 핵심 내용 파악하기 ➕ 융합 문제 선지 판단의 공식 익히기

<table>
<tr><td colspan="3" align="center">**융합 문제 선지 판단의 공식**</td></tr>
<tr>
<td>① 설명글 시에서 반영은 역사와 ＿＿＿＿의 상황을 재현하는 것에 초점을 둠</td>
<td>➕</td>
<td>작품 (가): '섣달', '⑤앞내강 쨍쨍＿＿＿＿조이던＿＿에'</td>
</tr>
<tr>
<td colspan="3">**선지** ➡ ⑤: 극한의 추위를 드러내는 시간적 배경을 제시하여, 화자나 인물이 처한 상황을 드러내고 있다. ○ ✕</td>
</tr>
</table>

4주차에서는 설명글이 포함된 융합 지문에 대한 독해와 융합 문제 풀이 훈련을 해 볼 거야. 설명글을 읽고 '사고의 흐름'의 빈칸을 채우며 핵심 내용을 파악해 보자. 이후 '융합 문제 선지 판단의 공식'을 활용해 설명글의 관점을 바탕으로 선지를 꼼꼼하게 판단해 보면서 고난도 문제에 대한 선지 판단 능력을 기를 수 있어.

1

주차

1주차
학습 안내

　수능 국어 지문에 나온 현대시는 어떻게 읽어야 할까? 많은 학생들이 이를 완벽하게 해석해야 한다고 생각하지만, 사실은 오히려 그 반대에 가까워. 현대시 지문을 읽을 때에는 시에 나타난 사실 관계를 중심으로 핵심적인 내용을 파악한다고 생각하며 읽으면 돼. 이와 같은 필수적인 이해를 넘어선 해석은 우리가 하는 것이 아니라 선지에서 출제자가 하는 거야. 그럼 우리는 그 해석이 적절한지 판단을 하면 되는 거고! 즉 우리는 '최소한의 이해'를 목표로 삼고 현대시 지문을 읽으면 돼.

　'완벽한 해석'이 아닌 '최소한의 이해'를 위한 현대시 지문 독해는 화자와 대상, 그리고 그 둘 사이의 관계를 파악하는 것에서 시작하지. 따라서 1주차에서는 시에서 말하고 있는 사람인 화자와 화자가 관심을 갖고 있는 대상이 무엇인지를 찾아 정리해 보는 훈련을 할 거야. 화자를 찾을 때는 '나' 또는 '우리'와 같은 표현을 통해 작품 표면에 화자가 드러나 있는지를 확인하면 되는데, 그러한 표현이 없다면 화자가 작품의 표면에 드러나지 않고 숨어 있다는 사실만 이해하고 넘어가면 돼. 시적 대상은 자연물이나 사물처럼 눈에 보이는 구체적인 존재일 수도 있지만 사랑, 슬픔처럼 추상적인 요소일 수도 있으며, 화자 자신이 대상이 될 수도 있어. 화자와 대상을 파악했다면 화자가 대상에 대해 어떻게 생각하는지, 어떤 태도를 가지고 있는지를 확인하면서 끝까지 읽어나가면 돼. 이는 각 구절의 내용에 대한 이해 과정을 보여 주는 '사고의 흐름'과 '화자와 대상의 관계' 박스의 빈칸을 채우면서 자연스럽게 정리할 수 있을 거야.

　지문에 나타난 기본적인 사실관계를 모두 파악했다면 1번 문제를 풀며 자신의 이해가 적절했는지를 점검하고, 2번 문제를 통해서 필수적인 문학 개념어를 학습하자. 문제 풀이까지 모두 마쳤다면 해설 책을 참고하여 잘한 부분, 아쉬운 부분 등을 확인하여 정리해 두자.

✎ 다음 글을 읽고 화자와 대상을 찾아 표시하고, 빈칸에 적절한 말을 채우세요. 또한 주어진 문제를 풀어 보세요.

외할머니네 **집 뒤안**에는 장판지 두 장만큼한 먹오딧빛 툇마루가 깔려 있습니다. 화자는 외할머니네 집 뒤안에 있는 _____에 주목하고 있네. 이 툇마루는 외할머니의 손때와 그네 딸들의 손때로 날이날마닥 칠해져 온 것이라 하니 내 어머니의 처녀 때의 손때도 꽤나 많이는 묻어 있을 것입니다마는, 외할머니네 집 뒤안의 툇마루는 오랜 세월을 거쳐 가족들의 _____가 묻은 공간이야. 그러나 그것은 하도나 많이 문질러서 인제는 이미 때가 아니라, 한 개의 **거울**로 번질번질 닦이어져 어린 내 얼굴을 들이비칩니다. 한 개의 _____이 된 외할머니네 집 뒤안의 툇마루에 화자의 _____ 시절 얼굴이 비친다고 하네.

그래, 나는 어머니한테 **꾸지람**을 되게 들어 따로 어디 갈 곳이 없이 된 날은, 이 외할머니네 때거울 툇마루를 찾아와, 외할머니가 장독대 옆 뽕나무에서 따다 주는 **오디 열매**를 약으로 먹어 숨을 바로 합니다. 어머니한테 _____을 들은 화자에게 툇마루라는 공간과 외할머니가 따다 준 _____는 위로가 되어 주겠지. **외할머니의 얼굴과 내 얼굴**이 나란히 비치어 있는 이 툇마루에까지는 어머니도 그네 꾸지람을 가지고 올 수 없기 때문입니다. _____의 꾸지람이 미칠 수 없는 _____의 집 뒤안 툇마루에 외할머니의 얼굴과 자신의 얼굴이 _____ 비치어 있다고 하고 있어.

– 서정주, 「외할머니의 뒤안 툇마루」 –

| 화자와 대상의 관계 | _____에게 꾸지람을 듣고 외할머니네 집 뒤안 |
| | _____에 가서 위안을 얻는 _____ '나' |

1. 윗글에 대한 이해로 적절하지 않은 것은?

① '집 뒤안'은 화자가 툇마루에 담겨 있는 유년 시절과 단절되었음을 보여 준다.

② '거울'은 손때가 툇마루에 쌓여 있는 오랜 세월의 흔적을 환기한다.

③ 툇마루는 '꾸지람'을 들은 뒤 찾아가 위안을 얻었던 화자의 경험을 환기한다.

④ 툇마루를 찾아온 화자에게 외할머니가 건네 준 '오디 열매'는 외할머니의 사랑을 드러낸다.

⑤ 툇마루에 비치는 '외할머니의 얼굴'은 화자와 외할머니 사이의 친밀감을 드러낸다.

2. 문학 개념어 OX 확인 문제

① 색감을 드러내는 시어를 활용하고 있다.　　　　　　　○ ✗

② 현실에 대해 거리를 두어 관조하는 태도를 취하고 있다.　　○ ✗

✏️ 다음 글을 읽고 화자와 대상을 찾아 표시하고, 빈칸에 적절한 말을 채우세요. 또한 주어진 문제를 풀어 보세요.

가야 할 때가 언제인가를
㉠분명히 알고 가는 이의
뒷모습은 얼마나 아름다운가. 화자는 ＿＿＿＿＿＿＿가 언제인지 분명히
알고 떠날 줄 아는 이를 ＿＿＿＿＿＿고 하네.

봄 한철
㉡격정을 인내한
나의 사랑은 지고 있다. 화자가 '나'로 나타냈네! 시의 제목인 ＿＿＿＿를 고려
하면 '나'는 자신의 사랑을 꽃으로 비유하여 사랑이 ＿＿＿＿＿＿＿＿고 표현하고 있어.

분분한 낙화……
결별이 이룩하는 축복에 싸여
지금은 가야 할 때, 사랑이 지고 있다는 것은 ＿＿＿＿을 말한 거였네! 결별이
＿＿＿＿＿＿＿을 이룩한다고 했으니, 화자는 결별을 (긍정적/부정적)으로 받아들이고 있다고 볼 수
있겠지?

㉢무성한 녹음과 그리고
㉣머지않아 열매 맺는
가을을 향하여

나의 청춘은 꽃답게 죽는다. 무성한 ＿＿＿＿이 있는 여름을 지나 ＿＿＿＿를
맺는 가을을 맞이하듯 '나'의 청춘도 ＿＿＿＿＿＿ 죽는다고 하네.

헤어지자
섬세한 손길을 흔들며
하롱하롱 꽃잎이 지는 어느 날

나의 사랑, 나의 결별,
㉤샘터에 물 고이듯 성숙하는
내 영혼의 슬픈 눈. 이별의 슬픔을 통해 '나'는 ＿＿＿＿할 수 있다고 생각하고
있어.

– 이형기, 「낙화」 –

화자와 대상의 관계	＿＿＿＿를 보고 사랑과 ＿＿＿＿의 진정한 의미를 깨달으며 ＿＿＿＿하는 '나'

1. ㉠～㉤에 대한 이해로 가장 적절한 것은?

① ㉠은 이별에 직면한 화자가 겪고 있는 내적인 방황을 드러내고 있다.

② ㉡은 이별을 감내하면서도 지나간 사랑에 연연해 하고 있는 화자의 회한을 드러내고 있다.

③ ㉢은 이별의 고통으로 인하여 삶의 목표를 상실하고 번민에 가득 차 있는 화자의 상황을 표현하고 있다.

④ ㉣은 이별의 경험이 내적 충만으로 이어지리라는 화자의 기대감을 계절의 의미에 빗대어 표현하고 있다.

⑤ ㉤은 이별로 인한 상실감을 잊고 과거의 삶으로 회귀하는 화자의 태도를 표현하고 있다.

2. 문학 개념어 OX 확인 문제

① 영탄과 독백의 어조가 드러나고 있다.   ○ ✕

② 하강적 이미지가 나타나고 있다.   ○ ✕

✎ 다음 글을 읽고 화자와 대상을 찾아 표시하고, 빈칸에 적절한 말을 채우세요. 또한 주어진 문제를 풀어 보세요.

나의 지식이 독한 회의를 구하지 못하고
내 또한 삶의 애증을 다 짐지지 못하여 '나'는 자신의 지식으로는 삶에 대한 _____를 해결하지 못한다고 생각하고, 삶의 _____(사랑과 미움)으로 인해 고뇌하고 있어.
㉠병든 나무처럼 생명이 부대낄 때
저 머나먼 아라비아의 사막으로 나는 가자 이러한 회의와 애증으로 인해 마치 _____처럼 괴로울 때 화자는 머나먼 _____으로 가겠다고 해.

거기는 한번 뜬 백일(白日)이 불사신같이 작열하고 아라비아의 사막은 _____(빛나는 해)이 끊임없이 타오르는 곳인가 봐.
일체가 모래 속에 사멸한 ㉡영겁의 허적(虛寂)*에
오직 알라의 신만이
밤마다 고민하고 방황하는 열사(熱沙)의 끝 어떤 생명도 살 수 없는 뜨거운 사막의 모습이 떠오르지? 그곳에서는 오직 _____만이 밤마다 _____하고 방황한다고 하네.

그 ㉢열렬한 고독 가운데
옷자락을 나부끼고 호올로 서면
운명처럼 반드시 '나'와 대면케 될지니 화자는 운명처럼 반드시 _____와 대면할 것이라고 하네. 이때의 '나'는 앞에서 _____으로 가자고 한 '나'와는 다른, 극한의 공간에서 열렬한 _____을 겪는 자아를 의미할 거야.
하여 '나'란 나의 생명이란 '나'는 곧 나의 _____이네. 그러니까 화자는 아라비아의 사막에서 본질적 자아인 '나'와 대면하려는 것이겠네!
그 ㉣원시의 본연한 자태를 다시 배우지 못하거든
차라리 나는 어느 사구(沙丘)에 ㉤회한(悔恨) 없는 백골을 쪼이리라 화자는 원시의 _____한 자태 즉, 생명의 본질을 찾지 못한다면 차라리 죽음을 택하겠다는 비장한 의지를 보이고 있어.

– 유치환, 「생명의 서 · 일장(一章)」 –

*허적: 아무것도 없이 적막함.

화자와 대상의 관계	_____의 본질을 발견하고자 하는 '나'

1. 윗글의 '나'와 ㉠~㉤의 관련성을 이해한 내용으로 적절하지 않은 것은?

① ㉠은 화자가 극복해야 할 자신의 모습을 빗대어 표현한 것으로, '나'와는 대비되는 표상이다.

② ㉡은 어떤 것도 존재하지 못하는 극한 상태로, 화자가 '나'와 대면할 수 있는 조건에 해당한다.

③ ㉢은 절대적 고독을 나타낸 것으로, 화자가 그 절대적 고독에서 벗어남으로써 '나'에 도달할 수 있음을 알려 준다.

④ ㉣은 생명이 본래적으로 존재하는 모습을 가리키는 것으로, '나'가 원시적 생명력을 지닌 존재임을 보여 준다.

⑤ ㉤은 죽음에 대한 화자의 태도를 드러내는 것으로, '나'를 통해 생명을 회복하려는 화자의 의지를 담아낸 표현이다.

2. 문학 개념어 OX 확인 문제

① 계절을 드러내는 시어를 사용하여 분위기를 조성한다.   ○ ✕

② 시적 공간의 탈속성을 내세워 이상향에 대한 화자의 동경을 드러낸다.   ○ ✕

✏️ 다음 글을 읽고 화자와 대상을 찾아 표시하고, 빈칸에 적절한 말을 채우세요. 또한 주어진 문제를 풀어 보세요.

접동
접동
아우래비 접동   접동새의 울음소리를 ＿＿＿＿＿＿＿(아홉 오라비)와 연결하고 있어.

┌   진두강 가람 가에 살던 누나는
│   진두강 앞마을에
│   와서 웁니다.   화자는 접동새의 울음소리를 들으면서 이를 ＿＿＿＿의 울음
│   소리라고 생각하나 봐.
│
│   옛날, 우리나라
│   먼 뒤쪽의
[A] 진두강 가람 가에 살던 누나는
│   의붓어미 시샘에 죽었습니다   ＿＿＿＿＿＿＿의 시샘을 받다 죽은
│   누나의 사연이 나오네.
│
│   누나라고 불러 보랴
│   오오 불설워
│   시새움에 몸이 죽은 우리 누나는
└   죽어서 접동새가 되었습니다   화자는 누나가 죽어서 ＿＿＿＿＿가
    되었다고 하며 ＿＿＿＿＿하고 있어.

아홉이나 남아 되던 오랩동생을
죽어서도 못 잊어 차마 못 잊어
야삼경(夜三更) 남 다 자는 밤이 깊으면
이 산 저 산 옮아가며 슬피 웁니다.   화자는 깊은 ＿＿＿ 접동새 울음소리를
들으며 죽은 누나가 동생들을 못 ＿＿＿＿＿ 슬피 우는 것이라고 표현하고 있어. 누나의 죽음을
안타까워하며 그리움을 느끼는 화자의 심정을 엿볼 수 있지.

― 김소월, 「접동새」 ―

화자와 대상의 관계	＿＿＿＿＿＿의 울음소리를 들으며 ＿＿＿＿＿＿＿를 그리워하는 사람(남동생)

---

1. [A]에 대한 이해로 적절하지 않은 것은?

① 2연에서 '누나'의 울음은 '누나'의 이야기를 떠오르게 한다.

② 2연에서 3연으로 전개되면서 '누나'에 대한 화자의 태도가 부정적으로 변화하고 있다.

③ 3연에서는 2연의 '누나'와 관련된 사연이 제시되고 있다.

④ 4연에서는 '누나'에 대한 화자의 정서가 직설적으로 제시되고 있다.

⑤ 4연에서는 '우리'라는 시어를 통해 화자와 '누나'의 관계가 강조되고 있다.

2. 문학 개념어 OX 확인 문제

① 애상적 어조를 통해 비극적 분위기를 드러내고 있다.   ○ ✕

② 구체적 지명을 활용하여 향토적 정서를 환기하고 있다.   ○ ✕

✏️ 다음 글을 읽고 화자와 대상을 찾아 표시하고, 빈칸에 적절한 말을 채우세요. 또한 주어진 문제를 풀어 보세요.

차디찬 아침인데
묘향산행 승합자동차는 텅 하니 비어서
㉠나이 어린 계집아이 하나가 오른다   화자는 추운 _____, 묘향산행 승합
자동차에 오르는 나이 어린 _____에게 주목하고 있어.
옛말속같이 진진초록 새 저고리를 입고
㉡손잔등이 밭고랑처럼 몹시도 터졌다   계집아이는 진진초록 _____
를 입고 있지만 _____은 몹시 터져 있네. 아마도 계집아이는 어린 나이임에도 고된
삶을 살고 있나 봐.
계집아이는 자성(慈城)으로 간다고 하는데
㉢자성은 예서 삼백오십 리 묘향산 백오십 리
묘향산 어디메서 삼촌이 산다고 한다   계집아이는 _____이 사는 곳을
찾아 먼 길을 떠나려는 중인가 봐.
㉣새하얗게 얼은 자동차 유리창 밖에
내지인 주재소장 같은 어른과 어린아이 둘이 내임*을 낸다
계집아이는 운다 느끼며 운다   _____(일본인)으로 보이는 사람들이 계집
아이를 _____하고, 계집아이는 차 안에서 _____ 있네.
㉤텅 비인 차 안 한구석에서 어느 한 사람도 눈을 씻는다   어느 한
사람도 울고 있는 계집아이의 슬픔에 공감하며 눈을 _____ 있어.
계집아이는 몇 해고 내지인 주재소장 집에서
밥을 짓고 걸레를 치고 아이보개를 하면서
이렇게 추운 아침에도 손이 꽁꽁 얼어서
찬물에 걸레를 쳤을 것이다   화자는 계집아이가 내지인 주재소장의 집에서 ___을
짓고, _____를 돌보고, 청소와 빨래를 하며 고된 삶을 살았을 것이라고 추측하고 있어.

– 백석, 「팔원(八院) – 서행시초(西行詩抄) 3」 –

*내임: 냄. '배웅'의 평안 방언.

화자와 대상의 관계	승합자동차에 타는 나이 어린 _____를 보고 있는 사람

1. ㉠~㉤에 대한 이해로 적절하지 않은 것은?

① ㉠에서 '어린', '하나'는 화자가 계집아이에게 주목하게 된 계기를 나타낸다.

② ㉡에서 '밭고랑'에 비유된 '손잔등'은 계집아이의 고달픈 삶을 드러낸다.

③ ㉢에서 '삼백오십 리', '백오십 리'는 계집아이의 여정이 고단할 것임을 나타낸다.

④ ㉣에서 '유리창 밖'은 안과 대비되어 육친과 이별하는 계집아이의 슬픔을 강조한다.

⑤ ㉤에서 '눈을 씻는다'는 계집아이에 대한 연민의 정서를 드러낸다.

2. 문학 개념어 OX 확인 문제

① 인간과 자연을 대비하여 주제 의식을 부각하고 있다.   ○ ✕

② 일상적 삶에 대한 반성을 역설적으로 드러내고 있다.   ○ ✕

✏️ 다음 글을 읽고 화자와 대상을 찾아 표시하고, 빈칸에 적절한 말을 채우세요. 또한 주어진 문제를 풀어 보세요.

산 너머 고운 노을을 보려고
그네를 힘차게 차고 올라 발을 굴렀지
노을은 끝내 어둠에게 잡아먹혔지   화자는 고운 _____을 보려고 그네를 탔어.
그러나 노을은 _____에 먹혀 사라지고 볼 수 없게 되었지.
나를 태우고 날아가던 그넷줄이
오랫동안 삐걱삐걱 떨고 있었어   화자는 노을을 보고 싶었던 소망이 좌절된
상황을 _____이 떨고 있는 모습으로 표현하고 있어.

어릴 때는 나비를 좇듯
아름다움에 취해 땅끝을 찾아갔지   어린 시절의 '나'는 _____을
좇아 땅끝에 찾아갔다고 했으니, 이때의 _____은 화자가 추구하던 이상적이고 아름다운
공간을 의미하겠네.
그건 아마도 끝이 아니었을지도 몰라
그러나 살면서 몇 번은 땅끝에 서게도 되지
파도가 끊임없이 땅을 먹어 들어오는 막바지에서
이렇게 뒷걸음질치면서 말야   그러나 화자가 인생을 살면서 서게 된 땅끝은 이상
적인 공간이 아니라, _____가 치는 위태로운 상황에서 마주한 공간이었대.

살기 위해서는 이제
뒷걸음질만이 허락된 것이라고
파도가 아가리를 쳐들고 달려드는 곳
찾아나선 것도 아니었지만
끝내 발 디디며 서 있는 땅의 끝   화자가 원한 것도 아닌데, 살기 위해 _____
_____을 치다 보니 땅의 ___에 서 있게 되었나 봐.
그런데 이상하기도 하지
위태로움 속에 아름다움이 스며 있다는 것이   그런데 화자는 _____로운
땅끝에서 오히려 _____을 발견하기 시작해.
땅끝은 늘 젖어 있다는 것이   땅끝은 육지의 끝이면서 바다가 시작되는 경계이기
때문에 메마르지 않고 늘 _____ 있지. 이것이 바로 위태로운 땅끝에서 찾은 아름다움,
즉 절망적 상황에서 발견해낸 희망이라고 화자는 말하고 있는 거야.
그걸 보려고
또 몇 번은 여기에 이르리라는 것이   그래서 화자는 절망 속에서도 _____을
발견할 수 있는 _____에 앞으로도 몇 번은 이르게 될 것이라고 생각하고 있네.
– 나희덕, 「땅끝」 –

화자와 대상의 관계	_____ 속에서도 _____과 희망을 발견할 수 있는 _____에 대해 이야기하는 '나'

1. 윗글에 대한 이해로 가장 적절한 것은?

① '아름다움에 취해 땅끝을 찾아갔지'는 어린 시절에 겪었던 삶의 좌절을 표현한 것이다.

② '그러나 살면서 몇 번은 땅끝에 서게도 되지'는 삶의 어려움을 극복하고 얻는 보람을 표현한 것이다.

③ '파도가 끊임없이 땅을 먹어 들어오는 막바지에서'는 삶의 시련과 이를 극복한 성취감을 표현한 것이다.

④ '뒷걸음질만이 허락된 것이라고'는 삶의 시련을 이겨 내려는 의지를 표현한 것이다.

⑤ '위태로움 속에 아름다움이 스며 있다는 것이'는 삶의 고통 속에서 깨달은 삶의 아름다움을 표현한 것이다.

2. 문학 개념어 OX 확인 문제

① 화자는 자신의 삶에 부끄러움을 느끼며 성찰하고 있다.   ○ ✕

② 도치를 통해 주제 의식을 효과적으로 드러내고 있다.   ○ ✕

✎ 다음 글을 읽고 화자와 대상을 찾아 표시하고, 빈칸에 적절한 말을 채우세요. 또한 주어진 문제를 풀어 보세요.

새터 관전이네 머슴 대길이는
상머슴으로

화자는 _____(일을 잘하는 장정 머슴)인 _____에 대해 이야기하네.

누룩도야지 한 마리 번쩍 들어
도야지우리에 넘겼지요
그야말로 도야지 멱따는 소리까지도 후딱 넘겼지요

대길이는 _____ 한 마리를 번쩍 들 정도로 ____이 센 인물이야.

밥때 늦어도 투덜댈 줄 통 모르고
이른 아침 동네길 이슬도 털고 잘도 치워 훤히 가르마 났지요

또한 _____대는 일도 없고 이른 아침부터 _____을 치우는 부지런하고 배려심이
깊은 사람이지.

그러나 낮보다 어둠에 빛나는 먹눈이었지요
머슴방 등잔불 아래
나는 대길이 아저씨한테 가갸거겨 배웠지요
그리하여 장화홍련전을 주룩주룩 비 오듯 읽었지요
어린아이 세상에 눈떴지요 ·· ㉠
일제 36년 지나간 뒤 가갸거겨 아는 놈은 나밖에 없었지요

대길이는 _____이었지만 총명한 인물이었어. '나'는 대길이 덕분에 _____ 치하에서도
_____을 깨우칠 수 있었어.

대길이 아저씨한테는
주인도 동네 어른들도 함부로 대하지 못하였지요   ㉡

대길이의 신분이 비록 머슴이었지만 사람들은 대길이를 _____ 대하지 못했어.

살구꽃 핀 마을 뒷산 올라가서
홑적삼 처녀 따위에는 눈요기도 안하고
지겟작대기 뉘어놓고 먼 데 바다를 바라보았지요 ················ ㉢

대길이는 이성에 대한 관심은 없고, _____와 같이 넓은 세상을 동경했나 봐.

나도 따라 바라보았지요
우르르르 달려가는 바다 울음소리 들리는 듯하였지요
찬 겨울 눈더미 가운데서도
덜렁 겨드랑이에 바람 잘도 드나들었지요
그가 말했지요
사람이 너무 호강하면 저밖에 모른단다   ㉣
남하고 사는 세상이란다

대길이는 ___밖에 모르는 이기적인 삶의 태도를 경계하고, ___하고 더불어 사는 삶을 중요
하게 생각했어.

대길이 아저씨
그는 나에게 불빛이었지요   ㉤
자다 깨어도 그대로 켜져서 밤새우는 긴 불빛이었지요

대길이는 '나'에게 바람직한 가치관과 삶의 방향을 일깨워준 _____과도 같은 존재야.

– 고은, 「머슴 대길이」 –

화자와 대상의 관계	삶의 스승이었던 _____를 떠올리는 '나'

1. ㉠~㉤에 대해 이해한 내용으로 적절하지 않은 것은?

① ㉠: '대길이 아저씨'에게 한글을 배워 세상에 대해 알아 갈 수 있는 눈을
갖게 되었음을 보여 준다.

② ㉡: '대길이 아저씨'가 낮은 신분임에도 불구하고 그를 존중하는 태도가
공동체 내부에 형성되어 있었음을 보여 준다.

③ ㉢: '대길이 아저씨'가 현실 세계에 대한 대안의 공간으로 순수한 자연의
세계를 동경하고 있었음을 보여 준다.

④ ㉣: 이기적인 삶을 멀리하고자 했던 '대길이 아저씨'의 가치관이 화자에게도
전달되었음을 보여 준다.

⑤ ㉤: '대길이 아저씨'가 화자에게 특별한 존재로 남아 변함없이 화자의 삶을
이끌어주었음을 보여 준다.

2. 문학 개념어 OX 확인 문제

① 과거를 회상하는 화자의 목소리가 드러나 있다.   ○ ✕

② 화자가 소망하는 가상의 상황을 제시하고 있다.   ○ ✕

다음 글을 읽고 화자와 대상을 찾아 표시하고, 빈칸에 적절한 말을 채우세요. 또한 주어진 문제를 풀어 보세요.

저물어 오는 육교 우에
한 줄기 황망한 기적을 뿌리고
초록색 램프를 달은 화물차가 지나간다 　해가 _____ 가는 늦은 오후에
_____가 경적 소리를 울리면서 육교 밑을 지나가고 있어.

어두운 밀물 우에 갈매기떼 우짖는
바다 가까이
정거장도 주막집도 헐어진 나무다리도
온-겨울 눈 속에 파묻혀 잠드는 **고향**　화자는 _____ 가까이에 있는 어둡고
적막한 _____의 풍경을 떠올리고 있어.

산도 마을도 포플라 나무도 고개 숙인 채
호젓한* 낮과 밤을 맞이하고
그 곳에
언제 꺼질지 모르는
조그만 생활의 촛불을 에워싸고
해마다 가난해가는 **고향 사람들**　화자가 떠올리는 고향은 _____하고 외로운
이미지로 나타나고 있어. 그리고 화자는 그곳에서 _____하게 살아가는 고향 사람들도
생각하고 있네.

낡은 비오롱*처럼
바람이 부는 날은 **서러운 고향**　화자는 고향을 떠올리며 _____을 느껴.
고향 사람들의 한 줌 희망도
진달래빛 노을과 함께
한 번 가고는 다시 못 오기　고향 사람들은 곧 사라져 버리는 _____처럼
한 줌의 _____조차 지속하기 어려운 상황에 있어.

저무는 도시의 옥상에 기대어 서서
내 생각하고 **눈물지움**도
한 떨기 들국화처럼 차고 서글프다　화자는 저무는 _____의 옥상에서
_____을 생각하며 _____짓고 서글퍼하고 있네.

– 김광균, 「향수」 –

*호젓한: 쓸쓸하고 외로운.
*비오롱: 바이올린.

화자와 대상의 관계	_____과 고향 _____을 떠올리며 서글퍼하는 '나'

1. 윗글에 대한 이해로 적절하지 <u>않은</u> 것은?

① '호젓한', '서러운'을 통해 고향에 대한 화자의 심정이 노출되고 있다.

② '한 줄기 황망한 기적'과 '낡은 비오롱'은 고향에 대한 화자의 연민의 정서를 환기하고 있다.

③ '한 떨기 들국화처럼 차고 서글프다'에는 '눈물지'을 수밖에 없는 화자의 비애감이 집약되어 있다.

④ '언제 꺼질지 모르는 / 조그만 생활의 촛불'을 통해 '고향 사람들'의 힘겨운 삶의 모습을 나타내고 있다.

⑤ '저무는 도시의 옥상'은 화자의 현재 위치를 드러내는 시공간적 배경으로 어둡고 쓸쓸한 분위기를 조성하고 있다.

2. 문학 개념어 OX 확인 문제

① 음성 상징어를 사용하여 대상에 대한 인상을 나타내고 있다.　　○ ✕

② 유사한 시구를 점층적으로 확장하여 시적 의미를 강조하고 있다.　　○ ✕

✏️ 다음 글을 읽고 화자와 대상을 찾아 표시하고, 빈칸에 적절한 말을 채우세요. 또한 주어진 문제를 풀어 보세요.

알룩조개에 입맞추며 자랐나
눈이 바다처럼 푸를뿐더러 까무스레한 네 얼굴
가시내야   알룩조개와 _____의 이미지를 활용하여 _____의 외양을 감각적
으로 묘사하며 가시내를 부르고 있어.

나는 발을 얼구며
무쇠다리를 건너온 함경도 사내   화자인 '___'는 ___이 얼어붙는 추위를
헤치며 무쇠다리를 건너온 _____로 제시되고 있네.

바람소리도 호개도 인전 무섭지 않다만
어두운 등불 밑 안개처럼 자욱한 시름을 달게 마시련다만   이제는
_____도 호개도 무섭지 않고 _____도 달게 마신다고 하네. 화자는 고달픈
삶을 묵묵히 받아들이고 있는 거야.

어디서 흥참한 기별이 뛰어들 것만 같애
두터운 벽도 이웃도 못 미더운 ⊙북간도 술막   전라도에서 온 가시내와
함경도에서 온 '나'는 분위기가 흉흉한 _____의 한 술집에서 서로 마주하고 있는
상황인가 봐.

온갖 방자의 말을 품고 왔다
눈포래를 뚫고 왔다
가시내야   눈포래를 뚫고 온 '나'가 가시내를 또 불러 보네.
너의 가슴 그늘진 숲속을 기어간 오솔길을 나는 헤매이자
술을 부어 남실남실 술을 따르어
ⓒ가난한 이야기에 고히 잠거다오   '나'는 _____ 숲속과도 같이 어두운
삶을 살아온 가시내의 _____ 이야기를 듣고 있어.

네 두만강을 건너왔다는 석 달 전이면
단풍이 물들어 천리 천리 또 천리 산마다 불탔을 겐데
그래두 외로워서 슬퍼서 초마폭으로 얼굴을 가렸더냐   석 달 전
_____을 건너 북간도로 온 가시내는 고향을 떠나는 길이었기 때문에 단풍이 물든
풍경을 봐도 _____고 슬펐을 거야.
두 낮 두 밤을 ⓒ두루미처럼 울어 울어
불술기 구름 속을 달리는 양 유리창이 흐리더냐   불술기(기차)를 타고
고향을 떠나오면서 가시내는 _____처럼 밤낮으로 울었을 거야.

차알삭 부서지는 파도소리에 취한 듯
때로 ⓔ싸늘한 웃음이 소리 없이 새기는 보조개
가시내야   아마도 고향에서 들었을 _____를 떠올리며 _____
울 짓는 가시내를 화자는 다시 불러보고 있어.
울 듯 울 듯 울지 않는 전라도 가시내야
두어 마디 너의 사투리로 때 아닌 봄을 불러줄게   화자는 전라도 가시내
에게 연민을 느끼며 전라도 _____로 위로를 건네려 하고 있어.
손때 수줍은 분홍 댕기 휘 휘 날리며
잠깐 ⓜ너의 나라로 돌아가거라   화자는 전라도 가시내가 잠깐이라도 너의 나라,
즉 _____을 느낄 수 있기를 바라고 있어.

이윽고 얼음길이 밝으면
나는 눈포래 휘감아치는 벌판에 우줄우줄 나설 게다

노래도 없이 사라질 게다
자욱도 없이 사라질 게다   화자는 _____과 눈포래 같은 암담한 현실 속에
서도 굴하지 않고 _____에 우줄우줄 나서겠다며 비장한 의지를 보이고 있어.

– 이용악, 「전라도 가시내」 –

화자와 대상의 관계	북간도에서 만난 _____를 위로하며 암담한 _____에 맞서고자 하는 _____를 드러내는 '나'

1. ⊙~ⓜ에 대한 이해로 적절하지 않은 것은?

① ⊙: 가시내가 함경도 사내와 함께 있는 공간으로 두렵고 불안한 상황임을 나타낸다.

② ⓒ: 가시내의 고통스럽고 힘들었던 삶을 나타낸다.

③ ⓒ: 가시내가 고국을 떠나야 했던 슬픔을 나타낸다.

④ ⓔ: 가시내가 함경도 사내에게 느끼는 연민의 정서를 나타낸다.

⑤ ⓜ: 가시내가 위로를 받을 수 있는 추억의 공간을 나타낸다.

2. 문학 개념어 OX 확인 문제

① 역설적 표현을 사용하여 주제를 부각하고 있다.   ○ ✕

② 시상의 반전을 통해 화자의 정서를 심화하고 있다.   ○ ✕

✏️ 다음 글을 읽고 화자와 대상을 찾아 표시하고, 빈칸에 적절한 말을 채우세요. 또한 주어진 문제를 풀어 보세요.

진주 장터 생어물전에는
바다 밑이 깔리는 해 다 진 어스름을, _____은 생선을 파는
가게야. ___가 지고 어두워진 바다 근처 진주 _____의 풍경을 보여 주고 있어.

울엄매의 장사 끝에 남은 고기 몇 마리의   생어물전은 _____가
장사를 하는 일터인가 봐.
빛 발(發)하는 눈깔들이 속절없이
은전(銀錢)만큼 손 안 닿는 한(恨)이던가.
울엄매야 울엄매,   울엄매는 _____를 미처 다 팔지 못하고 장사를 마쳤어. _____
에 손이 닿지 않는 가난한 삶이 ___스러웠을 거야.

별밭은 또 그리 멀리
우리 오누이의 머리 맞댄 골방 안 되어
손시리게 떨던가 손시리게 떨던가.   오누이는 _____에서 추위에 떨며
장사하러 간 어머니를 기다렸나 봐.

진주 남강 맑다 해도
오명 가명
신새벽이나 밤빛에 보는 것을,   어머니는 가족들의 생계를 책임지느라 _____
일찍 나가서 ___ 늦게야 돌아오는 고단한 삶을 살았어.
울엄매의 마음은 어떠했을꼬.
㉠달빛 받은 옹기전의 옹기들같이
말없이 글썽이고 반짝이던 것인가.   화자는 힘겨운 삶을 살아온 울엄매의 한스
러운 _____과 울엄매가 흘렸을 _____을 생각하고 있어.

— 박재삼, 「추억에서」 —

화자와 대상의 관계	_____했던 어린 시절을 떠올리며 고달픈 삶을 살았던 어머니의 ___과 눈물을 생각하는 '나'(우리)

1. ㉠에 대한 이해로 가장 적절한 것은?

① 화자는 달빛을 보며 현실을 도피하고자 했던 어머니의 의지를 연상하고 있다.

② 화자는 달빛이 반사되어 반짝이는 옹기에서 어머니의 눈물을 연상하며 어머니의 한을 떠올리고 있다.

③ 화자는 옹기처럼 반짝이는 아이들의 눈을 보면서 삶의 희망을 잃지 않았던 어머니의 모습을 추억하고 있다.

④ 화자는 옹기전의 옹기들이 달빛에 반짝이는 아름다운 장면을 통해 어머니와의 즐거웠던 추억을 떠올리며 행복감에 젖어 있다.

⑤ 화자는 달빛 받은 옹기들을 보며 생계를 위해 밤늦게까지 옹기전에서 일할 수밖에 없었던 어머니의 고통스런 삶을 안쓰러워하고 있다.

2. 문학 개념어 OX 확인 문제

① 과거와 미래의 대조를 통해 시적 상황을 강조하고 있다.   ○ ✗

② 수미상관을 통해 구조적 안정감을 주고 있다.   ○ ✗

다음 글을 읽고 화자와 대상을 찾아 표시하고, 빈칸에 적절한 말을 채우세요. 또한 주어진 문제를 풀어 보세요.

집도 많은 집도 많은 남대문턱 움 속에서 두 손 오구려 혹혹 입김 불며 이따금씩 쳐다보는 하늘이사 아마 하늘이기 혼자만 곱구나   화자는 제대로 된 집이 아닌 ___ 속에서 두 손에 _____을 불어 추위를 견디며 살고 있어. 이런 비참한 현실과 **(같이/달리)** 이따금씩 쳐다본 _____은 곱기만 하지. 부정적 현실과 아름다운 자연의 모습이 대비되고 있네.

거북네는 만주서 왔단다 두터운 얼음장과 거센 바람 속을 세월은 흘러 거북이는 만주서 나고 할배는 만주에 묻히고 세월이 무심찮아 봄을 본다고 쫓겨서 울면서 가던 길 돌아왔단다 _____는 두터운 얼음장과 _____ 바람 같은 고난과 시련의 세월을 겪었어. 그리고 쫓겨서 갔던 _____에서 다시 고국으로 돌아온 거지.

띠팡*을 떠날 때 강을 건늘 때 조선으로 돌아가면 빼앗겼던 땅에서 농사지으며 가 갸 거 겨 배운다더니 조선으로 돌아와도 집도 고향도 없고   거북네가 _____(고국)으로 돌아올 때는 잃었던 땅에서 _____를 짓고 _____도 배우며 살 수 있으리라는 희망이 있었어. 하지만 막상 돌아와 보니 ___도 없고 _____도 없대며.

거북이는 배추꼬리를 씹으며 달디달구나 배추꼬리를 씹으며 꺼무테테한 아배의 얼굴을 바라보면서 배추꼬리를 씹으며 거북이는 무엇을 생각하누   답답한 현실 속에서 _____는 배추꼬리를 씹으며 꺼무테테한 아버지의 얼굴을 보고 _____에 잠기지.

첫눈 이미 내리고 이윽고 새해가 온다는데 집도 많은 집도 많은 남대문턱 움 속에서 이따금씩 쳐다보는 하늘이사 아마 하늘이기 혼자만 곱구나   _____가 가까워 오지만 거북네가 처한 현실은 변함이 없어. 여전히 ___ 속에서 바라보는 하늘은 _____ 곱다고 하면서 1연의 내용이 _____되어 수미상관의 구조가 드러나고 있네.

— 이용악, 「하늘만 곱구나」 —

*띠팡: '장소'를 뜻하는 중국말. 여기서는 거북네가 유이민으로 생활하면서 경작하던 땅을 가리킴.

화자와 대상의 관계	추운 겨울 고운 _____을 바라보며 _____가 처한 **(비참한/희망적인)** 현실에 대해 이야기하는 사람

1. 윗글에 대한 이해로 적절하지 <u>않은</u> 것은?

① 1연에서는 고운 '하늘'과 '두 손을 오구려 혹혹 입김'을 부는 '움 속'의 상황이 대비를 이룬다.

② 2연에서 '두터운 얼음장과 거센 바람 속'의 세월은 거북네가 겪었을 시련을 짐작하게 한다.

③ 3연에서는 거북네가 고향에 돌아오면서 가졌던 기대와 돌아와서 직면한 현실 사이의 괴리가 드러난다.

④ 4연에서는 거북이와 아배의 행동이 번갈아 제시되면서 거북이의 내적 갈등이 드러난다.

⑤ 5연에서 '첫눈'이 내리고 '새해가 온다는데'도 '움 속'에서 보는 '하늘'이 '혼자만 곱'다는 것은 상황의 비극성을 부각한다.

2. 문학 개념어 OX 확인 문제

① 구체적인 지명을 활용하여 시적 상황을 형상화한다.   ○ ✕

② 유사한 시구를 반복하여 시적 의미를 강조한다.   ○ ✕

✏️ 다음 글을 읽고 화자와 대상을 찾아 표시하고, 빈칸에 적절한 말을 채우세요. 또한 주어진 문제를 풀어 보세요.

아베요 아베요
내 눈이 티눈*인 걸
아베도 알지러요. 화자는 자신이 까막눈임을 _____(아버지)에게 말하고 있어.
등잔불도 없는 제사상에
축문*이 당한기요. 화자는 돌아가신 아버지에게 말을 건네고 있는 거였네. 글을 읽을 줄도 모르고 제사상에 _____도 없을 만큼 가난한데 제대로 된 _____이 있기는 어렵겠지.

눌러 눌러
소금에 밥이나마 많이 묵고 가이소. 가난한 형편임에도 돌아가신 아버지를 위해 정성을 다하고자 하는 화자의 진심을 엿볼 수 있어.

⎡ 윤사월 보릿고개
│ 아베도 알지러요. _____이니 제사 음식을 마련하기는 더욱
│ 어려웠을 거야.
│ 간고등어 한 손이믄
[A]│ 아베 소원 풀어드리련만 제사상에 _____ 한 손 올리지 못한
│ 화자의 안타까움이 드러나지.
│ 저승길 배고프라요
⎣ 소금에 밥이나마 묵고 묵고 가이소. 저승길로 향하는 아버지에게 _____에 밥이라도 많이 드시고 가라며 정성을 다하고 있어.

⎡ 여보게 만술(萬述) 아비
│ 니 정성이 엄첩다*. 여기서 화자가 바뀌었네. 1연의 화자는 _____
│ _____였나 봐. 2연에서는 만술 아비가 정성으로 제사를 지내는 모습을 대견하게
│ 여기는 또 다른 화자가 등장했어.
[B]│ 이승 저승 다 다녀도
│ 인정보다 귀한 것 있을락꼬. _____이 가장 가치 있는 것이라는
│ 화자의 생각이 드러나네.
│ 망령(亡靈)도 응감(應感)하여, 되돌아가는 저승길에
⎣ 니 정성 느껴느껴 세상에는 굵은 밤이슬이 온다. 아버지의
   혼도 만술아비의 _____에 감동했다고 하네.

            – 박목월, 「만술(萬述) 아비의 축문(祝文)」 –

*티눈: 까막눈.
*축문: 제사 때에 읽어 천지신명(天地神明)께 고하는 글.
*엄첩다: '대견하다'의 경상도 방언.

화자와 대상의 관계	화자 1: 가난하지만 정성으로 돌아가신 _____의 제사상을 차리는 '나'(만술 아비) 화자 2: _____를 지켜보며 그의 _____을 높이 평가하는 사람

1. 윗글의 [A], [B]에 대한 설명으로 적절한 것은?

① [A]와 [B]에서 '저승길'을 가는 주체는 '만술 아비'이다.
② [A]의 '아베 소원'에 [B]의 '망령'도 응하여 감동하고 있다.
③ [A]의 '보릿고개'는 [B]의 '이승 저승'을 다 다니며 겪는 것이다.
④ [B]에서 '밤이슬'이 오는 것은 [A]의 '소금에 밥'을 바치는 마음 때문이다.
⑤ [B]에서 '엄첩다'고 한 것은 [A]에서 '간고등어 한 손'을 준비했기 때문이다.

2. 문학 개념어 OX 확인 문제

① 말을 건네는 방식을 활용하고 있다.   ○ ✕
② 원경에서 근경으로 시선을 이동하고 있다.   ○ ✕

✎ 다음 글을 읽고 화자와 대상을 찾아 표시하고, 빈칸에 적절한 말을 채우세요. 또한 주어진 문제를 풀어 보세요.

(가)

흙이 풀리는 내음새
강바람은
산짐승의 우는 소릴 불러
㉠다 녹지 않은 얼음장 울멍울멍 떠내려간다.   흙이 _____
냄새가 나는 것으로 보아 겨울에서 봄으로 계절이 바뀌고 있나 봐. 강바람에 산짐승의
_____ 소리가 실려 오고, _____은 울멍울멍 떠내려가고 있어.

진종일
나룻가에 서성거리다
행인의 손을 쥐면 따듯하리라.   화자는 하루 종일 _____에서 서성거
리고 있나 봐. 그러면서 행인의 손을 쥐면 느끼게 될 _____함에 대해 생각하고 있어.

고향 가차운 주막에 들러
㉡누구와 함께 지난날의 꿈을 이야기하랴.   고향 가까운 곳의 _____
에 들른 화자는 지난날의 _____을 함께 이야기할 사람이 없음에 안타까움을 느끼고 있어.

양귀비 끓여다 놓고
주인집 늙은이는 공연히 눈물짓는다.   _____가
공연히(까닭 없이) _____을 흘리고 있네. 고향 근처 주막의 쓸쓸하고 애상적인 분위
기가 잘 드러나고 있어.

간간이 잰나비 우는 산기슭에는
아직도 무덤 속에 조상이 잠자고
설레는 바람이 가랑잎을 휩쓸어간다.   _____의 무덤이 있는 산기슭의
풍경도 쓸쓸하고 적막한 분위기를 자아내고 있어.

예제로* 떠도는 장꾼들이여!
상고(商賈)하며 오가는 길에
㉢혹여나 보셨나이까.

전나무 우거진 마을
집집마다 누룩을 디디는 소리, 누룩이 뜨는 내음새……   화자는
여기저기로 떠도는 _____에게 전나무가 우거지고 집집마다 누룩 내음새가 나는
_____을 보았는지 물어보며 고향을 그리워하고 있어.

— 오장환, 「고향 앞에서」 —

*예제로: 여기저기로.

화자와 대상의 관계	나룻가와 _____에서 평화로운 고향의 모습을 떠올리며 _____하는 사람

(나)

　귀향이라는 말을 매우 어설퍼하며 마당에 들어서니 다리를 저는
오리 한 마리 유난히 허둥대며 두엄자리로 도망간다.   화자는 오랜만
에 고향에 돌아왔는지 _____이라는 말이 어설프다고 하네. ㉣나의 부모인 농부

내외와 그들의 딸이 사는 슬레이트 흙담집, 겨울 해어름의 ㉤집
안엔 아무도 없고 방바닥은 선뜩한 냉돌이다. _____ 저녁, 슬레이트
와 흙담으로 이루어진 허름한 고향집에 와 보니, 아무도 없고 방바닥은 차가운 _____
이었나 봐. 여덟 자 방구석엔 고구마 뒤주가 여전하며 벽에 메주가
매달려 서로 박치기한다.   여덟 자인 작은 방 안의 모습은 예전과 (같았나/달랐나) 봐.
허리 굽은 어머니는 냇가 빨래터에서 오셔서 콩깍지로 군불을 피우
고 동생은 면에 있는 중학교에서 돌아와 반가워한다.   고향에 돌아온
'나'를 위해 _____을 피우는 어머니와 나를 _____하는 동생의 모습에서 가족들
의 따뜻한 사랑을 느낄 수 있어. 닭똥으로 비료를 만드는 공장에 나가 일당
서울 광주 간 차비 정도를 버는 아버지는 한참 어두워서야 귀가해
장남의 절을 받고,   고향에 있는 가족들의 가난한 처지를 엿볼 수 있어. 가을에
이웃의 텃밭에 나갔다 팔매질당한 다리병신 오리를 잡는다.   고향에
돌아온 '나'를 위해 _____를 잡는 아버지의 모습에서도 가족의 _____을 느낄 수 있지.

— 최두석, 「낡은 집」 —

화자와 대상의 관계	낡고 허름한 _____에 돌아와 고된 삶을 사는 _____들에게 환대를 받는 '나'

1. ㉠~㉤에 대한 이해로 적절하지 않은 것은?

① ㉠: 계절이 바뀌면서 얼음이 풀리는 강변 풍경을 시각적으로 묘사하고 있다.

② ㉡: 꿈이 있던 시절을 함께 회상할 사람이 없는 아쉬움을 설의적으로 드러내고
있다.

③ ㉢: 이리저리 떠돌며 고향에 가지 못하는 장꾼들의 설움을 독백조로 토로하고
있다.

④ ㉣: 가족의 일원이면서도 자신의 가족을 객관화하여 지칭하고 있다.

⑤ ㉤: 썰렁한 집 안의 정경 묘사를 통해 화자가 느끼는 심정을 간접적으로 드러
내고 있다.

2. 문학 개념어 OX 확인 문제

① (나)는 향토적 소재를 활용하여 시적 상황을 환기하고 있다.　　　○ ✕

② (가)와 (나)는 현재형 시제를 사용하여 시적 상황을 표현한다.　　　○ ✕

✎ 다음 글을 읽고 화자와 대상을 찾아 표시하고, 빈칸에 적절한 말을 채우세요. 또한 주어진 문제를 풀어 보세요.

(가)

차례를 지내고 돌아온
구두 밑바닥에
고향의 저문 강물소리가 묻어 있다　차례를 지내기 위해 _____에 다녀온 화자는 구두 밑바닥에 고향의 _____가 묻어 있다고 하네.

겨울보리 파랗게 꽂힌 강둑에서
살얼음만 몇 발자국 밟고 왔는데
쑥골 상엿집 흰 눈 속을 넘을 때도
골목 앞 보세점 흐린 불빛 아래서도
찰랑찰랑 강물소리가 들린다　화자가 고향에 다녀온 건 추운 _____의 일이었구나.

내 귀는 얼어
한 소절도 듣지 못한 강물소리를
구두 혼자 어떻게 듣고 왔을까　화자는 듣지 못한 강물소리를 _____는 들었다고 하네. 집으로 돌아와서 _____를 통해 다시금 _____을 떠올리고 있는 거겠지?

구두는 지금 황혼
뒤축의 꿈이 몇 번 수습되고　구두가 오래되어 _____을 몇 번 수선했다는 의미야.

지난 가을 터진 가슴의 어둠 새로
누군가의 살아 있는 오늘의 부끄러운 촉수가
싸리 유채 꽃잎처럼 꿈틀댄다　화자가 현재 _____을 느끼고 있다는 점에 주목하자.

고향 텃밭의 허름한 꽃과 어둠과
구두는 **초면** 나는 **구면**　이 낡은 구두를 신고 고향에 다녀온 건 처음이었나 봐.

건성으로 겨울을 보내고 돌아온 내게
고향은 꽃잎 하나 바람 한 점 꾸려주지 않고　화자는 겨울에 고향을 다녀왔잖아? _____으로 겨울을 보냈다는 것은 고향에 갔을 때의 화자의 태도를 말하는 것이겠군. 화자는 고향의 모습을 제대로 보지 못한 거지.

영하 속을 흔들리며 떠나는 내 낡은 구두가
저문 고향의 강물소리를 들려준다.
출렁출렁 아니 덜그럭덜그럭.　고향에 다녀온 화자는 자신의 구두에서 고향의 _____를 떠올리고 이는 다시 구두 소리로 바뀌고 있어.

　　　　　　　　　　－ 곽재구, 「구두 한 켤레의 시」 －

화자와 대상의 관계	고향에 다녀온 뒤 _____에서 고향의 _____를 떠올리는 '나'

(나)

열무를 심어놓고 게을러
뿌리를 놓치고 줄기를 놓치고
가까스로 꽃을 얻었다 공중에
흰 열무꽃이 파다하다　화자는 열무를 심었지만 수확 시기를 놓쳐서 흰 _____이 피게 되었나 봐.

채소밭에 꽃밭을 가꾸었느냐

사람들은 묻고 나는 망설이는데　채소밭을 왜 _____으로 만들었냐는 사람들의 물음에 '나'는 할 말이 없어서 망설여.

그 문답 끝에 나비 하나가
나비가 데려온 또 하나의 나비가
흰 열무꽃잎 같은 나비 떼가
흰 열무꽃에 내려앉는 것이었다　그런데 그 열무꽃에 _____가 내려앉았어.

가녀린 발을 딛고
3초씩 5초씩 **짧게짧게** 혹은
그네들에겐 보다 **느슨한** 시간 동안
날개를 접고 바람을 잠재우고
편편하게 앉아 있는 것이었다
설핏설핏 선잠이 드는 것만 같았다　_____은 나비들이 잠시 내려앉아 휴식을 취할 수 있는 곳이라는 점에서 의미가 있었네.

발 딛고 쉬라고 내줄 곳이
선잠 들라고 내준 무릎이
살아오는 동안 나에겐 없었다　화자는 그 열무꽃처럼 다른 존재에게 쉴 곳을 _____ 적이 없었던 자신의 지난 삶을 돌아보고 있어.

내 열무밭은 꽃밭이지만
나는 **비로소** 나비에게 꽃마저 잃었다　화자는 꽃밭이 되어버린 열무밭에서 _____가 쉬는 것을 보며, 다른 이에게 베푸는 삶의 가치를 깨닫고 있어.

　　　　　　　　　　－ 문태준, 「극빈」 －

화자와 대상의 관계	_____에 나비가 내려앉아 쉬는 모습을 보며 다른 존재에게 _____ 삶의 가치를 깨달은 '나'

---

1. (가)와 (나)에 대한 이해로 적절하지 않은 것은?

① '찰랑찰랑'에서 '출렁출렁'으로의 어감 변화를 통해 화자의 정서가 심화되었음을 드러내고 있다.

② '초면'과 '구면'의 대비를 통해 대상에 대한 화자의 과거 경험이 내포되어 있음을 드러내고 있다.

③ '짧게짧게'와 '느슨한'의 대비를 통해 동일한 것도 주체에 따라 다르게 받아들여질 수 있다는 화자의 인식을 드러내고 있다.

④ '편편하게'와 '설핏설핏'을 통해 예기치 않게 조성된 화자의 상황이 대상에게 긍정적으로 작용하고 있음을 드러내고 있다.

⑤ '가까스로'와 '비로소'를 통해 본래의 의도가 실현되지 못한 상황에 대한 화자의 안타까움을 드러내고 있다.

2. 문학 개념어 OX 확인 문제

① (가)와 (나) 모두 색채 이미지를 활용하고 있다.　　　　○ ✕

② (가)와 (나) 모두 반어적 표현을 활용하고 있다.　　　　○ ✕

2

주차

2주차
학습 안내

　1주차에는 주로 지문에 제시된 내용과 선지 진술 간 일치 여부를 판단하도록 하는 유형의 문제를 풀어보았다면, 2주차에는 한발 더 나아가 작품에 대한 감상·해석의 적절성을 판단하는 과정에서 추론적 이해를 요구하는 유형의 문제도 풀어볼 거야.

　우선 1주차와 마찬가지로 지문을 읽으면서 화자와 대상을 찾아 표시하고, 사고의 흐름의 빈칸을 채우거나 선택형 문제에서 답을 고르는 과정을 통해 작품에 나타난 사실관계를 파악하도록 하자. 이를 토대로 문제를 모두 풀었다면, 2주차에서 새로 추가된 '선지 판단의 공식' 표를 활용해 1번 문제의 선지를 하나씩 다시 분석해 볼 거야. '선지 판단의 공식'의 빈칸을 채우면서 선지별로 정오 판단의 구체적인 근거가 지문의 어느 부분에 있었는지를 확인하고, 이를 고려해 각 선지의 정오를 다시 한번 판단해 보는 거지. 처음 문제를 풀 때의 자신의 사고 과정과 '선지 판단의 공식'을 활용해 다시 문제를 풀 때의 사고 과정을 비교해 보면서, 올바른 정오 판단을 위해 필요한 접근 방식과 태도 등을 자연스럽게 익힐 수 있을 거야.

✏️ 다음 글을 읽고 화자와 대상을 찾아 표시하고, 빈칸에 적절한 말을 채우세요. 또한 주어진 문제를 풀어 보세요.

느티나무 둥치에 매미 허물이 붙어 있다
바람이 불어도 꼼짝도 하지 않고 착 달라붙어 있다
나는 허물을 떼려고 손에 힘을 주었다 '나'는 _____이 불어도 꼼짝도
않고 느티나무에 착 달라붙어 있는 _____을 떼려고 하고 있어.
순간
죽어 있는 줄 알았던 허물이 갑자기 **몸에 힘**을 주었다
내가 **힘**을 주면 줄수록 허물의 발이 느티나무에 더 착 달라붙
었다 '나'가 힘을 주어 _____을 떼어내려 해도 허물은 마치 살아 있는 것처럼 느티나무
에서 _____ 않으려고 ___을 주었대.
허물은 허물을 벗고 날아간 **어린 매미**를 생각했던 게 분명하다
허물이 없으면 **매미의 노래**도 사라진다고 생각했던 게 분명
하다 '나'는 _____이 자신을 벗고 날아간 _____를 위해 느티나무에서
떨어지지 않으려 한다고 생각하고 있어.
나는 떨어지지 않으려고 안간힘을 쓰는 허물의 힘에 놀라
슬며시 손을 떼고 집으로 돌아와 어머니를 보았다 '나'는 떨어지지
않으려는 _____을 통해 _____를 생각했나 봐.
팔순의 어머니가 무릎을 곧추세우고 **걸레**가 되어 마루를 닦는다
어머니는 나의 허물이다
어머니가 **안간힘**을 쓰며 아직 느티나무 둥치에 붙어 있는 까닭은
아들이라는 매미 때문이다 '나'는 마루를 닦는 팔순의 _____를 바라
보며 느티나무에 붙어 있던 _____과 연결짓고 있어. 허물이 _____를
위해 온 힘을 다해 나무에 붙어 있던 것처럼 늙은 어머니도 _____ 곁을 지키며 살아
오신 거지.

– 정호승, 「허물」 –

화자와 대상의 관계	어린 매미를 위해 느티나무에 붙어 있는 _____을 보고 _____을 향한 _____의 헌신에 대해 생각하는 '나'

1. 윗글에 대한 이해로 적절하지 않은 것은?

① '매미 허물'이 없으면 '매미의 노래'도 사라질 수 있다는 화자의 추측에는 어머니 없이는 자식의 삶도 지속될 수 없다는 인식이 드러나 있다.

② '죽어 있는 줄 알았던 허물'의 이미지와 '걸레'가 된 '팔순의 어머니'의 이미지는 자식을 위한 헌신으로 남루해진 모습을 형상화하고 있다.

③ '몸에 힘'을 주는 허물을 떼려는 '힘'은 자식을 향한 끈질긴 모성을 의미하고 있다.

④ '어린 매미'가 벗어 놓은 '허물'이 어린 매미를 낳은 어머니라는 발상을 바탕으로 하고 있다.

⑤ '안간힘'을 쓰고 있는 이유가 자식 때문이라는 점에서 화자는 매미의 허물과 자신의 어머니를 동일시하고 있다.

2. 문학 개념어 OX 확인 문제

① 대조적 이미지를 활용하여 시적 의미를 강조하고 있다.　　○ ✕

② 점층적 표현으로 긴박감을 조성하고 있다.　　○ ✕

다음의 선지 판단 공식을 활용하여 빈칸을 채우고 1번 문제의 선지를 OX로 판단해 보세요.

선지 판단의 공식

MEMO

① 작품 화자는 허물이 나무에서 떨어지지 않으려고 하는 이유에 대해 '허물이 없으면 매미의 노래도 사라진다고 생각했던 게 분명'하다고 추측함, 이후 집으로 돌아와서 본 어머니를 '나의 _____', 아들인 자신은 '_____'라고 함

선지 ➡ '매미 허물'이 없으면 '매미의 노래'도 사라질 수 있다는 화자의 추측에는 어머니 없는 자식의 삶도 지속될 수 없다는 인식이 드러나 있다. ○ ✕

② 작품 '죽어 있는 줄 알았던 허물'이 '허물을 벗고 날아간 어린 매미를 생각'하여 _____에서 떨어지지 않으려고 _____을 씀, 화자가 집에 돌아와서 본 어머니는 _____의 나이임에도 '걸레가 되어 마루를 닦'는 모습으로 그려짐, 화자는 그러한 어머니를 '허물', 아들인 자신은 '매미'라고 함

선지 ➡ '죽어 있는 줄 알았던 허물'의 이미지와 '걸레'가 된 '팔순의 어머니'의 이미지는 자식을 위한 헌신으로 남루해진 모습을 형상화하고 있다. ○ ✕

③ 작품 _____가 허물을 나무에서 떼려고 하자 _____이 '갑자기 몸에 힘'을 줌, 화자가 손에 힘을 줄수록 허물은 나무에 더 착 달라붙음

선지 ➡ '몸에 힘'을 주는 허물을 떼려는 '힘'은 자식을 향한 끈질긴 모성을 의미하고 있다. ○ ✕

④ 작품 화자는 허물이 나무에서 떨어지지 않으려고 하는 이유에 대해 '허물은 허물을 _____ 날아간 _____를 생각했던 게 분명'하다고 추측함, 이후 집으로 돌아와서 본 어머니를 '나의 허물'이라고 함

선지 ➡ '어린 매미'가 벗어 놓은 '허물'이 어린 매미를 낳은 어머니라는 발상을 바탕으로 하고 있다. ○ ✕

⑤ 작품 허물은 자신이 없어지면 어린 매미의 노래도 사라진다고 생각하여 나무에서 떨어지지 않으려고 안간힘을 씀, 화자는 집으로 돌아와서 본 어머니 역시 '_____을 쓰며 아직 느티나무 둥치에 _____ 있'다고 함

선지 ➡ '안간힘'을 쓰고 있는 이유가 자식 때문이라는 점에서 화자는 매미의 허물과 자신의 어머니를 동일시하고 있다. ○ ✕

✎ 다음 글을 읽고 화자와 대상을 찾아 표시하고, 빈칸에 적절한 말을 채우세요. 또한 주어진 문제를 풀어 보세요.

내 언제고 지나치는 길가에 한 그루 남아 선 노송(老松) 있어 화자인 '나'가 지나다니는 _____에 서 있는 한 그루의 _____이 시적 대상인가 봐. 바람 있음을 조금도 깨달을 수 없는 날씨에도 아무렇게나 뻗어 높이 치어든 그 검은 가지는 추추히* 탄식하듯 울고 있어, _____의 존재를 느끼기 어려운 날씨에도 자유롭게 하늘 높이 뻗은 노송의 _____는 바람에 흔들리며 마치 탄식하듯 소리를 내고 있어. 내 항상 그 아래 한때를 머물러 아득히 생각을 그 소리 따라 천애(天涯)*에 노닐기를 즐겨하였거니, 화자는 노송 아래에서 그 가지가 바람에 흔들리면서 내는 _____를 들으며 사색하는 것을 즐겼대. 하룻날 다시 와서 그 나무 이미 무참히도 베어 넘겨졌음을 보았나니 그런데 하루는 그 노송이 _____ 것을 보게 된 거야. 이를 _____하다고 표현한 것에서 화자의 안타까운 심정이 느껴져.

진실로 현실은 이 한 그루 나무 그늘을 길가에 세워 바람에 울리느니보다 빠개어 육신의 더움을 취함에 미치지 못하겠거늘, _____을 만드는 이 한 그루 나무(노송)를 _____에 그대로 세워 두는 것보다 빠개어 _____의 _____을 취하는 것, 즉 땔감으로 활용하는 것이 실용적인 관점에서는 더 유용할 수 있겠지. 내 애석하여 그가 섰던 자리에 서서 팔을 높이 허공에 올려 보았으나, 화자는 그것을 _____해 하며 노송이 서 있던 자리에서 그 가지가 그러했듯이 허공으로 _____을 높이 뻗어 보고 있어. 그러나 어찌 나의 손바닥에 그 유현(幽玄)한* 솔바람 소리 생길 리 있으랴 그러나 노송의 가지가 바람에 흔들리며 만들어 냈던 깊고 그윽한 _____ 소리를 화자의 뻗은 팔로는 만들어 낼 수 (있었지/없었지).

그러나 나의 머리 위, 저 묘막(渺漠)한* 천공(天空)에 시방도 오고 가는 신운(神韻)*이 없음이 아닐지니 오직 그를 증거할 선(善)한 나무 없음이 안타까울 따름이로다 화자는 아득하게 넓은 저 하늘에는 지금도 _____이 있겠지만, 이를 증명해 줄 _____(노송)는 더 이상 존재하지 않는다는 사실에 안타까워하고 있어.

– 유치환, 「선한 나무」 –

*추추히: 우는 소리가 구슬프게.
*천애: 하늘의 끝.
*유현한: 깊고 그윽하며 미묘한.
*묘막한: 아득하게 넓은.
*신운: 고상하고 신비스러운 운치.

화자와 대상의 관계	_____이 사라져 더 이상 솔바람 소리와 자연의 신비한 운치를 느낄 수 없음에 _____을 느끼는 '나'

---

1. 윗글을 이해한 내용으로 적절하지 <u>않은</u> 것은?

① '바람 있음을 조금도 깨달을 수 없는 날씨'에도 노송이 '추추히 탄식하듯 울고' 있다고 표현한 것에는 자연의 미세한 변화에 반응하는 노송에 대한 화자의 인식이 담겨 있다.

② '무참히도'에는 '항상 그 아래 한때를 머물러' 노닐었던 화자가 노송이 '베어 넘겨'진 상황에 대해 안타까워하는 심정이 드러난다.

③ '애석하여'에는 노송을 '길가에 세워 바람에 울리'는 것보다 '빠개어 육신의 더움을 취'하는 상황에 대한 화자의 부정적 인식이 담겨 있다.

④ '팔을 높이 허공에 올려'보려 했으나 '유현한 솔바람 소리가 생길 리' 없다고 한 것에는 자신이 노송에 미치지 못한다는 화자의 인식이 담겨 있다.

⑤ '증거할 선한 나무 없음이 안타까울 따름'이라는 표현에는 '묘막한 천공'에 '신운이 없음'을 인지한 화자의 상실감이 드러난다.

2. 문학 개념어 OX 확인 문제

① 대상을 나열하여 화자의 정서가 촉발된 시적 상황을 구체화하고 있다.   ○ ✕

② 자연물에 감정을 이입하여 심리 변화를 드러내고 있다.   ○ ✕

🔍 다음의 선지 판단 공식을 활용하여 빈칸을 채우고 1번 문제의 선지를 OX로 판단해 보세요.

선지 판단의 공식

MEMO 😊

① **작품** 노송은 화자와는 달리 _____의 존재를 '조금도 깨달을 수 없는 날씨'에도 '검은 가지'를 흔들며 '탄식하듯' 우는 소리를 냄. 화자는 항상 그 아래에서 생각에 잠기며 '노닐기를 _____'함

선지➡ '바람 있음을 조금도 깨달을 수 없는 날씨'에도 노송이 '추추히 탄식하듯 울고' 있다고 표현한 것에는 자연의 미세한 변화에 반응하는 노송에 대한 화자의 인식이 담겨 있다. ○ ✕

② **작품** 노송 아래에서 _____에 잠기며 '노닐기를 즐겨'하였던 화자는 노송이 '_____ 넘겨'진 것을 보고 '무참'하다고 표현함

선지➡ '무참히도'에는 '항상 그 아래 한때를 머물러' 노닐었던 화자가 노송이 '베어 넘겨'진 상황에 대해 안타까워하는 심정이 드러난다. ○ ✕

③ **작품** 화자는 노송이 '베어 넘겨'진 것을 보고 '무참'하다고 함. 화자는 이에 대해 노송을 '길가에 세워 바람에 울리느니보다 빠개어 육신의 더움을 취'한 것이라고 하며 '_____'하다고 함

선지➡ '애석하여'에는 노송을 '길가에 세워 바람에 울리'는 것보다 '빠개어 육신의 더움을 취'하는 상황에 대한 화자의 부정적 인식이 담겨 있다. ○ ✕

④ **작품** '바람 있음을 조금도 깨달을 수 없는 날씨'에도 바람에 흔들리며 소리를 내던 _____과는 달리, 화자는 노송이 서 있던 자리에서 '팔을 높이 허공에 올려'도 '솔바람 소리'를 만들어 낼 수 _____

선지➡ '팔을 높이 허공에 올려'보려 했으나 '유현한 솔바람 소리가 생길 리' 없다고 한 것에는 자신이 노송에 미치지 못한다는 화자의 인식이 담겨 있다. ○ ✕

⑤ **작품** 화자는 자신의 머리 위 묘막한 하늘에는 '시방도 오고 가는 _____이 없'지 않다고 함. 다만 _____의 존재를 '증거할 선한 나무 없음'을 _____함

선지➡ '증거할 선한 나무 없음이 안타까울 따름'이라는 표현에는 '묘막한 천공'에 '신운이 없음'을 인지한 화자의 상실감이 드러난다. ○ ✕

✏️ 다음 글을 읽고 화자와 대상을 찾아 표시하고, 빈칸에 적절한 말을 채우세요. 또한 주어진 문제를 풀어 보세요.

일찍이 어머니가 나를 바다에 데려간 것은
소금기 많은 ㉠푸른 물을 보여주기 위해서가 아니었다
바다가 뿌리 뽑혀 밀려 나간 후
꿈틀거리는 ㉡검은 뻘밭 때문이었다   '나'는 _____가 **(푸른 물/검은 뻘밭)** 을 보여 주기 위해 자신을 바다에 데려갔던 일을 떠올리고 있어.

뻘밭에 위험을 무릅쓰고 퍼덕거리는 것들
숨 쉬고 사는 것들의 힘을 보여주고 싶었던 거다   어머니는 _____에서 숨 쉬고 사는 것들의 ___, 즉 생명력을 보여 주고 싶으셨던 거야.

먹이를 건지기 위해서는
사람들은 왜 무릎을 꺾는 것일까
깊게 허리를 굽혀야만 할까   화자는 뻘밭에서 생계를 위해 _____을 꺾고 _____를 깊게 굽히며 고된 노동을 하는 사람들의 모습을 보며 의문을 갖고 사색하기 시작해.

생명이 사는 곳은 왜 저토록 쓸쓸한 맨살일까   온갖 _____이 살아가는 뻘밭의 쓸쓸한 모습을 안타까워 하고 있어.

일찍이 어머니가 나를 바다에 데려간 것은
저 무위(無爲)한 해조음을 들려주기 위해서가 아니었다   어머니가 '나'를 바다에 데려간 것은 무위한(아무것도 이룬 것이 없는) _____(파도 소리)을 들려주기 위해서는 아니었대.

물 위에 집을 짓는 새들과
각혈하듯 노을을 내뿜는 포구를 배경으로
성자처럼 뻘밭에 고개를 숙이고
먹이를 건지는
슬프고 경건한 손을 보여주기 위해서였다   화자는 생계를 위해 뻘밭에서 힘겨운 노동을 하는 사람들을 거룩한 순교자인 _____에 비유하며, 그들의 ___을 슬프고 _____하다고 표현하고 있어.

– 문정희, 「율포의 기억」 –

화자와 대상의 관계	어머니가 데려간 _____에서 _____을 보고 먹이를 건지는 사람들에게서 경건함을 느꼈던 '나'

1. 윗글의 ㉠, ㉡에 대해 반응한 것으로 가장 적절한 것은?

① ㉠은 순수한 자연을 통해 아름다움을 느끼게 하고, ㉡은 위험이 도사리고 있어 공포를 느끼게 하는군.

② ㉠은 푸른 이미지로 생명과 희망을 환기시키고, ㉡은 검은 이미지로 허무와 어둠의 정서를 불러일으키고 있군.

③ ㉠은 힘겨운 삶을 극복한 사람들이 얻게 되는 환희를 상징하고, ㉡은 힘겹게 살아가는 사람들의 탄식을 상징하는군.

④ ㉠은 삶과 관련하여 깨달음을 주지 못하지만, ㉡은 그곳에서 치열하게 살아가는 생명들을 통해 깨달음을 얻게 하는군.

⑤ ㉠은 화자가 미래에 살아갈 모습에 대해 상상하게 해 주고, ㉡은 어머니와 함께했던 시절의 추억을 떠올리게 해 주는군.

2. 문학 개념어 OX 확인 문제

① 역동적 이미지를 활용하여 생동감을 자아낸다.   ○ X

② 반어적 표현을 사용하여 시적 상황을 효과적으로 제시하고 있다.   ○ X

다음의 선지 판단 공식을 활용하여 빈칸을 채우고 1번 문제의 선지를 OX로 판단해 보세요.

선지 판단의 공식

① 작품

'어머니가 나를 _____에 데려간 것은 / _____ 많은 ㉠푸른 물을 보여주기 위해서가 아님, 어머니는 ㉡검은 뻘밭에 '_____을 무릅쓰고 퍼덕거리는 것들'과 거기 '_____ 사는 것들의 힘을 보여주고 싶었'음

선지➡ ㉠은 순수한 자연을 통해 아름다움을 느끼게 하고, ㉡은 위험이 도사리고 있어 공포를 느끼게 하는군. ○ ✕

② 작품

'소금기 많은 ㉠_____ 물'은 '무위한 해조음'이 들리는 공간임, '㉡_____ 뻘밭'은 '위험을 무릅쓰고 퍼덕거리는 것들'이 사는 곳으로, '숨 쉬고 사는 것들의 ___'이 드러남

선지➡ ㉠은 푸른 이미지로 생명과 희망을 환기시키고, ㉡은 검은 이미지로 허무와 어둠의 정서를 불러일으키고 있군. ○ ✕

③ 작품

'_____를 건지기 위해' 사람들은 뻘밭에서 '_____을 꺾'고 '깊게 허리를 굽'힘

선지➡ ㉠은 힘겨운 삶을 극복한 사람들이 얻게 되는 환희를 상징하고, ㉡은 힘겹게 살아가는 사람들의 탄식을 상징하는군. ○ ✕

④ 작품

'어머니가 나를 바다에 데려간 것'은 '㉠푸른 물'이 아닌 '꿈틀거리는 ㉡검은 뻘밭'을 보여주기 위해서임, '나'는 그곳에서 '뻘밭에 _____를 숙이고 / 먹이를 건지는' 사람들의 손이 '슬프고 _____'하다고 생각함

선지➡ ㉠은 삶과 관련하여 깨달음을 주지 못하지만, ㉡은 그곳에서 치열하게 살아가는 생명들을 통해 깨달음을 얻게 하는군. ○ ✕

⑤ 작품

화자는 '일찍이 _____'가 자신을 '바다에 데려간' 일을 떠올림

선지➡ ㉠은 화자가 미래에 살아갈 모습에 대해 상상하게 해 주고, ㉡은 어머니와 함께했던 시절의 추억을 떠올리게 해 주는군. ○ ✕

✏️ 다음 글을 읽고 화자와 대상을 찾아 표시하고, 빈칸에 적절한 말을 채우세요. 또한 주어진 문제를 풀어 보세요.

복사꽃이 피었다고 일러라. 살구꽃도 피었다고 일러라. 화자는 ___이 피었다는 소식을 알리려고 해. 너이 오오래 정들이고 살다 간 집, 함부로 함부로 짓밟힌 울타리에, 앵도꽃도 오얏꽃도 피었다고 일러라. 낮이면 벌떼와 나비가 날고 밤이면 소쩍새가 울더라고 일러라. 화자는 누군가에 의해 함부로 _____ 너이(너희)가 살던 집의 _____에 아름다운 봄이 찾아 왔음을 알리고 있지.

[A]
　　　다섯 물과, 여섯 바다와, 철이야, 아득한 구름 밖 아득한 하늘가에 나는 어디로 향을 해야 너와 마주 서는 게냐. '나'는 어디로 향해야 _____(너)와 만날 수 있는지 묻고 있어.

　　　달 밝으면 으레 뜰에 앉아 부는 내 피리의 서른 가락도 너는 못 듣고, 골을 헤치며 산에 올라 아침마다, 푸른 봉우리에 올라서면, 어어이 어어이 소리 높여 부르는 나의 음성도 너는 못 듣는다. 너는 '나'의 _____도, 소리 높여 부르는 '나'의 _____도 못 듣는 상황인가 봐.

어서 너는 오너라. 화자는 그런 ___에게 어서 오라고 하고 있어. 별들 서로 구슬피 헤어지고, 별들 서로 정답게 모이는 날, 흩어졌던 너이 형 아우 총총히 돌아오고, 흩어졌던 네 순이도 누이도 돌아오고, 너와 나와 자라난, 막쇠도 돌이도 복술이도 왔다. _____던 사람들이 모두 돌아왔으니 너 역시 어서 왔으면 하고 바라는 거야.

눈물과 피와 푸른 빛 깃발을 날리며 오너라……. 비둘기와 꽃다발과 푸른 빛 깃발을 날리며 너는 오너라……. 네가 오기를 간절히 바라는 화자의 마음이 드러나고 있어.

복사꽃 피고, 살구꽃 피는 곳, 너와 나와 뛰놀며 자라난 푸른 보리밭에 남풍은 불고, 젖빛 구름, 보오얀 구름 속에 종달새는 운다. 기름진 냉이꽃 향기로운 언덕, 여기 푸른 잔디밭에 누워서, 철이야, 너는 늴늴늴 가락 맞춰 풀피리나 불고, 나는, 나는, 두둥싯 두둥실 붕새춤 추며, 막쇠와, 돌이와, 복술이랑 함께, 우리, 우리, 옛날을 옛날을, 딩굴어 보자. '나'는 네가 돌아와서 평화롭던 _____의 삶을 다시 함께 누릴 수 있게 되기를 _____하고 있어.

– 박두진, 「어서 너는 오너라」 –

화자와 대상의 관계	흩어졌던 '___'가 돌아올 것을 _____하는 '나'

1. [A]에 대한 이해로 가장 적절한 것은?

① '너'와의 거리에서 오는 '나'의 안타까움이 나타나 있다.

② '너'로 인해 떠올린 고향에 대한 '나'의 그리움이 드러나 있다.

③ '너'에게 조금씩 다가서면서 느끼는 '나'의 설렘이 나타나 있다.

④ '너'에게 미처 다가서지 못하는 '나'의 부끄러움이 드러나 있다.

⑤ '너'와의 갈등이 해소되기를 바라는 '나'의 바람이 나타나 있다.

2. 문학 개념어 OX 확인 문제

① 쉼표의 잦은 사용으로 호흡을 조절하고 있다.　　　　　　○ ✕

② 유사한 통사 구조를 반복하여 리듬감을 드러내고 있다.　　○ ✕

다음의 선지 판단 공식을 활용하여 빈칸을 채우고 1번 문제의 선지를 OX로 판단해 보세요.

도서출판 홀수

선지 판단의 공식

① 작품
'나'는 '다섯 묻과, _____'에 흩어진 철이('너')를 부름, '_____ 구름 밖'과 '하늘가'에 어디로 향해야 '___와 마주 서는 게냐'고 묻고 있음

선지➡ '너'와의 거리에서 오는 '나'의 안타까움이 나타나 있다. ○ ×

② 작품
'나'는 '어어이 어어이 _____ 높여' '너'를 부르며 '너와 마주' 서고 싶어함

선지➡ '너'로 인해 떠올린 고향에 대한 '나'의 그리움이 드러나 있다.
○ ×

③ 작품
'나'는 '달'이 밝으면 '뜰에 앉아' '_____'를 불고, '아침마다, 푸른 _____에 올라' '소리 높여' '너'를 부르지만 '너'는 내 피리 소리도, 음성도 듣지 못함

선지➡ '너'에게 조금씩 다가서면서 느끼는 '나'의 설렘이 나타나 있다.
○ ×

④ 작품
'나'는 어디를 향해야 '너와 _____' 설 수 있는지 묻고 있음

선지➡ '너'에게 미처 다가서지 못하는 '나'의 부끄러움이 드러나 있다.
○ ×

⑤ 작품
'나'는 '어어이 어어이 소리 높여' '너'를 부르지만, '너'는 '_____과, 여섯 바다'와 '아득한' 곳에 있어 _____ 못함

선지➡ '너'와의 갈등이 해소되기를 바라는 '나'의 바람이 나타나 있다.
○ ×

✏️ 다음 글을 읽고 화자와 대상을 찾아 표시하고, 빈칸에 적절한 말을 채우세요. 또한 주어진 문제를 풀어 보세요.

ⓐ고향에 고향에 돌아와도
그리던 ⓑ고향은 아니러뇨. 화자는 그리워하던 _____에 돌아왔지만 마음
속에 간직해 온 _____의 모습과 달라서 상실감을 느끼고 있어.

산꿩이 알을 품고
뻐꾸기 제철에 울건만,

마음은 제 고향 지니지 않고
머언 항구로 떠도는 구름. 예전 모습 그대로인 고향의 _____, _____와
달리 화자의 마음은 _____이 낯설게 느껴지나 봐.

오늘도 뫼 끝에 홀로 오르니
흰 점 꽃이 인정스레 웃고, 오늘도 홀로 ___에 오른 화자를 ___이 반갑게 맞아
주네.

어린 시절에 불던 풀피리 소리 아니 나고
메마른 입술에 쓰디쓰다. 어린 시절을 떠올리며 _____를 불어 봐도
(정겨운 추억/쓸쓸함)만 되살아나나 봐.

고향에 고향에 돌아와도
그리던 하늘만이 높푸르구나. _____이 그리던 모습과 달라 느낀 거리감으로
인해 그리던 _____도 높게만 느껴지는 거겠지?

– 정지용, 「고향」 –

화자와 대상의 관계	낯설게만 느껴지는 _____으로 돌아와 (반가움/상실감)을 느끼는 사람

1. ⓐ, ⓑ와 관련하여 윗글의 '구름'을 설명할 때, 가장 적절한 것은?

① ⓐ와 ⓑ를 이어주는 매개물이다.
② ⓐ에 대한 화자의 그리움을 환기한다.
③ ⓑ의 부재를 화자가 인식하는 계기가 된다.
④ ⓐ와 ⓑ의 부정적 현실을 수용하려는 화자의 태도이다.
⑤ ⓐ와 ⓑ의 괴리를 경험하게 된 화자의 내면세계를 나타낸다.

2. 문학 개념어 OX 확인 문제

① 수미상관을 통해 시상을 마무리하고 있다.   ○ ✕
② 설의적 표현을 사용하고 있다.   ○ ✕

다음의 선지 판단 공식을 활용하여 빈칸을 채우고 1번 문제의 선지를 OX로 판단해 보세요.

선지 판단의 공식

① 작품
화자는 'ⓐ고향에 고향에 돌아와도 / 그리던 ⓑ고향은 아니'
라고 함 → ⓐ는 화자가 현재 돌아온 고향을, ⓑ는 마음속
으로 그리워하던 고향을 의미함 → 이에 화자의 마음은 '제
_____ 지니지 않고 / 머언 항구로 떠도는 _____'과
같다고 함

선지 ⓐ와 ⓑ를 이어주는 매개물이다.   ○ ✕

② 작품
화자는 'ⓐ고향에 고향에 돌아와도 / 그리던 ⓑ고향은 아니'
라고 함 → ⓐ는 화자가 현재 _____ 고향을, ⓑ는 마음
속으로 _____하던 고향을 의미함

선지 ⓐ에 대한 화자의 그리움을 환기한다.   ○ ✕

③ 작품
화자는 'ⓐ고향에 고향에 돌아와도 / 그리던 ⓑ고향은 _____ '
라고 함 → ⓐ는 화자가 현재 돌아온 고향을, ⓑ는 마음속으로
그리워하던 고향을 의미함 → 이에 화자의 마음은 '제 고향
_____ / 머언 항구로 떠도는 구름'과 같다고 함

선지 ⓑ의 부재를 화자가 인식하는 계기가 된다.   ○ ✕

④ 작품
화자는 'ⓐ고향에 고향에 돌아와도 / 그리던 ⓑ고향은 아니'
라고 함 → ⓐ는 화자가 현재 돌아온 고향을, ⓑ는 마음속으로
그리워하던 고향을 의미함 → 이에 '머언 항구로 _____
구름'같다고 표현한 화자의 '_____'은 ⓐ와 ⓑ의 괴리로
인해 느끼는 안타까움과 방황의 심정을 의미함

선지 ⓐ와 ⓑ의 부정적 현실을 수용하려는 화자의 태도이다.
○ ✕

⑤ 작품
화자는 'ⓐ고향에 고향에 돌아와도 / 그리던 ⓑ고향은 아니'
라고 함 → ⓐ는 화자가 현재 돌아온 고향을, ⓑ는 마음속으로
그리워하던 고향을 의미함 → 이에 '머언 항구로 떠도는 구름'
같다고 표현한 화자의 '마음'은 ⓐ와 ⓑ의 _____로 인해
느끼는 안타까움과 _____의 심정을 의미함

선지 ⓐ와 ⓑ의 괴리를 경험하게 된 화자의 내면세계를 나타낸다.
○ ✕

✏️ 다음 글을 읽고 화자와 대상을 찾아 표시하고, 빈칸에 적절한 말을 채우세요. 또한 주어진 문제를 풀어 보세요.

청계천 7가 골동품 가게에서
나는 어느 황소 목에 걸렸던 ㉠방울을
하나 샀다. 화자인 '나'는 골동품 가게에서 소의 목에 다는 _____을 하나 샀어.

그 영롱한 소리의 방울을 딸랑거리던
소는 이미 이승의 짐승이 아니지만, 골동품 가게에서 산 방울을 달고 딸랑거리던 ___는 이미 죽었을 거라고 추측하고 있네.
나는 ㉡소를 몰고 여름 해 질 녘 하산하던
그날의 소년이 되어, 배고픈 저녁 연기 피어오르는
마을로 터덜터덜 걸어 내려왔다. _____을 매개로 화자는 어린 시절 ___를 몰고 _____로 내려오던 과거를 회상하고 있네.

장사치들의 흥정이 떠들썩한 문명의
골목에선 지금, 삼륜차가 울려 대는 ㉢경적이
저자바닥에 따가운데 다시 현재의 장면이야. 장사치들의 흥정이 떠들썩한 _____이나, 자동차 경적 소리가 울리는 _____은 복잡하고 시끄러운 도시의 풍경이지.
내가 몰고 가는 소의 딸랑이는 ㉣방울소리는 과거와 현재가 중첩되고 있어. 화자는 현재 골동품 가게에서 산 _____을 들고 시끄러운 _____에 서 있지만, 과거에 ___를 몰고 가던 때의 일을 마치 현재에 일어나고 있는 것처럼 표현하고 있어.
돌담 너머 옥분이네 안방에
들릴까 말까,
사립문 밖에 나와 날 기다리며 섰을
누나의 귀에는 들릴까 말까. 옥분이나 _____는 (현재/과거)의 존재로, 화자에게 있어 그리움의 대상일 거야. 그들의 귀에 _____가 들릴지 안 들릴지 묻는 의문형의 문장을 활용하며 아련한 추억을 떠올리고 있어.

― 이수익, 「방울소리」 ―

화자와 대상의 관계	골동품 가게에서 산 _____을 매개로 (현재의 삶/유년 시절의 기억)을 떠올리는 '나'

1. ㉠~㉣을 중심으로 윗글을 이해한 것 중, 적절하지 <u>않은</u> 것은?

① ㉠은 화자를 유년 시절의 시간과 공간으로 유도하는 기능을 한다.

② ㉡은 ㉠에 의해 연상된 것으로 화자의 소박하고 평화롭던 시절을 환기한다.

③ ㉢은 ㉣과 대비되어 현대 문명의 부정적 이미지를 부각시킨다.

④ ㉣은 화자가 소중한 이에 대한 그리움의 정서를 환기한다.

⑤ ㉣은 ㉡을 통해 깨닫게 된 자연과 인간사의 부조화를 상징한다.

2. 문학 개념어 OX 확인 문제

① 시선의 이동에 따라 시상을 전개하고 있다.   ○ ✕

② 음성 상징어를 활용하여 대상을 나타내고 있다.   ○ ✕

🔍 다음의 선지 판단 공식을 활용하여 빈칸을 채우고 1번 문제의 선지를 OX로 판단해 보세요.

선지 판단의 공식

MEMO

---

① 작품 화자는 '청계천 7가 골동품 가게에서' '어느 황소 목에 걸렸던 ⊙_____'을 산 뒤, 'ⓛ소를 몰고 여름 해 질 녘 하산하던 / 그날'을 떠올림

선지➡ ⊙은 화자를 유년 시절의 시간과 공간으로 유도하는 기능을 한다. ○ ✕

---

② 작품 화자는 '청계천 7가 골동품 가게에서' '어느 황소 목에 걸렸던 ⊙방울'을 산 뒤, 'ⓛ___를 몰고 여름 해 질 녘'에 '_____ _____ 피어오르는 / 마을'로 하산하던 '그날'을 떠올림

선지➡ ⓛ은 ⊙에 의해 연상된 것으로 화자의 소박하고 평화롭던 시절을 환기한다. ○ ✕

---

③ 작품 화자는 현재 '장사치들의 흥정이 떠들썩한 _____의 골목' 에서 '삼륜차가 울려 대는 ©_____'을 듣고 있음. 동시에 '내가 몰고 가는 소의 딸랑이는 ②_____는 / 돌담 너머 옥분이네 안방에 / 들릴까 말까'라고 하여 방울을 딸랑이는 소를 몰고 _____로 내려가던 어린 시절의 평화로운 장면을 떠올림

선지➡ ©은 ②과 대비되어 현대 문명의 부정적 이미지를 부각시킨다. ○ ✕

---

④ 작품 '내가 몰고 가는 소의 딸랑이는 ②_____는 / 돌담 너머 _____ 안방에 / 들릴까 말까. / 사립문 밖에 나와 날 기다리며 섰을 / _____의 귀에는 들릴까 말까.' 라고 하여 어린 시절의 추억 속 '옥분이'와 '누나'를 떠올림

선지➡ ②은 화자가 소중한 이에 대한 그리움의 정서를 환기한다. ○ ✕

---

⑤ 작품 화자는 '청계천 7가 골동품 가게에서' '어느 황소 목에 걸렸던 ⊙방울'을 산 뒤, 'ⓛ소를 몰고 여름 해 질 녘 하산하던 / _____'을 떠올리면서 어린 시절 몰고 가던 소에게서 나던 '②_____'가 '옥분이'나 '누나'에게 들릴지 궁금해 함

선지➡ ②은 ⓛ을 통해 깨닫게 된 자연과 인간사의 부조화를 상징한다. ○ ✕

✏️ 다음 글을 읽고 화자와 대상을 찾아 표시하고, 빈칸에 적절한 말을 채우세요. 또한 주어진 문제를 풀어 보세요.

(가)

아랫도리 다박솔 깔린 산(山) 넘어 큰 산(山) 그 넘엇 산(山) 안 보이어 내 마음 둥둥 구름을 타다. 화자는 _____ 그 넘엇 산이 보이지 않아 _____이 둥둥 _____을 타고 있다고 하네. 보고 싶은 대상이 보이지 않아 답답한 마음일 거야.

우뚝 솟은 산(山), 묵중히 엎드린 산(山), 골골이 장송(長松) 들어섰고, 머루 다랫넝쿨 바위 엉서리에 얽혔고, 샅샅이 떡갈나무 억새풀 우거진 데 너구리, 여우, 사슴, 산(山)토끼, 오소리, 도마뱀, 능구리 등(等), 실로 무수한 짐승을 지니인, _____에는 장송도 있고, 머루 다랫넝쿨도 얽혀 있고, 억새풀 우거진 데 너구리, 여우, 사슴, 산토끼 등의 _____ _____들어 살고 있나 봐. 산의 공동체적 성격이 나타나네.

산(山), 산(山), 산(山)들! 누거만년(累巨萬年) 너희들 침묵(沈默)이 흠뻑 지리함즉 하매, 화자는 이런 산들이 오랜 세월 _____하는 것에 _____함을 느끼고 있어.

산(山)이여! 장차 너희 솟아난 봉우리에, 엎드린 마루에, 확 확 치밀어 오를 화염(火焰)을 내 기다려도 좋으랴? 산의 침묵을 깨고 장차 치밀어 오를 _____을 기다리고 있네.

핏내를 잊은 여우 이리 등속이 사슴 토끼와 더불어 싸릿순 칡순을 찾아 함께 즐거이 뛰는 날을 믿고 길이 기다려도 좋으랴? 화자는 _____를 잊은 여러 동물들이 _____ 즐겁게 뛰는 날이 올 것이라 믿으며 이를 _____있어.

– 박두진, 「향현(香峴)」 –

화자와 대상의 관계	_____하는 _____을 보며 답답함을 느끼고, 여러 생명이 화합하는 평화로운 이상 세계를 소망하는 '나'

(나)

우리가 물이 되어 만난다면
가문 어느 집에선들 좋아하지 않으랴. 화자는 가뭄처럼 메마른 상황에서 우리가 ___이 되어 만나기를 소망하고 있어.
우리가 키 큰 나무와 함께 서서
우르르 우르르 비 오는 소리로 흐른다면. _____에 시원하게 쏟아지는 ___와 같은 물이 되고 싶나 봐.

흐르고 흘러서 저물녘엔
저 혼자 깊어지는 강물에 누워
죽은 나무뿌리를 적시기도 한다면. 죽은 _____를 적셔 생명력을 불어 넣는 존재가 되기를 원하는 거야.
아아, 아직 처녀인
부끄러운 바다에 닿는다면. ___이 되어 _____에 가 닿기를 원하고 있네.

그러나 지금 우리는
불로 만나려 한다. 하지만 지금은 물이 아닌 ___로 만나려 해.
벌써 숯이 된 뼈 하나가
세상에 불타는 것들을 쓰다듬고 있나니 ___로 인해 숯이 된 뼈 하나가 _____ 것들을 쓰다듬는 모습에서 연민을 느낄 수 있어.

만 리 밖에서 기다리는 그대여
저 불 지난 뒤에
흐르는 물로 만나자. 멀리서 기다리는 그대와 불이 지나고 난 뒤 ___로 만나기를 소망하고 있어.
푸시시 푸시시 불 꺼지는 소리로 말하면서
올 때는 인적 그친
넓고 깨끗한 하늘로 오라. 그대에게 불이 다 꺼지고 완전히 정화된 _____ _____에서 만나자고 하네.

– 강은교, 「우리가 물이 되어」 –

화자와 대상의 관계	흐르는 ___이 되어 넓고 깨끗한 _____에서 그대와 만나기를 염원하는 '나'(우리)

1. (가), (나)에 대한 감상으로 적절하지 않은 것은?

① (가)는 산이 '누거만년' 동안 '침묵'하고 있는 것을 '지리함즉 하'다고 말함으로써 화자가 마주한 현실이 지향하는 세계와 거리가 있음을 보여 주는 것이겠군.

② (가)의 '내 기다려도 좋으랴'와 관련하여 볼 때 '화염'이 치밀어 오르는 것은 화자가 기대하는 산의 변화를 나타내는 것이겠군.

③ (나)에서 '만난다면', '좋아하지 않으랴'라고 말하는 화자는 자신이 소망하는 만남이 앞으로 실현되기를 바라는 태도를 취하고 있는 것이겠군.

④ (가)의 '내 마음'이 '둥둥 구름을 타'는 것은 '큰 산', '그 넘엇 산'을 바꾸려는 화자의 바람이 이루어지는 과정을, (나)의 '키 큰 나무와 함께 서서'는 화자가 현실에서 벗어나 자연과 하나가 되고 싶은 마음을 표현한 것이겠군.

⑤ (가)의 '핏내를 잊은~즐거이 뛰는 날'은 평화로운 세계를, (나)의 '넓고 깨끗한 하늘'은 화자가 '그대'와 만나 진정한 합일을 이루려는 세계를 표현한 것으로 볼 수 있겠군.

2. 문학 개념어 OX 확인 문제

① (가)는 청자를 명시적으로 드러내고 있다.　　　　　　○ ✕

② (나)는 대립적 이미지를 활용하고 있다.　　　　　　　○ ✕

🔍 다음의 선지 판단 공식을 활용하여 빈칸을 채우고 1번 문제의 선지를 OX로 판단해 보세요.

MEMO

선지 판단의 공식

① 작품
(가): 산이 '_____' 동안, 즉 오랜 세월 동안 '_____'하고 있는 것을 '지리함즉 하'(지루하다)고 함.
화자는 '화염'과 산의 짐승들이 다 함께 '즐거이 뛰는 날'을 기다림

선지➡ (가)는 산이 '누거만년' 동안 '침묵'하고 있는 것을 '지리함즉 하'다고 말함으로써 화자가 마주한 현실이 지향하는 세계와 거리가 있음을 보여 주는 것이겠군. ○ ✕

② 작품
(가): 화자는 _____하고 있는 '산'에서 '확 치밀어 오를 _____'을 기다림

선지➡ (가)의 '내 기다려도 좋으랴'와 관련하여 볼 때 '화염'이 치밀어 오르는 것은 화자가 기대하는 산의 변화를 나타내는 것이겠군.
○ ✕

③ 작품
(나): '_____ 만난다면 / 가문 어느 집에선들 _____'

선지➡ (나)에서 '만난다면', '좋아하지 않으랴'라고 말하는 화자는 자신이 소망하는 만남이 앞으로 실현되기를 바라는 태도를 취하고 있는 것이겠군. ○ ✕

④ 작품
(가): 화자는 '큰 산 그 넘엇 산'이 '_____ 내 마음 둥둥 구름'을 탄다고 함
(나): 화자는 '키 큰 나무와 함께 서서' '___ 오는 소리로' 흘러 '_____ 나무뿌리를 적시'려 함

선지➡ (가)의 '내 마음'이 '둥둥 구름을 타'는 것은 '큰 산', '그 넘엇 산'을 바꾸려는 화자의 바람이 이루어지는 과정을, (나)의 '키 큰 나무와 함께 서서'는 화자가 현실에서 벗어나 자연과 하나가 되고 싶은 마음을 표현한 것이겠군. ○ ✕

⑤ 작품
(가): 화자는 '핏내를 잊은~즐거이 뛰는 날', 즉 여러 생명 체가 '더불어', '함께', '즐거이' 공존하는 세계를 기다림
(나): 화자는 '_____'에게 '___'이 다 꺼지고 난 후 '_____'에서 흐르는 '___'로 만나자고 함

선지➡ (가)의 '핏내를 잊은~즐거이 뛰는 날'은 평화로운 세계를, (나)의 '넓고 깨끗한 하늘'은 화자가 '그대'와 만나 진정한 합일을 이루려는 세계를 표현한 것으로 볼 수 있겠군.
○ ✕

✏️ 다음 글을 읽고 화자와 대상을 찾아 표시하고, 빈칸에 적절한 말을 채우세요. 또한 주어진 문제를 풀어 보세요.

(가)

어둠은 새를 낳고, 돌을
낳고, 꽃을 낳는다. _____을 새, 돌, 꽃을 낳는 주체로 표현하고 있어.
아침이면,
어둠은 온갖 물상(物象)을 돌려주지만
스스로는 땅 위에 굴복한다. 아침이 되면 _____이 사라지면서 밤에는 잘
보이지 않던 온갖 _____이 나타나지.
무거운 어깨를 털고
물상들은 몸을 움직이어
노동의 시간을 즐기고 있다. _____이 되어 물상들이 나타나는 양상을
____을 움직여 _____을 즐기는 모습으로 표현하네.
즐거운 지상의 잔치에
금(金)으로 타는 태양의 즐거운 울림. 금처럼 빛나는 _____의 빛이 지상에
내리쬐고 있는 아침의 모습을 즐거운 _____가 벌어진 듯한 이미지로 나타내고 있어.
아침이면,
세상은 개벽을 한다. 어둠이 걷히고 _____이 오면 모든 것들이 새로 태어나듯
활기차게 움직이지. 화자는 이를 세상이 처음으로 생기는 _____의 순간과 같다고 본 거야.

         – 박남수, 「아침 이미지 1」 –

화자와 대상의 관계	_____이 걷히고 _____이 되어 온갖 _____이 새롭게 태어나 활기차게 움직이는 모습을 보고 있는 사람

(나)

텔레비전을 끄자
풀벌레 소리
어둠과 함께 방 안 가득 들어온다 _____을 끄자 어둠 속에서
_____가 들리기 시작했나 봐.
어둠 속에서 들으니 벌레 소리들 환하다
별빛이 묻어 더 낭랑하다 _____ 속에서 들으니 벌레 소리들에 _____이
묻어 그 소리가 맑고 선명하다고 하고 있어.
귀뚜라미나 여치 같은 큰 울음 사이에는
너무 작아 들리지 않는 소리도 있다 너무 _____ 듣지 못했던 소리를 텔레
비전을 끄자 (**인식하게**/인식하지 못하게) 되었나 봐.
그 풀벌레들의 작은 귀를 생각한다
내 귀에는 들리지 않는 소리들이 드나드는
까맣고 좁은 통로들을 생각한다 화자는 자신이 듣지 못하는 소리들을 듣는
풀벌레들의 _____를 생각하고 있어.
그 통로의 끝에 두근거리며 매달린
여린 마음들을 생각한다
발뒤꿈치처럼 두꺼운 내 귀에 부딪쳤다가
되돌아간 소리들을 생각한다 화자는 그동안 듣지 못했던 소리들과 풀벌레들의
_____ 마음들을 생각하고 있어.
브라운관이 뿜어낸 현란한 빛이
내 눈과 귀를 두껍게 채우는 동안

그 울음소리들은 수없이 나에게 왔다가
너무 단단한 벽에 놀라 되돌아갔을 것이다
하루살이들처럼 전등에 부딪쳤다가
바닥에 새카맣게 떨어졌을 것이다 화자는 _____의 현란한
빛에 정신을 빼앗긴 동안 _____들의 작은 소리에 귀 기울이지 못한 지난날의 삶을
_____하고 있어.
크게 밤공기 들이쉬니
허파 속으로 그 소리들이 들어온다
허파도 별빛이 묻어 조금은 환해진다 화자는 _____를 들이쉬어
풀벌레 _____을 받아들이며 내면이 밝게 정화되는 느낌을 받았을 거야.

         – 김기택, 「풀벌레들의 작은 귀를 생각함」 –

화자와 대상의 관계	_____ 속에서 풀벌레 소리를 들으며 의 작은 귀를 생각하는 '나'

1. (가), (나)의 '어둠'에 대한 설명으로 적절하지 않은 것은?

① (가)에서 '어둠'은 '물상'을 돌려주는 행위의 주체로 표현되고 있다.

② (나)에서 '어둠'은 '풀벌레 소리'를 도드라지게 하고 있다.

③ (가)에서는 '어둠'이 사라져 가는 시간을, (나)에서는 '어둠'이 지속되는 시간을 배경으로 삼고 있다.

④ (가)에서는 '어둠'이 물러나면서 상황이 변화하고, (나)에서는 '어둠'이 들어오면서 '방 안'의 분위기가 변화한다.

⑤ (가)에서는 '어둠'의 생산력을, (나)에서는 '어둠'의 포용력을 앞세워 '어둠'이 밝음에 순응하는 모습을 부각하고 있다.

2. 문학 개념어 OX 확인 문제

① (가)와 (나)는 모두 의인화된 자연물을 활용하고 있다.   ○ ✕

② (가)와 (나)는 모두 공감각적 심상을 사용하고 있다.   ○ ✕

🔍 다음의 선지 판단 공식을 활용하여 빈칸을 채우고 1번 문제의 선지를 OX로 판단해 보세요.

선지 판단의 공식

MEMO

① 작품
(가): '아침이면, / _____은 온갖 물상을 _____ _____ / 스스로는 땅 위에 굴복한다.'

선지▶ (가)에서 '어둠'은 '물상'을 돌려주는 행위의 주체로 표현되고 있다.　　　　○　×

② 작품
(나): '텔레비전을 끄자 / 풀벌레 소리 / _____과 함께 방 안 가득 들어온다 / 어둠 속에서 들으니 벌레 소리들 _____'

선지▶ (나)에서 '어둠'은 '풀벌레 소리'를 도드라지게 하고 있다.
　　　　○　×

③ 작품
(가): '_____이면, / 어둠은 온갖 물상을 돌려주지만 / 스스로는 땅 위에 _____한다.'라고 하여 어둠이 사라지고 아침이 밝아오면서 나타나는 모습에 주목함
(나): '풀벌레 소리 / _____과 함께 방 안 가득 들어온다' 라고 하여 어둠 속에서 _____가 들려오는 것에 주목함

선지▶ (가)에서는 '어둠'이 사라져 가는 시간을, (나)에서는 '어둠'이 지속되는 시간을 배경으로 삼고 있다.　　○　×

④ 작품
(가): 어둠이 사라지고 아침이 밝아오면서 '온갖 _____'이 '____을 움직이'기 시작하는 모습을 표현함
(나): '브라운관이 뿜어낸 _____이 / 내 눈과 귀를 두껍게 채우'던 방 안에서 '텔레비전을 _____ / 풀벌레 소리'가 '어둠과 함께 방 안 가득 들어'왔다고 표현함

선지▶ (가)에서는 '어둠'이 물러나면서 상황이 변화하고, (나)에서는 '어둠'이 들어오면서 '방 안'의 분위기가 변화한다.　○　×

⑤ 작품
(가): '____를 낳고, ____을 / 낳고, ____을 낳는' 어둠이 '아침' 이 되면 '온갖 물상을 돌려주'면서 '땅 위에 굴복한다.'라고 표현함
(나): '텔레비전을 끄자 / 풀벌레 소리 / 어둠과 함께 방 안 가득 들어온다 / 어둠 속에서 들으니 벌레 소리들 환하다'라고 하여 _____의 빛과 소리가 차단되자 어둠과 함께 _____ 소리를 인식하게 됨을 표현함

선지▶ (가)에서는 '어둠'의 생산력을, (나)에서는 '어둠'의 포용력을 앞세워 '어둠'이 밝음에 순응하는 모습을 부각하고 있다.
　　　　○　×

✎ 다음 글을 읽고 화자와 대상을 찾아 표시하고, 빈칸에 적절한 말을 채우세요. 또한 주어진 문제를 풀어 보세요.

(가)

모란이 피기까지는
나는 아직 ㉠나의 봄을 기다리고 있을 테요   화자는 _____이 피는 봄을
기다리고 있어.

모란이 뚝뚝 떨어져 버린 날
나는 비로소 봄을 여읜 **설움**에 잠길 테요   화자는 모란이 떨어져 버리면 봄
을 여읜 _____에 잠길 거야.

오월 어느 날 그 하루 무덥던 날
떨어져 누운 꽃잎마저 시들어 버리고는
천지에 모란은 자취도 없어지고
뻗쳐오르던 내 보람 서운케 무너졌느니
모란이 지고 말면 그뿐 **내 한 해는 다 가고 말아**   모란이 지고 말면 한 해가 다 지나갔다고
여기며 삼백예순 날 _____ 운다고 해.
삼백예순 날 하냥 섭섭해 우옵네다

모란이 피기까지는
나는 아직 기다리고 있을 테요 **찬란한 슬픔**의 봄을   화자는 봄을 모란이
피는 _____과 모란이 지고 난 후에 느끼는 _____이 공존하는 계절이라 생각하며
모란을 기다리고 있어.

– 김영랑, 「모란이 피기까지는」 –

화자와 대상의 관계	_____이 피는 찬란한 슬픔의 ___을 기다리는 '나'

(나)

북한산이
다시 그 높이를 회복하려면
다음 겨울까지는 기다려야만 한다.   북한산이 다시 그 _____를 회복하려면
_____까지는 기다려야 한대.

밤사이 눈이 내린,
그것도 백운대나 인수봉 같은
높은 봉우리만이 옅은 화장을 하듯
가볍게 눈을 쓰고   마치 _____ 화장을 하듯 ___이 살짝 덮인 북한산 높은
_____의 모습을 묘사하고 있어.

왼 산은 차가운 수묵(水墨)으로 젖어 있는,
어느 겨울날 이른 아침까지는 기다려야만 한다.   높은 봉우리에 가볍게
___이 쌓인 겨울날 _____ 아침까지는 기다려야 한대.

신록이나 단풍,
골짜기를 피어오르는 안개로는,
눈이래도 왼 산을 뒤덮는 적설(積雪)로는 드러나지 않는,   신록, 단풍,
안개, 왼 산을 뒤덮는 _____로는 북한산의 고고함이 드러나지 않나 봐.

심지어는 장밋빛 햇살이 와 닿기만 해도 변질하는,
그 ㉡고고(孤高)한 높이를 회복하려면

백운대와 인수봉만이 **가볍게 눈을 쓰는**
어느 겨울날 이른 아침까지는
기다려야만 한다.   화자가 생각하는 북한산의 고고한 _____는 이른 아침 햇살이
와 닿기만 해도 변질할 만큼 아슬아슬한 것으로, 높은 봉우리에만 _____ 눈이 쌓인
상태인가 봐.

– 김종길, 「고고(孤高)」 –

화자와 대상의 관계	북한산이 _____를 회복하는 _____ 날
	_____까지 기다려야 한다고 말하는 사람

---

1. ㉠, ㉡과 관련지어 (가), (나)를 이해한 내용으로 적절하지 <u>않은</u>
것은?

① (가)의 '설움'은 ㉠을 경험하지 못하게 방해하는 요인을 나타낸다.

② (가)의 '내 한 해는 다 가고 말아'는 ㉠의 경험이 화자의 삶에서 차지하는
비중이 큼을 나타낸다.

③ (가)의 '찬란한 슬픔'은 ㉠에서 경험할 수 있는 강렬한 정서를 나타낸다.

④ (나)의 '어느 겨울날 이른 아침'은 ㉡을 경험할 수 있는 특정 시간을 나타낸다.

⑤ (나)의 '가볍게 눈을 쓰는'은 ㉡을 경험하기 위한 대상의 요건을 나타낸다.

2. 문학 개념어 OX 확인 문제

① (가)와 (나) 모두 수미상관의 구조를 통해 주제를 강조하고 있다.   ○ ✕

② (가)와 (나) 모두 어순의 도치를 통해 상황의 긴박감을 표현하고 있다.   ○ ✕

MEMO

다음의 선지 판단 공식을 활용하여 빈칸을 채우고 1번 문제의 선지를 OX로 판단해 보세요.

선지 판단의 공식

①

작품 **(가):** '㉠나의 봄'은 '모란'이 핀 때이고, 화자는 '모란이 뚝뚝 떨어져 버린 날' '봄을 여읜 _____'에 잠김

선지➡ (가)의 '설움'은 ㉠을 경험하지 못하게 방해하는 요인을 나타낸다. ○ ✕

②

작품 **(가):** '㉠나의 봄'은 '모란'이 핀 때이고, 화자는 '모란이 지고 말면' '내 한 해는 _____ / 삼백예순 날 하냥 섭섭해' 운다고 함

선지➡ (가)의 '내 한 해는 다 가고 말아'는 ㉠의 경험이 화자의 삶에서 차지하는 비중이 큼을 나타낸다. ○ ✕

③

작품 **(가):** '㉠나의 봄'은 '모란'이 핀 때로 화자에게 기다림의 대상이지만, '모란'이 지면 슬픔에 잠기므로 화자는 봄을 '_____의 봄'이라고 함

선지➡ (가)의 '찬란한 슬픔'은 ㉠에서 경험할 수 있는 강렬한 정서를 나타낸다. ○ ✕

④

작품 **(나):** 화자는 '북한산'이 '㉡고고한 높이'를 회복하려면 '_____ _____는 기다려야만 한다.'라고 함

선지➡ (나)의 '어느 겨울날 이른 아침'은 ㉡을 경험할 수 있는 특정 시간을 나타낸다. ○ ✕

⑤

작품 **(나):** 화자는 '㉡고고한 높이'를 회복하려면 '백운대와 인수봉만이 _____ 눈을 쓰는 / 어느 겨울날 이른 아침까지는 / 기다려야만 한다.'라고 함

선지➡ (나)의 '가볍게 눈을 쓰는'은 ㉡을 경험하기 위한 대상의 요건을 나타낸다. ○ ✕

30 하루 30분, 현대시 트레이닝

다음 글을 읽고 화자와 대상을 찾아 표시하고, 빈칸에 적절한 말을 채우세요. 또한 주어진 문제를 풀어 보세요.

(가)

어머니는 그륵이라 쓰고 읽으신다
그륵이 아니라 그릇이 바른 말이지만
어머니에게 그릇은 그륵이다 _____은 그릇의 방언인데, 화자의 어머니는
그릇을 그륵이라고 쓰고 읽으셨다.
물을 담아 오신 어머니의 그륵을 앞에 두고
그륵, 그륵 중얼거려 보면
그륵에 담긴 물이 편안한 수평을 찾고
어머니의 그륵에 담겨졌던 모든 것들이
사람의 체온처럼 따뜻했다는 것을 깨닫는다 화자가 어머니의 그륵에 담겼
던 모든 것들이 _____고 생각하는 이유는 어머니의 따뜻한 사랑·온정이 담겨
있기 때문이겠지?

[A]
┌ 나는 학교에서 그릇이라 배웠지만
│ 어머니는 인생을 통해 그륵이라 배웠다
│ 그래서 내가 담는 한 그릇의 물과
└ 어머니가 담는 한 그륵의 물은 다르다 '나'는 학교에서 _____이라는
단어의 지시적 의미를 배웠을 뿐이야. 이와 달리 어머니는 인생을 통해 _____
이라고 배우신 것이기에, 내가 담는 한 그릇의 물과 어머니의 인생이 담긴 한 그륵의
물은 다를 수밖에 없지.

[B]
┌ 말 하나 살아남아 빛나기 위해서는
│ 말과 하나가 되는 사랑이 있어야 하는데
│ 어머니는 어머니의 삶을 통해 말을 만드셨고
└ 나는 사전을 통해 쉽게 말을 찾았다 '나'는 _____을 통해 쉽게 말
을 찾고 어머니는 ___을 통해 말을 만드신다고 했으니 말과 하나가 되는 사랑이
있는 말은 ('나'의 말/어머니의 말)이겠지?

무릇 시인이라면 하찮은 것들의 이름이라도
뜨겁게 살아 있도록 불러 주어야 하는데
두툼한 개정판 국어사전을 자랑처럼 옆에 두고
서정시를 쓰는 내가 부끄러워진다 화자는 _____ 것들의 이름이라도
뜨겁게 살아 있도록 불러주는 것을 ___를 쓰는 바람직한 태도로 여기면서, 사전을 통해
쉽게 말을 찾아내 시를 쓰는 자신의 모습을 _____ 하고 있네.

                        – 정일근, 「어머니의 그륵」 –

화자와 대상의 관계	어머니가 _____이라고 쓰고 읽은 것의 의미를 생각하며 시인으로서 _____을 느끼는 '나'

(나)

노래는 심장에, 이야기는 뇌수에 박힌다 화자는 _____와 _____
를 구분하고 있네.
처용이 밤늦게 돌아와, 노래로써
아내를 범한 귀신을 꿇어 엎드리게 했다지만
막상 목청을 떼어 내고 남은 가사는
베개에 떨어뜨린 머리카락 하나 건드리지 못한다 고려가요 「처용가」에
따르면 처용은 _____를 불러 귀신을 감복시켜 굴복하게 했어. 화자는 처용 설화를 활용
해 노래는 상대의 _____에 박혀 행동을 변화시킬 수 있지만, 목청을 떼고 _____만
남는다면 _____ 하나 건드리지 못한다고 하고 있어.

하지만 처용의 이야기는 살아남아
새로운 노래와 풍속을 짓고 유전해 가리라 _____을 떼어 내고 남은
_____는, 노래와 분리된 이야기라고 볼 수 있겠지? 처용의 이야기는 살아남아 새로운
노래와 풍속을 짓고 이어질 거야.

[C]
┌ 정간보가 오선지로 바뀌고
└ 이제 아무도 시집에 악보를 그리지 않는다

[D]
┌ 노래하고 싶은 시인은 말 속에
└ 은밀히 심장의 박동을 골라 넣는다 아무도 시집에 _____를
그리지 않는 것은 시와 음악이 분리된 상황을 말하는 거야. 그래도 시인은 말 속에
_____의 박동, 즉 음악을 골라 넣는다고 해.

[E]
┌ 그러나 내 격정의 상처는 노래에 쉬이 덧나
│ 다스리는 처방은 이야기일 뿐
│ 이야기로 하필 시를 쓰며
└ 뇌수와 심장이 가장 긴밀히 결합되길 바란다 화자는 노래는
격정의 상처를 덧나게 하지만, _____가 상처를 다스리는 처방이 될 것이
라고 해. 화자는 뇌수와 심장, 즉 _____와 _____가 결합된 시를 쓰기를
바라고 있어.

                        – 최두석, 「노래와 이야기」 –

화자와 대상의 관계	이야기로 시를 쓰며 뇌수(_____)와 심장(_____)이 긴밀히 결합되기를 바라는 '나'

1. [A]~[E]에 대한 감상으로 가장 적절한 것은?

① [A]: '그륵'보다는 '그릇'이 훨씬 풍부하고 다채로운 의미를 담고 있다는 뜻이군.

② [B]: '그릇'이라는 말은 창조된 것이고 '그륵'이라는 말은 발견된 것이라는 뜻이군.

③ [C]: 시와 음악의 분리를 비판하는 것으로 보아 자유시보다 정형시를 선호하는군.

④ [D]: 말에 생명을 불어넣어 감동을 주는 시를 쓰고자 하는 바람을 표현하고 있군.

⑤ [E]: 덧난 상처를 '이야기'로 치유한다면 상처의 원인은 '노래'에 있다는 뜻이군.

2. 문학 개념어 OX 확인 문제

① (가)와 (나) 모두 동일한 구절의 반복을 통해 리듬감을 주고 있다.   ○ ✕

② (가)와 (나) 모두 역설적 표현을 통해 시적 의미를 강조하고 있다.   ○ ✕

🔍 다음의 선지 판단 공식을 활용하여 빈칸을 채우고 1번 문제의 선지를 OX로 판단해 보세요.

선지 판단의 공식

① 작품
(가): '나'는 '학교'에서 '_____'이라 배웠고, '어머니'는 '인생'을 통해 '_____'이라고 배웠기에 '내가 담는 한 _____의 물'과 '어머니가 담는 한 _____의 물'은 다름

선지 [A]: '그륵'보다는 '그릇'이 훨씬 풍부하고 다채로운 의미를 담고 있다는 뜻이군.　○　×

② 작품
(가): 어머니는 '____을 통해 말을 만드셨'는데, 나는 '_____을 통해 쉽게 말을 찾'아냄

선지 [B]: '그릇'이라는 말은 창조된 것이고 '그륵'이라는 말은 발견된 것이라는 뜻이군.　○　×

③ 작품
(나): 화자는 '정간보가 오선지로 바뀌고' 난 후에 '시집에 악보를 그리'는 사람이 없다고 하는데, 이는 '_____(음악)을 떼어 내고 남은 _____(시)'와 유사한 상황을 표현한 것임 → 화자는 '뇌수(이야기)와 심장(노래)이 가장 긴밀히 결합'되는 시를 쓰기를 바람

선지 [C]: 시와 음악의 분리를 비판하는 것으로 보아 자유시보다 정형시를 선호하는군.　○　×

④ 작품
(나): '_____'는 '심장'에 박힌다고 했으므로, '시인'이 '말' 속에 '심장의 박동을 골라 넣'는 것은 화자가 심장에 박히는 노래와 같은 ____를 쓰고자 하는 바람을 나타낸 것임

선지 [D]: 말에 생명을 불어넣어 감동을 주는 시를 쓰고자 하는 바람을 표현하고 있군.　○　×

⑤ 작품
(나): 화자는 '노래' 때문에 쉽게 덧나는 '격정의 상처'를 '_____'로 다스릴 수 있다고 보며, '이야기'로 '시'를 써 '뇌수(이야기)와 심장(노래)이 가장 긴밀히 결합'되기를 바람

선지 [E]: 덧난 상처를 '이야기'로 치유한다면 상처의 원인은 '노래'에 있다는 뜻이군.　○　×

✏️ 다음 글을 읽고 화자와 대상을 찾아 표시하고, 빈칸에 적절한 말을 채우세요. 또한 주어진 문제를 풀어 보세요.

(가)

먹밤중 한밤중 새터 중뜸 개들이 시끌짝하게 짖어댄다
이 개 짖으니 저 개도 짖어
들 건너 갈메 개까지 덩달아 짖어댄다 _____중에 ___들이 요란하게
짖는 소리가 들려오고 있어.

이런 개 짖는 소리 사이로
언뜻언뜻 까 여 다 여 따위 말끝이 들린다
밤 기러기 드높게 날며
추운 땅으로 떨어뜨리는 소리하고 남이 아니다
앞서거니 뒤서거니 의좋은 그 소리하고 남이 아니다 개 짖는 소리 사이로
사람의 ___소리가 언뜻 섞여서 들린다고 하네. _____가 내는 소리와 _____
소리를 남이 아니라고 하며 서로 관련시키고 있어.

콩밭 김칫거리 / 아쉬울 때 마늘 한 접 이고 가서
군산 묵은장 가서 팔고 오는 선제리 아낙네들
팔다 못해 파장떨이로 넘기고 오는 아낙네들 말소리의 주인공은 선제리
의 _____이었구나. 군산 시장으로 가서 _____을 팔다가 날이 저물자 함께
선제리로 돌아가는 중인가 봐.

㉠시오릿길 한밤중이니 / 십릿길 더 가야지 선제리까지 _____나 되는
길을 더 가야 하나 봐.

빈 광주리야 가볍지만 / 빈 배 요기도 못하고 오죽이나 가벼울까
팔다 못한 마늘은 파장떨이로 넘기고 와서 _____는 가볍지만, 하루종일 장사를
하느라 끼니를 못 챙긴 탓에 아낙네들의 ___ 역시 텅 비어서 가볍대. 아낙네들의 고달픈
삶을 엿볼 수 있겠지?

그래도 이 고생 혼자 하는 게 아니라
못난 백성 / 못난 아낙네 끼리끼리 나누는 고생이라
얼마나 ㉡의좋은 한세상이더냐 그래도 혼자 하는 _____이 아니라 서로 돕고
의지할 수 있어 _____이라 여기고 있어.

그들의 말소리에 익숙한지
어느새 개 짖는 소리 뜸해지고
밤은 내가 밤이다 하고 말하려는 듯 어둠이 눈을 멀뚱거린다 개 짖는
_____가 뜸해지고 점점 더 깊어져 가는 ___의 모습으로 시를 마무리하고 있어.

　　　　　　　　　　　　　　　　　　– 고은, 「선제리 아낙네들」 –

화자와 대상의 관계	한밤중 군산의 장터에서 _____로 돌아가고 있는 _____의 삶에 대해 이야기하는 사람

(나)

한 해의 꽃잎을 며칠 만에 활짝 피웠다 지운
벚꽃 가로 따라가다가
미처 제 꽃 한 송이도 펼쳐 들지 못하고 멈칫거리는
늦된 그 나무 발견했지요. 화자가 벚꽃 길을 걷다가 어떤 _____를 발견했어.
다른 나무들은 이미 활짝 ___을 피웠다가 진 시점인데, 아직 꽃 한 송이도 제대로 피우지
못한 _____ 그 나무에게 관심이 갔나 봐.
들킨 게 부끄러운지, 그 나무
시멘트 개울 한 구석으로 비틀린 뿌리 감춰놓고

앞줄 아름드리 그늘 속에 반쯤 숨어 있었지요. 늦된 나무는 마치 부끄러
워서 자신의 모습을 감추려는 듯이 다른 울창한 나무들이 만들어낸 _____ 속에 서 있었대.
봄은 그 나무에게만 더디고 더뎌서
꽃철 이미 지난 줄도 모르는지,
그래도 여느 꽃나무와 다름없이
가지 가득 매달고 있는 멍울 어딘가 안쓰러웠지요. _____이 이미
지났는데 이제야 꽃망울을 매달고 있는 나무의 모습이 화자는 _____게 느껴졌나 봐.
늦된 나무가 비로소 밝혀드는 ㉢꽃불 성화,
환하게 타오를 것이므로 나도 이미 길이 끝난 줄
까마득하게 잊어버리고 한참이나 거기 멈춰 서 있었지요. 늦된 나무가
마치 꽃불 _____처럼 환하게 꽃을 피워낼 것이라 기대하며 화자는 그 앞에서 한참이나
멈춰 서 있었대.
산에서 내려 두 달거리나 제자릴 찾지 못해
헤매고 다녔던 저 ㉣난만한 봄길 어디,
늦깎이 깨달음 함께 얻으려고 한나절
나도 병든 그 나무 곁에서 서성거렸지요. 화자는 늦된 나무를 보면서 무언가
_____을 얻으려고 그 곁에서 한나절이나 서성거렸나 봐.
이 봄 가기 전 저 나무도 푸릇한 잎새 매달까요?
무거운 청록으로 여름도 지치고 말면
불타는 소신공양 틈새 ㉤가난한 소지(燒紙)*,
저 나무도 가지가지마다 지펴 올릴 수 있을까요? 화자는 _____도
언젠가는 푸릇한 잎새를 매달고, 여름이 지나 가을이 되면 고운 _____(가난한 소지)으로
물들기를 기대하고 있어.

　　　　　　　　　　　　　　　　　　– 김명인, 「그 나무」 –

*소지: 부정을 없애고 신에게 소원을 빌기 위하여 태워서 공중에 올리는 종이.

화자와 대상의 관계	꽃철이 지난 늦은 ___, 뒤늦게 꽃망울을 매달고 있는 _____를 보며 깨달음을 얻고자 하는 '나'

1. ㉠~㉤에 대한 설명으로 적절하지 않은 것은?

① ㉠: '군산 묵은장'과 '선제리' 사이의 거리로, '한밤중', '십릿길'과 더불어 '아낙네들'이 처한 상황을 구체적으로 나타낸다.

② ㉡: '끼리끼리'와 상관되는 것으로, 공동체적 삶에 공감하는 화자의 태도가 내포되어 있다.

③ ㉢: '늦된 나무'가 피워 낼 '꽃'을 성스러운 불에 비유한 것으로, '늦된 나무'에 대한 화자의 기대가 내포되어 있다.

④ ㉣: '벚꽃'이 흐드러지게 피어 있는 '봄길'로, 일탈적 삶에 대한 화자의 갈망이 간절한 것이었음을 나타낸다.

⑤ ㉤: 가을의 나뭇잎을 '깨달음'과 관련하여 표현한 것으로, '불타는 소신공양'과 대비되어 화자의 겸손한 태도를 드러낸다.

2. 문학 개념어 OX 확인 문제

① (가)에서는 대상의 미래에 대한 화자의 낙관적 전망을 드러내고 있다.　　○　✕

② (나)에서는 자조적 표현을 통해 삶의 모순을 드러내고 있다.　　○　✕

다음의 선지 판단 공식을 활용하여 빈칸을 채우고 1번 문제의 선지를 OX로 판단해 보세요.

선지 판단의 공식

① 작품
(가): '_____'에 가서 '마늘'을 파느라 '한밤중'이 되어서야 시장에서 '㉠시오릿길' 떨어진 거리의 '_____'로 돌아가는 중인 아낙네들은 앞으로 '_____'을 더 가야 함

선지 ➡ ㉠: '군산 묵은장'과 '선제리' 사이의 거리로, '한밤중', '십릿길'과 더불어 '아낙네들'이 처한 상황을 구체적으로 나타낸다.
○ ×

② 작품
(가): '선제리 아낙네'들은 하루 종일 장사를 하면서 '빈 배 _____도 못'하여 배가 텅 빈 상태인데, '이 고생 혼자 하는 게 아니라' '못난 아낙네 _____ 나누는 고생'이기에 화자는 이에 대해 '㉡_____ 한세상'이라고 함

선지 ➡ ㉡: '끼리끼리'와 상관되는 것으로, 공동체적 삶에 공감하는 화자의 태도가 내포되어 있다.
○ ×

③ 작품
(나): 화자는 꽃철이 다 지났지만 아직 꽃을 피우지 못한 '늦된 나무'에서도 '㉢꽃불 _____'가 '_____ 타오를 것'이라고 생각하며 한참이나 늦된 나무를 바라보고 있음

선지 ➡ ㉢: '늦된 나무'가 피워 낼 '꽃'을 성스러운 불에 비유한 것으로, '늦된 나무'에 대한 화자의 기대가 내포되어 있다.
○ ×

④ 작품
(나): 화자는 산에서 내려와 두 달가량을 '제자릴 찾지 못'한 채 '㉣난만한 봄길'을 '_____고 다녔'음, 그러다가 우연히 '늦된 나무'를 보고 '늦깎이 _____ 함께 얻으려고 한나절'을 '그 나무 곁에서 서성'거림

선지 ➡ ㉣: '벚꽃'이 흐드러지게 피어 있는 '봄길'로, 일탈적 삶에 대한 화자의 갈망이 간절한 것이었음을 나타낸다.
○ ×

⑤ 작품
(나): '늦된 나무'를 보며 깨달음을 얻고자 한 화자는 '무거운 청록으로 여름도 지치고' '_____이 오면 마치 '불타'는 듯 화려하게 단풍을 물들이는 다른 나무들 틈새에서 '늦된 나무'도 '㉤_____한 소지', 즉 소박하게나마 단풍으로 잎을 물들일 수 있을지를 생각하고 있음

선지 ➡ ㉤: 가을의 나뭇잎을 '깨달음'과 관련하여 표현한 것으로, '불타는 소신공양'과 대비되어 화자의 겸손한 태도를 드러낸다.
○ ×

✎ 다음 글을 읽고 화자와 대상을 찾아 표시하고, 빈칸에 적절한 말을 채우세요. 또한 주어진 문제를 풀어 보세요.

(가)

무엇을 실었느냐 화물 열차의
검은 문들은 탄탄히 잠겨졌다
바람 속을 달리는 화물 열차의 지붕 우에
우리 제각기 드러누워
한결같이 쳐다보는 하나씩의 별 화자는 어디론가 향하는 ＿＿＿＿＿＿
의 지붕 위에 올라탄 채 하늘에 뜬 ＿＿을 보고 있어.

두만강 저쪽에서 온다는 사람들과
쟈무스*에서 온다는 사람들과
험한 땅에서 험한 벌 치르고
눈보라 치기 전에 고향으로 돌아간다는
남도 사람들과 화물 열차의 지붕 위에는 서로 다른 곳에서 온 사람들이 화자와 함께
있나 봐.
북어 쪼가리 초담배 밀가루 떡이랑
나눠서 요기하며 내사 서울이 그리워
고향과는 딴 방향으로 흔들려 간다 화물 열차는 ＿＿＿＿＿로 향해 가고 있구나.

＿ 푸르른 바다와 거리거리를
　　설움 많은 이민 열차의 흐린 창으로
[A]　그저 서러이 내다보던 골짝 골짝을
　　갈 때와 마찬가지로
＿ 헐벗은 채 돌아오는 이 사람들과 ＿＿＿＿ 많은 이민 열차를 타고 떠
났다고 한 것으로 보아, 당시에는 원하지 않지만 고향을 떠날 수밖에 없었던 상황
이었나 봐. 가진 것 없이 ＿＿＿＿＿ 채 떠났던 사람들이 고국으로 돌아올 때에
도 마찬가지로 ＿＿＿＿＿ 상태라고 하네.
마찬가지로 헐벗은 나요 화자 역시 헐벗었다고 하니 고난과 시련의 삶을 살아왔
을 거야.
나라에 기쁜 일 많아
울지를 못하는 함경도 사내 화자의 고향은 ＿＿＿＿＿＿＿였구나. ＿＿＿＿에
기쁜 일이 생겨 다른 사람들과 마찬가지로 서울로 향하는 화물 열차에 몸을 실었으나, 그
곳은 정작 화자의 고향과는 ＿＿＿＿ 방향이었던 거지.

총을 안고 뽈가*의 노래를 부르던
슬라브의 늙은 병정은 잠이 들었나
바람 속을 달리는 화물 열차의 지붕 우에
우리 제각기 드러누워
한결같이 쳐다보는 하나씩의 별 1연의 구절을 유사하게 ＿＿＿＿＿하며 시상을
마무리하고 있네.

– 이용악, 「하나씩의 별」 –

*쟈무스: 자무쓰. 중국 북단의 한 지명.
*뽈가: 러시아 서부의 볼가강.

화자와 대상의 관계	객지에서 힘겨운 삶을 살아온 유이민들과 함께 고국으로 향하는 ＿＿＿＿＿＿의 ＿＿＿＿ 위에서 별을 바라보는 '나'

(나)

＿ 검정 사포를 쓰고 똑딱선(船)을 내리면
　　우리 고향의 선창가는 길보다도 사람이 많았소 화자가 배에서
　　내려 마주한 ＿＿＿＿＿의 모습은 많은 사람들로 북적였나 봐.
[B]　양지바른 뒷산 푸른 송백(松柏)을 끼고
　　남쪽으로 트인 하늘은 기(旗)빨처럼 다정하고 선창가에 모인
　　사람들 뒤편으로는 푸르른 ＿＿＿과 탁 트인 ＿＿＿＿＿이 펼쳐져 있는 모습이네.
＿ 낯설은 신작로 옆대기를 들어가니
내가 크던 돌다리와 집들이
소리 높이 창가하고 돌아가던
저녁놀이 사라진 채 남아 있고 고향에는 낯선 ＿＿＿＿＿도 들어섰지만,
화자가 어릴 때 보았던 ＿＿＿＿＿와 ＿＿＿, ＿＿＿＿＿도 여전히 남아 있어.
그 길을 찾아가면
우리 집은 유약국 익숙한 고향의 풍경을 따라 간 화자가 ＿＿에 도착하였네.
행이불언(行而不言) 하시는 아버지께선 어느덧
돋보기를 쓰시고 나의 절을 받으시고
헌 책력(冊曆)처럼 애정에 낡으신 어머님 옆에서 ＿＿＿＿＿와
＿＿＿＿＿ 모두 흐르는 세월 속에서 늙으신 모습이야.
나는 끼고 온 신간(新刊)을 그림책인 양 보았소 어머니 옆에서 가지고 온
＿＿＿을 읽는 화자는 마치 어린 시절 ＿＿＿＿＿을 읽던 때와 같은 기분을 느끼고 있어.

– 유치환, 「귀고」 –

화자와 대상의 관계	＿＿＿＿＿으로 돌아와 느끼는 감회에 대해 이야기하는 '＿'

1. [A], [B]에 대한 이해로 가장 적절한 것은?

① [A]의 '거리거리'와 [B]의 '신작로'에는 시간의 경과에 따른 화자의 변화된
인식이 내포되어 있다.

② [A]의 '이민 열차'는 현실에 대한 화자의 기대감을, [B]의 '똑딱선'은 미래에
대한 화자의 기대감을 부각하고 있다.

③ [A]의 '흐린 창'과 [B]의 '양지바른 뒷산'은 시적 분위기와 대비되는 이미지를
드러내고 있다.

④ [A]의 '골짝 골짝'에는 떠나는 이의 슬픔이, [B]의 '하늘'에는 돌아온 이의
반가움이 투영되어 있다.

⑤ [A]의 '사람들'과 [B]의 '사람'에는 화자의 연민이 내포되어 있다.

2. 문학 개념어 OX 확인 문제

① (가)는 공간의 대비를 통해 바람직한 삶의 자세를 드러내고 있다. ○ ✕

② (나)는 대화체와 독백체를 교차하여 시적 상황을 구체화하고 있다. ○ ✕

🔍 다음의 선지 판단 공식을 활용하여 빈칸을 채우고 1번 문제의 선지를 OX로 판단해 보세요.

선지 판단의 공식

① 작품
(가): '거리거리'는 과거에 '설움 많은 이민 열차'를 타고 떠났던 이들이 본 창 밖의 풍경임
(나): 고향에 돌아온 화자는 처음 '신작로'를 보고 _____ 다고 함

선지 ➡ [A]의 '거리거리'와 [B]의 '신작로'에는 시간의 경과에 따른 화자의 변화된 인식이 내포되어 있다.　　　○ ×

② 작품
(가): '이민 열차'는 '_____ 채' 떠났던 사람들이 _____을 느꼈던 공간임
(나): '똑딱선'을 타고 _____에 돌아온 화자는 자신이 본 고향의 풍경과 이에 따른 정서를 이야기하고 있음

선지 ➡ [A]의 '이민 열차'는 현실에 대한 화자의 기대감을, [B]의 '똑딱선'은 미래에 대한 화자의 기대감을 부각하고 있다.
　　　○ ×

③ 작품
(가): 사람들은 이민 열차의 '흐린 창'을 통해 어쩔 수 없이 떠나야만 하는 고국의 풍경을 내다보며 _____을 느꼈음
(나): 고향에 돌아온 화자는 '양지바른 뒷산' 등의 풍경을 바라보며 '_____'함과 친근함을 느끼고 있음

선지 ➡ [A]의 '흐린 창'과 [B]의 '양지바른 뒷산'은 시적 분위기와 대비되는 이미지를 드러내고 있다.　　　○ ×

④ 작품
(가): 사람들은 이민 열차의 ___ 밖으로 내다보이는 '푸르른 바다와 거리거리', '골짝 골짝' 등의 풍경을 보며 서러움을 느꼈음
(나): 고향에 돌아온 화자는 '남쪽으로 트인 하늘'을 보며 '기빨처럼 _____'하다고 함

선지 ➡ [A]의 '골짝 골짝'에는 떠나는 이의 슬픔이, [B]의 '하늘'에는 돌아온 이의 반가움이 투영되어 있다.　　　○ ×

⑤ 작품
(가): '설움 많은 이민 열차'를 타고 '헐벗은 채' 떠났던 사람들이 '갈 때와 _____로 / 헐벗은 채 돌아'온다고 함
(나): 화자가 '똑딱선'에서 내리자 '_____'에는 많은 사람들이 모여 있음

선지 ➡ [A]의 '사람들'과 [B]의 '사람'에는 화자의 연민이 내포되어 있다.　　　○ ×

✏️ 다음 글을 읽고 화자와 대상을 찾아 표시하고, 빈칸에 적절한 말을 채우세요. 또한 주어진 문제를 풀어 보세요.

(가)

시키지 않은 일이 서둘러 하고 싶기에 난로에 싱싱한 물푸레 갈어
지피고 등피(燈皮)* 호 호 닦어 끼우어 심지 튀기니 불꽃이 새록
돋다. _화자가 _____에 불을 지피고 _____을 밝히고 있어._ 미리 떼고 걸고
보니 캘린더 이튿날 날짜가 미리 붉다. _화자는 어서 _____이 되기_
를 기다리고 있나 봐. 이제 차츰 밟고 넘을 다람쥐 등솔기같이 구브레 벋어
나갈 연봉(連峯) 산맥길 위에 아슬한 가을 하늘이여 초침 소리 유
달리 뚝닥거리는 낙엽 벗은 산장 밤 _____이 떨어진 늦가을 밤의 _____
_에서 시계의 _____가 유달리 선명하게 들려오고 있어. 적막한 분위기가 느껴_
_지지?_ ㉠창유리까지에 구름이 드뉘니 후 두 두 두 낙수(落水) 짓는
소리 크기 손바닥만한 어인 나비가 따악 붙어 들여다본다. _고요한_
_산장에 _____이 드리우면서 비가 내리자, 어디선가 손바닥만한 _____가 나타나_
창유리에 붙었어. 가엾어라 열리지 않는 창 주먹 쥐어 징징 치니 날
을 기식(氣息)도 없이 네 벽이 도로혀 날개와 떤다. _날아갈 기운이 없어_
_유리창에 붙어 날개만 떨고 있는 나비를 화자는 _____게 여기고 있어._ 해발 오천 척
위에 떠도는 한 조각 비 맞은 환상(幻想) 호흡하노라 서툴리 붙어
있는 이 자재화(自在畵)* 한 폭은 활 활 불피워 담기어 있는 이상
스런 계절이 몹시 부러웁다. _나비를 한 조각의 비 맞은 _____과_
한 폭에 비유하였어. 화자는 유리창에 붙어 있는 나비가 창 안에 피워져 있는 난로와 등불의
_불빛을 보며 _____을 느낀다고 생각하고 있어._ 날개가 찢어진 채 검은 눈
을 잔나비처럼 뜨나 않을까 무서워라. _화자는 나비에게 _____가 찢어_
지는 시련이 생기지는 않을까 두려워하고 있어. 구름이 다시 유리에 바위처럼
부서지며 별도 휩쓸려 나려가 산 아래 어느 마을 위에 총총하뇨.
_산장에는 구름이 몰려와 다시 ____가 내리고, 이로 인해 하늘의 ____마저 보이지 않는 상황_
_이야._ 백화(白樺) 숲 희부옇게 어정거리는 절정(絕頂)* 부유스름하기
황혼 같은 밤. _산장 주변의 밤 풍경을 시각적으로 묘사하였네._

– 정지용, 「나비」–

*등피: 등불이 꺼지지 않도록 바람을 막고 불빛을 밝게 하기 위하여 남포등에 씌우는
유리로 만든 물건.
*자재화: 자, 컴퍼스 따위를 쓰지 않고 연필이나 붓만으로 그린 그림.
*절정: 산꼭대기.

화자와 대상의 관계	늦가을 밤, 비 내리는 산장에서 _____에 붙어 있는 _____를 바라보는 사람

(나)

겨울 아침, ㉡유리창 가득 반짝이는
성에를 본다. 유리창에 만발한 하얀 식물,
꽃과 잎과 줄기를 본다. _화자는 겨울 아침, _____에 낀 _____를_
관찰하면서 하얀 식물에 비유하고 있네.
무엇일까, 막힘없는 물방울들을
섬세한 꽃과 잎의 무늬 안에 가두어놓은 힘은. _화자는 막힘없는_
_물을 가두어 성에를 만든 ____에 대해 궁금해하고 있어._

결빙의 힘 속에
식물의 본능이 숨어 있었던 것일까.

땅 속에서 물을 퍼올려
잎을 피우고 꽃을 터뜨리는 생명의 비밀이
얼음 속에도 있었던 것일까. _화자는 물방울이 얼어 성에가 만들어지는_
_____의 과정과 식물이 ____과 ____을 피워내는 생장의 과정을 서로 연결지어 생각_
_하고 있어._
모든 흐트러짐과 자유로움을
정교하고 엄격한 계율로 만드는
서슬 푸른 법(法)과 도(道)의 세계가
결빙의 과정 속에 있었던 것일까. _흐트러짐과 자유로움을 _____하고_
_엄격한 _____로 만드는 결빙의 과정을 통해 성에가 만들어졌다고 여기고 있어._

이 화려한 무늬를 들여다보면
막 얼기 시작한 물이
결빙의 칼날과 환희를 견디다가
절정의 순간 얼음의 결정체마다 살라놓은
투명한 불의 흔적이 보인다. _화자는 결빙을 통해 만들어진 성에의 _____
_____를 들여다보며 ____의 흔적을 발견하고 있어._

겨울 아침, 하얀 식물 성에를 보며
문득 지상의 모든 얼음을 떠올린다.
푸른 얼음 속에 울창하게 퍼져 있는
또다른 원시림을 본다. _성에를 보면서 떠올린 생각을 _____의 모든 _____
으로 확장하고, 얼음 속에서 원시림을 발견하고 있어.

청정한 법(法)과 도(道)가
열대의 온갖 동식물처럼
뿌리내리고 자라 넘실거리는,
뛰고 날고 헤엄치며 노는,
투명하고 차가운 밀림을 본다. _화자는 성에를 비롯한 지상의 모든 _____
_에서 열대의 온갖 _____이 생동하는 역동성을 발견한 거야._

– 김기택, 「얼음 속의 밀림」–

화자와 대상의 관계	유리창에 낀 성에를 보며, 그 안에 있는 역동적인 _____ _____을 발견하는 사람

1. ㉠, ㉡에 대한 이해로 가장 적절한 것은?

① ㉠은 ㉡과 달리 안과 밖의 두 공간을 차단하는 기능을 하고 있다.

② ㉡은 ㉠과 달리 과거를 회상하는 매개체의 역할을 하고 있다.

③ ㉠과 ㉡은 모두 화자가 추구하는 이상향을 자각하게 하는 동기가 되고 있다.

④ ㉠과 ㉡은 모두 화자가 처한 현실을 객관적으로 투영하는 대상이 되고 있다.

⑤ ㉠과 ㉡은 모두 대상에 대한 화자의 긍정적 인식이 부정적으로 변하는 계기가
되고 있다.

2. 문학 개념어 OX 확인 문제

① (가)는 공간의 이동에 따라 화자의 정서 변화 양상을 보여 주고 있다. ○ ✕

② (나)는 정적 대상인 '성에'에서 찾아낸 '뛰고 날고 헤엄치며 노는' 역동적
생명력을 드러내고 있다. ○ ✕

다음의 선지 판단 공식을 활용하여 빈칸을 채우고 1번 문제의 선지를 OX로 판단해 보세요.

선지 판단의 공식

①

작품
(가): 화자는 '㉠창유리'에 붙은 나비를 보며 가엾음을 느낌. 나비는 '활 활 불피워 담기어 있는' 창 ___ 을 바라봄
(나): 화자는 '㉡유리창'에 낀 _____를 관찰하며 결빙의 과정에 깃든 힘과 '생명의 비밀'에 대해 깨닫고 있음

선지➡ ㉠은 ㉡과 달리 안과 밖의 두 공간을 차단하는 기능을 하고 있다.   ○   ✕

②

작품
(가): 화자가 가을 밤 산장에서 '㉠창유리'에 붙은 _____를 보며 느낀 바를 중심으로 시상이 전개됨
(나): 화자가 겨울 아침 '㉡유리창'에 낀 _____를 관찰하면서 생각한 바를 중심으로 시상이 전개됨

선지➡ ㉡은 ㉠과 달리 과거를 회상하는 매개체의 역할을 하고 있다.   ○   ✕

③

작품
(가): 화자는 '㉠창유리'에 붙은 나비를 보며 _____을 느끼고 있음
(나): 화자는 '㉡유리창'에 낀 성에를 관찰하며 결빙의 과정에 깃든 ___ 에 대해 생각하고, 이를 '지상의 모든 _____' 차원으로 확장하고 있음

선지➡ ㉠과 ㉡은 모두 화자가 추구하는 이상향을 자각하게 하는 동기가 되고 있다.   ○   ✕

④

작품
(가): 화자는 '㉠창유리'에 붙은 나비를 '한조각 _____ _____', '자재화 한 폭'으로 표현하며 기운 없이 날개를 떠는 나비를 가엾다고 함. 화자는 나비의 _____가 찢어지는 일을 염려하고 있음
(나): 화자는 '㉡유리창'에 낀 성에를 관찰하며 결빙의 과정에 깃든 힘과 '_____의 비밀'에 대해 깨닫고 있음

선지➡ ㉠과 ㉡은 모두 화자가 처한 현실을 객관적으로 투영하는 대상이 되고 있다.   ○   ✕

⑤

작품
(가): 화자는 '㉠창유리'에 붙은 나비가 기운 없이 날개를 떠는 것을 보며 가엾다고 함. 화자는 나비의 날개가 찢어지는 일을 _____하고 있음
(나): 화자는 '㉡유리창'에 낀 성에를 관찰하며 결빙의 힘이 만들어낸 무늬를 _____하다고 표현함. 또한 이를 '지상의 모든 얼음' 차원으로 확장하며 역동적인 생명력을 발견함

선지➡ ㉠과 ㉡은 모두 대상에 대한 화자의 긍정적 인식이 부정적으로 변하는 계기가 되고 있다.   ○   ✕

✏️ 다음 글을 읽고 화자와 대상을 찾아 표시하고, 빈칸에 적절한 말을 채우세요. 또한 주어진 문제를 풀어 보세요.

(가)

산은 조용히 비에 젖고 있다.
밑도 끝도 없이 내리는 가을비   화자는 조용히 가을비에 젖고 있는 ____을 바라보고 있어.

가을비 속에 진좌한 무게를
그 누구도 가늠하지 못한다.   가을비 속에 _____(자리잡아 앉음)한 산은 _____ 있게 다가와.

표정은 뿌연 시야에 가리우고
다만 ㉠윤곽만을 드러낸 산   비가 내리니 산의 _____은 잘 안 보이고 산의 ____만 보이는 상태야.

천 년 또는 그 이상의 세월이
오후 한때 가을비에 젖는다.   산에는 오랜 _____이 담겨 있어.
이 심연 같은 적막에 싸여   산의 고요함을 ____에 비유하네.
조는 둥 마는 둥
아마도 반쯤 눈을 감고
방심무한 비에 젖는 산   산은 반쯤 ____을 감고 아무 생각 없이 ____에 젖고 있어.

그 옛날의 ㉡격노의 기억은 간 데 없다.
깎아지른 절벽도 앙상한 바위도
오직 한 가닥
완만한 곡선에 눌려 버린 채   지난날 산이 지닌 _____과 깎아지른 절벽, 앙상한 바위는 이제 가려지고, 오직 완만한 _____만이 보일 뿐이야.

어쩌면 눈물 어린 눈으로 보듯
가을비 속에 어룽진 윤곽
아 아 그러나 지울 수 없다.   화자는 가을비에 부드러운 _____만 뿌옇게 보이는 산을 잊을 수 없다고 해.

– 이형기, 「산」 –

화자와 대상의 관계	_____에 젖고 있는 산을 바라보는 사람

(나)

마음이 또 수수밭을 지난다. 머위잎 몇장 더 얹어 뒤란으로 간다. 저녁만큼 저문 것이 여기 또 있다.   화자의 마음은 또 _____을 지난다. ____라고 한 걸로 보아 이전에도 마음이 수수밭을 지난 적이 있었나 봐. _____으로 가면 저녁만큼 저문 것이 또 있다고 하네. 아마도 화자의 마음은 (밝은/**어두운**) 상태인 것 같아.

개밥바라기별이
내 눈보다 먼저 땅을 들여다본다
세상을 내려놓고는 길 한쪽도 볼 수 없다
논둑길 너머 길 끝에는 보리밭이 있고
㉢보릿고개를 넘은 세월이 있다   '나'는 _____를 넘은 가난했던 세월을 떠올리고 있어.

바람은 자꾸 등짝을 때리고, 절골의
그림자는 암처럼 깊다. 나는 _____은 등짝을 때리고 _____(절이 있는 골짜기)의 그림자도 깊다고 하네. '나'의 마음과 관계된 것이겠지?

몇 번 머리를 흔들고 산 속의 산,
산 위의 산을 본다. 산은 올려다보아야
한다는 걸 이제야 알았다. 저기 저
하늘의 자리는 싱싱하게 푸르다.   '나'는 괴로워하다가 _____를 몇 번 흔들고는 푸르고 싱싱한 ____과 하늘을 올려다보게 돼.

푸른 것들이 어깨를 툭 친다. 올라가라고
그래야 한다고, 나를 부추기는 솔바람 속에서
내 막막함도 올라간다. 번쩍 제정신이 든다   푸른 것들이 '나'에게 _____라고 재촉하니 고뇌 속에 잠겨 있던 '나'의 마음이 번쩍 _____이 들었대.

정신이 들 때마다 우짖는 내 속의 ㉣목탁새들
나를 깨운다. 이 세상에 없는 길을
만들 수가 없다. 산 옆구리를 끼고
절벽을 오르니, 천불산(千佛山)이
몸속에 들어와 앉는다.   마음속 _____들로 인해 정신이 든 '나'는 산 옆구리를 끼고 _____을 오르기 시작해.

내 ㉤맘속 수수밭이 환해진다.   화자의 마음에 _____이 들어와 앉은 뒤, 맘속 _____이 환해진다고 하네. 아마도 어두웠던 내면이 환해지며 평온을 얻은 것 같아.

– 천양희, 「마음의 수수밭」 –

화자와 대상의 관계	____을 오르며 깨달음을 얻어 _____ 내면이 평온해지는 '나'

1. ㉠~㉤에 대한 설명으로 적절하지 않은 것은?

① ㉠: '비'에 젖어 뿌옇게 보이는 산으로 화자 자신의 답답한 심정을 암시하고 있다.

② ㉡: '완만한 곡선'이 되기 전 격정적인 감정에 휩싸였던 '산'의 지난날을 의미하고 있다.

③ ㉢: '보리밭'과 겹치어 마음속에 연상된 것으로 화자의 힘들었던 과거를 함축하고 있다.

④ ㉣: '하늘'과 '솔바람'에 의해 제정신이 든 화자를 일깨우는 존재를 의미하고 있다.

⑤ ㉤: '절벽'에 오르고 '산'을 받아들이면서 어둡고 우울한 상태에서 벗어나고 있는 화자의 심리를 의미하고 있다.

2. 문학 개념어 OX 확인 문제

① (가)는 계절감을 드러내어 시적 분위기를 형성하고 있다.   ○ ✕

② (가)와 (나)는 모두 현재형 진술을 활용하여 화자의 정서를 드러내고 있다.
                                                                          ○ ✕

🔍 다음의 선지 판단 공식을 활용하여 빈칸을 채우고 1번 문제의 선지를 OX로 판단해 보세요.

선지 판단의 공식

MEMO ☺

① 작품　(가): '산은 조용히 ___에 젖고 있'고, '가을비 속'에서 '뿌연 시야에 가리'워진 채 다만 '_____만을 드러'냄, 화자는 '가을비 속에 어룽진 윤곽'을 보며 '_____ 수 없다'고 말함

선지➡ ㉠: '비'에 젖어 뿌옇게 보이는 산으로 화자 자신의 답답한 심정을 암시하고 있다.　　　　　　○　×

② 작품　(가): 화자는 '가을비에 젖은 산의 모습이 '그 옛날의 ㉡_____의 기억'을 지운 듯 '깎아지른 _____'과 '앙상한 _____'가 '완만한 곡선'의 산등성이에 눌려 버린 모습이라 함

선지➡ ㉡: '완만한 곡선'이 되기 전 격정적인 감정에 휩싸였던 '산'의 지난날을 의미하고 있다.　　　　　　○　×

③ 작품　(나): '논둑길 너머 길 끝에는 _____이 있'는데, 이를 통해 화자는 '_____를 넘은' 지난 세월을 떠올림

선지➡ ㉢: '보리밭'과 겹치어 마음속에 연상된 것으로 화자의 힘들었던 과거를 함축하고 있다.　　　　　○　×

④ 작품　(나): 화자는 '_____들이 어깨를 툭' 치며 '올라가라' 하고, '_____'이 '부추기'는 바람에 '번쩍 제정신'이 듦, '정신이 들 때마다 _____' '㉣목탁새들'이 화자를 깨움

선지➡ ㉣: '하늘'과 '솔바람'에 의해 제정신이 든 화자를 일깨우는 존재를 의미하고 있다.　　　　　　○　×

⑤ 작품　(나): '산 옆구리를 끼고 / 절벽을 오르니' 화자의 몸속에는 '_____'이 들어옴, 그때 화자의 '㉤맘속 _____이 환해'지게 됨

선지➡ ㉤: '절벽'에 오르고 '산'을 받아들이면서 어둡고 우울한 상태에서 벗어나고 있는 화자의 심리를 의미하고 있다.　　○　×

3
주차

3주차
학습 안내

3주차에서는 <보기>가 포함된 문제의 선지를 정확하게 판단하기 위한 훈련을 할 거야. <보기>는 지문을 보다 깊이 이해할 수 있는 정보를 제공해. 즉 작품의 창작 배경이나 작가의 의도, 작품에 활용된 기법의 소개 등을 통해 제시된 지문을 어떻게 해석해야 하는지에 대한 단서를 제공하는 거지. <보기> 문제는 대체로 3점인 경우가 많고 오답률도 높은 편이야. <보기>가 포함된 문제를 풀 때는 선지의 진술이 지문의 내용뿐만 아니라 <보기>에 제시된 내용과도 부합하는지를 종합적으로 판단해야 하기 때문이지.

이에 대비해 3주차에서는 '<보기> 문제 선지 판단의 공식'을 통해 각 선지의 <보기> 속 근거, 작품 속 근거를 확인하여 정리할 수 있도록 했어. 이러한 훈련 과정을 반복하다 보면 작품-<보기>-선지 내용 간의 연결 관계를 유기적으로 판단할 수 있고, 그 과정에서 오답 선지가 구성되는 방식이 눈에 보일 거야. 3주차 훈련을 통해 <보기> 문제 앞에서도 흔들림 없이 선지를 판단해 보자.

✏️ 다음 글을 읽고 화자와 대상을 찾아 표시하고, 빈칸에 적절한 말을 채우세요. 또한 주어진 문제를 풀어 보세요.

나무는 자기 몸으로
나무이다
자기 온몸으로 나무는 나무가 된다   나무가 자기 _____으로 _____가 된대.
자기 온몸으로 헐벗고 영하 13도
영하 20도 지상에
온몸을 뿌리 박고 대가리 쳐들고
무방비의 나목(裸木)으로 서서
두 손 올리고 벌받는 자세로 서서   나무는 영하의 혹독한 추위에도 _____
박고, 대가리를 쳐든 무방비의 _____(잎이 지고 가지만 앙상한 나무)으로 _____
듯한 자세로 두 손을 올리고 서 있어.
아 벌받은 몸으로, 벌받는 목숨으로 기립하여, 그러나
이게 아닌데 이게 아닌데
온 혼(魂)으로 애타면서 속으로 몸속으로 불타면서
버티면서 거부하면서 영하에서
영상으로 영상 5도 영상 13도 지상으로
밀고 간다, 막 밀고 올라간다   나무는 부정하고 버티고 _____하면서
영하에서 _____으로, 그리고 _____으로 막 밀고 올라간대.
온몸이 으스러지도록
으스러지도록 부르터지면서
터지면서 자기의 뜨거운 혀로 싹을 내밀고
천천히, 서서히, 문득, 푸른 잎이 되고
푸르른 사월 하늘 들이받으면서
나무는 자기의 온몸으로 나무가 된다   으스러지고 부르터지는 고통(에 **굴복**
하며/을 극복하며) 나무는 싹을 내밀고, 푸른 잎을 피우고, 자기의 _____으로 _____가
된대.
아아, 마침내, 끝끝내
꽃 피는 나무는 자기 몸으로
꽃 피는 나무이다   마침내 나무는 _____ 나무가 되었네.
            – 황지우, 「겨울 – 나무로부터 봄 – 나무에로」 –

| 화자와 대상의 관계 | 무방비의 _____으로 벌받는 자세로 서 있던 겨울 나무가
____ 피는 봄 나무가 되기까지의 과정을 떠올리는 사람 |

1. 〈보기〉를 참고하여 윗글을 감상한 내용으로 적절하지 <u>않은</u> 것은?

〈보기〉

이 시는 나무의 변화가 자기 부정을 통해서 일어나고, 생성은 나무 스스로의 내적인 힘에 의해 이루어진다는 것을 강조한 것으로 이해될 수 있다. 즉 겨울에서 봄으로의 변화는 단지 외부에 의한 것이 아니라 나무 내부의 변화와 생성을 위한 전면적인 노력과 관련된 것임을 의미하고 있다.

① '이게 아닌데 이게 아닌데'는 나무가 변화를 지향하며 자기 부정을 하는 장면으로 볼 수 있다.

② '밀고 간다, 막 밀고 올라간다'는 나무의 의지로 나무가 내적인 힘을 쏟는 것으로 볼 수 있다.

③ '온몸이 으스러지도록'은 나무가 변화와 생성을 위해 기울이는 전면적인 노력을 강조하는 것이다.

④ '마침내, 끝끝내'는 겨울-나무가 마지막까지 겨울-나무이고자 하는 의지를 표현한다.

⑤ '꽃 피는 나무'는 나무가 스스로의 변화를 거쳐 새로운 단계로 성장했음을 표상하는 것이다.

2. 문학 개념어 OX 확인 문제

① 토속어를 통해 화자의 자연 친화적인 태도를 보여 주고 있다.   ○ ✕

② 근경에서 원경으로 시선을 이동하면서 대상을 포착하고 있다.   ○ ✕

🔍 다음의 선지 판단 공식을 활용하여 빈칸을 채우고 1번 문제의 선지를 OX로 판단해 보세요.

〈보기〉 문제 선지 판단의 공식

① 〈보기〉 나무의 변화는 _____을 통해서 일어남 ➕ 작품 '_____ / 온 혼으로 애타면서 속으로 몸속으로 불타면서 / 버티면서 거부하면서', '밀고 간다, 막 밀고 올라간다'

선지 '이게 아닌데 이게 아닌데'는 나무가 변화를 지향하며 자기 부정을 하는 장면으로 볼 수 있다. ○ ✕

② 〈보기〉 나무의 생성은 생성을 위한 나무 _____인 힘과 노력에 의해 이루어짐 ➕ 작품 '온 혼으로 애타면서 ___으로 _____으로 불타면서 / 버티면서 거부하면서', '_____, 막 밀고 올라간다'

선지 '밀고 간다, 막 밀고 올라간다'는 나무의 의지로 나무가 내적인 힘을 쏟는 것으로 볼 수 있다. ○ ✕

③ 〈보기〉 겨울에서 봄으로의 변화는 나무 내부의 _____와 _____을 위한 노력과 관련되어 있음 ➕ 작품 '온 혼으로 애타면서 속으로 몸속으로 불타면서 / 버티면서 거부하면서 _____에서 / _____으로', '_____ _____ / 으스러지도록 부르터지면서 / 터지면서 자기의 뜨거운 혀로 _____'

선지 '온몸이 으스러지도록'은 나무가 변화와 생성을 위해 기울이는 전면적인 노력을 강조하는 것이다. ○ ✕

④ 〈보기〉 나무는 변화와 생성을 위한 노력을 통해 _____에서 ____으로의 변화를 겪음 ➕ 작품 '아아, 마침내, 끝끝내 / _____는 자기 몸으로 / 꽃 피는 나무이다'

선지 '마침내, 끝끝내'는 겨울─나무가 마지막까지 겨울─나무이고자 하는 의지를 표현한다. ○ ✕

⑤ 〈보기〉 나무는 스스로 _____인 힘과 노력으로 변화와 생성을 이룸 ➕ 작품 '무방비의 나목으로 서서 / 두 손 올리고 벌받는 자세로 서서', '밀고 간다, 막 밀고 올라간다', '온몸이 으스러지도록 / 으스러지도록 부르터지면서', '꽃 피는 나무는 _____ _____ / 꽃 피는 나무이다'

선지 '꽃 피는 나무'는 나무가 스스로의 변화를 거쳐 새로운 단계로 성장했음을 표상하는 것이다. ○ ✕

✎ 다음 글을 읽고 화자와 대상을 찾아 표시하고, 빈칸에 적절한 말을 채우세요. 또한 주어진 문제를 풀어 보세요.

막차는 좀처럼 오지 않았다
대합실 밖에는 밤새 송이눈이 쌓이고   대합실 밖은 밤새 _____이 쌓이고 있어.
흰 보라 수수꽃 눈시린 유리창마다
톱밥난로가 지펴지고 있었다   대합실 안에는 _____가 지펴지고 있네.
[A]
그믐처럼 몇은 졸고
몇은 감기에 쿨럭이고   대합실에서 _____를 기다리는 사람들은 피곤해 졸고 있거나 _____에 걸려 기침을 하고 있어.
그리웠던 순간들을 생각하며 나는
한 줌의 톱밥을 불빛 속에 던져 주었다   '나'는 난로에 _____을 한 줌 던지며 _____ 순간들을 떠올리고 있어.

내면 깊숙이 할 말들은 가득해도
청색의 손바닥을 불빛 속에 적셔두고
모두들 아무 말도 하지 않았다   대합실 안 사람들은 ___없이 추위에 언 ___을 난로에 녹이고 있네.
산다는 것이 때론 술에 취한 듯
한 두름의 굴비 한 광주리의 사과를
만지작거리며 귀향하는 기분으로
[B]
침묵해야 한다는 것을
모두들 알고 있었다   '나'는 막차를 기다리는 사람들을 보며 _____ 은 때로 묵묵히 _____하며 감내하는 것이라고 생각하고 있어.
오래 앓은 기침소리와
쓴 약 같은 입술담배 연기 속에서
싸륵싸륵 눈꽃은 쌓이고
그래 지금은 모두들
눈꽃의 화음에 귀를 적신다   대합실 안 사람들은 고단하고 힘거운 삶을 살아온 사람들일 거야. 이들은 모두 침묵하며 _____의 화음에 귀를 적시고 있어.

자정 넘으면
낯설음도 뼈아픔도 다 설원인데   눈은 _____이나 _____ 같은 삶의 모든 고통을 다 덮어 버리네.
[C]
단풍잎 같은 몇 잎의 차창을 달고
밤열차는 또 어디로 흘러가는지
그리웠던 순간들을 호명하며 나는
한 줌의 눈물을 불빛 속에 던져 주었다.   '나'는 그리웠던 순간들을 떠올리며 _____을 흘리고 있네.

— 곽재구, 「사평역(沙平驛)에서」 —

화자와 대상의 관계	옛 추억에 대한 _____과 대합실에서 _____를 기다리는 사람들에 대한 연민을 느끼고 있는 '나'

---

1. 〈보기〉를 참고하여 윗글을 감상한 내용으로 적절하지 <u>않은</u> 것은?

〈보기〉

「사평역에서」의 화자는 대합실에서 막차를 기다리는 사람들의 모습을 공감 어린 시선으로 바라본다. 화자는 이런 시선으로 불빛, 눈 등을 바라보며 고단한 삶을 견디어 내는 사람들의 속내에 주목한다. '한 줌의 눈물'은 그들을 위해 화자가 바치는, 작지만 진심 어린 하나의 선물이라 할 수 있다.

① [A]의 '한 줌의 톱밥'이 불을 피우는 데 쓰여 추위를 견디게 해 주는 것처럼, '한 줌의 눈물'은 사람들이 자신의 힘든 상황을 견디는 데 위로가 된다고 할 수 있겠어.

② [B]에서 화자가 사람들의 속내를 잘 이해하는 것을 보면, '한 줌의 눈물'은 할 말이 있는데도 침묵하는 사람들의 속내에 화자가 공감하여 흘리는 것이라고 할 수 있겠어.

③ [B]에서 화자는 '눈꽃의 화음'이 열악한 상황을 드러낸다고 보고 있으므로, '한 줌의 눈물'은 그러한 상황을 극복해 내려는 화자의 의지를 담고 있는 것이라고 할 수 있겠어.

④ [C]에서 화자가 지난날을 '호명'하며 '한 줌의 눈물'을 흘리는 것을 보면, '한 줌의 눈물'은 고단한 현재를 견디어 내게 해 주는 힘이 과거의 추억처럼 소박한 데 있음을 암시한다고 할 수 있겠어.

⑤ [A]에서 [C]로 전개되면서 화자가 '불빛 속'에 '한 줌의 눈물'을 던지는 것을 보면, '한 줌의 눈물'은 삶의 고단함을 견디어 내는 데 힘을 보태고자 하는 화자의 진심이 담긴 것이라고 할 수 있겠어.

2. 문학 개념어 OX 확인 문제

① 비유를 통해 대상에 대한 화자의 인식을 드러낸다.   ○ ✕
② 상승의 이미지를 활용하고 있다.   ○ ✕

🔍 다음의 선지 판단 공식을 활용하여 빈칸을 채우고 1번 문제의 선지를 OX로 판단해 보세요.

〈보기〉 문제 선지 판단의 공식

① 〈보기〉 화자는 _____ 삶을 견디어 내는 사람들의 속내에 주목함, 한 줌의 눈물은 화자가 사람들을 위해 바치는, 작지만 _____ 어린 하나의 선물임

➕ 작품 '나는 / 한 줌의 _____을 불빛 속에 던져 주었다', '나는 / 한 줌의 _____을 불빛 속에 던져 주었다.'

🔎 [A]의 '한 줌의 톱밥'이 불을 피우는 데 쓰여 추위를 견디게 해 주는 것처럼, '한 줌의 눈물'은 사람들이 자신의 힘든 상황을 견디는 데 위로가 된다고 할 수 있겠어. ○ ✕

② 〈보기〉 화자는 막차를 기다리는 사람들의 모습을 _____ 어린 시선으로 바라봄, 고단한 삶을 견디어 내는 사람들의 _____에 주목함, 한 줌의 _____은 화자가 사람들을 위해 바치는, 작지만 진심 어린 하나의 선물임

➕ 작품 '내면 깊숙이 _____들은 가득해도', '모두들 _____도 하지 않았다', '_____해야 한다는 것을 / 모두들 알고 있었다', '나는 / 한 줌의 눈물을 불빛 속에 던져 주었다.'

🔎 [B]에서 화자가 사람들의 속내를 잘 이해하는 것을 보면, '한 줌의 눈물'은 할 말이 있는데도 침묵하는 사람들의 속내에 화자가 공감하여 흘리는 것이라고 할 수 있겠어. ○ ✕

③ 〈보기〉 화자는 공감 어린 시선으로 불빛, ___ 등을 바라보며 고단한 삶을 _____ 내는 사람들의 속내에 주목함, 한 줌의 눈물은 화자가 사람들을 위해 바치는, 작지만 진심 어린 하나의 _____임

➕ 작품 '그래 지금은 모두들 / 눈꽃의 _____에 귀를 적신다', '나는 / 한 줌의 눈물을 불빛 속에 던져 주었다.'

🔎 [B]에서 화자는 '눈꽃의 화음'이 열악한 상황을 드러낸다고 보고 있으므로, '한 줌의 눈물'은 그러한 상황을 극복해 내려는 화자의 의지를 담고 있는 것이라고 할 수 있겠어. ○ ✕

④ 〈보기〉 화자는 고단한 삶을 견디어 내는 사람들의 속내에 주목함, 한 줌의 눈물은 화자가 사람들을 위해 바치는, _____ 진심 어린 하나의 선물임

➕ 작품 '_____ 순간들을 호명하며 나는 / 한 줌의 눈물을 불빛 속에 던져 주었다.'

🔎 [C]에서 화자가 지난날을 '호명'하며 '한 줌의 눈물'을 흘리는 것을 보면, '한 줌의 눈물'은 고단한 현재를 견디어 내게 해주는 힘이 과거의 추억처럼 소박한 데 있음을 암시한다고 할 수 있겠어. ○ ✕

⑤ 〈보기〉 화자는 공감 어린 시선으로 _____, 눈 등을 바라보며 고단한 삶을 견디어 내는 사람들의 속내에 주목함, 한 줌의 눈물은 화자가 사람들을 위해 바치는, 작지만 _____ 어린 하나의 선물임

➕ 작품 '나는 / 한 줌의 톱밥을 불빛 속에 던져 주었다.', '나는 / 한 줌의 눈물을 _____ 속에 던져 주었다.'

🔎 [A]에서 [C]로 전개되면서 화자가 '불빛 속'에 '한 줌의 눈물'을 던지는 것을 보면, '한 줌의 눈물'은 삶의 고단함을 견디어 내는 데 힘을 보태고자 하는 화자의 진심이 담긴 것이라고 할 수 있겠어. ○ ✕

✏️ 다음 글을 읽고 화자와 대상을 찾아 표시하고, 빈칸에 적절한 말을 채우세요. 또한 주어진 문제를 풀어 보세요.

시를 믿고 어떻게 살아가나
서른 먹은 **사내**가 하나 **잠을 못** 잔다.　화자는 ___를 믿고 살아가는 일에
대해 고민하고 있는 서른 먹은 _____인가 봐.
먼— 기적(汽笛) 소리 처마를 스쳐가고
잠들은 아내와 어린것의 벼개 맡에
밤눈이 내려 쌓이나 보다.　화자는 부양해야 할 _____이 있는 가장으로서의
책임감 때문에 ___들지 못하고 홀로 고민하고 있는 거야.
무수한 손에 뺨을 얻어맞으며
항시 곤두박질해 온 생활의 노래　무수한 손에 ___을 얻어 맞고 항상 _____
_____해 온 고단한 생활을 화자는 노래, 즉 시로 표현했네.
지나는 돌팔매에도 이제는 피곤하다.
먹고 산다는 것,
너는 언제까지 나를 쫓아오느냐.　화자는 삶에 피로를 느끼고 있어. 그렇기에
근본적인 생활의 문제인 _____는 것의 문제가 언제까지 자신을 괴롭힐 것인지
걱정하며 한탄하고 있지.

등불을 켜고 일어나 앉는다.
담배를 피워 문다.
쓸쓸한 것이 오장을 씻어 내린다.　잠 못 들고 일어나 쓸쓸하게 _____를
피우는 화자의 모습에서 고뇌가 느껴져.
노신(魯迅)이여
이런 밤이면 그대가 생각난다.　이렇게 잠 못드는 ___이면 화자는 _____이
생각난대.
온— 세계가 눈물에 젖어 있는 밤
상해(上海) 호마로(胡馬路) 어느 뒷골목에서
쓸쓸히 앉아 지키던 등불　_____은 노신 본인 혹은 노신이 지키던 가치(지조)
를 비유한 표현이겠지? 그러니까 노신은 온 _____가 ___에 젖어 있는 밤에도 홀로
삶의 가치를 지키던 사람이었나 봐.
등불이 나에게 속삭어린다.
여기 하나의 상심(傷心)한 사람이 있다.
여기 하나의 굳세게 살아온 인생이 있다.　화자는 _____ 앞에서 마음에
상처를 입고 _____했으면서도 굳세게 살았던 노신을 떠올리며 그러한 삶의 방식을
자신에게 투영하고 있네.

— 김광균, 「노신」 —

화자와 대상의 관계	___를 쓰는 사람으로서 현실의 문제로 고뇌하지만, _____을 떠올리며 극복 의지를 다지는 '나'

---

1. 〈보기〉의 관점에서 윗글을 감상한 내용으로 적절하지 <u>않은</u> 것은?

〈보기〉

　시인 김광균은 해방 이후 혼란스러운 사회 현실 속에서 갈등을 겪고 있던 당대의 시단에 회의감을 느끼고 일상과 개인의 문제에 관심을 기울이게 된다. 이때 그는, 혼란스러운 현실 속에서도 의지를 잃지 않고 문학적 성취를 이룬 중국 작가 '노신'을 자신과 동일시했다. 시인의 이러한 의식은 그가 쓴 「노신의 문학 입장」이라는 다음의 글에 나타나 있으며, 그의 시 「노신」에 잘 반영되어 있다.

　"……혁명의 혼탁과 동란의 전진에 싸여 작품과 인간이 격앙하고 충혈되었을 때 홀로 정밀한 비가를 노래하던 노신의 심정을 나는 나대로 생각하고 있다……."

① '사내'가 '잠을 못' 이루는 것은 혼란스러운 현실 속에서 고뇌하는 시인의 모습을 나타낸 것이겠군.

② '밤눈이 내려 쌓이'는 것은 시인이 일상과 개인의 문제에 관심을 기울여 문학적 성취를 이루어 감을 의미하는 것이겠군.

③ '지나는 돌팔매에도 이제는 피곤하다'는 당대의 현실 속에서 시인이 힘들게 살았음을 드러내는 것이겠군.

④ '쓸쓸히 앉아 지키던 등불'은 힘든 상황에서도 문학적 의지를 잃지 않았던 고독한 '노신'을 시인이 떠올린 것이겠군.

⑤ '여기 하나의 굳세게 살아온 인생이 있다'는 시인이 '노신'의 삶의 태도를 내면화하여 의지적인 태도를 드러낸 것이겠군.

2. 문학 개념어 OX 확인 문제

① 의문형 문장을 통해 화자의 정서를 강화하고 있다.　○　✕

② 연쇄법을 사용하여 화자의 비애를 드러내고 있다.　○　✕

🔍 다음의 선지 판단 공식을 활용하여 빈칸을 채우고 1번 문제의 선지를 OX로 판단해 보세요.

〈보기〉 문제 선지 판단의 공식

① 〈보기〉 시인 김광균은 혼란한 사회 현실 속에서 당대의 시단에 _____ 을 느낌

➕

작품 '_____를 믿고 어떻게 살아가나 / 서른 먹은 사내가 하나 잠을 못 잔다.'

선지➡ '사내'가 '잠을 못' 이루는 것은 혼란스러운 현실 속에서 고뇌하는 시인의 모습을 나타낸 것이겠군.　○ ✕

② 〈보기〉 시인 김광균은 일상과 _____의 문제에 관심을 기울임

➕

작품 '잠들은 _____와 _____의 벼개 맡에 / 밤눈이 내려 쌓이나 보다.'

선지➡ '밤눈이 내려 쌓이'는 것은 시인이 일상과 개인의 문제에 관심을 기울여 문학적 성취를 이루어 감을 의미하는 것이겠군.　○ ✕

③ 〈보기〉 시인 김광균은 _____ 이후의 _____스러운 사회 현실 을 경험함

➕

작품 '지나는 돌팔매에도 이제는 피곤하다. / _____ 는 것, / 너는 언제까지 나를 _____.'

선지➡ '지나는 돌팔매에도 이제는 피곤하다'는 당대의 현실 속에서 시인이 힘들게 살았음을 드러내는 것이겠군.　○ ✕

④ 〈보기〉 시인 김광균은 혼란스러운 현실에서 의지를 잃지 않고 문학적 성취를 이룬 '노신'을 자신과 _____함, 그러한 시인의 인식은 「노신」에 _____됨

➕

작품 '노신이여 / 이런 밤이면 그대가 생각난다. / 온− 세계가 _____에 젖어 있는 ___∼쓸쓸히 앉아 지키던 _____'

선지➡ '쓸쓸히 앉아 지키던 등불'은 힘든 상황에서도 문학적 의지를 잃지 않았던 고독한 '노신'을 시인이 떠올린 것이겠군.　○ ✕

⑤ 〈보기〉 시인 김광균은 혼란스러운 현실에서 의지를 잃지 않고 문학적 성취를 이룬 '_____'을 자신과 동일시함, 그러한 시인의 인식은 「노신」에 반영됨

➕

작품 '쓸쓸히 앉아 지키던 등불 / _____이 ___에게 속삭어린 다.∼여기 하나의 굳세게 살아온 인생이 있다.'

선지➡ '여기 하나의 굳세게 살아온 인생이 있다'는 시인이 '노신'의 삶의 태도를 내면화하여 의지적인 태도를 드러낸 것이겠군.　○ ✕

✏️ 다음 글을 읽고 화자와 대상을 찾아 표시하고, 빈칸에 적절한 말을 채우세요. 또한 주어진 문제를 풀어 보세요.

가문 섬진강을 따라가며 보라 가문 _____을 보라고 하네.

㉠퍼가도 퍼가도 전라도 실핏줄 같은

개울물들이 끊기지 않고 모여 흐르며 현재 섬진강은 _____ 상태이지만,

그 물줄기는 _____ 않는 생명력을 지닌 대상으로 그려지고 있어.

해 저물면 저무는 강변에

쌀밥 같은 토끼풀꽃,

숯불 같은 자운영꽃 머리에 이어주며

지도에도 없는 동네 강변

식물도감에도 없는 풀에

어둠을 끌어다 죽이며

㉡그을린 이마 훤하게

꽃등도 달아준다 또한 섬진강은 강변에 핀 _____, 자운영꽃,

_____ 에도 없는 풀과 같이 소박한 자연물들을 품어 주고 있어.

흐르다 흐르다 목메이면

영산강으로 가는 물줄기를 불러

㉢뼈 으스러지게 그리워 얼싸안고

지리산 뭉툭한 허리를 감고 돌아가는

섬진강을 따라가며 보라 _____으로 흐르는 물줄기와 만나 _____

을 감싸며 흐르는 섬진강의 모습을 묘사하고 있네.

섬진강물이 어디 몇 놈이 달려들어

퍼낸다고 마를 강물이더냐고, _____ 해도 마르지 않는 섬진강의

강한 생명력을 강조하고 있어.

㉣지리산이 저문 강물에 얼굴을 씻고

일어서서 껄껄 웃으며

무등산을 보며 그렇지 않느냐고 물어보면

노을 띤 무등산이 그렇다고 훤한 이마 끄덕이는

고갯짓을 바라보며 지리산의 물음에 _____ 이 이마를 _____이며 긍정의

뜻을 드러내고 있어. 서로 조화와 교감을 이루는 자연의 모습이야.

저무는 섬진강을 따라가며 보라

㉤어디 몇몇 애비 없는 후레자식들이

퍼간다고 마를 강물인가를. 섬진강은 절대 _____ 않을 것이라는 화자의

확신이 담겨 있어.

― 김용택, 「섬진강 1」 ―

| 화자와 대상의 관계 | _____이 지닌 강인한 _____과 포용력에 대해 이야기하는 사람 |

1. 〈보기〉를 참고하여 ㉠~㉤을 감상한 내용으로 적절하지 않은 것은?

〈보기〉

「섬진강 1」은 섬진강과 그 주변의 자연물을 소재로 하여 끊임없는 수탈로 황폐해진 농촌의 고된 상황과 그러한 상황 속에서도 넉넉한 마음으로 공동체적 삶을 영위하는 농민들의 생명력을 보여 준다. 이를 통해 시인은 절망적 상황 속에서도 건강한 삶을 살아가는 농민들에 대한 애정과 믿음을 드러내고 있다.

① ㉠에서 끊어지지 않고 흘러가는 개울물의 이미지는 농민들의 끈질긴 생명력을 환기하는군.

② ㉡에서 꽃등은 황폐한 농촌 상황에 놓인 농민들의 고된 삶을 부각하는 소재이군.

③ ㉢에서 그리워 얼싸안는 행위는 힘겨운 삶 속에서 서로에게 의지하며 살아가는 농민들의 모습을 형상화한 것이군.

④ ㉣에서 지리산이 껄껄 웃는 모습은 수탈을 당하면서도 삶의 여유를 잃지 않는 농민들의 삶을 보여주는군.

⑤ ㉤에서 강물이 마르지 않을 것이라는 인식은 건강한 삶을 살아가는 농민들에 대한 믿음을 보여주는군.

2. 문학 개념어 OX 확인 문제

① 명령형 문장을 사용하여 주제 의식을 부각하고 있다.　　　○ ✕

② 시간의 경과에 따라 시상을 전개하고 있다.　　　○ ✕

다음의 선지 판단 공식을 활용하여 빈칸을 채우고 1번 문제의 선지를 OX로 판단해 보세요.

〈보기〉 문제 선지 판단의 공식

① 〈보기〉 _____과 그 주변의 자연물을 소재로 하여 농민들이 지닌 _____을 보여 줌

＋

작품 '가문 섬진강을 따라가며 보라 / ⊙퍼가도 퍼가도 전라도 실핏줄 같은 / _____들이 끊기지 않고 모여 흐르며'

선지 ⊙에서 끊어지지 않고 흘러가는 개울물의 이미지는 농민들의 끈질긴 생명력을 환기하는군.　　　　　○ ✕

② 〈보기〉 섬진강과 그 주변의 _____을 소재로 하여 수탈로 _____해진 농촌의 고된 상황을 보여 줌

＋

작품 '가문 섬진강을 따라가며 보라', '식물도감에도 없는 풀에 / _____을 끌어다 죽이며 / ⓒ그을린 이마 훤하게 / _____도 달아준다'

선지 ⓒ에서 꽃등은 황폐한 농촌 상황에 놓인 농민들의 고된 삶을 부각하는 소재이군.　　　　　○ ✕

③ 〈보기〉 섬진강과 그 주변의 자연물을 소재로 하여 고된상황 속에서도 _____적 삶을 영위하는 농민들의 생명력을 보여 줌

＋

작품 '흐르다 흐르다 _____면 / 영산강으로 가는 물줄기를 불러 / ⓒ뼈 으스러지게 그리워 _____'

선지 ⓒ에서 그리워 얼싸안는 행위는 힘겨운 삶 속에서 서로에게 의지하며 살아가는 농민들의 모습을 형상화한 것이군.　　　　　○ ✕

④ 〈보기〉 섬진강과 그 주변의 자연물을 소재로 하여 고된 상황 속에서도 _____한 마음을 잃지 않고 건강한 삶을 살아가는 농민들의 모습을 보여 줌

＋

작품 '섬진강물이 어디 몇 놈이 달려들어 / 퍼낸다고 마를 강물이더냐고, / ⓔ_____이 저문 강물에 얼굴을 씻고 / 일어서서 껄껄 웃으며'

선지 ⓔ에서 지리산이 껄껄 웃는 모습은 수탈을 당하면서도 삶의 여유를 잃지 않는 농민들의 삶을 보여주는군.　　　　　○ ✕

⑤ 〈보기〉 섬진강과 그 주변의 자연물을 소재로 하여 절망적 상황 속에서도 강인한 생명력을 가지고 건강한 삶을 살아가는 _____에 대한 애정과 _____을 드러냄

＋

작품 '저무는 섬진강을 따라가며 보라 / ⓜ어디 몇몇 애비 없는 후레자식들이 / 퍼간다고 마를 _____인가를.'

선지 ⓜ에서 강물이 마르지 않을 것이라는 인식은 건강한 삶을 살아가는 농민들에 대한 믿음을 보여주는군.　　　　　○ ✕

✏️ 다음 글을 읽고 화자와 대상을 찾아 표시하고, 빈칸에 적절한 말을 채우세요. 또한 주어진 문제를 풀어 보세요.

등 너머로 훔쳐 듣는 남의 집 대숲바람 소리 속에는
밤 사이 내려와 놀던 초록별들의
퍼렇게 멍든 날갯죽지가 떨어져 있다. _____ 속에
초록별들의 퍼렇게 _____ 날갯죽지가 떨어져 있대.

어린 날 뒤울안에서
매 맞고 혼자 숨어 울던 눈물의 찌꺼기가
비칠비칠 아직도 거기
남아 빛나고 있다. 초록별들의 멍든 _____는 어린 시절 ___를 맞고
혼자 숨어 울던 기억과 연결되는군. 화자는 대숲바람 소리를 들으면서 어린 시절의 아픈
기억을 떠올리고 있는 거지.

심청이네집 심청이
빌어먹으러 나가고
심봉사 혼자 앉아
날무처럼 끄들끄들 졸고 있는 툇마루 끝에 고전소설 속 등장인물을 등장
시키고 있어. _____가 밥을 얻기 위해 나간 사이 _____ 홀로 툇마루에 앉아
졸고 있네.
개다리소반 위 비인 상사발*에
마음만 부자로 쌓아주던 그 햇살이
다시 눈트고 있다, 다시 눈트고 있다. 궁핍한 처지임에도 _____만은
부자로 만들어주던 한 줄기 희망 같은 _____이 다시 _____ 있다고 해.
장승상네 참대밭의 우레 소리도
다시 무너져서 내게로 달려오고 있다.

등 너머로 훔쳐 듣는
남의 집 대숲바람 소리 속에는
내 어린 날 여름 냇가에서
손바닥 벌려 잡다 놓쳐버린
발가벗은 햇살의 그 반쪽이
앞질러 달려와서 기다리며
저 혼자 심심해 반짝이고 있다.
저 혼자 심심해 물구나무 서 보이고 있다. _____ 소리 속에서
아픈 추억을 떠올렸던 화자가 이제는 어린 날 여름 _____에서 보았던 햇살에 담긴
(긍정적/부정적) 기억을 떠올리고 있어.

    – 나태주, 「등 너머로 훔쳐 듣는 대숲바람 소리」 –

*상사발: 품질이 낮은 사발.

화자와 대상의 관계	대숲바람 소리를 들으며 _____ 시절의 **(희망을/상처를)** 떠올리지만, 이내 **(희망을/상처를)** 발견하는 '나'

---

1. 〈보기〉를 바탕으로 하여 윗글을 감상할 때, 적절하지 <u>않은</u> 것은?

〈보기〉

케네스 버크는 문학적 소재를 크게 '내적 소재'와 '외적 소재'로 구별하고 있다. 전자가 작가의 상상력을 통해 창조적 의미를 지니게 된 소재라면, 후자는 잘 알려진 역사나 고전에서 선택된 소재를 의미한다. 윗글은 '대숲바람 소리'를 중심으로 제시된 내적 소재들과 「심청전」에서 가져 온 외적 소재들이 절묘하게 접목되어 있는 작품이다. 화자의 어린 시절과 「심청전」에 등장하는 인물의 상황이 겹쳐지면서, '심청'이 가난하고 힘겨운 상황 속에서도 품었던 희망이 화자 자신의 어린 시절에도 존재하고 있음을 발견하게 된다. 이를 통해 윗글은 아픔 속에도 희망이 존재하며, 상처마저도 그리움과 추억이 된다는 것을 일깨우고 있다.

① 어른이 된 화자가 '대숲바람 소리'를 통해 과거와 대면하게 되는 것이므로, 내적 소재인 '대숲바람 소리'는 과거와 현재를 이어주는 매개체로 볼 수 있군.

② 내적 소재인 '대숲바람 소리' 속에 '초록별의 멍든 날갯죽지'와 '눈물의 찌꺼기'가 남아 있다는 것으로 보아, '대숲바람 소리'가 환기하는 정서는 어린 시절의 아픔이라 할 수 있군.

③ '심청'이 '심봉사'를 혼자 남겨 두고 '빌어먹으러' 나갔을 때의 장면이 외적 소재로 제시되어, 화자의 힘겨웠던 어린 시절을 짐작할 수 있게 해 주는군.

④ 외적 소재와 내적 소재가 접목되면서, '심청'이 지녔던 희망이 자신의 삶에도 존재하고 있음을 인식하는 화자의 내면이 '그 햇살이 / 다시 눈트'는 것으로 형상화되고 있군.

⑤ 외적 소재를 통해 내적 소재의 의미가 확장되면서, 고통마저도 '햇살'이 되었던 어린 시절을 외면해 온 화자 자신에 대한 후회가 '발가벗은 햇살'에 투영되어 있군.

2. 문학 개념어 OX 확인 문제

① 자연물에 인격을 부여하여 시적 상황을 부각하고 있다.   ○ ✕

② 대구의 방식으로 시상을 마무리하면서 여운을 강화하고 있다.   ○ ✕

🔍 다음의 선지 판단 공식을 활용하여 빈칸을 채우고 1번 문제의 선지를 OX로 판단해 보세요.

〈보기〉 문제 선지 판단의 공식

① 〈보기〉 윗글에서 '대숲바람 소리'를 중심으로 제시된 _____ _____은 화자의 어린 시절과 관련됨

➕ 작품 '대숲바람 소리 ____에는~_____ 날 뒤울안에서 / 매 맞고 혼자 숨어 울던 눈물의 찌꺼기가~남아 빛나고 있다.'

선지➡ 어른이 된 화자가 '대숲바람 소리'를 통해 과거와 대면하게 되는 것이므로, 내적 소재인 '대숲바람 소리'는 과거와 현재를 이어주는 매개체로 볼 수 있군. ○ ×

② 〈보기〉 윗글에서 '대숲바람 소리'를 중심으로 제시된 내적 소재들은 화자의 어린 시절과 관련됨

➕ 작품 '대숲바람 소리 속에는 / 밤 사이 내려와 놀던 초록별들의 / 퍼렇게 _____ 날갯죽지가 떨어져 있다. / 어린 날 뒤울안에서 / 매 맞고 혼자 숨어 울던 _____의 찌꺼기가~남아 빛나고 있다.'

선지➡ 내적 소재인 '대숲바람 소리' 속에 '초록별의 멍든 날갯죽지'와 '눈물의 찌꺼기'가 남아 있다는 것으로 보아, '대숲바람 소리'가 환기하는 정서는 어린 시절의 아픔이라 할 수 있군. ○ ×

③ 〈보기〉 윗글은 화자의 어린 시절과 관련된 내적 소재들과 잘 알려진 고전인 _____에서 가져 온 _____ 을 접목함

➕ 작품 '심청이네집 심청이 / _____ 나가고 / 심봉사 혼자 앉아 / 날무처럼 끄들끄들 졸고 있는'

선지➡ '심청'이 '심봉사'를 혼자 남겨 두고 '빌어먹으러' 나갔을 때의 장면이 외적 소재로 제시되어, 화자의 힘겨웠던 어린 시절을 짐작할 수 있게 해 주는군. ○ ×

④ 〈보기〉 화자의 어린 시절과 「심청전」 속 등장인물의 상황이 겹쳐지면서 화자는 심청이 힘겨운 상황에서도 품었던 희망이 _____에도 존재함을 깨닫게 됨

➕ 작품 '마음만 _____로 쌓여주던 그 햇살이 / 다시 _____ 있다.~내게로 달려오고 있다.', '내 어린 날 여름 냇가에서 / 손바닥 벌려 잡다 놓쳐버린 / _____의 그 반쪽이~반짝이고 있다.'

선지➡ 외적 소재와 내적 소재가 접목되면서, '심청'이 지녔던 희망이 자신의 삶에도 존재하고 있음을 인식하는 화자의 내면이 '그 햇살이 / 다시 눈트'는 것으로 형상화되고 있군. ○ ×

⑤ 〈보기〉 윗글은 내적 소재들과 외적 소재들을 결합하여 _____ 속 에서도 _____이 존재하며, 상처마저도 그리움과 추억이 된다는 점을 일깨워 줌

➕ 작품 '마음만 부자로 쌓여주던 그 _____이 / 다시 눈트고 있다.', '내 어린 날 여름 냇가에서 / 손바닥 벌려 잡다 놓쳐버린 / 발가벗은 _____의 그 반쪽이 / 앞질러 달려와서 기다리며 / 저 혼자 심심해 _____이고 있다.'

선지➡ 외적 소재를 통해 내적 소재의 의미가 확장되면서, 고통마저도 '햇살'이 되었던 어린 시절을 외면해 온 화자 자신에 대한 후회가 '발가벗은 햇살'에 투영되어 있군. ○ ×

✏️ 다음 글을 읽고 화자와 대상을 찾아 표시하고, 빈칸에 적절한 말을 채우세요. 또한 주어진 문제를 풀어 보세요.

가을 연기 자욱한 저녁 들판으로
상행 열차를 타고 평택(平澤)을 지나갈 때
흔들리는 차창에서 너는
문득 낯선 얼굴을 발견할지도 모른다.
그것이 너의 모습이라고 생각지 말아 다오.　화자는 상행 열차를 타고
평택을 지나는 ___에게 말을 건네며, 차창에서 발견한 _____을 너라고 생각
하지 말라고 해.

오징어를 씹으며 화투판을 벌이는
낯익은 얼굴들이 네 곁에 있지 않느냐.　너의 ___에 있는 _____ 얼굴
들은 오징어를 씹으며 화투판을 벌이는 모습이구나. 이는 차창에 비쳤던 낯선 얼굴과는 **(같은/
다른)** 모습일 거야.

황혼 속에 고함치는 원색의 지붕들과
잠자리처럼 파들거리는 TV 안테나들
흥미 있는 주간지를 보며
고개를 끄덕여 다오.　원색의 지붕들, TV 안테나는 1970년대의 산업화, 근대화와
관련된 소재들이야. 화자는 너에게 이런 것들을 보며 고개를 _____이라고 하네.

농약으로 질식한 풀벌레의 울음 같은
심야 방송이 잠든 뒤의 전파 소리 같은
듣기 힘든 소리에 귀 기울이지 말아 다오.　농약으로 _____ 풀벌레
의 _____과 심야 방송 이후의 전파 소리에는 어떤 고통과 호소가 담겨 있는 것 같아. 화
자는 이러한 듣기 _____ 소리에는 귀 기울이지 _____고 하고 있어.

확성기마다 울려 나오는 힘찬 노래와
고속도로를 달려가는 자동차 소리는 얼마나 경쾌하냐.　확성기에서
나오는 힘찬 _____와 고속도로를 달리는 _____ 소리도 산업화, 근대화와 관련된
소재야. 화자는 이를 _____하다고 하네.

예부터 인생은 여행에 비유되었으니
맥주나 콜라를 마시며
즐거운 여행을 해 다오.
되도록 생각을 하지 말아 다오.　화자는 즐거운 _____을 하듯이 되도록 __
___하지 말고 살라고 하고 있어.

놀라울 때는 다만
'아!'라고 말해 다오.
보다 긴 말을 하고 싶으면 침묵해 다오.　놀라울 때에도 짧은 감탄사 외에
_____은 하지 말고 _____하라고 하네.

침묵이 어색할 때는
오랫동안 가문 날씨에 관하여
아르헨티나의 축구 경기에 관하여
성장하는 GNP와 증권 시세에 관하여
이야기해 다오.
너를 위하여
그리고 나를 위하여.　화자는 심각한 현실의 문제와는 동떨어진 날씨나 _____
_____, GNP, _____와 같은 이야기만 하라고 하고 있어. 조금 이상하지?
이 시는 전체적으로 _____적 표현을 활용하여 산업화와 근대화의 부정적인 이면과 이로
인해 소외된 이들의 고통에는 무관심한 이들의 태도를 비판하고 있는 거야.

– 김광규, 「상행(上行)」 –

화자와 대상의 관계	___에게 말을 건네며 현실의 문제에 무관심한 소시민적 삶에 대해 _____의식을 드러내는 '나'

1. 〈보기〉를 바탕으로 시적 화자와 대상과의 관계를 분석했을 때, 적절하지 **않은** 것은?

〈보기〉

이 시는, 급속하게 진행되는 산업화의 과정에서 파생된 현실의 부정적 상황을 도외시한 채 쾌락과 이익만을 추구하는 인간 군상에 대한 비판의식을 드러내고 있다. 시인은 삶에 대한 진지한 고뇌와 자각이 인간의 삶을 좀 더 바람직한 방향으로 전환하게 하는 계기가 됨을 시적 화자의 목소리를 통해 말하고 있다. 이 작품에서의 '너'를 시적 대상이자 청자라고 할 때, 아래와 같이 나타낼 수 있다.

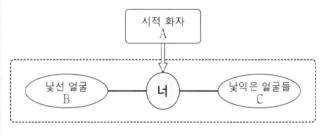

① A는 개인주의적 태도에 대한 자기 성찰의 필요성을 '너'에게 일깨워 주고 있다.

② B는 사회 이면에 존재하는 근본 문제에 대해 고민하는 인물의 모습을 형상화하고 있다.

③ C는 사회 현실을 외면한 채 자신의 욕망에만 집착하는 현대인의 모습을 나타내고 있다.

④ A는 B의 인식 변화를 통해 '너'가 직면하고 있는 현실이 개선될 것으로 기대하고 있다.

⑤ A는 '너'가, C로 대표되는 삶의 유형으로부터 벗어나 냉철한 인식을 지니도록 요청하고 있다.

2. 문학 개념어 OX 확인 문제

① 청각적 심상을 활용하고 있다.　　　　　　　　　○ ✕

② 하강적 이미지를 활용하고 있다.　　　　　　　　○ ✕

🔍 다음의 선지 판단 공식을 활용하여 빈칸을 채우고 1번 문제의 선지를 OX로 판단해 보세요.

〈보기〉 문제 선지 판단의 공식

③ 주차

① 〈보기〉 이 시는 현실의 부정적 상황을 도외시한 채 쾌락과 이익만을 추구하는 인간 군상에 대한 ＿＿＿＿＿＿＿과, 삶에 대한 진지한 ＿＿＿＿와 자각이 인간의 삶을 좀 더 바람직한 방향으로 전환한다는 시인의 인식을 드러냄

➕

A: 시적 화자, '너': 시적 대상이자 청자

➕

작품 '＿＿＿＿＿＿ 소리에 귀 기울이지 말아 다오', '되도록 ＿＿＿＿을 하지 말아 다오.', '보다 긴 말을 하고 싶으면 ＿＿＿＿해 다오.'

선지➡ A는 개인주의적 태도에 대한 자기 성찰의 필요성을 '너'에게 일깨워 주고 있다. ○ ✕

② 〈보기〉 시인은 삶에 대한 진지한 ＿＿＿＿와 자각이 인간의 삶을 좀 더 바람직한 방향으로 전환한다고 봄

➕

B: 낯선 얼굴

➕

작품 '흔들리는 차창에서 너는 / 문득 ＿＿＿＿＿＿을 발견할지도 모른다. / 그것이 ＿＿＿＿＿＿이라고 생각지 말아 다오.'

선지➡ B는 사회 이면에 존재하는 근본 문제에 대해 고민하는 인물의 모습을 형상화하고 있다. ○ ✕

③ 〈보기〉 이 시는 현실의 부정적 상황을 ＿＿＿＿＿한 채 쾌락과 이익만을 추구하는 인간 군상에 대한 비판의식을 드러냄

➕

C: 낯익은 얼굴들

➕

작품 '오징어를 씹으며 ＿＿＿＿＿을 벌이는 / ＿＿＿＿＿＿＿이 네 곁에 있지 않느냐.'

선지➡ C는 사회 현실을 외면한 채 자신의 욕망에만 집착하는 현대인의 모습을 나타내고 있다. ○ ✕

④ 〈보기〉 이 시는 현실의 부정적 상황을 도외시한 채 쾌락과 이익만을 추구하는 인간 군상에 대한 비판의식과, 삶에 대한 진지한 고뇌와 자각이 인간의 삶을 좀 더 바람직한 방향으로 ＿＿＿＿＿한다는 시인의 인식을 드러냄

➕

A: 시적 화자, B: 낯선 얼굴

➕

작품 '흔들리는 차창에서 너는 / 문득 ＿＿＿＿＿＿을 발견할지도 모른다. / 그것이 너의 모습이라고 ＿＿＿＿＿ 다오.'

선지➡ A는 B의 인식 변화를 통해 '너'가 직면하고 있는 현실이 개선될 것으로 기대하고 있다. ○ ✕

⑤ 〈보기〉 이 시는 현실의 부정적 상황을 도외시한 채 쾌락과 이익만을 추구하는 인간 군상에 대한 ＿＿＿＿＿＿과, ＿＿에 대한 진지한 고뇌와 ＿＿＿＿이 인간의 삶을 좀 더 바람직한 방향으로 전환한다는 시인의 인식을 드러냄

➕

A: 시적 화자, '너': 시적 대상이자 청자, C: 낯익은 얼굴들

➕

작품 '흔들리는 차창에서 너는 / 문득 ＿＿＿＿＿＿을 발견할지도 모른다. / 그것이 너의 모습이라고 생각지 말아 다오. / 오징어를 씹으며 화투판을 벌이는 / ＿＿＿＿＿＿이 네 곁에 있지 않느냐.', '되도록 생각을 하지 말아 다오.', '보다 긴 말을 하고 싶으면 ＿＿＿＿해 다오.'

선지➡ A는 '너'가, C로 대표되는 삶의 유형으로부터 벗어나 냉철한 인식을 지니도록 요청하고 있다. ○ ✕

✎ 다음 글을 읽고 화자와 대상을 찾아 표시하고, 빈칸에 적절한 말을 채우세요. 또한 주어진 문제를 풀어 보세요.

흙이 되기 위하여
흙으로 빚어진 그릇
언제인가 접시는
깨진다. ___으로 빚어진 그릇은 언제인가 깨지게 되면 다시 ___으로 돌아가겠지?

생애의 영광을 잔치하는
순간에
바싹 깨지는 그릇
인간은 한 번
죽는다. 생애의 영광스러운 순간에 깨지는 그릇처럼 _____도 언젠가는 _____을 맞이하는 존재임을 말하고 있어.

물로 반죽되고 불에 그슬려서
비로소 살아 있는 흙 흙이 ___로 반죽되고 ___에 구워져 비로소 그릇으로 만들어 지는 과정을 말하고 있어.
누구나 인간은 한 번쯤 물에 젖고
불에 탄다. _____이 만들어지는 과정과 마찬가지로 _____도 물에 젖고 불에 타 는 시련의 과정을 겪는다는 거야.

하나의 접시가 되리라
깨어져서 완성(完成)되는
저 절대(絕對)의 파멸(破滅)이 있다면, 화자는 _____가 깨어져서 다시 흙으로 돌아가야 비로소 _____되는 것이라 생각하기 때문에 이를 절대의 _____이라고 말하는 거야.

흙이 되기 위하여
흙으로 빚어진
모순(矛盾)의 그릇. 이렇듯 ___으로 돌아가기 위해 ___으로 빚어진 그릇이기에 화자는 이를 _____의 그릇이라고 표현하는 거야.

　　　　　　　　　　　　　　　　　　　　– 오세영, 「모순의 흙」 –

화자와 대상의 관계	흙으로 빚어져 흙으로 돌아가는 _____을 통해 인간의 삶에 대해 _____하고 있는 사람

1. 〈보기〉를 토대로 윗글을 감상한 내용으로 적절하지 <u>않은</u> 것은?

〈보기〉

유추는 서로 다른 대상 사이에서 유사성을 발견하고, 그 유사성에 근거하 여 새로운 인식에 도달하는 사유 방식이다. 우리는 유추를 통해 감각으로 인 식할 수 있는 일상적 대상에서 인간과 삶의 의미에 대해 성찰해 보게 된다.

① 화자는 '깨진다'는 대상의 속성과 '죽는다'는 '인간'의 속성을 대응시키고 있다.

② 화자는 대상과 유사하게 '인간'도 '물에 젖고 불에 타는' 것으로 바라보고 있다.

③ '하나의 접시가 되리라'는 화자가 대상과 '인간'을 동일시하고 있음을 보여주고 있다.

④ 화자는 죽음을 잊고 생애에 충실한 대상에서 '인간'이 추구할 '생애의 영광'을 발견하고 있다.

⑤ '모순'은 화자가 깨닫게 된 '인간'과 삶에 대한 인식을 함축하고 있다.

2. 문학 개념어 OX 확인 문제

① 어순의 도치를 통해 의미를 강조하고 있다. 　　　　　○　✕

② 시상의 전환이 나타나고 있다. 　　　　　○　✕

③
주차

🔍 다음의 선지 판단 공식을 활용하여 빈칸을 채우고 1번 문제의 선지를 OX로 판단해 보세요.

〈보기〉 문제 선지 판단의 공식

① 〈보기〉 유추는 서로 다른 대상 사이에서 _____을 발견하고, 그 유사성에 근거하여 새로운 인식에 도달하는 사유 방식임

➕ 작품 '언제인가 접시는 / _____. // 생애의 영광을 잔치하는 / 순간에 / 바싹 깨지는 그릇 / 인간은 한 번 / _____.'

선지➡ 화자는 '깨진다'는 대상의 속성과 '죽는다'는 '인간'의 속성을 대응시키고 있다.　　○　×

② 〈보기〉 유추는 서로 다른 대상 사이에서 유사성을 발견하고, 그 _____에 근거하여 새로운 인식에 도달하는 사유 방식임

➕ 작품 '물로 반죽되고 불에 그슬려서 / 비로소 살아 있는 흙 / 누구나 _____은 한 번쯤 물에 젖고 / _____.'

선지➡ 화자는 대상과 유사하게 '인간'도 '물에 젖고 불에 타는' 것으로 바라보고 있다.　　○　×

③ 〈보기〉 유추는 서로 다른 대상 사이에서 유사성을 발견하고, 그 유사성에 근거하여 _____에 도달하는 사유 방식임

➕ 작품 '하나의 _____가 되리라 / _____ 완성되는 / 저 절대의 파멸이 있다면.'

선지➡ '하나의 접시가 되리라'는 화자가 대상과 '인간'을 동일시하고 있음을 보여주고 있다.　　○　×

④ 〈보기〉 유추는 서로 다른 대상 사이에서 _____을 발견하고, 그 유사성에 근거하여 새로운 인식에 도달하는 사유 방식임

➕ 작품 '_____을 잔치하는 / 순간에 / 바싹 깨지는 그릇 / 인간은 한 번 / 죽는다.', '하나의 접시가 되리라 / _____ 완성되는 / 저 절대의 파멸이 있다면.'

선지➡ 화자는 죽음을 잊고 생애에 충실한 대상에서 '인간'이 추구할 '생애의 영광'을 발견하고 있다.　　○　×

⑤ 〈보기〉 유추를 통해 감각으로 인식할 수 있는 일상적 대상에서 _____과 삶의 의미에 대해 _____하게 됨

➕ 작품 '하나의 접시가 되리라 / 깨어져서 완성되는 / 저 절대의 파멸이 있다면, // 흙이 되기 위하여 / 흙으로 빚어진 / _____의 그릇.'

선지➡ '모순'은 화자가 깨닫게 된 '인간'과 삶에 대한 인식을 함축하고 있다.　　○　×

✏️ 다음 글을 읽고 화자와 대상을 찾아 표시하고, 빈칸에 적절한 말을 채우세요. 또한 주어진 문제를 풀어 보세요.

(가)

호르 호르르 호르르르 가을 아침
취어진* 청명을 마시며 거닐면
수풀이 호르르 벌레가 호르르르   화자는 _____에 계절의 정취에
젖어 청명한 기운 속에 거닐면서 수풀과 _____의 소리를 듣고 있어.

청명은 내 머릿속 가슴속을 젖어 들어
발끝 손끝으로 새어 나가나니   _____이 화자의 온몸으로 퍼져가는 것처럼
표현하고 있네.

온 살결 터럭 끝은 모두 눈이요 입이라
나는 수풀의 정을 알 수 있고
벌레의 예지를 알 수 있다   자신의 살과 털 끝은 모두 ___이나 ___과 같아서
_____의 정과 벌레의 예지를 느낄 수 있다는 거야.
그리하여 나도 이 아침 청명의
가장 고웁지 못한 노래꾼이 된다

수풀과 벌레는 자고 깨인 어린애라
밤새워 빨고도 이슬은 남았다   수풀과 벌레를 _____에 비유하고 있어.
아기가 젖을 먹듯 수풀과 벌레도 _____을 빨아 먹는다고 표현한 거지.
남았거든 나를 주라
나는 이 청명에도 주리나니
방에 문을 달고 벽을 향해 숨 쉬지 않았느뇨   화자는 _____이 남았거든
자신에게 달라고 하며 자연의 정기에 흠뻑 취하고 싶다는 소망을 드러내고 있어.

햇발이 처음 쏟아오아
청명은 갑자기 으리으리한 관을 쓴다   가을 아침의 눈부신 _____이
쏟아지자 청명이 으리으리한 _____을 쓴다고 표현하고 있어.
그때에 토록 하고 동백 한 알은 빠지나니   그때 동백나무에서 열매 한 알이
토록 하고 떨어져.
오! 그 빛남 그 고요함
간밤에 하늘을 쫓긴 별살의 흐름이 저러했다   화자는 동백 열매가 떨어지는
모습이 마치 하늘에서 쫓겨난 _____(혜성)의 흐름과 같다고 하네.

온 소리의 앞 소리요
온 빛깔의 비롯이라   호르르 하는 수풀과 벌레의 소리, 동백 한 알이 떨어지며 토록
하는 소리와 쏟아지는 햇발의 빛남은 모든 소리의 _____이고 온 _____의 시작
이래.
이 청명에 포근 취어진 내 마음
감각의 낯익은 고향을 찾았노라
평생 못 떠날 내 집을 들었노라   자신의 마음이 청명에 젖어 들어 감각의 낯익은
_____, 평생 못 떠날 내 ___을 찾았다고 하며 포근함과 익숙함을 느끼고 있어.

– 김영랑, 「청명」 –

*취어진: 계절의 정취에 젖어 든.

화자와 대상의 관계	가을 아침 _____과 벌레의 소리를 들으며 계절의 정취에 젖어 청명함을 느끼는 '나'

(나)

뒷동산 청솔잎을 빗질해주던 바람이
무어라 무어라 하는 솔나무의 속삭임을 듣고
푸른 햇살 요동치는 강변으로 달려갔다 하자.   청솔잎을 빗질하던 바람이
_____의 속삭임을 듣고 _____으로 달려갔대.
달려가선, 거기 미루나무에게 전하니
알았다 알았다는 듯 나무는 잎새를 흔들어
강물 위에 짤랑짤랑 구슬알을 쏟아냈다 하자.   바람이 솔나무의 속삭임을
_____에게 전하자, 나무는 알았다는 듯 _____를 흔들어 구슬알을 쏟아냈대.
그 의중 알아챈 바람이 이젠 그 누구보단
앞들 보리밭에서 물결치듯 김을 매다
이마의 구슬땀 씻어올리는 여인에게 전하니,   미루나무의 의중을 알아챈
바람이 이제는 _____에서 김을 매다 땀을 씻는 _____에게 전했어.
여인이야 이윽고 아픈 허리를 곧게 펴곤
눈앞 가득 일어서는 마을의 정자나무를 향해
고개를 끄덕끄덕, 무언가 일별을 보냈다 하자.   그리고 여인은 일어서서
_____를 향해 일별을 보내지. 1연에서 화자는 바람과 나무들이 서로 소통할 수
있는 것처럼 표현하고 그것이 _____에게도 전해진다고 해서 자연과 인간을 조화롭게
그려내고 있어.

아무려면 어떤가, 산과 강과 들과 마을이
한 초록으로 짙어가는 오월도 청청한 날에,
소쩍새는 또 바람결에 제 한 목청 다 신는 날에.   산, 강, 들, _____이
초록으로 짙어가는 _____, 소쩍새가 한 목청으로 우는 계절은 봄이지. 즉 이 작품은
봄날의 생동감 넘치는 풍경을 산과 강, 마을을 오가는 _____의 움직임에 주목하여 그려낸
거야.

– 고재종, 「초록 바람의 전언」 –

화자와 대상의 관계	초록 _____을 맞으며 봄날의 풍경을 바라보는 사람

1. 〈보기〉를 참고하여 (가)와 (나)를 감상한 내용으로 적절하지 <u>않은</u> 것은?

〈보기〉

　자연은 시인에게 상상력의 주요한 원천이 되어 왔다. 그중 생태학적 상상력은 생태계 구성원 간의 관계에 주목한다. 생태학적 상상력은 모든 생태계 구성원을 평등한 존재로 보는 데에서 출발하여, 서로 교감·소통하며 유대감을 느끼는 관계로, 나아가 영향을 주고받는 순환의 관계로 인식한다. 생태학적 상상력을 통해 시인은 자연의 근원적 가치와, 인간과 자연의 조화로운 관계를 드러내며 궁극적으로는 이들을 하나의 생태 공동체로 형상화한다.

① (가)에서 화자가 '온 살결 터럭 끝'을 '눈'과 '입'으로 삼아 자연을 대하는 것은 인간과 자연 간의 교감을, (나)에서 '바람'이 '뒷동산 청솔잎을 빗질'하는 것은 자연과 자연 간의 교감을 드러내는군.

② (가)에서 화자가 '수풀의 정'과 '벌레의 예지'를 '알 수 있다'고 하는 것과 (나)에서 '솔나무'가 '무어라' 하고 '미루나무'가 '알았다'고 하는 것은 구성원들이 서로 소통하는 조화로운 생태계의 모습을 보여 주는군.

③ (가)에서 화자가 '수풀'과 '벌레'의 소리를 듣고 '나도' 청명함의 '노래꾼이 된다'고 하는 것과 (나)에서 '솔나무의 속삭임'을 '바람'이 '미루나무'에게 전하고, 이를 '여인'도 '정자나무'에게 전하는 것은 자연과 인간 간의 유대감을 드러내는군.

④ (가)에서 화자가 '동백 한 알'이 떨어지는 모습에서 '하늘'의 '별살'을 떠올린 것과 (나)에서 화자가 '잎새'의 흔들림에서 반짝이는 '구슬알'을 떠올린 것은 생명의 탄생을 계기로 순환하는 생태계의 질서를 보여 주는군.

⑤ (가)에서 자연을 '온 소리의 앞 소리'와 '온 빛깔의 비롯'이라고 표현한 것은 근원적 존재로서의 자연의 가치를, (나)에서 '오월'에 '산'과 '마을'이 '한 초록으로 짙어' 간다고 표현한 것은 인간과 자연이 하나가 되어 가는 생태 공동체를 형상화하는군.

2. 문학 개념어 OX 확인 문제

① (가), (나)는 모두 가정의 진술을 활용하여 현실과 이상의 거리감을 드러내고 있다.　　　　　　　　　　　　　　　　　　　　○ ✕

② (나)는 계절의 흐름에 따라 시상을 전개하고 있다.　　　　○ ✕

🔍 다음의 선지 판단 공식을 활용하여 빈칸을 채우고 1번 문제의 선지를 OX로 판단해 보세요.

〈보기〉 문제 선지 판단의 공식

① 〈보기〉 생태학적 상상력에서는 모든 생태계 구성원을 서로 _____ · 소통하며 유대감을 느끼는 관계로 봄

➕

작품
(가): '온 살결 터럭 끝은 모두 눈이요 입이라 / 나는 _____ 의 정을 알 수 있고 / _____의 예지를 알 수 있다'
(나): '뒷동산 청솔잎을 빗질해주던 _____'

선지 ➡ (가)에서 화자가 '온 살결 터럭 끝'을 '눈'과 '입'으로 삼아 자연을 대하는 것은 인간과 자연 간의 교감을, (나)에서 '바람'이 '뒷동산 청솔잎을 빗질'하는 것은 자연과 자연 간의 교감을 드러내는군. ○ X

② 〈보기〉 생태학적 상상력에서는 모든 생태계 구성원을 서로 교감 · _____하며 유대감을 느끼는 관계로 보며, 이를 통해 인간과 자연은 하나의 _____로 형상화됨

➕

작품
(가): '온 살결 터럭 끝은 모두 눈이요 입이라 / 나는 수풀의 정을 알 수 있고 / 벌레의 예지를 알 수 있다'
(나): '바람이 / 무어라 무어라 하는 _____의 속삭임을 듣고', '미루나무에게 전하니 / _____ 알았다는 듯 나무는 잎새를 흔들어'

선지 ➡ (가)에서 화자가 '수풀의 정'과 '벌레의 예지'를 '알 수 있다'고 하는 것과 (나)에서 '솔나무'가 '무어라' 하고 '미루나무'가 '알았다'고 하는 것은 구성원들이 서로 소통하는 조화로운 생태계의 모습을 보여 주는군. ○ X

③ 〈보기〉 생태학적 상상력에서는 모든 생태계 구성원을 서로 교감 · 소통하며 _____을 느끼는 관계로 봄

➕

작품
(가): '나는 수풀의 정을 알 수 있고 / 벌레의 예지를 알 수 있다 / 그리하여 나도 이 아침 _____의 / 가장 고웁지 못한 _____이 된다'
(나): '바람이 / 무어라 무어라 하는 _____의 속삭임을 듣고', '_____에게 전하니 / 알았다 알았다는 듯 나무는 잎새를 흔들어', '_____에게 전하니, / 여인이야 이윽고 아픈 허리를 곧게 펴곤 / 눈앞 가득 일어서는 마을의 _____를 향해 / 고개를 끄덕끄덕, 무언가 일별을 보냈다 하자.'

선지 ➡ (가)에서 화자가 '수풀'과 '벌레'의 소리를 듣고 '나도' 청명함의 '노래꾼이 된다'고 하는 것과 (나)에서 '솔나무의 속삭임'을 '바람'이 '미루나무'에게 전하고, 이를 '여인'도 '정자나무'에게 전하는 것은 자연과 인간 간의 유대감을 드러내는군. ○ X

④ 〈보기〉 생태학적 상상력에서는 모든 _____을 평등한 존재로 보고, 서로 교감 · 소통하며 유대감을 느끼는 관계로, 나아가 영향을 주고받는 _____의 관계로 인식함

➕

작품
(가): '그때에 토록 하고 _____은 빠지나니 / 오! 그 빛남 그 고요함 / 간밤에 하늘을 쫓긴 _____의 흐름이 저러했다'
(나): '_____는 잎새를 흔들어 / 강물 위에 짤랑짤랑 _____을 쏟아냈다 하자.'

선지 ➡ (가)에서 화자가 '동백 한 알'이 떨어지는 모습에서 '하늘'의 '별살'을 떠올린 것과 (나)에서 화자가 '잎새'의 흔들림에서 반짝이는 '구슬알'을 떠올린 것은 생명의 탄생을 계기로 순환하는 생태계의 질서를 보여 주는군. ○ X

⑤

〈보기〉　생태학적 상상력을 통해 시인은 자연의 _____ 가치
와, 인간과 자연의 조화로운 관계를 드러내며, 궁극적으로
_____과 _____을 하나의 생태 공동체로 형상화함

作品　(가): '온 소리의 앞 소리요 / 온 빛깔의 _____이라 /
이 _____에 포근 취어진 내 마음'
(나): '산과 강과 들과 _____이 / 한 초록으로 짙어가는
_____,'

(가)에서 자연을 '온 소리의 앞 소리'와 '온 빛깔의 비롯'이라고 표현한 것은 근원적 존재로서의 자연의 가치를, (나)에서 '오월'에 '산'과 '마을'이 '한 초록
으로 짙어' 간다고 표현한 것은 인간과 자연이 하나가 되어 가는 생태 공동체를 형상화하는군.　　　　　　　　　　　　　　　　　　　　　○　✕

✎ 다음 글을 읽고 화자와 대상을 찾아 표시하고, 빈칸에 적절한 말을 채우세요. 또한 주어진 문제를 풀어 보세요.

(가)

살구나무 그늘로 얼굴을 가리고, 병원 뒤뜰에 누워, 젊은 여자가 흰옷 아래로 하얀 다리를 드러내 놓고 일광욕을 한다. 화자는 병원 뒤뜰에 누워 있는 _____에 주목하고 있네. 한나절이 기울도록 가슴을 앓는다는 이 여자를 찾아오는 이, 나비 한 마리도 없다. 그 젊은 여자는 _____을 앓고 있는데 아무도 그녀를 찾아오지 않아. 슬프지도 않은 살구나무 가지에는 바람조차 없다. 찾는 이도, 나비도, _____도 없는 상황에서 (편안함/쓸쓸함)이 느껴져.

나도 모를 아픔을 오래 참다 처음으로 이곳에 찾아왔다. 화자도 아픔 때문에 _____에 찾아왔네. 그러나 나의 늙은 의사는 젊은이의 병을 모른다. 나한테는 병이 없다고 한다. 그런데 _____는 화자에게 병이 없다고 해. 이 지나친 시련, 이 지나친 피로, 나는 성내서는 안 된다. 화자의 _____과 _____는 육체적 질병에서 비롯된 것이 아니라 마음에서 비롯된 것인가 봐. 의사는 병이 없다고 했으니까.

여자는 자리에서 일어나 옷깃을 여미고 화단에서 금잔화 한 포기를 따 가슴에 꽂고 병실 안으로 사라진다. 누워 있던 여자는 _____를 가슴에 꽂고 병실로 사라져. 나는 그 여자의 건강이 — 아니 내 건강도 속히 회복되기를 바라며 그가 누웠던 자리에 누워 본다. 화자는 그 여자와 자신의 건강이 _____되기를 바라며 _____가 누웠던 자리에 누워 봐.

– 윤동주, 「병원」 –

화자와 대상의 관계	병원에서의 고독과 고통을 생각하며, _____와 자신의 _____이 회복되기를 바라는 '나'

(나)

유성에서 조치원으로 가는 어느 들판에 우두커니 서 있는 한 그루 늙은 나무를 만났다. 수도승일까. 묵중하게 서 있었다. 화자는 유성에서 조치원으로 가는 길에 _____를 발견하고, 그 나무가 마치 묵중하게 선 _____ 같다고 느껴.

다음날은 조치원에서 공주로 가는 어느 가난한 마을 어귀에 그들은 떼를 져 몰려 있었다. 멍청하게 몰려 있는 그들은 어설픈 과객일까. 몹시 추워 보였다. 조치원에서 공주로 가는 길에서는 떼를 져 몰려 있는 _____을 보고 춥고 어설픈 _____ 같다고 느끼지.

공주에서 온양으로 우회하는 뒷길 어느 산마루에 그들은 멀리 서 있었다. 하늘 문을 지키는 파수병일까. 외로워 보였다. 공주에서 온양으로 우회하는 길 산마루에서도 나무들을 발견하고 _____처럼 외롭게 서 있다고 하지.

온양에서 서울로 돌아오자, 놀랍게도 그들은 이미 내 안에 뿌리를 펴고 있었다. 묵중한 그들의. 침울한 그들의. 아아 고독한 모습. 그 후로 나는 뽑아낼 수 없는 몇 그루의 나무를 기르게 되었다. 서울로 돌아온 화자는 자신의 _____에서 묵중하고 침울하고 고독한 모습의 _____을 발견해.

– 박목월, 「나무」 –

화자와 대상의 관계	유성에서 출발하여 서울로 가는 길에 _____를 보고 삶의 본질적인 고독감을 느끼는 '나'

1. 〈보기〉의 관점에서 (가), (나)의 '화자와 대상의 관계'에 대해 이해한 내용으로 적절하지 않은 것은?

〈보기〉

(가), (나)의 화자는 특정한 대상에 대한 인식을 통해 자신을 성찰하고 대상에 공감한다. (가)의 화자는 병원에서 본 '여자'의 모습에 주목하고 '여자'의 아픔에 비추어 자신의 처지를 성찰하며 '여자'가 지닌 치유에 대한 소망에 공감한다. (나)의 화자는 여행 중에 만난 '나무'들의 모습에 주목하고 '나무'들에 비추어 자신의 내면을 성찰하며 '나무'들의 모습에서 드러나는 정서에 공감한다. 이를 통해 (가), (나)의 화자는 대상과의 동질성을 확인한다.

① (가)의 화자는 '병원 뒤뜰'에 누워 있는 '여자'를 관찰함으로써, (나)의 화자는 여로에서 만난 '나무'를 반복적으로 제시함으로써 대상을 인식하고 있음을 보여 주고 있다.

② (가)의 화자는 찾는 이가 없는 '가슴을 앓는다는 이 여자'의 처지에, (나)의 화자는 '나무'에게서 본 '수도승', '과객', '파수병'의 모습에 자신을 비추어 보고 있다.

③ (가)의 화자는 '젊은이의 병'을 모르는 '늙은 의사'에 대한 원망을 '여자'와 공유함으로써, (나)의 화자는 '멀리 서 있는' '나무'들의 위치를 확인함으로써 대상과 자신의 거리를 좁히려 하고 있다.

④ (가)의 화자는 '금잔화 한 포기'를 꽂고 병실로 들어가는 '여자'에게서 '회복'에 대한 소망을 읽어 냄으로써, (나)의 화자는 '나무'들이 '외로워 보였다'고 표현함으로써 대상에 공감하고 있다.

⑤ (가)의 화자는 '그가 누웠던' 곳에 '누워 본다'고 함으로써, (나)의 화자는 '뽑아낼 수 없'는 '나무를 기르게 되었다'고 함으로써 대상과 자신의 동질성을 드러내고 있다.

2. 문학 개념어 OX 확인 문제

① (가)는 색채 이미지를 활용하고 있다.   ○ ×

② (나)는 추측을 나타내는 표현을 변주하고 있다.   ○ ×

🔍 다음의 선지 판단 공식을 활용하여 빈칸을 채우고 1번 문제의 선지를 OX로 판단해 보세요.

〈보기〉 문제 선지 판단의 공식

① 〈보기〉 (가): 화자는 병원에서 본 _____의 모습에 주목함
(나): 화자는 여행 중에 만난 _____들의 모습에 주목함 ➕ 작품 (가): '병원 뒤뜰에 누워, _____가 흰옷 아래로 하얀 다리를 드러내 놓고 일광욕을 한다.'
(나): '어느 들판에 우두커니 서 있는 한 그루 늙은 _____를 만났다.', '어느 가난한 마을 어귀에 _____은 떼를 져 몰려 있었다.', '어느 산마루에 그들은 멀리 서 있었다.'

선지➡ (가)의 화자는 '병원 뒤뜰'에 누워 있는 '여자'를 관찰함으로써, (나)의 화자는 여로에서 만난 '나무'를 반복적으로 제시함으로써 대상을 인식하고 있음을 보여 주고 있다.　　　○ ✕

② 〈보기〉 (가): 화자는 병원에서 본 _____의 모습에 주목하고 여자의 아픔에 비추어 자신의 처지를 _____함
(나): 화자는 여행 중에 만난 _____들의 모습에 주목하고 나무들에 비추어 자신의 내면을 _____함 ➕ 작품 (가): '한나절이 기울도록 가슴을 앓는다는 이 여자를 찾아오는 이, 나비 한 마리도 없다.', '나도 모를 _____을 오래 참다 처음으로 이곳에 찾아왔다.'
(나): '_____일까. 묵중하게 서 있었다.', '어설픈 과객일까. 몹시 추워 보였다.', '하늘 문을 지키는 파수병일까, _____ 보였다.', '놀랍게도 그들은 이미 _____에 뿌리를 펴고 있었다.'

선지➡ (가)의 화자는 찾는 이가 없는 '가슴을 앓는다는 이 여자'의 처지에, (나)의 화자는 '나무'에게서 본 '수도승', '과객', '파수병'의 모습에 자신을 비추어 보고 있다.　　　○ ✕

③ 〈보기〉 (가): 화자는 여자가 지닌 _____에 대한 소망에 공감함
(나): 화자는 여행 중에 만난 _____들의 모습에 주목함
(가), (나): 화자는 대상과의 동질성을 확인함 ➕ 작품 (가): '나의 늙은 의사는 젊은이의 병을 모른다.', '나는 그 여자의 건강이 — 아니 내 건강도 속히 _____되기를 바라며 그가 누웠던 자리에 누워 본다.'
(나): '어느 산마루에 그들은 _____ 서 있었다. 하늘 문을 지키는 파수병일까, _____ 보였다.'

선지➡ (가)의 화자는 '젊은이의 병'을 모르는 '늙은 의사'에 대한 원망을 '여자'와 공유함으로써, (나)의 화자는 '멀리 서 있'는 '나무'들의 위치를 확인함으로써 대상과 자신의 거리를 좁히려 하고 있다.　　　○ ✕

④ 〈보기〉 (가): 화자는 여자가 지닌 치유에 대한 소망에 _____함
(나): 화자는 나무들의 모습에서 드러나는 정서에 _____함 ➕ 작품 (가): '여자는 자리에서 일어나 옷깃을 여미고 화단에서 금잔화 한 포기를 따 가슴에 꽂고 _____으로 사라진다. 나는 그 여자의 건강이 — 아니 _____도 속히 회복되기를 바라며 그가 누웠던 자리에 누워 본다.'
(나): '하늘 문을 지키는 파수병일까, _____ 보였다.', '묵중한 그들의. 침울한 그들의. 아아 _____ 모습.'

선지➡ (가)의 화자는 '금잔화 한 포기'를 꽂고 병실로 들어가는 '여자'에게서 '회복'에 대한 소망을 읽어 냄으로써, (나)의 화자는 '나무'들이 '외로워 보였다'고 표현함으로써 대상에 공감하고 있다.　　　○ ✕

⑤

〈보기〉

(가): 화자는 여자가 지닌 _____에 대한 소망에 공감함

(나): 화자는 나무들의 모습에서 드러나는 _____에 공감함

(가), (나): 화자는 대상과의 _____을 확인함

➕ 작품

(가): '나는 그 여자의 건강이 — 아니 내 건강도 속히 회복되기를 바라며 그가 누웠던 자리에 _____.'

(나): '그 후로 나는 뽑아낼 수 없는 몇 그루의 _____를 기르게 되었다.'

⏵ (가)의 화자는 '그가 누웠던' 곳에 '누워 본다'고 함으로써, (나)의 화자는 '뽑아낼 수 없'는 '나무를 기르게 되었다'고 함으로써 대상과 자신의 동질성을 드러내고 있다.

○ ✕

✏️ 다음 글을 읽고 화자와 대상을 찾아 표시하고, 빈칸에 적절한 말을 채우세요. 또한 주어진 문제를 풀어 보세요.

(가)

차단—한 등불이 하나 비인 하늘에 걸려 있다.
내 호올로 어딜 가라는 슬픈 신호냐. 빈 _____에 등불 하나만 밝혀져 있는 적막하고 쓸쓸한 분위기 속에서 화자는 혼자 어디로 가야 할지 몰라 _____하고 있어.

긴—여름해 황망히 나래를 접고
늘어선 고층(高層) 창백한 묘석(墓石)같이 황혼에 젖어 ___가 진 여름, _____의 건물들이 늘어선 도시의 풍경이 상황적 배경으로 제시되고 있어. 화자가 이를 _____한 묘석(무덤 앞에 세우는 돌)에 비유한 것으로 보아 자신이 처한 상황을 (**긍정적/부정적**)으로 인식하고 있음을 짐작할 수 있어.

찬란한 야경 무성한 잡초인 양 헝클어진 채
사념(思念) 벙어리 되어 입을 다문다. 화자는 _____와 같이 느껴지는 야경을 보며 생각에 잠긴 채 아무 ___도 하지 않고 있어. 이를 통해서도 현재의 시적 상황에 대한 화자의 인식을 엿볼 수 있어.

피부의 바깥에 스미는 어둠
낯설은 거리의 아우성 소리
까닭도 없이 눈물겹고나 화자는 어둠이 내려앉은 낯선 _____에서 _____ 거워하고 있네.

공허한 군중의 행렬에 섞이어
내 어디서 그리 무거운 비애를 지니고 왔기에
길—게 늘인 그림자 이다지 어두워

내 어디로 어떻게 가라는 슬픈 신호기
차단—한 등불이 하나 비인 하늘에 걸리어 있다. _____의 행렬에 섞이어 보지만 여전히 갈 곳을 알지 못하는 화자의 비애감이 부각되며 시상이 마무리되었어.

— 김광균, 「와사등」 —

화자와 대상의 관계	_____을 보며 가야할 곳을 알지 못하는 자신의 처지에 슬퍼하는 '나'

(나)

머리가 마늘쪽같이 생긴 고향의 소녀와
한여름을 알몸으로 사는 고향의 소년과
같이 낮이 설어도 사랑스러운 들길이 있다 고향의 _____, _____, 그리고 낯설어도 사랑스러운 _____의 모습을 떠올리고 있네.

그 길에 아지랑이가 피듯 태양이 타듯
제비가 날듯 길을 따라 물이 흐르듯 그렇게
그렇게 _____가 피어 오르고, _____이 내리쬐고, 제비가 나는 고향 들길의 풍경을 보여주네.

천연(天然)히 천연하는 '생긴 그대로 조금도 꾸밈이 없이'라는 뜻이야. 꾸밈없이 소박하지만 정겨운 _____의 풍경에 대해 말하고자 하는 것이지.

울타리 밖에도 화초를 심는 마을이 있다
오래오래 잔광(殘光)이 부신 마을이 있다
밤이면 더 많이 별이 뜨는 마을이 있다. 울타리 밖에 _____가 심어져 있고, 해 질 무렵의 _____이 비추던 마을의 풍경. 그리고 밤이 되면 많은 ___이 뜨는 고향의 이미지를 제시함으로써 여운을 남기며 시상을 마무리하였네.

— 박용래, 「울타리 밖」 —

화자와 대상의 관계	아름다운 _____ 마을의 여러 모습을 떠올리며 이야기하는 사람

1. 〈보기〉를 참고하여 (가), (나)를 감상한 내용으로 적절하지 않은 것은?

〈보기〉

1930년대 모더니즘을 주도했던 김광균은 감성보다 지성을 중시하는 이미지즘을 자신만의 방식으로 소화했다. 그는 상실감과 소외감 등의 정서에 회화적 이미지를 결합하여 현대 문명에 대한 태도를 보여 주었다. 1950년대 후반의 시적 경향을 보여 주는 박용래는 모더니즘의 기법에 전통과 자연에 대한 관심을 결합했다. 그는 사라져 가는 재래의 것들을 회화적 이미지로 복원하여 토속적 정취를 환기하고, 소박한 자연의 이미지를 병치하여 자연의 지속성과 인간과 자연의 조화에 대한 바람을 드러냈다.

① (가), (나) 모두 주로 시각적 이미지를 활용하여 풍경을 묘사함으로써 회화성을 잘 살리고 있군.

② (가)는 시간의 순환적 흐름을 통해 도시의 황폐함을, (나)는 시간의 순차적 흐름을 통해 자연의 지속성을 강조하고 있군.

③ (가)의 '무성한 잡초'는 인간과 문명의 불화에 따른 상심을, (나)의 '화초'는 인간과 자연의 조화에 대한 바람을 함축하고 있군.

④ (가)는 (나)와 달리 감정을 노출하는 시어를 빈번하게 사용하여 현대 문명으로 인한 소외감을 제시하고 있군.

⑤ (나)는 (가)와 달리 토속적 정취를 자아내는 시어를 활용하여 전통적 세계에 대한 지향을 드러내고 있군.

2. 문학 개념어 OX 확인 문제

① (가)와 (나)는 모두 비유적 표현을 활용하여 공간에 대한 인식을 드러내고 있다.   ○ ✕

② (나)는 영탄적 표현을 통해 대상에 대한 경외감을 드러내고 있다.   ○ ✕

🔍 다음의 선지 판단 공식을 활용하여 빈칸을 채우고 1번 문제의 선지를 OX로 판단해 보세요.

〈보기〉 문제 선지 판단의 공식

① 〈보기〉 (가): 시인 김광균은 _____을 자신만의 방식으로 소화함, 상실감과 소외감 등의 정서에 _____적 이미지를 결합함
(나): 시인 박용래는 모더니즘 기법에 전통과 자연에 대한 관심을 결합함, 사라져 가는 재래의 것들을 _____적 이미지로 _____함

➕ 작품 (가): '차단―한 _____이 하나 비인 _____에 걸려 있다.', '늘어선 고층 창백한 묘석같이 황혼에 젖어' 등
(나): '오래오래 _____이 부신 마을이 있다 / ___이면 더 많이 ___이 뜨는 마을이 있다.' 등

선지 ➡ (가), (나) 모두 주로 시각적 이미지를 활용하여 풍경을 묘사함으로써 회화성을 잘 살리고 있군.   ○ X

② 〈보기〉 (가): 시인 김광균은 상실감과 소외감 등의 정서에 회화적 이미지를 결합하여 _____에 대한 태도를 보여 줌
(나): 시인 박용래는 _____한 자연의 이미지를 _____하여 자연의 지속성에 대한 바람을 드러냄

➕ 작품 (가): '늘어선 _____ 창백한 _____같이 황혼에 젖어 / 찬란한 _____ 무성한 잡초인 양 _____ 채'
(나): '그 길에 _____가 피듯 태양이 타듯 / _____가 날듯 길을 따라 물이 흐르듯 그렇게'

선지 ➡ (가)는 시간의 순환적 흐름을 통해 도시의 황폐함을, (나)는 시간의 순차적 흐름을 통해 자연의 지속성을 강조하고 있군.   ○ X

③ 〈보기〉 (가): 시인 김광균은 _____과 소외감 등의 정서에 회화적 이미지를 결합하여 현대 문명에 대한 태도를 보여 줌
(나): 시인 박용래는 소박한 자연의 이미지를 병치하여 인간과 자연의 _____에 대한 바람을 드러냄

➕ 작품 (가): '_____ 무성한 잡초인 양 헝클어진 채 / 사념 벙어리 되어 입을 다물다.'
(나): '_____ 밖에도 _____를 심는 마을이 있다'

선지 ➡ (가)의 '무성한 잡초'는 인간과 문명의 불화에 따른 상심을, (나)의 '화초'는 인간과 자연의 조화에 대한 바람을 함축하고 있군.   ○ X

④ 〈보기〉 (가): 시인 김광균은 상실감과 _____ 등의 정서에 회화적 이미지를 결합하여 현대 문명에 대한 태도를 보여 줌

➕ 작품 (가): '내 호올로 어딜 가라는 _____ 신호냐.', '까닭도 없이 _____겁고나', '무거운 _____' 등

선지 ➡ (가)는 (나)와 달리 감정을 노출하는 시어를 빈번하게 사용하여 현대 문명으로 인한 소외감을 제시하고 있군.   ○ X

⑤ 〈보기〉 (나): 시인 박용래는 모더니즘 기법에 _____과 자연에 대한 관심을 결합함, 사라져 가는 _____의 것들을 회화적 이미지로 복원하여 _____ 정취를 환기함

➕ 작품 (나): '머리가 _____같이 생긴', '낯이 설어도 사랑스러운 _____', '울타리 밖에도 화초를 심는 마을'

선지 ➡ (나)는 (가)와 달리 토속적 정취를 자아내는 시어를 활용하여 전통적 세계에 대한 지향을 드러내고 있군.   ○ X

✎ 다음 글을 읽고 화자와 대상을 찾아 표시하고, 빈칸에 적절한 말을 채우세요. 또한 주어진 문제를 풀어 보세요.

(가)

고향에 돌아온 날 밤에
내 백골이 따라와 한방에 누웠다. '나'가 고향에 돌아온 날 ___에 _____도 함께 왔나 봐.

어둔 **방**은 우주로 통하고
하늘에선가 소리처럼 바람이 불어온다.

어둠 속에 곱게 풍화작용하는
백골을 들여다보며 _____ 방에 곱게 누워 있는 _____을 들여다보고 있네.
눈물짓는 것이 내가 우는 것이냐
백골이 우는 것이냐
아름다운 혼이 우는 것이냐 '나', _____, _____으로 분열된
자아 중 누가 울고 있는 것인지 혼란스러워 하고 있어.

지조 높은 개는
밤을 새워 어둠을 짖는다.

어둠을 짖는 개는
나를 쫓는 것일 게다. 지조 높은 개는 _____을 짖는 개로, 어둠 속에 있는 ___를 쫓는다고 하네.

가자 가자
쫓기우는 사람처럼 가자
백골 몰래
아름다운 또 다른 고향에 가자. '나'는 _____ 몰래 또 다른 고향에 가려고 다짐하고 있어.

– 윤동주, 「또 다른 고향(故郷)」 –

화자와 대상의 관계	백골 몰래 _____에 가고자 하는 '나'

(나)

전신이 검은 까마귀,
까마귀는 까치와 다르다.
마른 가지 끝에 높이 앉아
먼 설원을 굽어보는 저
형형한* 눈,
고독한 이마 그리고 날카로운 부리. _____와는 다른 _____의 빛나는
눈과 _____한 모습을 보여 주고 있어.
얼어붙은 지상에는
그 어디에도 낟알 한 톨 보이지 않지만
그대 차라리 눈발을 뒤지다 굶어 죽을지언정
결코 **까치**처럼
인가의 안마당을 넘보진 않는다. _____는 아무리 힘든 현실에서도

까치처럼 _____의 안마당을 넘보지는 않는다고 하네. 까마귀를 **(긍정적/부정적)**으로,
까치를 **(긍정적/부정적)**으로 보고 있어.

검을 테면
철저하게 검어라. 단 한 개의 깃털도
남기지 말고……
겨울 되자 온 세상 수북이 눈은 내려
저마다 하얗게 하얗게 분장하지만 ___이 내려 세상이 하얗게 덮인 모습을
_____한 것으로 표현하여 본래의 모습을 가리는 눈의 속성을 드러내고 있어.
나는
빈 가지 끝에 홀로 앉아
말없이
먼 지평선을 응시하는 한 마리
검은 까마귀가 되리라. 화자는 _____가 되고자 다짐하고 있어.

– 오세영, 「자화상 · 2」 –

*형형한: 광채가 반짝반짝 빛나며 밝은.

화자와 대상의 관계	_____와는 다른 검은 _____가 되고자 하는 '나'

1. 〈보기〉를 참고하여 (가)와 (나)를 감상한 내용으로 적절하지 않은 것은?

〈보기〉

　자아 성찰의 주제를 담은 현대시에서는 시적 자아가 분열된 모습으로 등장하는 경우가 많다. (가)와 (나)의 화자는 자아 성찰을 통해 자아의 부정적인 모습과 단절하고 새로운 존재로 거듭나려 한다는 점에서 공통적이다. 하지만 (가)의 화자는 시선을 자신의 내면으로 돌려 자아의 부정적, 긍정적 면모를 발견한 후 이들을 상징적 시어로 표현하고 있고, (나)의 화자는 시선을 바깥으로 돌려 자신의 삶의 태도를 외부의 상징적 존재에 투영하여 표현하고 있다.

① (가)의 '들여다보며'에서는 '백골'로 상징화된 부정적 자아를 향한 화자의 내면의 시선을 확인할 수 있군.

② (가)의 '지조 높은 개'는 자아의 부정적인 모습과 대비되어 화자를 새로운 존재로 거듭나게 하는군.

③ (나)에서 먼 설원을 굽어보는 '형형한 눈'은 바람직한 삶을 지향하는 화자의 태도를 떠올리게 하는군.

④ (나)에서 인가의 안마당을 넘보는 '까치'는 화자가 단절하고자 하는 삶의 태도를 나타내는군.

⑤ (가)의 '방'은 화자의 어두운 내면을, (나)의 '먼 지평선'은 화자가 처한 부정적 현실을 상징하는군.

2. 문학 개념어 OX 확인 문제

① (가)와 (나)는 모두 공간의 대비를 통해 지향하는 가치를 드러내고 있다.

○ ✕

② (나)에서는 현실 상황에 대한 비관적 태도가 드러난다. ○ ✕

🔍 다음의 선지 판단 공식을 활용하여 빈칸을 채우고 1번 문제의 선지를 OX로 판단해 보세요.

〈보기〉 문제 선지 판단의 공식

① 〈보기〉 (가): 화자는 시선을 자신의 _____으로 돌려 자아의 _____, 긍정적 면모를 상징적 시어로 표현함

➕ 작품 (가): '_____ 속에 곱게 풍화작용하는 / 백골을 들여다보며 / _____ 짓는 것'

🔎 (가)의 '들여다보며'에서는 '백골'로 상징화된 부정적 자아를 향한 화자의 내면의 시선을 확인할 수 있군. ○ ✕

② 〈보기〉 (가): 자아의 부정적, _____ 면모를 상징적 시어로 표현함 → 자아의 부정적인 모습과 단절하고 _____ 존재로 거듭나려 함

➕ 작품 (가): '어둠 속에 곱게 풍화작용하는 / 백골', '지조 높은 개는 / 밤을 새워 _____을 _____.~____를 쫓는 것일 게다.'

🔎 (가)의 '지조 높은 개'는 자아의 부정적인 모습과 대비되어 화자를 새로운 존재로 거듭나게 하는군. ○ ✕

③ 〈보기〉 (나): 화자는 자신의 삶의 _____를 외부의 상징적 존재에 투영함

➕ 작품 (나): '먼 설원을 굽어보는 저 / 형형한 눈', '한 마리 / 검은 _____가 _____.'

🔎 (나)에서 먼 설원을 굽어보는 '형형한 눈'은 바람직한 삶을 지향하는 화자의 태도를 떠올리게 하는군. ○ ✕

④ 〈보기〉 (나): 화자는 자신의 삶의 태도를 _____의 상징적 존재에 _____함 → 자아의 부정적인 모습과 _____하고 새로운 존재로 거듭나려 함

➕ 작품 (나): '까마귀는 _____와 다르다.', '결코 까치처럼 / 인가의 안마당을 _____ 않는다.'

🔎 (나)에서 인가의 안마당을 넘보는 '까치'는 화자가 단절하고자 하는 삶의 태도를 나타내는군. ○ ✕

⑤ 〈보기〉 (가)와 (나)의 화자는 _____의 부정적인 모습과 단절하고 새로운 존재로 거듭나려 함 / (가): 자아의 부정적, 긍정적 면모를 상징적 시어로 표현함 / (나): 화자는 자신의 삶의 태도를 외부의 상징적 존재에 투영함

➕ 작품 (가): '내 _____이 따라와 _____에 누웠다.', '어둠 속에 곱게 풍화작용하는 / 백골' / (나): '말없이 / 먼 _____을 _____하는 한 마리 / 검은 까마귀가 되리라.'

🔎 (가)의 '방'은 화자의 어두운 내면을, (나)의 '먼 지평선'은 화자가 처한 부정적 현실을 상징하는군. ○ ✕

✏️ 다음 글을 읽고 화자와 대상을 찾아 표시하고, 빈칸에 적절한 말을 채우세요. 또한 주어진 문제를 풀어 보세요.

(가)

　어물전 개조개 한마리가 움막 같은 몸 바깥으로 맨발을 내밀어 보이고 있다 _{화자는 어물전에 있는 ＿＿＿＿＿ 한 마리를 관찰하고 있어. 어물전은 생선류를 판매하는 곳으로, 개조개는 ＿＿＿＿을 앞둔 처지지. 조개껍질 바깥으로 나온 조개의 속살을 ＿＿＿＿로 인식하네.}

　죽은 부처가 슬피 우는 제자를 위해 관 밖으로 잠깐 발을 내밀어 보이듯이 맨발을 내밀어 보이고 있다 _{개조개의 맨발을 보고 화자는 죽은 ＿＿＿＿＿가 슬피 우는 제자를 위해 잠깐 ＿＿＿ 밖으로 내민 발과 같다고 생각해.}

　㉠펄과 물속에 오래 담겨 있어 부르튼 맨발

　내가 조문하듯 그 맨발을 건드리자 개조개는

　㉡최초의 궁리인 듯 가장 오래하는 궁리인 듯 천천히 발을 거두어갔다

　저 속도로 시간도 길도 흘러왔을 것이다 _{'나'가 개조개의 맨발을 건드리자 개조개는 ＿＿＿＿＿ 발을 껍질 속으로 거두어 갔어. 이런 느린 속도로 개조개의 ＿＿＿＿과 길이 흘러왔을 거야.}

　누군가를 만나러 가고 또 헤어져서는 저렇게 천천히 돌아왔을 것이다

　늘 맨발이었을 것이다

　사랑을 잃고서는 새가 부리를 가슴에 묻고 밤을 견디듯이 맨발을 가슴에 묻고 슬픔을 견디었으리라 _{개조개는 늘 ＿＿＿＿＿인 상태로 살아오며 그 맨발을 가슴에 묻고 ＿＿＿＿을 견뎌왔을 거야.}

　아—하고 짐이 울 때

　부르튼 맨발로 양식을 탁발하러 거리로 나왔을 것이다 _{개조개는 짐이 울 때 ＿＿＿＿ 탁발하러 ＿＿＿＿＿ 맨발로 거리로 나왔을 거야.}

　㉢맨발로 하루 종일 길거리에 나섰다가

　가난의 냄새가 벌벌벌벌 풍기는 움막 같은 집으로 돌아오면

　아—하고 울던 것들이 배를 채워

　저렇게 캄캄하게 울음도 멎었으리라 _{개조개는 맨발로 하루 종일 ＿＿＿＿＿에서 양식을 구해 집에서 울던 것들의 ＿＿＿를 채웠구나. '나'는 ＿＿＿＿＿에서 죽음을 앞둔 개조개의 부르튼 맨발을 통해 ＿＿＿＿＿의 생계를 위해 고단하고 힘들게 살아가는 이들의 삶을 형상화하는 거야.}

　　　　　　　　　　　　－ 문태준, 「맨발」 －

화자와 대상의 관계	어물전에서 발견한 개조개의 ＿＿＿＿을 보며 고단한 삶을 살아가는 이들을 생각하는 '나'

(나)

　나는 새장을 하나 샀다

　그것은 가죽으로 만든 것이다

　㉣날뛰는 내 발을 집어넣기 위해 만든 작은 감옥이었던 것 _{'나'는 ＿＿＿＿＿을 샀어. 그 새장은 날뛰는 내 ＿＿＿을 가두기 위해 만든 작은 ＿＿＿＿이래. 시의 제목이 ＿＿＿＿인 걸로 보아 ＿＿＿＿으로 만든 새장은 가죽 구두를 의미한다고 볼 수 있어.}

　처음 그것은 발에 너무 컸다

　한동안 덜그럭거리는 감옥을 끌고 다녀야 했으니 _{새장이 새를 가두는 감옥이듯 구두는 '나'의 자유를 구속해.}

　감옥은 작아져야 한다

　새가 날 때 구두를 감추듯 _{새가 날아오를 때 발을 감추는 것처럼 화자도 자유를 위해 발을 감싸고 있는 ＿＿＿＿이 작아져야 한다고 생각해.}

　새장에 모자나 구름을 집어넣어본다

　그러나 그들은 언덕을 잊고 보리 이랑을 세지 않으며 날지 않는다 _{'나'는 새장에 모자나 ＿＿＿＿을 넣어보지만, 새들은 날지 않대.}

　새장에는 조그만 먹이통과 구멍이 있다

　그것이 새장을 아름답게 하는 것인지도 모른다 _{새들이 날지 않는 이유는 새장에 조그만 ＿＿＿＿＿과 구멍이 있기 때문이야. 편안함에 길들여져서 현실에 안주하고 ＿＿＿＿를 잊게 된 모습이지.}

　나는 오늘 새 구두를 샀다

　그것은 구름 위에 올려져 있다

　내 구두는 아직 물에 젖지 않은 한 척의 배 _{'나'는 ＿＿＿＿＿(=한 척의 배)를 사는데, 그것은 어디든 자유롭게 갈 수 있게 ＿＿＿＿ 위에 올려져 있어.}

　한때는 속박이었고 또 한때는 제멋대로였던 삶의 한 컷에서

　나는 가끔씩 늙고 고집센 내 발을 위로하는 것이다

　오래 쓰다 버린 낡은 목욕통 같은 구두를 벗고

　㉤새의 육체 속에 발을 집어넣어보는 것이다 _{'나'는 자신의 늙고 ＿＿＿＿ 센 발을 ＿＿＿＿하면서 새 구두에 발을 집어넣어. 이전의 구두와 다른 ＿＿＿＿를 신으며 자유롭게 살 수 있기를 소망하는 거지.}

　　　　　　　　　　　　－ 송찬호, 「구두」 －

화자와 대상의 관계	새 구두를 사며 ＿＿＿＿를 소망하는 '나'

1. 〈보기〉를 참고하여 ㉠~㉤을 이해한 내용으로 적절하지 <u>않은</u> 것은?

> ─────〈보기〉─────
>
> 인간의 신체 중 가장 낮은 곳에 위치하고 있는 '발'은 보통 삶의 무게를 견뎌 내야 하는 고단한 존재나 '발자취'와 같이 인간의 삶의 과정을 드러내는 존재로 표현된다. 또한 '발'은 '신발'과 함께 연결되어 표현되고는 한다. 이때 '신발'은 '발'을 보호하여 원하는 곳으로 자유롭게 이동할 수 있도록 돕는 의미로 사용되는 동시에 발을 구속하는 의미로 나타나기도 한다.

① ㉠: 신발로부터 보호받지 못한 '부르튼 맨발'의 모습을 보여 주어 '펄과 물속'에서 힘겹게 살아온 고단함을 부각하고 있다.

② ㉡: 신체의 가장 낮은 곳에서 '천천히' 이동하고 있는 '발'의 모습을 통해 현실로부터 소외되어 살아가는 외로움을 나타내고 있다.

③ ㉢: 삶의 무게를 견뎌 내는 존재로서의 '발'을 통해 양식을 구하러 '하루 종일 길거리에 나'설 수밖에 없는 힘겨운 삶의 모습을 연상할 수 있다.

④ ㉣: '발'을 구속하는 신발을 '작은 감옥'으로 표현하여 현실에 속박된 삶을 살아가는 처지를 드러내고 있다.

⑤ ㉤: '발'을 감싸는 신발을 '새의 육체'로 변주하여 일상의 구속을 깨고 자유로움을 추구하고자 하는 마음을 보여 주고 있다.

2. 문학 개념어 OX 확인 문제

① (가)는 회상 형식을 통해 삶에 대한 성찰을 드러내고 있다.   ○ ✕

② (나)는 대조적 이미지를 사용하고 있다.   ○ ✕

다음의 선지 판단 공식을 활용하여 빈칸을 채우고 1번 문제의 선지를 OX로 판단해 보세요.

〈보기〉 문제 선지 판단의 공식

① 〈보기〉 신발은 ____을 보호하는데 발은 보통 삶의 무게를 견뎌 내야 하는 고단한 존재로 표현됨 ➕ 작품 (가): '㉠펄과 물속에 오래 담겨 있어 _____ 맨발'

선지➡ ㉠: 신발로부터 보호받지 못한 '부르튼 맨발'의 모습을 보여 주어 '펄과 물속'에서 힘겹게 살아온 고단함을 부각하고 있다. ○ ✕

② 〈보기〉 발은 인간의 신체 중 가장 _____ 곳에 위치하고 있음 ➕ 작품 (가): '㉡최초의 _____인 듯 가장 _____하는 궁리인 듯 _____ 발을 거두어갔다'

선지➡ ㉡: 신체의 가장 낮은 곳에서 '천천히' 이동하고 있는 '발'의 모습을 통해 현실로부터 소외되어 살아가는 외로움을 나타내고 있다. ○ ✕

③ 〈보기〉 발은 보통 삶의 _____를 견뎌 내야 하는 고단한 존재로 표현됨 ➕ 작품 (가): '___이 울 때 / 부르튼 맨발로 _____을 탁발하러 거리로 나왔을 것이다 / ㉢맨발로 하루 종일 _____에 나섰다가'

선지➡ ㉢: 삶의 무게를 견뎌 내는 존재로서의 '발'을 통해 양식을 구하러 '하루 종일 길거리에 나'설 수밖에 없는 힘겨운 삶의 모습을 연상할 수 있다. ○ ✕

④ 〈보기〉 신발은 발을 보호하는 의미 외에 _____하는 의미를 나타 내기도 함 ➕ 작품 (나): '㉣날뛰는 내 ___을 집어넣기 위해 만든 작은 _____ 이었던 것'

선지➡ ㉣: '발'을 구속하는 신발을 '작은 감옥'으로 표현하여 현실에 속박된 삶을 살아가는 처지를 드러내고 있다. ○ ✕

⑤ 〈보기〉 신발은 발이 원하는 곳으로 _____롭게 이동할 수 있도록 돕는 의미를 나타내기도 함 ➕ 작품 (나): '오래 쓰다 버린 낡은 목욕통 같은 _____를 벗고 / ㉤___의 육체 속에 발을 집어넣어보는 것이다'

선지➡ ㉤: '발'을 감싸는 신발을 '새의 육체'로 변주하여 일상의 구속을 깨고 자유로움을 추구하고자 하는 마음을 보여 주고 있다. ○ ✕

✎ 다음 글을 읽고 화자와 대상을 찾아 표시하고, 빈칸에 적절한 말을 채우세요. 또한 주어진 문제를 풀어 보세요.

(가)

아득한 옛날에 나는 떠났다
부여를 숙신을 발해를 여진을 요를 금을
흥안령을 음산을 아무우르를 숭가리를　위에 나온 지역은 모두 북방에
해당해. '나'는 아득한 _____에 북방을 떠났어.

범과 사슴과 너구리를 배반하고
송어와 메기와 개구리를 속이고 나는 떠났다　'나'는 여러 대상들을
_____하고 속이며 북방을 떠났대. 북방을 떠난 자신에 대한 **(긍정적/부정적)** 인식이
드러나지?

나는 그때
자작나무와 이깔나무의 **슬퍼하든 것**을 기억한다
갈대와 장풍의 **붙드든 말**도 잊지 않았다　'나'가 떠날 때 북방의 자연물
들이 **(기꺼워하며/슬퍼하며)** 보냈었구나.
오로촌*이 멧돌*을 잡아 나를 잔치해 보내든 것도
쏠론*이 십리길을 따라나와 **울든 것**도 잊지 않았다　북방에 거주하는
소수 _____들도 아쉬움과 눈물로 '나'를 떠나보냈었네.

나는 그때
아모 이기지 못할 슬픔도 시름도 없이
다만 게을리 **먼 앞대***로 떠나 나왔다　'나'는 북방에서 남쪽(한반도)으로
_____과 시름도 없이 게을러 떠나왔다.
그리하여 따사한 햇귀에서 하이얀 옷을 입고 **매끄러운 밥을 먹고
단샘을 마시고 낮잠을 잤다**　앞대로 내려와서는 **(힘든/안락한)** 삶을 살았네.
밤에는 먼 개소리에 놀라나고
아츰에는 지나가는 사람마다에게 절을 하면서도
나는 나의 **부끄러움**을 알지 못했다　'나'는 _____을 알지 못했
다고 해.

그동안 돌비는 깨어지고 많은 은금보화는 땅에 묻히고 가마귀도
긴 족보를 이루었는데
이리하야 또 한 아득한 새 옛날이 비롯하는 때
이제는 참으로 이기지 못할 슬픔과 시름에 쫓겨
나는 나의 옛 한울로 땅으로 – 나의 태반으로 돌아왔으나　'나'는
세월이 흘러 슬픔과 _____에 쫓겨 다시 '나'의 옛 하늘과 땅인 _____으로 돌아왔어.

이미 해는 늙고 달은 파리하고 바람은 미치고 보래구름만 혼자
넋없이 떠도는데　'나'는 늙고 _____한 모습의 북방에 돌아와 허무함을 느끼고 있어.

아, 나의 조상은 형제는 일가친척은 정다운 이웃은 그리운 것은
사랑하는 것은 우러르는 것은 나의 자랑은 나의 힘은 없다 **바람과
물과 세월과 같이 지나가고 없다**　세월이 지나고 다시 돌아온 북방인데, '나'가
그리워하고 소중하게 여겼던 모든 것들은 사라지고 있다며 **(후련함/상실감)**을 느껴.

　　　　　　　　　　　　　– 백석, 「북방에서 – 정현웅에게」 –

*오로촌: 오로촌족. 중국의 동북 지방에 거주하는 소수 민족의 하나.
*멧돌: 멧돼지.

*쏠론: 쏠론족. 중국의 동북 지방에 거주하는 소수 민족의 하나.
*앞대: 평북 내지 평안도를 벗어난 남쪽 지방. 황해도 · 강원도에서부터 제주도까지에
이르는 각지.

화자와 대상의 관계	아득한 옛날에 떠나온 _____에 다시 돌아와 상실감을 느끼는 '나'

(나)

대숲 바람 속에는 대숲 바람소리만 흐르는 게 아니라요
서느라운 모시옷 물맛 나는 한 사발의 냉수물에 어리는
우리들의 맑디맑은 사랑　_____ 속에는 바람소리만 흐르는 게
아니래. 우리들의 맑디맑은 _____도 담겨 있어.

봉당 밑에 깔리는 대숲 바람소리 속에는
대숲 바람소리만 고여 흐르는 게 아니라요
대패랭이 끝에 까부는 오백 년 한숨, 삿갓머리에 후득이는
밤 쏘낙 빗물소리……　화자는 또 대숲 바람소리 속에는 오백 년의 _____과
소나기 _____가 담겨 있대.

머리에 흰 수건 쓰고 **죽창을 깎던**, 간 큰 아이들, 황토 현을 넘어
가던
징소리 꽹과리 소리들……　대숲 바람소리 속에는 _____와 꽹과리 소
리들도 들어 있어.

남도의 마을마다 질펀히 깔리는 대숲 바람소리 속에는
흰 연기 자욱한 모닥불 그을음 내, **몽당 빗자루도 개 터럭도 보리
숭년도 땡볕도**
얼개빗도 쇠그릇도 **문둥이 장타령도**
타는 내음……　대숲 바람소리 속에는 _____ 그을음 내, 몽당 빗자루,
개 터럭 등 _____ 마을의 다양한 삶의 모습이 담겨 있네.

아 창호지 문발 틈으로 스미는 남도의 대숲 바람소리 속에는
눈 그쳐 뜨는 새벽별의 푸른 숨소리, 청청한 청청한
댓닢파리의 맑은 숨소리.　대숲 바람소리를 통해 화자는 _____의 푸른
숨소리와 댓닢파리의 맑은 _____를 듣고 있어.

　　　　　　　　　　　　　　　　　– 송수권, 「대숲 바람소리」 –

화자와 대상의 관계	대숲 _____에 담긴 것들을 생각하는 '나'(우리)

1. 〈보기〉를 참고하여 (가)와 (나)를 감상한 내용으로 적절하지 <u>않은</u> 것은?

〈보기〉

　(가)와 (나)는 화자가 특정한 공간에서 우리 민족의 역사와 삶을 떠올리고 있는 작품이다. (가)는 북방에 간 화자가 명멸하던 역사 속에서 우리 민족이 광활한 영토를 떠나오던 장면을 상상해 보고 있다. 화자는 축소된 영토 안에서 소박한 안위를 찾으며 살아왔던 우리 민족의 삶의 태도를 일제 강점기 현실과 연결하여 상실감을 드러내고 있다. (나)의 화자는 남도의 대나무 숲에서 불어오는 바람 소리를 들으며 역사 속 민중의 삶을 떠올리고 있다. 수탈과 억압에 맞서고자 했던 동학 운동의 정신과 민중의 남루한 삶에 가치를 부여하고 있다.

① (가): 2연의 '슬퍼하든 것', '붙드든 말', '울든 것' 등은, 옛날 우리 민족이 광활한 영토를 떠나면서 벌어졌을 이별의 정황과 관련하여 화자가 상상한 것이겠군.

② (가): 3연의 '매끄러운 밥을 먹고 단샘을 마시고 낮잠을 잤다'는 것은, 축소된 영토인 '먼 앞대'에서 소박한 안위를 찾으며 살아왔던 우리 민족의 태도를 나타낸 것이겠군.

③ (가): 6연의 '바람과 물과 세월과 같이 지나가고 없다'는 것은, 북방으로 간 화자가 과거의 역사를 자신이 처한 일제 강점기의 현실과 연결하여 느낀 상실감을 드러낸 것이겠군.

④ (나): 3연의 '죽창을 깎던, 간 큰 아이들', '징소리 꽹과리 소리들'은, 억압된 현실에 저항했던 동학 운동의 정신이 대나무 숲에서 부는 바람 소리에 내포되어 있음을 드러낸 것이겠군.

⑤ (나): 4연의 '몽당 빗자루', '보리 숭년', '문둥이 장타령' 등은, 남루한 삶 속에서도 민중들이 마음속에 품고 있던 미래에 대한 희망을 나타낸 것이겠군.

2. 문학 개념어 OX 확인 문제

① (가)와 (나)는 모두 각 연을 명사로 마무리하여 여운을 자아내고 있다.

○　✕

② (나)는 공감각적 심상을 활용하고 있다.　　　　　　○　✕

다음의 선지 판단 공식을 활용하여 빈칸을 채우고 1번 문제의 선지를 OX로 판단해 보세요.

〈보기〉 문제 선지 판단의 공식

① 〈보기〉 (가): _____에 간 화자가 우리 민족이 _____ 영토를 떠나오던 장면을 상상함 ➕ 작품 (가): '자작나무와 이깔나무의 슬퍼하든 것', '갈대와 장풍의 _____ 말', '_____이 십리길을 따러나와 울든 것'

선지➡ (가): 2연의 '슬퍼하든 것', '붙드든 말', '울든 것' 등은, 옛날 우리 민족이 광활한 영토를 떠나면서 벌어졌을 이별의 정황과 관련하여 화자가 상상한 것이겠군.　　○ ✕

② 〈보기〉 (가): 화자는 _____ 영토 안에서 _____를 찾으며 살아왔던 우리 민족의 삶의 태도를 보여 줌 ➕ 작품 (가): '게을리 먼 _____로 떠나 나왔다', '_____ 밥을 먹고 단샘을 마시고 _____을 잤다'

선지➡ (가): 3연의 '매끄러운 밥을 먹고 단샘을 마시고 낮잠을 잤다'는 것은, 축소된 영토인 '먼 앞대'에서 소박한 안위를 찾으며 살아왔던 우리 민족의 태도를 나타낸 것이겠군.　　○ ✕

③ 〈보기〉 (가): 화자는 축소된 영토 안에서 소박한 안위를 찾으며 살아왔던 우리 민족의 삶의 태도를 _____ 현실과 연결하여 _____을 드러냄 ➕ 작품 (가): '아, 나의 조상은 형제는~바람과 물과 세월과 같이 _____,'

선지➡ (가): 6연의 '바람과 물과 세월과 같이 지나가고 없다'는 것은, 북방으로 간 화자가 과거의 역사를 자신이 처한 일제 강점기의 현실과 연결하여 느낀 상실감을 드러낸 것이겠군.　　○ ✕

④ 〈보기〉 (나): 화자는 남도의 대나무 숲에서 불어오는 _____ _____를 들으며 수탈과 _____에 맞서고자 했던 _____의 정신에 가치를 부여함 ➕ 작품 (나): '_____을 깎던, 간 큰 아이들, 황토 현을 넘어가던 / _____ 꽹과리 소리들……'

선지➡ (나): 3연의 '죽창을 깎던, 간 큰 아이들', '징소리 꽹과리 소리들'은, 억압된 현실에 저항했던 동학 운동의 정신이 대나무 숲에서 부는 바람 소리에 내포되어 있음을 드러낸 것이겠군.　　○ ✕

⑤ 〈보기〉 (나): 화자는 남도의 _____에서 불어오는 바람 소리를 들으며 민중의 _____ 삶에 가치를 부여함 ➕ 작품 (나): '_____의 마을마다 질펀히 깔리는 대숲 _____ 속에는~_____ 장타령도 / 타는 내음……'

선지➡ (나): 4연의 '몽당 빗자루', '보리 숭년', '문둥이 장타령' 등은, 남루한 삶 속에서도 민중들이 마음속에 품고 있던 미래에 대한 희망을 나타낸 것이겠군.　　○ ✕

✎ 다음 글을 읽고 화자와 대상을 찾아 표시하고, 빈칸에 적절한 말을 채우세요. 또한 주어진 문제를 풀어 보세요.

(가)

가난한 내가
아름다운 나타샤를 사랑해서
오늘밤은 푹푹 눈이 나린다   화자는 가난한 자신이 아름다운 _____를
사랑하기 때문에 오늘밤, 푹푹 ___이 내린다고 해.

나타샤를 사랑은 하고
눈은 푹푹 날리고
나는 혼자 쓸쓸히 앉아 소주를 마신다
소주를 마시며 생각한다
나타샤와 나는
눈이 푹푹 쌓이는 밤 흰 당나귀 타고
산골로 가자 출출이 우는 깊은 산골로 가 마가리에 살자   화자는 눈이
푹푹 내리는 밤 _____하게 앉아 술을 마시며, 나타샤, 흰 당나귀와 함께 깊은 _____로
가서 살기를 바라고 있어.

눈은 푹푹 나리고
나는 나타샤를 생각하고
나타샤가 아니 올 리 없다
언제 벌써 내 속에 고조곤히 와 이야기한다
산골로 가는 것은 세상한테 지는 것이 아니다
세상 같은 건 더러워 버리는 것이다   화자는 나타샤와 함께 산골로 가는 것이
더러운 _____을 버리는 것이라고 말해. 화자는 산골을 순수하고 **(긍정적/부정적)**인 세계,
세상을 더럽고 **(긍정적/부정적)**인 세계로 보고 있군.

눈은 푹푹 나리고
아름다운 나타샤는 나를 사랑하고
어데서 흰 당나귀도 오늘밤이 좋아서 응앙응앙 울을 것이다   화자는
아름다운 나타샤가 자신을 _____한다는 단정적인 말로 바람을 표현하면서, _____
_____도 오늘밤이 좋아서 울면서 화자와 나타샤의 사랑을 축복해 줄 것이라고 상상해.

— 백석, 「나와 나타샤와 흰 당나귀」 —

화자와 대상의 관계	눈이 푹푹 내리는 밤, 아름다운 _____와 함께 흰 당나귀를 타고 깊은 _____로 가 살기를 소망하는 가난한 '나'

(나)

바위 위에 소나무가 저렇게 싱싱하다니
사람들은 모르지 처음엔 이끼들도 살 수 없었어
아무것도 키울 수 없던 불모의 바위였지
작은 풀씨들이 날아와 싹을 틔웠지만
이내 말라버리고 말았어   화자는 바위 위에 _____가 있는 모습을 관찰하고
있어. 불모는 땅이 거칠고 메말라 식물이 나거나 자라지 않는 것을 말하는데, 처음엔 이끼도
살 수 없었고, 작은 _____도 말라버리게 한 불모의 _____가 소나무를 키웠다고 하는군.

돌도 늙어야 품 안이 너른 법
오랜 날이 흘러서야 알게 되었지
그래 아름다운 일이란 때로 늙어갈 수 있기 때문이야
흐르고 흘렀던가
바람에 솔씨 하나 날아와 안겼지   불모의 바위였던 돌이 늙어 _____이 넓어
져서 솔씨가 날아와 안길 수 있었네. 화자는 바위와 소나무의 관계에서 늙어갈 수 있는 것이
_____ 일이라는 깨달음을 얻었어.

이끼들과 마른풀들의 틈으로
그 작은 것이 뿌리를 내리다니
비가 오면 바위는 조금이라도 더 빗물을 받으려
굳은 몸을 안타깝게 이리저리 틀었지
사랑이었지 가득 찬 마음으로 일어나는 사랑   바위의 틈으로 솔씨가 뿌리를
내리고, 바위가 _____ 몸을 비틀어 빗물을 받아 내며 _____으로 소나무를 키워 냈음을
표현하고 있군.

그리하여 소나무는 자라나 푸른 그늘을 드리우고
바람을 타고 굽이치는 강물 소리 흐르게 하고
새들을 불러 모아 노랫소리 들려주고   _____의 사랑으로 자라난 소나무는
_____을 드리우고 강물 소리를 흐르게 하고, 새들을 불러 노랫소리를 들려주고 있
어.

뒤돌아본다
산다는 일이 그런 것이라면
삶의 어느 굽이에 나, 풀꽃 한 포기를 위해
몸의 한편 내어 준 적 있었는가 피워 본 적 있었던가   화자는 _____
_____이란 바위가 소나무에게 몸의 한편을 내어 주는 것처럼 품어주는 일임을 깨닫고,
자신은 그런 적이 있었는지 지난 삶을 _____하고 있네.

— 박남준, 「아름다운 관계」 —

화자와 대상의 관계	_____와 _____의 아름다운 관계를 통해 산다는 일이란 _____을 내어 주는 일이라는 깨달음을 얻고 지난 삶을 성찰하는 '나'

1. 〈보기〉를 바탕으로 (가)와 (나)를 감상한 내용으로 적절하지 <u>않은</u> 것은?

〈보기〉

인간은 자신을 둘러싸고 있는 세계와 무수한 관계를 맺으며 살아가는 존재로, 순수를 지향하며 단절과 고립을 자처하기도 하고 스스로 변화의 주체가 되어 이질적인 존재들을 포용하며 관계를 확대해 나가기도 한다. 이는 주어진 상황 속에서 세계를 대하는 저마다의 존재 방식으로, 우리는 이를 통해 각자가 지향하는 삶의 자세를 탐지할 수 있다.

① (가)에서 '나'가 '산골로 가 마가리에 살자'는 것은 속세와의 관계를 단절하고 순수한 세계를 지향하고자 하는 화자의 의지를 드러낸 것으로 볼 수 있겠군.

② (가)에서 '눈' 내리는 상황의 지속은 '나'가 자신을 둘러싼 세계로부터 자처한 고립과 '나타샤'에 대한 '나'의 몰입을 심화하는 양상을 드러낸다고 볼 수 있겠군.

③ (나)에서 '바위'는 '작은 풀씨'의 생명력을 원천으로 삼아, '강물 소리'와 새의 '노랫소리'를 매개로 '소나무'와의 관계를 확장해 나가고 있다고 볼 수 있겠군.

④ (나)에서 '불모'의 바위가 '품 안이 너른' 바위가 되고 '몸'을 틀어 '소나무'를 키워낸 것을 통해, 주체가 스스로를 희생하고 변화할 때에 다른 존재를 포용할 수 있게 된다고 볼 수 있겠군.

⑤ (나)에서 화자가 지향하는 '아름다운' 삶이란 '바위'가 먼저 '솔씨'에게 '틈'을 내어 뿌리를 내리게 했듯이, 내가 먼저 '몸의 한편'을 내어 누군가를 품어 주는 관계를 맺으며 살아가는 것이라고 볼 수 있겠군.

2. 문학 개념어 OX 확인 문제

① (가)는 유사한 시구의 반복을 통하여, (나)는 동일한 어미의 반복을 통하여 운율감을 형성하고 있다. ○ ✕

② (나)는 부정적 상황에 대한 극복 의지를 드러내고 있다. ○ ✕

🔍 다음의 선지 판단 공식을 활용하여 빈칸을 채우고 1번 문제의 선지를 OX로 판단해 보세요.

〈보기〉 문제 선지 판단의 공식

① 〈보기〉 인간은 _____를 지향하며 단절과 고립을 자처하는 방식으로 지향하는 삶의 자세를 드러내기도 함 ➕ 작품 (가): '나타샤와 나는 / 눈이 푹푹 쌓이는 밤 흰 당나귀 타고 / _____로 가자 출출이 우는 깊은 산골로 가 _____ _____,'

선지 (가)에서 '나'가 '산골로 가 마가리에 살자'는 것은 속세와의 관계를 단절하고 순수한 세계를 지향하고자 하는 화자의 의지를 드러낸 것으로 볼 수 있겠군. ○ ✕

② 〈보기〉 인간은 순수를 지향하며 단절과 _____을 _____하는 방식으로 지향하는 삶의 자세를 드러내기도 함 ➕ 작품 (가): '___은 푹푹 나리고 / 나는 _____를 생각하고', '눈은 푹푹 나리고 / 아름다운 나타샤는 나를 사랑하고'

선지 (가)에서 '눈' 내리는 상황의 지속은 '나'가 자신을 둘러싼 세계로부터 자처한 고립과 '나타샤'에 대한 '나'의 몰입을 심화하는 양상을 드러낸다고 볼 수 있겠군. ○ ✕

③ 〈보기〉 인간은 자신을 둘러싼 세계와 _____를 맺으며 살아가는 존재로 스스로 변화의 주체가 되어 이질적인 존재들을 포용하며 관계를 _____하기도 함 ➕ 작품 (나): '불모의 바위였지 / _____들이 날아와 싹을 틔웠지만 / 이내 _____ 말았어', '소나무는 자라나 푸른 그늘을 드리우고 / 바람을 타고 굽이치는 강물 소리 흐르게 하고 / 새들을 불러 모아 노랫소리 들려주고'

선지 (나)에서 '바위'는 '작은 풀씨'의 생명력을 원천으로 삼아, '강물 소리'와 새의 '노랫소리'를 매개로 '소나무'와의 관계를 확장해 나가고 있다고 볼 수 있겠군. ○ ✕

④ 〈보기〉 인간은 스스로 변화의 주체가 되어 이질적인 존재들을 _____하며 관계를 확대하기도 함 ➕ 작품 (나): '처음엔 이끼들도 살 수 없었어 / 아무것도 키울 수 없던 _____였지', '돌도 늙어야 품 안이 _____ 법', '비가 오면 바위는 조금이라도 더 빗물을 받으려 / 굳은 몸을 안타깝게 이리저리 틀었지', '그리하여 _____는 자라나'

선지 (나)에서 '불모'의 바위가 '품 안이 너른' 바위가 되고 '몸'을 틀어 '소나무'를 키워낸 것을 통해, 주체가 스스로를 희생하고 변화할 때에 다른 존재를 포용할 수 있게 된다고 볼 수 있겠군. ○ ✕

⑤ 〈보기〉 인간이 주어진 상황 속에서 세계와 관계를 맺는 방식을 통해 각자가 _____하는 삶의 자세를 확인할 수 있음 ➕ 작품 (나): '돌도 늙어야 품 안이 너른 법 / 오랜 날이 흘러서야 알게 되었지 / 그래 _____ 일이란 때로 늙어갈 수 있기 때문이야', '바람에 솔씨 하나 날아와 안겼지 / 이끼들과 마른풀들의 틈으로 / 그 작은 것이 뿌리를 내리다니', '삶의 어느 굽이에 나, 풀꽃 한 포기를 위해 / _____ 내어 준 적 있었는가'

선지 (나)에서 화자가 지향하는 '아름다운' 삶이란 '바위'가 먼저 '솔씨'에게 '틈'을 내어 뿌리를 내리게 했듯이, 내가 먼저 '몸의 한편'을 내어 누군가를 품어 주는 관계를 맺으며 살아가는 것이라고 볼 수 있겠군. ○ ✕

4

주차

4주차
학습 안내

4주차에서는 설명글이 포함된 융합 지문에 대한 독해와 융합형 문제의 선지를 정확히 판단하기 위한 훈련을 할 거야. 이를 위해 하루에 한 세트의 융합 지문을 싣되, 설명글의 주요 내용을 작품에 적용하며 풀어야 하는 융합형 문제를 2문항씩 수록하여 보다 집중적인 학습이 가능하도록 했어.

먼저 사고의 흐름의 빈칸을 채우며 설명글과 현대시 지문을 읽고 주요 내용이 무엇인지를 파악하도록 하자. 이후 3개의 문제를 모두 풀었다면, '융합 문제 선지 판단의 공식'을 통해 1번과 2번 문제의 선지들을 다시 분석해 보면 돼. 빈칸을 채우며 설명글과 작품을 연결하여 각 선지의 정오를 어떻게 판단할 수 있는지를 확인하고, 이를 처음 문제를 풀 때 거쳤던 자신의 사고 과정과 비교해 보자.

고난도 융합형 문제의 정오 판단에서도 가장 기본이 되는 것은 결국 지문에 대한 정확한 내용 파악, 그리고 지문의 내용이 서로 연결되면서 생겨나는 의미에 대한 사실적 판단이라는 점을 유념하면서 4주차의 훈련도 끝까지 최선을 다하자!

✎ 다음 글을 읽고 화자와 대상을 찾아 표시하고, 빈칸에 적절한 말을 채우세요. 또한 주어진 문제를 풀어 보세요.

(가)

섣달에도 보름께 달 밝은 밤
㉠앞내강 쨍쨍 얼어 조이던 밤에
내가 부른 노래는 강 건너 갔소 섣달(십이월) 보름 강이 쨍쨍 얼 정도로 추운
겨울 ___에 '나'가 부른 _____는 강을 건너 갔어.

㉡강 건너 하늘 끝에 사막도 닿은 곳
내 노래는 제비같이 날아서 갔소 '나'의 노래는 강을 건너고 하늘 끝에 _____
도 닿은 곳까지 날아서 갔네.

못 잊을 계집애 집조차 없다기에
가기는 갔지만 어린 날개 지치면
㉢그만 어느 모래불에 떨어져 타서 죽겠죠. '나'의 노래는 못 잊을 _____
_____에게 간 것이구나. 그러나 노래는 _____가 지치면 _____에
떨어져 죽을 수도 있대.

사막은 끝없이 푸른 하늘이 덮여
㉣눈물 먹은 별들이 조상* 오는 밤 _____과 같은 현실을 슬퍼하며
이 조상(위문)을 오네.

㉤밤은 옛일을 무지개보다 곱게 짜내나니
한 가락 여기 두고 또 한 가락 어디멘가
내가 부른 노래는 그 밤에 강 건너 갔소. 밤은 _____을 아름답게 짜내고,
'나'의 노래는 한 가락은 여기 두었고 나머지 한 가락은 그 밤(섣달 보름)에 ___을 건너 갔지.

                            – 이육사, 「강 건너간 노래」 –

*조상: 남의 죽음에 대하여 슬퍼하는 뜻을 드러내어 위문함.

화자와 대상의 관계	밤에 자신의 _____가 ___을 건너간 일을 떠올리는 '나'

(나)

한 줄의 시(詩)는커녕
단 한 권의 소설도 읽은 바 없이
그는 한평생을 행복하게 살며
많은 돈을 벌었고
높은 자리에 올라
이처럼 훌륭한 비석을 남겼다 그는 ___나 소설을 모르고 살았지만 ___과
지위를 얻으며 행복하게 살다 죽었어.
그리고 어느 유명한 문인이
그를 기리는 묘비명을 여기에 썼다 유명한 문인도 그를 기리는 _____
을 썼네.
비록 이 세상이 잿더미가 된다 해도
불의 뜨거움 꿋꿋이 견디며
이 묘비는 살아 남아

귀중한 사료(使料)가 될 것이니
역사는 도대체 무엇을 기록하며
시인(詩人)은 어디에 무덤을 남길 것이냐 _____와 _____이 지향해야
할 가치 있는 것에 대해 생각해 봐야 함을 역설하고 있어.

                            – 김광규, 「묘비명(墓碑銘)」 –

화자와 대상의 관계	_____을 통해 세속적 가치만을 추구하는 세상을 (긍정적/비판적)으로 바라보는 사람

(다)

[A]

시는 인간의 삶을 반영한다. 시에서 반영은 현실과 인생을 모방한다는 의미에서 외부 현실을 시 속에 담아내는 것으로, 역사와 현실의 상황을 시를 통해 어떻게 재현할 것인가에 초점을 둔다. 시에서 _____이 어떤 의미인지를 설명해 주고 있어. 여기서 반영은 '있는 그대로의 현실'로서의 반영과 '있어야 하는 현실'로서의 반영으로 구분할 수 있다. 시에서 반영을 둘로 나누어 설명하고 있어. 어떤 차이가 있는지 눈여겨봐야겠지? 전자는 역사와 현실의 모습을 사실 그대로 보여 주는 일상적 진실을 반영하는 것을 말하고, 후자는 일상적 현실을 넘어 화자가 지향하는 당위적 진실을 반영하는 것을 말한다. 반영은 ① _____와 _____의 상황을 그대로 담아내거나, ② 화자가 _____하는 진실을 담아내는 것을 말하는군!

한편 '시에 대한 시 쓰기'라는 형식을 통해 시 그 자체를 반영하는 특수한 경우도 있다. 시에서 반영은 하나 더 있어! ③ ___ 자체를 반영하는 경우야. 이때 반영의 대상은 외부 현실이 아니라 시 쓰기 상황이나 시를 쓰는 시인이 된다. 이 경우 시는 그 자체로 시론 혹은 시인론의 성격을 지닌다. 반영의 대상이 _____이나 _____이 될 경우, 시는 시론이나 시인론의 성격을 갖게 되네. 이러한 성격의 작품에서 시는 노래나 기타 여러 갈래의 글로 표상되기도 한다.

이처럼 시인들은 시 속에 형상화된 세계를 통해 인간이 지향해야 할 바람직한 삶의 방향을 모색한다. 이를 통해 시는 무엇을 말해야 하고, 시인은 어떤 존재로 살아가야 하는가에 대한 자기 성찰의 태도를 드러내는 것이다. 시인은 반영을 통해 인간이 _____해야 할 바람직한 삶의 방향을 모색하고 자기를 성찰하는구나.

1. [A]의 관점에서 ㉠~㉤을 이해한 내용으로 적절하지 <u>않은</u> 것은?

① ㉠: 극한의 추위를 드러내는 시간적 배경을 제시하여, 화자나 인물이 처한 상황을 드러내고 있다.

② ㉡: 현실의 모습을 사막으로 표상하여, 화자나 인물이 직면하게 될 공간적 배경을 드러내고 있다.

③ ㉢: 죽음의 상황을 가정하여, 화자에게 닥친 일상적 현실이 절망적인 상황임을 노래에 투영하여 드러내고 있다.

④ ㉣: 자연물에 대한 화자의 태도 변화를 통해, 일상적 현실이 희망적으로 바뀌었음을 보여 주고 있다.

⑤ ㉤: 밤과 무지개의 이미지를 대응시켜, 화자가 추구하는 당위적 진실에 대한 소망을 담아내고 있다.

2. (다)를 참고하여, (가)의 노래 와 (나)의 묘비명 을 이해한 것으로 적절하지 <u>않은</u> 것은?

① '노래'가 시를 표상한다면, 이 '노래'는 (가)를 쓴 시인 자신이 추구하는 바람직한 삶의 방향을 반영하고 있다고 할 수 있겠군.

② '노래'가 시를 표상한다면, 이 '노래'는 시가 '집조차 없'는 처지에 있는 이의 삶에 다가서야 한다는, (가)를 쓴 시인의 관점을 드러내고 있겠군.

③ '묘비명'이 시를 표상한다면, 이 '묘비명'은 (나)를 쓴 시인 자신이 추구하는 삶과는 거리가 있는 사람의 인생을 반영하고 있겠군.

④ '묘비명'이 시를 표상한다면, 이 '묘비명'은 (나)를 쓴 시인이 시 쓰기를 통해 '무엇을 기록'해야 하는지에 대해 자기 성찰을 하게 되는 계기라 할 수 있겠군.

⑤ '묘비명'이 시를 표상한다면, 이 '묘비명'은 한 줄의 시조차 읽지 않아도 '행복하게 살' 수 있다는, (나)를 쓴 시인의 관점을 드러내는 소재라 할 수 있겠군.

3. 문학 개념어 OX 확인 문제

① (가)와 (나)는 모두 청자를 명시적으로 설정하고 있다.　　　　○ X

② (가)와 (나)는 모두 시적 대상에 생명력을 부여하여 의지를 지닌 존재로 나타내고 있다.　　　　○ X

🔍 다음의 선지 판단 공식을 활용하여 빈칸을 채우고 1번 문제의 선지를 OX로 판단해 보세요.

융합 문제 선지 판단의 공식

① 설명글 시에서 반영은 역사와 _____의 상황을 재현하는 것에 초점을 둠 ➕ 작품 (가): '섣달', '⊙앞내강 쨍쨍 _____ 조이던 ____에'

선지➡ ⊙: 극한의 추위를 드러내는 시간적 배경을 제시하여, 화자나 인물이 처한 상황을 드러내고 있다. ○ ×

② 설명글 시에서 반영은 _____ 현실을 ____ 속에 담아내는 것임 ➕ 작품 (가): '⊙____ 건너 하늘 끝에 _____도 닿은 곳 / 내 노래는 제비같이 날아서 갔소'

선지➡ ⊙: 현실의 모습을 사막으로 표상하여, 화자나 인물이 직면하게 될 공간적 배경을 드러내고 있다. ○ ×

③ 설명글 '있는 그대로의 현실'로서의 반영은 역사와 _____의 모습을 사실 그대로 보여 주는 _____ 진실을 반영함 ➕ 작품 (가): '어린 _____ 지치면 / ⊙그만 어느 _____에 떨어져 타서 죽겠죠.'

선지➡ ⊙: 죽음의 상황을 가정하여, 화자에게 닥친 일상적 현실이 절망적인 상황임을 노래에 투영하여 드러내고 있다. ○ ×

④ 설명글 시는 역사와 현실의 모습을 _____ 그대로 보여 주는 일상적 진실을 반영함 ➕ 작품 (가): '⊜눈물 먹은 _____이 _____ 오는 밤'

선지➡ ⊜: 자연물에 대한 화자의 태도 변화를 통해, 일상적 현실이 희망적으로 바뀌었음을 보여 주고 있다. ○ ×

⑤ 설명글 _____ _____ ➕ 작품 (가): '⊕____은 옛일을 _____보다 곱게 짜내나니'

선지➡ ⊕: 밤과 무지개의 이미지를 대응시켜, 화자가 추구하는 당위적 진실에 대한 소망을 담아내고 있다. ○ ×

🔍 다음의 선지 판단 공식을 활용하여 빈칸을 채우고 2번 문제의 선지를 OX로 판단해 보세요.

융합 문제 선지 판단의 공식

① 설명글 시의 반영에는 ____ 자체를 반영하는 특수한 경우가 있는데, 이때 시는 _____나 기타 여러 갈래의 글로 표상됨. 시인들은 시를 통해 시는 무엇을 말해야 하고, _____은 어떤 존재로 살아가야 하는가에 대한 자기 _____의 태도를 드러냄

➕ 작품 (가): '내가 _____ 노래'

선지➡ '노래'가 시를 표상한다면, 이 '노래'는 (가)를 쓴 시인 자신이 추구하는 바람직한 삶의 방향을 반영하고 있다고 할 수 있겠군. ○ ✕

② 설명글 '____에 대한 시 쓰기'라는 형식에서 시는 노래나 기타 여러 갈래의 글로 표상됨

➕ 작품 (가): _____

선지➡ '노래'가 시를 표상한다면, 이 '노래'는 시가 '집조차 없'는 처지에 있는 이의 삶에 다가서야 한다는, (가)를 쓴 시인의 관점을 드러내고 있겠군. ○ ✕

③ 설명글 시 그 자체를 반영하는 특수한 경우에 시는 노래나 기타 여러 갈래의 ____로 표상됨. 시인들은 시에 형상화된 세계를 통해 인간이 _____해야 할 바람직한 삶의 방향을 모색함

➕ 작품 (나): '한 줄의 ____는커녕 / 단 한 권의 소설도 읽은 바 없이 / 그는', '많은 돈을 벌었고 / _____에 올라' '어느 유명한 문인이 / 그를 기리는 _____을 여기에 썼다'

선지➡ '묘비명'이 시를 표상한다면, 이 '묘비명'은 (나)를 쓴 시인 자신이 추구하는 삶과는 거리가 있는 사람의 인생을 반영하고 있겠군. ○ ✕

④ 설명글 시 그 _____를 반영하는 특수한 경우에 시는 노래나 기타 여러 갈래의 글로 표상됨. 시인들은 시를 통해 ____는 무엇을 말해야 하고, 시인은 어떤 존재로 살아가야 하는가에 대한 _____의 태도를 드러냄

➕ 작품 (나): _____

선지➡ '묘비명'이 시를 표상한다면, 이 '묘비명'은 (나)를 쓴 시인이 시 쓰기를 통해 '무엇을 기록'해야 하는지에 대해 자기 성찰을 하게 되는 계기라 할 수 있겠군. ○ ✕

⑤ 설명글 ____ 그 자체를 반영하는 특수한 경우에 시는 노래나 기타 여러 갈래의 글로 표상됨. 시인들은 시에 형상화된 세계를 통해 인간이 지향해야 할 _____의 방향을 모색함

➕ 작품 (나): '한 줄의 시는커녕 / 단 한 권의 _____도 읽은 바 없이 / 그는', '많은 ____을 벌었고 / 높은 자리에 올라 / 이처럼 _____ 비석을 남겼다', '역사는 도대체 무엇을 기록하며 / 시인은 어디에 무덤을 남길 것이냐'

선지➡ '묘비명'이 시를 표상한다면, 이 '묘비명'은 한 줄의 시조차 읽지 않아도 '행복하게 살' 수 있다는, (나)를 쓴 시인의 관점을 드러내는 소재라 할 수 있겠군. ○ ✕

✎ 다음 글을 읽고 화자와 대상을 찾아 표시하고, 빈칸에 적절한 말을 채우세요. 또한 주어진 문제를 풀어 보세요.

(가)

　문학적 시간은 작가의 체험이나 의식에 따라 자연적 시간을 의도적으로 재구성하여 미적 효과를 드러낸다. ＿＿＿＿＿＿＿은 자연적 시간을 의도적으로 재구성함 삶의 과정과 시간의 흐름을 담은 사건은 주로 과거형으로, 대상의 특징을 감각적으로 형상화하는 이미지는 주로 현재형으로 표현한다. 문학적 시간: ① ＿＿＿의 과정과 시간의 흐름을 담은 ＿＿＿＿＿(＿＿＿＿＿＿), ② 대상의 특징을 감각적으로 형상화하는 ＿＿＿＿＿＿(현재형)

　하지만 과거형과 현재형의 적용은 작품 내적 상황에 따라 달라질 수 있다. 과거의 사건이나 동작의 변화를 실감나게 드러내기 위해 현재형으로 표현하기도 하고, 이미지 묘사를 시간의 흐름이 드러나도록 과거형으로 표현하기도 한다. 문학적 시간 표현은 작품 ＿＿＿＿＿＿＿에 따라 과거형과 현재형이 뒤바뀌기도 함

[A]
　특히 서정시는 현재의 순간에 과거의 경험들이 공존해 있다는 점에서 이러한 시간의 모호성이 두드러진다. 시간의 ＿＿＿＿＿: ＿＿＿＿＿의 순간에 과거의 경험들이 공존 즉 서정시는 과거와 현재를 분리하지 않고 시적 현재로 통합하는 시간의 의도적 변형을 드러내는 것이다.

(나)

하늘로 날을 듯이 길게 뽑은 부연* 끝 풍경이 운다
처마 끝 곱게 늘이운 주렴에 반월(半月)이 숨어
아른아른 봄밤이 ⊙두견이 소리처럼 깊어 가는 밤 화자는 ＿＿＿＿＿에 풍경 소리를 듣고 있네.
⊙곱아라 고아라 진정 아름다운지고
파르란 구슬빛 바탕에 자줏빛 호장*을 받친 호장저고리
호장저고리 하얀 동정이 환하니 밝도소이다 시의 제목이 ＿＿＿＿＿＿＿ 이지? 화자는 지금 고풍 의상의 ＿＿＿＿＿＿＿에 감탄하는 거야. 먼저 저고리의 하얀 ＿＿＿＿＿이 환하고 밝다고 해.
살살이 퍼져나린 곧은 선이 스스로 돌아 곡선을 이루는 곳
열두 폭 기인 치마가 사르르 물결을 친다 저고리의 고운 모습에 감탄한 뒤엔 ＿＿＿＿＿의 아름다움을 감상하고 있어. 치마의 곡선이 사르르 ＿＿＿＿＿을 친다고 하네.
초마* 끝에 곱게 감춘 운혜(雲鞋) 당혜(唐鞋)
ⓒ발자취 소리도 없이 대청을 건너 살며시 문을 열고 치마 끝에 곱게 감춰진 신을 신고 ＿＿＿＿＿도 없이 살며시 움직인대.
그대는 어느 나라의 고전(古典)을 말하는 한 마리 호접(蝴蝶)
호접인 양 사뿐이 춤을 추라 아미(蛾眉)를 숙이고…… 우아한 고풍 의상을 입은 ＿＿＿＿＿에게 한 마리 ＿＿＿＿＿처럼 춤을 추라고 하네.
나는 ⓔ이 밤에 옛날에 살아 눈 감고 거문곳줄 골라 보리니
ⓜ가는 버들인 양 가락에 맞추어 흰 손을 흔들어지이다 ‘나’는 고풍 의상의 아름다움에 취해 ＿＿＿＿＿를 연주해.

　　　　　　　　　　　　　　　　　－ 조지훈, 「고풍 의상」－

*부연(附椽): 긴 서까래 끝에 덧얹는 네모지고 짧은 서까래.
*호장: 회장(回裝). 여자 저고리를 색깔 있는 헝겊으로 꾸민 것.

*초마: '치마'의 방언.

화자와 대상의 관계	＿＿＿＿＿＿＿과 춤사위의 예스러운 ＿＿＿＿＿ 을 감상하는 '나'

(다)

어머님,
제 예닐곱 살 적 겨울은
목조 적산 가옥 이층 다다미방의
벌거숭이 유리창 깨질 듯 울어 대던 외풍 탓으로
한없이 추웠지요, 밤마다 나는 벌벌 떨면서
아버지 가랭이 사이로 시린 발을 밀어 넣고
그 가슴팍에 벌레처럼 파고들어 얼굴을 묻은 채
겨우 잠이 들곤 했었지요. '나'는 ＿＿＿＿＿에게 말을 건네고 있어. 예닐곱 살의 '나'가 ＿＿＿＿＿＿＿에 아버지 품에 안겨 겨우 잠이 들었던 때를 떠올리고 있네.

요즈음도 추운 밤이면
곁에서 잠든 아이들 이불깃을 덮어 주며
늘 그런 추억으로 마음이 아프고, '나'는 세월이 흘러 어른이 되었어. 요즈음 추운 밤이면 ＿＿＿＿＿의 이불깃을 덮어 주며 아버지 품에 안겼던 ＿＿＿＿＿이 떠올라 마음이 아프대.
나를 품어 주던 그 가슴이 이제는 한 줌 뼛가루로 삭아
붉은 흙에 자취 없이 뒤섞여 있음을 생각하면
옛날처럼 나는 다시 아버지 곁에 눕고 싶습니다. '나'의 ＿＿＿＿＿ 는 돌아가셨구나. 아버지를 그리워하며 옛날처럼 아버지 곁에 눕고 싶다고 해.

그런데 어머님,
오늘은 영하(零下)의 한강교를 지나면서 문득
나를 품에 안고 추위를 막아 주던
예닐곱 살 적 그 겨울밤의 아버지가
이승의 물로 화신(化身)해 있음을 보았습니다. '나'는 ＿＿＿＿＿를 지나면서 아버지의 화신을 보았어.
품 안에 부드럽고 여린 물살은 무사히 흘러
바다로 가라고,
꽝 꽝 얼어붙은 잔등으로 혹한을 막으며
하얗게 얼음으로 엎드려 있던 아버지,
아버지, 아버지…… 기온이 ＿＿＿＿＿인 추운 날씨 속에서 한강물은 얼어 있었겠지? 얼어붙은 강의 표면 아래 흘러가는 ＿＿＿＿＿＿＿을 보며 추운 겨울 ＿＿＿＿＿를 품에 안아 주셨던 아버지를 연상하는 거야.

　　　　　　　　　　　　　－ 이수익, 「결빙(結氷)의 아버지」－

화자와 대상의 관계	얼어붙은 ＿＿＿＿＿을 보며 어린 시절에 자신을 감싸 주던 ＿＿＿＿＿를 떠올리는 '나'

1. (가)를 바탕으로 (나)의 ㉠~㉤을 이해한 내용으로 가장 적절한 것은?

① ㉠은 자연적 시간이 작가의 의식에 의해 문학적으로 재구성된 경우에 해당한다.

② ㉡은 과거형과 현재형의 적용이 작품 내적 상황에 따라 달라진 경우에 해당한다.

③ ㉢은 서정시에서 동작의 변화를 현재형으로 묘사하지 않은 경우에 해당한다.

④ ㉣은 과거와 현재를 통합적으로 인식함으로써 시간의 정확성을 드러낸 경우에 해당한다.

⑤ ㉤은 시간의 흐름이 드러나도록 과거형을 사용한 경우에 해당한다.

2. [A]를 중심으로 (다)를 이해할 때 적절하지 <u>않은</u> 것은?

① 화자가 '아버지'와 겪었던 유년 시절을 '어머님'에게 들려주는 시상 전개 방식으로 과거와 현재의 시간을 이어 준다.

② '목조 적산 가옥 이층 다다미방'이라는 현재 위치에서 화자가 과거의 이야기를 전해 주는 방식으로 시적 현재의 의미를 생성해 낸다.

③ '옛날처럼 나는'에서 현재의 순간에 과거의 경험들이 공존해 있는 시적 상황을 설정하고 있다.

④ '예닐곱 살 적 그 겨울밤'을 '영하의 한강교를 지나면서' 떠올리는 데서 과거와 현재의 통합이 드러난다.

⑤ '그 겨울밤의 아버지'가 '이승의 물로 화신'했다고 표현함으로써 과거와 현재를 분리하지 않는 시간의 모호성을 드러낸다.

3. 문학 개념어 OX 확인 문제

① (나)는 의도적으로 변형한 시어를 통해 리듬감에 변화를 주고 있다. ○ ✕

② (나)는 말줄임표를 사용하여 시적 대상의 정적인 상태와 동적인 상태가 충돌하는 상황을 표현하고 있다. ○ ✕

🔍 다음의 선지 판단 공식을 활용하여 빈칸을 채우고 1번 문제의 선지를 OX로 판단해 보세요.

융합 문제 선지 판단의 공식

① 설명글 문학적 시간은 작가의 체험이나 의식에 따라 _____ 시간을 의도적으로 _____한 것 ➕ 작품 (나): '⊙두견이 소리처럼 깊어 가는 ____'

선지 ➡ ⊙은 자연적 시간이 작가의 의식에 의해 문학적으로 재구성된 경우에 해당한다. ○ ✕

② 설명글 과거형과 현재형의 적용은 작품 _____ 상황에 따라 달라질 수 있는데, 이 경우 과거의 _____이나 _____의 변화를 실감나게 드러내기 위해 현재형으로 표현하기도 함 ➕ 작품 (나): '⊙곱아라 _____ 진정 아름답지고'

선지 ➡ ⊙은 과거형과 현재형의 적용이 작품 내적 상황에 따라 달라진 경우에 해당한다. ○ ✕

③ 설명글 _____ ➕ 작품 (나): '©발자취 소리도 없이 대청을 _____ 살며시 문을 _____,'

선지 ➡ ©은 서정시에서 동작의 변화를 현재형으로 묘사하지 않은 경우에 해당한다. ○ ✕

④ 설명글 _____ ➕ 작품 (나): '@이 밤에 _____에 살아'

선지 ➡ @은 과거와 현재를 통합적으로 인식함으로써 시간의 정확성을 드러낸 경우에 해당한다. ○ ✕

⑤ 설명글 _____ 묘사를 시간의 _____이 드러나도록 과거형으로 표현하기도 함 ➕ 작품 (나): '⑩가는 버들인 양 가락에 맞추어 흰 손을 _____,'

선지 ➡ ⑩은 시간의 흐름이 드러나도록 과거형을 사용한 경우에 해당한다. ○ ✕

🔍 다음의 선지 판단 공식을 활용하여 빈칸을 채우고 2번 문제의 선지를 OX로 판단해 보세요.

융합 문제 선지 판단의 공식

① 설명글 | 서정시는 _____와 _____를 분리하지 않고 시적 현재로 통합하는 시간의 의도적 변형을 드러냄 ➕ 작품 | (다): '_____, / 제 _____ 살 적 겨울은', '그런데 어머님, / _____ 영하의 한강교를 지나면서 문득'

선지➡ 화자가 '아버지'와 겪었던 유년 시절을 '어머님'에게 들려주는 시상 전개 방식으로 과거와 현재의 시간을 이어 준다. ○ ✕

② 설명글 | 서정시는 현재의 순간에 _____의 경험들이 공존해 있다는 점에서 시간의 모호성이 두드러짐 ➕ 작품 | (다): '제 예닐곱 살 적 겨울은 / 목조 적산 가옥 _____ _____의~한없이 추웠지요.', '오늘은 영하의 _____를 지나면서 문득'

선지➡ '목조 적산 가옥 이층 다다미방'이라는 현재 위치에서 화자가 과거의 이야기를 전해 주는 방식으로 시적 현재의 의미를 생성해 낸다. ○ ✕

③ 설명글 | 서정시는 현재의 순간에 과거의 경험들이 _____해 있다는 점에서 시간의 모호성이 두드러짐 ➕ 작품 | (다): _____

선지➡ '옛날처럼 나는'에서 현재의 순간에 과거의 경험들이 공존해 있는 시적 상황을 설정하고 있다. ○ ✕

④ 설명글 | _____ ➕ 작품 | (다): '_____은 영하의 한강교를 지나면서 문득 / 나를 품에 안고 추위를 막아 주던 / 예닐곱 살 적 그 _____의 아버지가'

선지➡ '예닐곱 살 적 그 겨울밤'을 '영하의 한강교를 지나면서' 떠올리는 데서 과거와 현재의 통합이 드러난다. ○ ✕

⑤ 설명글 | 서정시는 과거와 현재를 _____하지 않고 시적 현재로 통합하며, 이렇게 현재의 순간에 과거의 경험이 공존해 있는 점에서 시간의 _____이 두드러짐 ➕ 작품 | (다): '예닐곱 살 적 그 겨울밤의 _____가 / 이승의 물로 _____해 있음을 보았습니다.'

선지➡ '그 겨울밤의 아버지'가 '이승의 물로 화신'했다고 표현함으로써 과거와 현재를 분리하지 않는 시간의 모호성을 드러낸다. ○ ✕

✎ 다음 글을 읽고 화자와 대상을 찾아 표시하고, 빈칸에 적절한 말을 채우세요. 또한 주어진 문제를 풀어 보세요.

(가)

오늘은 정월(正月) 보름이다
대보름 명절인데
나는 멀리 고향을 나서 남의 나라 쓸쓸한 객고에 있는 신세로다
화자는 _____에 고향이 아닌 타국에 머물고 있는 쓸쓸한 처지야.

옛날 두보나 이백 같은 이 나라의 시인도
먼 타관에 나서 이 날을 맞은 일이 있었을 것이다 *_____나 _____ 같은 유명한 시인들도 고향이 아닌 먼 타관에서 화자처럼 명절을 맞이한 일이 있을 거라고 추측하고 있어. 이 시인들과 일종의 (동질감/괴리감)을 느끼고 있는 거지.*

오늘 ㉠고향의 내 집에 있는다면
새 옷을 입고 새 신도 신고 떡과 고기도 억병 먹고
일가친척들과 서로 모여 즐거이 웃음으로 지날 것이언만 *만약 오늘 같은 명절에 _____에 있었다면 새 옷, 새 신발에 맛있는 음식을 먹고 _____들과 즐거운 시간을 보냈을 거야.*

나는 오늘 때문은 입든 옷에 마른 물고기 한토막으로
혼자 외로히 앉아 이것저것 쓸쓸한 생각을 하는 것이다 *하지만 화자의 현실은 그와 정반대지. 혼자 외롭게 _____ 생각을 하고 있어.*

옛날 그 두보나 이백 같은 이 나라의 시인도
이날 이렇게 마른 물고기 한토막으로 외로히 쓸쓸한 생각을 한 적도 있었을 것이다 *화자는 두보나 이백도 자신과 같은 상황에 처해 쓸쓸한 생각을 했을 것이라 생각하며 (괴로워하고/위안을 얻고) 있어.*

나는 이제 어느 먼 외진 거리에 한고향 사람의 조고마한 가업집이 있는 것을 생각하고
이 집에 가서 그 맛스러운 떡국이라도 한 그릇 사먹으리라 한다 *먼 타국이지만 고향 음식인 _____을 한 그릇 사먹고 명절의 따뜻함을 느껴보려 해.*

우리네 조상들이 먼먼 옛날로부터 대대로 이날엔 으레히 그러하며 오듯이
먼 타관에 난 그 두보나 이백 같은 이 나라의 시인도
이날은 그 어늬 한고향 사람의 ㉡주막이나 반관(飯館)을 찾아가서
그 조상들이 대대로 하든 본대로 원소(元宵)라는 떡을 입에 대며
스스로 마음을 느꾸어 위안하지 않았을 것인가 *두보나 이백도 이런 명절에 조상 대대로 먹던 음식을 먹으면서 _____을 얻었으리라 생각하고 있는 거야.*

그러면서 이 마음이 맑은 옛 시인들은
먼 훗날 그들의 먼 훗자손들도
그들의 본을 따서 이날에는 원소를 먹을 것을
외로히 타관에 나서도 이 원소를 먹을 것을 생각하며
그들이 아득하니 슬펐을 듯이
나도 떡국을 놓고 아득하니 슬플 것이로다 *두보와 이백을 마음이 _____ 옛 시인들로 칭하고 있네. 그들이 그랬듯 화자도 고향을 추억하는 음식 앞에서 _____을 느낄 거야.*

아, 이 정월(正月) 대보름 명절인데
㉢거리에는 오독도기 탕탕 터지고 호궁(胡弓) 소리 뺄뺄 높아서 *명절을 맞이해서 _____의 분위기는 즐겁고 흥겨워.*

내 쓸쓸한 마음엔 자꾸 이 나라의 옛 시인들이 그들의 쓸쓸한 마음들이 생각난다 *하지만 화자는 쓸쓸한 마음으로 두보와 이백을 떠올리고 있지.*

내 쓸쓸한 마음은 아마 두보(杜甫)나 이백(李白) 같은 사람들의 마음인지도 모를 것이다

아무려나 이것은 옛투의 쓸쓸한 마음이다 *지금 화자가 가진 마음이 두보와 이백이 느꼈던 _____과 같다고 하면서 그들의 예술적 경지에 대한 지향을 드러내고 있어.*

– 백석, 「두보(杜甫)나 이백(李白)같이」 –

화자와 대상의 관계	_____을 생각하며 타국에서 홀로 _____을 맞이하는 외롭고 쓸쓸한 처지를 위로받는 '나'

(나)

그녀의 함석집 귀퉁배기에는 늙은 고욤나무 한 그루가 서 있다 *그녀의 집 귀퉁이에 늙은 나무 한 그루가 있대.*

방고래에 불 들어가듯 고욤나무 한 그루에 눈보라가 며칠째 밀리며 밀리며 몰아치는 오후 *그 나무에 _____가 며칠째 치고 있으니 계절적 배경은 _____이겠네.*

그녀는 없다, 나는 ㉣그녀의 빈집에 홀로 들어선다 *그녀가 없는 그녀의 집에 화자가 홀로 들어갔어.*

물은 얼어 끊어지고, 숯검댕이 아궁이는 퀭하다 *물도 얼어 끊어지고 _____도 퀭하다는 걸 보니 집이 빈 지 꽤 오래되었나 봐.*

저 먼 나라에는 춥지 않은 ㉤그녀의 방이 있는지 모른다 *춥지 않은 그녀의 방이 _____에 있을지도 모른다고 해. 그녀는 이 집을 떠나 먼 곳으로 간 거구나.*

이제 그녀를 위해 나는 그녀의 집 아궁이의 재를 끌어낸다

이 세상 저물 때 그녀는 바람벽처럼 서럽도록 추웠으므로 *그녀는 이 세상에서 저문, 즉 이미 죽은 사람이야.*

그녀에게 해줄 수 있는 일은 식은 재를 끌어내 그녀가 불의 감각을 잊도록 하는 것 *화자는 죽기 전까지 춥게 살다 간 그녀가 _____을 잊고 평온하게 잠들기를 소망하며 아궁이에서 ___를 끌어내고 있어.*

저 먼 나라에는 눈보라조차 메밀꽃처럼 따뜻한 그녀의 방이 있는지 모른다

저 먼 나라에서 그녀는 오늘처럼 밝이 추운 날 방으로 들어서며 맨 처음 맨손바닥으로 방바닥을 쓸어볼지 모르지만, 습관처럼 그럴 줄 모르지만 *살아있을 적의 그녀는 방으로 들어설 때 맨 처음 손으로 _____을 쓸어보며 방이 얼마나 차가운지 확인했던 거야.*

이제 그녀를 위해 나는 그녀의 집 아궁이의 재를 모두 끌어낸다

그녀는 나로부터도 자유로이 빈집이 되었다 *화자는 그녀의 집 아궁이에서*

재를 끌어내는 행위를 통해 평생 춥고 힘겹게 살았던 그녀가 따뜻한 안식을 취하고 _____ 영혼이 될 것이라 생각하고 있어.

– 문태준, 「가재미 3 – 아궁이의 재를 끌어내다」 –

화자와 대상의 관계	_____가 죽은 뒤 그녀의 집 _____에서 재를 끌어 내며 그녀가 평온히 잠들기를 소망하는 '나'

(다)

시에서 장소는 실재하는 물리적 공간, 또는 형상화된 상상의 공간으로서 화자의 경험이나 감정과 관련하여 주관적으로 해석되는데, 특정 장소에 대해 화자가 느끼는 이러한 정서를 '장소감'이라 한다. *시의 장소는 물리적 공간일 수도, 상상의 공간일 수도 있어. 특정 장소에 대해 화자가 느끼는 주관적 정서를 _____이라고 하는구나.*

장소는 안과 밖으로 이루어져 있으며, 화자는 물리적으로는 물론 심리적으로도 장소의 안 또는 밖에 자리하게 된다. 화자가 특정 장소의 안에 있다고 느끼는 소속감이나 일체감은 장소와 화자 사이에 정서적 유대를 형성해 내는데, 이렇게 유대감을 바탕으로 한 긍정적 장소감을 '장소애'라 일컫는다. *화자가 특정 장소에 정서적 유대를 가지면 _____이나 _____ 등에 의한 장소애를 느끼는구나.* 한편, 화자가 장소의 밖에 있다고 느끼는 소외감은 화자로 하여금 부정적인 장소감을 갖게 만든다. *화자가 장소의 밖에 있다고 느끼면 _____으로 인해 부정적 장소감을 느끼네.* 이때 장소에 대해 화자가 느끼는 소외감은 크게 두 가지 상황에서 비롯되는데, 과거에 진정한 장소애를 경험했다가 자의든 타의든 이를 잃게 되어 상실감을 느끼게 되는 경우가 그 하나이고, 특정한 장소감이 형성되지 않았거나 아직 장소에 익숙하지 않아 특정 장소에서 공감을 느끼지 못하는 경우가 그 다른 하나이다. *소외감을 느끼는 이유: ① 과거에 장소애를 경험했다가 _____함, ② 장소에 익숙하지 않아 _____을 느끼지 못함*

[A] ⎡ 시에 나타난 화자의 장소감은 화자가 처한 현실 상황과 내면 의식, 지향점 등에 대해 알게 해 준다. 또한 장소의 시간적 배경이나 그 장소에 놓인 어떤 특정 대상들은 이러한 화자의 장소감, 즉 그 내면의 정서를 강화나 확장, 또는 약화시키는 기제로 작용하기도 하며, 과거에서 현재로, 혹은 현재에서 미래로 시간과 공간의 경계를 넘나드는 매개가 되기 ⎣ 도 한다. *장소의 _____이나 장소에 놓인 _____들은 화자의 정서를 강화, 확장, 약화시키거나 _____의 경계를 넘나드는 매개가 되네.*

1. (다)를 바탕으로 ㉠~㉤을 이해할 때 적절하지 않은 것은?

① ㉠은 화자가 물리적으로도 심리적으로도 그 안에 소속되어 있던 곳으로서 정서적 유대를 경험한 장소라 할 수 있다.

② ㉡은 화자가 과거에 두보나 이백이 겪었던 상황을 경험한 곳으로서 화자에게 장소애를 유발하는 장소라 볼 수 있다.

③ ㉢은 화자의 정서와 대비되는 분위기가 조성된 곳으로서 공감을 느끼지 못하는 화자에게 소외감을 불러일으키는 장소라 볼 수 있다.

④ ㉣은 과거에 존재했던 그녀가 현재에는 부재하는 곳으로서 화자에게 상실감을 느끼게 하는 장소라 할 수 있다.

⑤ ㉤은 화자의 내면 의식이 만들어낸 곳으로서 그녀에 대한 화자의 연민이 투영된 상상의 장소라고 볼 수 있다.

2. [A]를 바탕으로 (가)를 감상한 내용으로 적절하지 않은 것은?

① '남의 나라'에서 맞이하는 '대보름 명절'이라는 시간적 배경은 타관에서 느끼는 화자의 소외감을 더욱 고조시키고 있어.

② '마른 물고기 한토막'은 '일가친척들'과 함께한 고향에서의 경험과 연결되어 화자가 현재의 장소에서 느끼는 결핍감을 심화시키고 있어.

③ '한고향 사람의 조고마한 가업집'은 화자 내면의 지향점에 해당하는 장소로서 현재의 장소에 대한 화자의 부정적 장소감을 긍정적으로 변화시키는 기능을 하고 있어.

④ '떡국'은 화자가 자신이 처해 있는 현실 상황에서 느끼게 되는 외로움을 위로해 주는 동시에 그 외로움의 정서를 심화시키기도 하는 이중적인 의미를 지니고 있어.

⑤ '원소'는 화자에게 시간과 공간의 경계를 넘어 다른 대상과 동질감을 느끼게 하는 매개로서 화자의 장소감을 다른 대상으로까지 확장하여 사고하게 만드는 계기가 되고 있어.

3. 문학 개념어 OX 확인 문제

① (가)와 (나)는 모두 시구의 반복과 변주를 활용하고 있다.　　　○　✕

② (가)와 (나)는 모두 음성 상징어를 사용하고 있다.　　　○　✕

🔍 다음의 선지 판단 공식을 활용하여 빈칸을 채우고 1번 문제의 선지를 OX로 판단해 보세요.

융합 문제 선지 판단의 공식

① 설명글
화자는 물리적으로는 물론 심리적으로도 장소의 안 또는 밖에 자리하게 되는데, 화자가 특정 장소의 _____에 있다고 느끼는 소속감이나 일체감은 장소와 화자 사이에 _____를 형성함

➕ 작품
(가): '오늘 ㉠_____에 있다면 / 새 옷을 입고 새 신도 신고 떡과 고기도 억병 먹고 / 일가친척들과 서로 모여 _____ 웃음으로 지날 것이언만'

선지 ➡ ㉠은 화자가 물리적으로도 심리적으로도 그 안에 소속되어 있던 곳으로서 정서적 유대를 경험한 장소라 할 수 있다. ○ ✕

② 설명글
화자가 특정 장소의 안에 있다고 느끼는 소속감이나 일체감은 장소와 화자 사이에 정서적 유대를 형성해 내는데, 이렇게 유대감을 바탕으로 한 긍정적 장소감을 '_____'라고 함

➕ 작품
(가): '먼 타관에 난 그 _____ 같은 이 나라의 시인도 / 이날은 그 어늬 한고향 사람의 ㉡_____을 찾아가서 / 그 조상들이 대대로 하든 본대로 원소라는 떡을 입에 대며 / 스스로 마음을 느꾸어 위안하지 않았을 것인가'

선지 ➡ ㉡은 화자가 과거에 두보나 이백이 겪었던 상황을 경험한 곳으로서 화자에게 장소애를 유발하는 장소라 볼 수 있다. ○ ✕

③ 설명글
화자는 물리적으로는 물론 심리적으로도 장소의 안 또는 밖에 자리하게 되는데, _____

➕ 작품
(가): '아, 이 정월 대보름 _____인데 / ㉢_____에는 오독도기 탕탕 터지고 호궁 소리 삘삘 높아서 / 내 마음엔 자꾸 이 나라의 옛 시인들이 그들의 쓸쓸한 마음들이 생각난다'

선지 ➡ ㉢은 화자의 정서와 대비되는 분위기가 조성된 곳으로서 공감을 느끼지 못하는 화자에게 소외감을 불러일으키는 장소라 볼 수 있다. ○ ✕

④ 설명글
과거에 진정한 장소애를 경험했다가 자의든 타의든 이를 잃게 되면 _____을 느낌

➕ 작품
(나): _____

선지 ➡ ㉣은 과거에 존재했던 그녀가 현재에는 부재하는 곳으로서 화자에게 상실감을 느끼게 하는 장소라 할 수 있다. ○ ✕

⑤ 설명글
시에서 장소는 실재하는 물리적 공간, 또는 형상화된 _____의 공간으로서 화자의 경험이나 _____과 관련하여 그 의미는 주관적으로 해석됨

➕ 작품
(나): '저 먼 나라에는 _____ 않은 ㉤_____이 있는지 모른다'

선지 ➡ ㉤은 화자의 내면 의식이 만들어낸 곳으로서 그녀에 대한 화자의 연민이 투영된 상상의 장소라고 볼 수 있다. ○ ✕

🔍 다음의 선지 판단 공식을 활용하여 빈칸을 채우고 2번 문제의 선지를 OX로 판단해 보세요.

융합 문제 선지 판단의 공식

① **설명글** 시에 나타난 화자의 장소감은 화자가 처한 _____ _____과 내면을 알려 주며, 장소의 시간적 배경은 화자의 장소감, 즉 그 _____를 강화나 확장, 또는 약화시키는 기제로 작용함

➕ **작품** (가): '오늘은 정월 보름이다 / 대보름 _____인데 / 나는 멀리 고향을 나서 남의 나라 _____ 객고에 있는 신세로다'

선지 '남의 나라'에서 맞이하는 '대보름 명절'이라는 시간적 배경은 타관에서 느끼는 화자의 소외감을 더욱 고조시키고 있어. ○ ✕

② **설명글** 장소에 놓인 어떤 _____들은 화자의 장소감, 즉 그 내면의 정서를 _____나 확장, 또는 약화시키는 기제로 작용함

➕ **작품** (가): '오늘 고향의 내 집에 있는다면~일가친척들과 서로 모여 즐거이 웃음으로 지날 것이언만 / 나는 오늘 때묻은 입든 옷에 _____ 한토막으로 / 혼자 _____ 앉어 이것저것 _____을 하는 것이다'

선지 '마른 물고기 한토막'은 '일가친척들'과 함께한 고향에서의 경험과 연결되어 화자가 현재의 장소에서 느끼는 결핍감을 심화시키고 있어. ○ ✕

③ **설명글** 시에 나타난 화자의 장소감은 화자가 처한 현실과 내면 의식, _____ 등에 대해 알게 해 줌

➕ **작품** (가): '나는 이제 어늬 먼 외진 거리에 _____ 사람의 조고마한 가업집이 있는 것을 생각하고 / 이 집에 가서 그 맛스러운 떡국이라도 한 그릇 사먹으리라 한다', '나도 떡국을 놓고 아득하니 _____ 것이로다'

선지 '한고향 사람의 조고마한 가업집'은 화자 내면의 지향점에 해당하는 장소로서 현재의 장소에 대한 화자의 부정적 장소감을 긍정적으로 변화시키는 기능을 하고 있어. ○ ✕

④ **설명글** 장소의 시간적 배경이나 그 장소에 놓인 어떤 특정 대상들은 화자의 장소감, 즉 그 내면의 정서를 _____나 확장, 또는 _____시키는 기제로 작용함

➕ **작품** (가): '나는 이제 어늬 먼 외진 거리에 한고향 사람의 조고마한 가업집이 있는 것을 생각하고 / 이 집에 가서 그 맛스러운 _____이라도 한 그릇 사먹으리라 한다', '나도 떡국을 놓고 아득하니 _____ 것이로다'

선지 '떡국'은 화자가 자신이 처해 있는 현실 상황에서 느끼게 되는 외로움을 위로해 주는 동시에 그 외로움의 정서를 심화시키기도 하는 이중적인 의미를 지니고 있어. ○ ✕

⑤ **설명글** 장소에 놓인 어떤 특정 대상들은 화자가 과거에서 현재로, 혹은 _____

➕ **작품** (가): '먼 타관에 난 그 두보나 이백 같은 이 나라의 시인도 / 이날은 그 어늬 한고향 사람의 주막이나 반관을 찾어가서 / 그 조상들이 대대로 하든 본대로 _____라는 떡을 입에 대며 / 스스로 마음을 느꾸어 _____하지 않었을 것인가'

선지 '원소'는 화자에게 시간과 공간의 경계를 넘어 다른 대상과 동질감을 느끼게 하는 매개로서 화자의 장소감을 다른 대상으로까지 확장하여 사고하게 만드는 계기가 되고 있어. ○ ✕

✏️ 다음 글을 읽고 화자와 대상을 찾아 표시하고, 빈칸에 적절한 말을 채우세요. 또한 주어진 문제를 풀어 보세요.

(가)

마음 후줄근히 시름에 젖는 날은
동물원으로 간다. 화자는 마음이 _____ 에 젖는 날 동물원으로 간대.

사람으로 더불어 말할 수 없는 슬픔을
짐승에게라도 하소해야지. 화자가 동물원에 가는 이유는 _____을 하소연하기
위해서군.

난 너를 구경오진 않았다
뺨을 부비며 울고 싶은 마음.
혼자서 숨어 앉아 시를 써도
읽어줄 사람이 있어야지
쇠창살 앞을 걸어가며
정성스레 써서 모은 시집을 읽는다. 화자는 동물원의 짐승들 앞을 걸어가며,
숨어 앉아 정성스럽게 쓴 ___를 모은 시집을 읽고 있어.

철책 안에 갇힌 것은 나였다
문득 돌아다보면
사방에서 **창살 틈**으로
이방(異邦)의 **짐승들이 들여다본다.** 동물원의 _____ 안에 갇힌 것은 동물일
텐데, 화자는 철책 안에 갇힌 자신을 이방의 짐승들이 들여다보고 있다고 생각해. 동물원의
짐승들과 화자의 위치가 전도되었다고 볼 수 있지.

'여기 나라 없는 시인이 있다'고
속삭이는 소리…… 시름과 슬픔을 하소연하기 위해 동물원에 온 화자는 오히려
자신의 현실을 재확인하게 되어. 화자는 일제 강점 하, 숨어서 시를 써야만 하는 현실을
철책 안에 _____ 것으로 인식하게 되고, _____ 시인이라는 속삭임을 듣지.

무인(無人)한 동물원의 오후 전도(顚倒)된 위치에
통곡과도 같은 **낙조(落照)**가 물들고 있었다. 화자는 낙조(지는 해)를
_____에 비유하여, 나라를 잃은 슬픔을 형상화하고 있어.

– 조지훈, 「동물원의 오후」 –

화자와 대상의 관계	시름과 슬픔을 하소연하기 위해 _____에 가서 갇혀 있는 _____들을 보며 망국민의 현실을 재확인하고 _____과도 같은 심정을 느끼는 '나'

(나)

무르익은
과실의 밀도(密度)와 같이
밤의 내부는 달도록 고요하다. 화자는 ___이 달도록 고요하다고 표현했어.
고요하다고 했으니 이때 밤은 시간으로서의 밤[夜]임을 알 수 있고, 달도록이라고 했으니
시간으로서의 밤을 과실 밤[栗]에 비유하여 표현하고 있다는 점도 알 수 있지.

잠든 내 어린것들의 숨소리는
작은 벌레와 같이

이 고요 속에 파묻히고, 고요한 밤은 _____들이 잠드는 쉼의 시간이야.

별들은 나와
자연(自然)의 구조에
질서있게 못을 박는다. 밤하늘에 별들이 나타나는 모습을 ___을 박는다고 새롭게
표현하고 있네.

한 시대 안에는 밤과 같이 해체(解體)나 분석(分析)에는
차라리 무디고 어두운 시인들이 산다.
그리하여 토의의 시간이 끝나는 곳에서
밤은 상상으로 저들의 나래를 이끌어 준다. 해체나 분석이 이뤄지는 낮과
달리 ___의 시간은 시인을 _____으로 이끌어 준대.

꽃들은 떨어져 열매 속에
그 화려한 자태를 감추듯……

그리하여 시간으로 하여금
새벽을 향하여
이 풍성한 밤의 껍질을
서서히 탈피케 할 줄 안다. 밤의 시간은 내 어린것들이 잠드는 쉼의 시간이면서,
해체와 분석에 무딘 시인들이 상상으로 시를 창작하는 시간이고, 열매인 밤[栗]의 껍질을
_____되는 성장의 시간으로 표현되고 있네.

– 김현승, 「밤은 영양이 풍부하다」 –

화자와 대상의 관계	과실의 이미지와 결합하여 ___을 성장, 생명, 창조의 시간으로 여기는 '나'

(다)

문학에서 이미지를 활용한다는 것은 좁은 의미에서는 시각적으로 인지할 수 있는 대상이나 장면을 묘사하는 것을 의미하고, 넓은 의미에서는 감각적 체험을 통해 얻은 심리적 인상 체계나 비유적 표현 등을 통해, 시적 의미를 드러내는 것을 말한다. 문학에서 _____를 활용하는 것이 어떤 의미인지 설명해 주고 있어. 1. _____ 인지 대상을 묘사하는 것, 2. 감각적 체험으로 얻은 인상, 비유적 표현 등으로 _____를 드러내는 것 특히 시에서의 이미지는 ⓐ 추상적이고 관념적인 것을 구체화함으로써 내용을 보다 선명하게 인식하게 하고, ⓑ 시적 상황을 암시하여 독자의 정서적 반응을 유발하는 기능을 갖고 있다. 따라서 ⓒ이미지란 독자의 상상력에 호소하는 방법으로서, 작가의 상상력에 의해 그려진 그림인 것이다.

한편 이미지의 기능으로 ⓒ 신선감, ⓓ 강렬성, ⓔ 환기력 등을 들기도 한다. 이미지는 추상적·관념적인 것을 _____하여 선명하게 인식하게 하는 것 외에, _____ 유발, 신선감, 강렬성, 환기력 등 다양한 기능을 하는군. 신선감이란 어휘나 소재의 이미지를 바탕으로 빚어내는 새로움을 뜻한다. 예를 들어 낯익은 대상을 낯설게 드러내어 독자들이 참신함을 느끼는 경우가 이에 해당한다. 강렬성이란 작품 속 이미지 간의 긴밀한 관계를 통해 의미를 집중시키는 것을 말하고, 환기력이란 이미지를 통해 특정한 정서가 환기되는 것을 뜻한다.

1. (다)를 바탕으로 (가)와 (나)를 감상한 내용으로 적절하지 <u>않은</u> 것은?

① (가)의 '쇠창살', '철책', '창살 틈' 등의 유사한 이미지가 반복되어 긴밀성이 강조된 것으로 보아, 이미지의 강렬성을 통해 단절과 속박이라는 시적 의미가 형상화되었다고 할 수 있군.

② (가)의 '사방'에서 '짐승들이 들여다본다'와 같이 시각적 체험으로 얻은 인상을 표현한 것으로 보아, 이미지를 통해 대상과 전도된 화자의 상황이 형상화되었다고 할 수 있군.

③ (가)의 '낙조가 물들고 있었다'와 같은 하강의 이미지가 사용된 것으로 보아, 이미지의 환기력을 통해 비통한 화자의 정서가 형상화되었다고 할 수 있군.

④ (나)의 '별들'이 '질서있게 못을 박는다'와 같이 친숙한 대상을 낯설게 드러낸 것으로 보아, 이미지의 신선감을 통해 시간적 상황이 형상화되었다고 할 수 있군.

⑤ (나)의 '꽃들'이 '그 화려한 자태를 감추듯'과 같이 비유를 통해 대상의 변화 과정을 표현한 것으로 보아, 이미지를 통해 삶의 유한함이라는 화자의 인식이 형상화되었다고 할 수 있군.

2. ㉠과 〈보기〉를 바탕으로 (나)를 이해한 내용으로 적절하지 <u>않은</u> 것은?

〈보기〉

작가는 과실 '밤[栗]'과 시간 '밤[夜]'의 이미지를 의도적으로 중첩시키고 있다. 과실이 지니는 속성과 가치는, 시간적 배경인 '밤'의 의미와 연결되어 성장이라는 시적 의미를 강조한다. 한편 시간으로서의 '밤'은 이성적 사유의 시간과 대비되며 '시인'의 감성을 자극하는 배경으로 형상화되어 있다. 이 경우에도 과실로서의 '밤'의 속성은, '시인'의 창작 능력을 배가시키는 시간으로서의 '밤'과 중첩된다.

① 1연의 '과실의 밀도'처럼 '달도록 고요하다'는 것을 통해 독자는 '밤'이라는 것에서 과실과 시간의 중첩된 이미지를 떠올릴 수 있겠군.

② 2연의 '어린것들의 숨소리'가 '파묻히고'를 통해 독자는 '밤'이 '새벽'이 오기 전 '시인'의 감성이 위축된 시간임을 짐작할 수 있겠군.

③ 4연의 '해체나 분석'과 '상상'의 대비를 통해 독자는 '밤'이 이성적 사유의 시간과 대비되는 시간임을 알 수 있겠군.

④ 4연의 '저들의 나래를 이끌어 준다'는 것을 통해 독자는 '밤'이 '시인'의 창작 능력을 배가시키는 시간임을 느낄 수 있겠군.

⑤ 6연의 '껍질'을 '서서히 탈피케'하는 것을 통해 독자는 '밤'이 성장이 이루어지는 시간이라는 시적 의미를 짐작할 수 있겠군.

3. 문학 개념어 OX 확인 문제

① (나)는 (가)와 달리, 수미상관의 구성을 사용하여 구조적 안정감을 드러내고 있다.　　　　　　　　　　　　　　　　　　　○ ✕

② (나)는 (가)와 달리, 반어적 어조를 통해 현실 비판적 태도를 나타내고 있다.　　　　　　　　　　　　　　　　　　　○ ✕

🔍 다음의 선지 판단 공식을 활용하여 빈칸을 채우고 1번 문제의 선지를 OX로 판단해 보세요.

융합 문제 선지 판단의 공식

① 설명글 이미지의 기능 중 _____은 작품 속 이미지 간의 긴밀한 관계를 통해 의미를 집중시키는 것을 뜻함

➕ 작품 (가): _____
_____

선지 (가)의 '쇠창살', '철책', '창살 틈' 등의 유사한 이미지가 반복되어 긴밀성이 강조된 것으로 보아, 이미지의 강렬성을 통해 단절과 속박이라는 시적 의미가 형상화되었다고 할 수 있군.　○　✕

② 설명글 문학에서 이미지의 활용은 _____ 체험으로부터 얻은 심리적 _____ 체계를 통해 시적 의미를 드러내는 것을 뜻함

➕ 작품 (가): '철책 안에 갇힌 것은 ___였다', '사방에서 창살 틈 으로 / 이방의 _____이 _____.'

선지 (가)의 '사방'에서 '짐승들이 들여다본다'와 같이 시각적 체험으로 얻은 인상을 표현한 것으로 보아, 이미지를 통해 대상과 전도된 화자의 상황이 형상화되었다고 할 수 있군.　○　✕

③ 설명글 이미지의 기능 중 환기력은 이미지를 통해 특정한 _____ 가 _____되는 것을 뜻함

➕ 작품 (가): '여기 나라 없는 _____이 있다', '무인한 동물원의 오후 전도된 위치에 / _____과도 같은 _____가 물들고 있었다.'

선지 (가)의 '낙조가 물들고 있었다'와 같은 하강의 이미지가 사용된 것으로 보아, 이미지의 환기력을 통해 비통한 화자의 정서가 형상화되었다고 할 수 있군.　○　✕

④ 설명글 _____
_____
_____
_____
_____

➕ 작품 (나): '별들은 나와 / 자연의 구조에 / 질서있게 _____ _____.'

선지 (나)의 '별들'이 '질서있게 못을 박는다'와 같이 친숙한 대상을 낯설게 드러낸 것으로 보아, 이미지의 신선감을 통해 시간적 상황이 형상화되었다고 할 수 있군.　○　✕

⑤ 설명글 문학에서 이미지의 활용은 _____ 표현을 통해 시적 의미를 드러내는 것을 뜻함

➕ 작품 (나): '_____은 떨어져 열매 속에 / 그 화려한 자태를 감추듯……', '_____으로 하여금 / 새벽을 향하여 / 이 풍성 한 ___의 껍질을 / 서서히 탈피케 할 줄 안다.'

선지 (나)의 '꽃들'이 '그 화려한 자태를 감추듯'과 같이 비유를 통해 대상의 변화 과정을 표현한 것으로 보아, 이미지를 통해 삶의 유한함이라는 화자의 인식이 형상화되었다고 할 수 있군.　○　✕

🔍 다음의 선지 판단 공식을 활용하여 빈칸을 채우고 2번 문제의 선지를 OX로 판단해 보세요.

융합 문제 선지 판단의 공식

①

설명글　⊙이미지란 독자의 상상력에 호소하는 방법으로서, 작가의 상상력에 의해 그려진 그림인 것이다

〈보기〉　_____
　　　　　_____
　　　　　_____

➕ 작품　(나): '_____ / 과실의 밀도와 같이 / ____의 내부는 _____.'

📝➡ 1연의 '과실의 밀도'처럼 '달도록 고요하다'는 것을 통해 독자는 '밤'이라는 것에서 과실과 시간의 중첩된 이미지를 떠올릴 수 있겠군.　○　✕

②

설명글　⊙이미지란 독자의 상상력에 호소하는 방법으로서, 작가의 상상력에 의해 그려진 그림인 것이다

〈보기〉　____은 이성적 사유의 시간과 대비되며 _____의 감성을 _____하는 배경으로 형상화되어 있음

➕ 작품　(나): '잠든 내 어린것들의 숨소리는 / _____와 같이 / 이 _____ 속에 파묻히고,'

📝➡ 2연의 '어린것들의 숨소리'가 '파묻히고'를 통해 독자는 '밤'이 '새벽'이 오기 전 '시인'의 감성이 위축된 시간임을 짐작할 수 있겠군.　○　✕

③

설명글　⊙이미지란 독자의 상상력에 호소하는 방법으로서, 작가의 상상력에 의해 그려진 그림인 것이다

〈보기〉　밤은 _____의 시간과 대비되며 시인의 _____을 자극하는 배경으로 형상화되어 있음

➕ 작품　(나): '한 시대 안에는 밤과 같이 _____나 _____에는 / 차라리 무디고 어두운 _____들이 산다. / 그리하여 토의의 시간이 끝나는 곳에서 / 밤은 _____으로 저들의 나래를 이끌어 준다.'

📝➡ 4연의 '해체나 분석'과 '상상'의 대비를 통해 독자는 '밤'이 이성적 사유의 시간과 대비되는 시간임을 알 수 있겠군.　○　✕

④

설명글　⊙이미지란 독자의 상상력에 호소하는 방법으로서, 작가의 상상력에 의해 그려진 그림인 것이다

〈보기〉　_____
　　　　　_____

➕ 작품　(나): '한 시대 안에는 밤과 같이 해체나 분석에는 / 차라리 무디고 어두운 시인들이 산다. / 그리하여 토의의 시간이 끝나는 곳에서 / 밤은 상상으로 저들의 _____를 _____.'

📝➡ 4연의 '저들의 나래를 이끌어 준다'는 것을 통해 독자는 '밤'이 '시인'의 창작 능력을 배가시키는 시간임을 느낄 수 있겠군.　○　✕

⑤

설명글　⊙이미지란 독자의 상상력에 호소하는 방법으로서, 작가의 상상력에 의해 그려진 그림인 것이다

〈보기〉　과실인 밤이 지니는 속성과 가치가 _____석 배경인 밤의 의미와 연결되며 _____이라는 시적 의미를 강조함

➕ 작품　(나): '그리하여 시간으로 하여금 / 새벽을 향하여 / 이 풍성한 밤의 _____을 / 서서히 _____케 할 줄을 안다.'

📝➡ 6연의 '껍질'을 '서서히 탈피케'하는 것을 통해 독자는 '밤'이 성장이 이루어지는 시간이라는 시적 의미를 짐작할 수 있겠군.　○　✕

✎ 다음 글을 읽고 화자와 대상을 찾아 표시하고, 빈칸에 적절한 말을 채우세요. 또한 주어진 문제를 풀어 보세요.

(가)

외할먼네 마당에 올라온 해일(海溢)엔요.
예쉰 살 나이에 스물한 살 얼굴을 한
그리고 천 살에도 이젠 안 죽기로 한
신랑이 돌아오는 풀밭길이 있어요. 외할머니네 마당에 올라온 _____에는 할아버지가 돌아오는 풀밭길이 있다고 하네. 할아버지가 예순 살 나이에 스물한 살 얼굴을 하고, 천 살에도 안 죽기로 했다는 것은 _____가 오래 전 이미 죽었음을 나타내.

생솔가지 울타리, 옥수수밭 사이를
올라오는 해일 속 신랑을 마중 나와 외할머니는 마당에 올라온 해일을 죽은 할아버지로 여기고 마중 나가고 있어.
하늘 안 천 길 깊이 묻었던 델 파내서
새각시 때 연지를 바르고, 할머니는 _____를 바르고 할아버지를 맞이한다는 데에서 할머니가 죽은 남편을 변함없이 사랑해 왔음을 알 수 있지.

다시 또 파, 무더기 웃는 청사초롱에
불 밝혀선 노래하는 나무나무 잎잎에
주절히 주절히 매어달고, 할머니는 _____에 불을 밝혀 마치 혼례식 때의 모습처럼 꾸민다는 것과, 나무와 잎들도 노래한다는 것에서 할아버지와 재회하는 할머니의 기쁨과 설렘을 느낄 수 있어.

갑술년이라던가 바다에 나갔다가
해일에 넘쳐오는 할아버지 혼신(魂神) 앞
열아홉 살 첫사랑쩍 얼굴을 하시고 할아버지는 오래 전 _____로 나갔다가 죽음을 맞이했고, 할머니는 _____을 죽은 할아버지로 여기며 설렘을 느끼는 거야. 변함없는 사랑과 기다림의 자세를 엿볼 수 있지.

― 서정주, 「외할머니네 마당에 올라온 해일」 ―

화자와 대상의 관계	마당에 올라온 _____을 바다에서 죽은 남편으로 여기고 설레는 마음으로 맞이하는 _____를 보고 있는 사람

(나)

마당에 살구꽃이 피었다
밤에도 흰 돛배처럼 떠 있다 화자는 마당에 핀 _____을 보고 있어.
흰빛에 분홍 얼룩 혹은
제 얼굴로 넘쳐 버린 눈빛
더는 알 수 없는 빛도 스며서는
손 닿지 않은 데가 결리듯
담장 바깥까지도 훤하다 눈빛이 얼굴로 넘쳐 버린 것 같다고 하고, 담장 바깥까지도 _____고 하는 것으로 보아 나무에 살구꽃이 만발한 광경을 보고 있는 듯해.

지난 겨울엔 빈 가지 사이사이로
하늘이 틀어진 채 쏟아졌었다 꽃이 피기 전 겨울에는 나무의 가지 사이로 _____이 보였던 거야.

그 하늘을 어쩌지 못하고 지금
이 꽃들을 피워서 제 몸뚱이에 꿰매는가?
꽃은 드문드문 굵은 가지 사이에도 돋았다 살구꽃이 만발한 지금 화자는 바느질로 나무에 꿰매듯이 _____이 피어 있다고 표현하는 거지.

아무래도 이 꽃들은 지난 겨울 어떤,
하늘만 여러 번씩 쳐다보던
살림살이의 사연만 같고 또
그 하늘 아래서는 제일로 낮은 말소리, 발소리 같은 것 들려서 내려온
신(神)과 신(神)의 얼굴만 같고
어스름녘 말없이 다니러 오는 누이만 같고 살구꽃을 여러 대상에 비유하고 있어. 살림살이의 어려움으로 인해 _____만 쳐다보던 이들의 사연 같고, 낮은 곳을 보듬으러 내려온 ___의 얼굴 같고, 말없는 _____ 같다고 하네.

(살구가 익을 때,
시디신 하늘들이
여러 개의 살구빛으로 영글어 올 때 우리는
늦은 밤에라도 한번씩 불을 켜고 나와서 바라다보자 살구 열매가 익으면 _____에라도 나와서 열매를 바라보자고 하고 있어.
그런 어느 날은 한 끼니쯤은 굶어라도 보자) 그 열매가 화자에게는 위안과 풍족감을 주나 봐. 한 끼니쯤 굶어도 좋다고 하네.

그리고 또한, 멀리서 어머니가 오시듯 살구꽃은 피었다 살구꽃을 _____에 비유하고 있어.
흰빛에 분홍 얼룩 혹은
어머니에, 하늘에 우리를 꿰매 감친 굵은 실밥, 자국들 살구꽃이 어머니와 우리를, 하늘과 우리를 바느질로 _____듯 이어 준다는 거야.

― 장석남, 「살구꽃」 ―

화자와 대상의 관계	_____을 보고 꿰맨 _____과 같다고 여기며 상처의 치유와 화합을 바라는 '나'(우리)

(다)

'내 마음은 호수'로 대표되는 은유는 흔히 '마음=호수'라는 등식과 함께 원관념과 보조 관념이 유사성을 바탕으로 1:1로 대응되는 차원에서 언급되고 있다. 수사법으로서의 은유는 흔히 원관념과 보조 관념이 _____을 바탕으로 1:1 대응되는 차원에서 언급돼. 하지만 이 구절은 단순히 '마음'을 '호수'로 대체한 것이 아니라, 시의 전체적인 맥락 속에서 '마음'과 '호수'가 상호 작용하면서 사랑의 심리 상태와 관련한 새로운 의미를 생성하고 있다. 시의 전체 맥락 속에서 은유를 통해 새로운 _____가 생성된다는 거야. 이에 따라 다음 행인 '그대 노 저어 오오'도 실제가 아닌 은유적 의미로 읽히게 된다. 이는 은유가 단어에 국한된 것이 아니라 작품 전반에 걸쳐 관여하며, 은유의 본질이 이질적인 층위 간의 상호 작용에서 발생하는 의미의 생산과 창조에

있음을 보여 준다. 은유의 본질: _____ 층위 간의 상호 작용에서 발생
하는 의미의 _____과 창조

[A]
　　이런 관점에서 (가)를 보면, '해일'이 일어난 것은 실제이
지만 '신랑이 돌아오는 풀밭길이 있어요.'의 진술을 통해 '해
일'과 '풀밭길'은 상호 작용하며 작품 전반에 걸쳐 각각 그
이상의 의미를 생성하게 된다. 이를 통해 '신랑'이 돌아오는
허구적 상황을 시적 진실로 받아들일 수 있게 되고, 그를 기
다리는 '할머니'의 심정이 드러나며, 일상적인 삶의 공간인
'마당'은 죽음의 공간인 '바다'에서 재생한 '할아버지'가 '할머
니'와 만나는 신비스러운 공간으로 변모한다. 여기에는 순
환성과 영원성을 추구하는 시인의 세계관이 작용하고 있다.
(가)에서는 _____과 풀밭길이 상호 작용하면서 죽은 신랑이 돌아오는 시적 상황,
할머니의 심정, 마당이라는 공간의 신비스러움이 부각되지. 여기에는 _____
과 _____에 대한 시인의 지향이 반영되어 있어. 한편 (나)는 살구
꽃이 핀 광경을 바탕으로 '살구꽃'과 바느질이라는 이질적인
속성을 연결하여 의미를 확장해 간다. '살림살이의 사연'을
안고 살아가는 사람들의 하늘을 향한 간구와 그들의 소리를
듣고 내려온 '신(神)'의 위로가 '살구꽃'으로 형상화되고 있다.
따라서 꽃이 핀 자리는 삶의 상처로 인한 흉터가 아닌 그 상
처를 감싸고 꿰맨 봉합의 흔적이다. 결국 시는 하늘과 땅의
경계에서 피어난 '살구꽃'을 통해 치유와 화합의 세계를 추구
하고 있음이 드러난다. (나)에서는 _____과 바느질이 연결되면서
사연 있는 사람들을 위로하는 마음이 살구꽃으로 형상화되었어. 그리고 여기에는
_____와 _____에 대한 시인의 지향이 반영되었지.

　　이처럼 은유는 단순한 수사적 기교의 차원을 넘어 층위가 다른
대상 간의 상호 작용을 통해 작품 전반에 걸쳐 역동적으로 작용하며
주제에 관여하고 시인의 세계관을 반영하는 세계 인식의 한 방법
이라 할 수 있다. 이러한 은유의 본질을 제대로 읽어 낼 때 우리는
시가 주는 깊은 울림에 좀 더 다가설 수 있게 된다. 정리하자면 은유는
층위가 다른 대상 간의 _____을 통해 작품 전반에 작용하고, 주제에 관여하고,
시인의 _____을 반영한다는 거네.

1. [A]를 바탕으로 (가)의 해일과 (나)의 살구꽃을 이해한 내용으로 적절하지 않은 것은?

① '해일'은 '풀밭길'과의 상호 작용을 통해 '할머니'가 '신랑'을 '마중' 나가는 허구적 상황이 시적 진실로 받아들여질 수 있도록 하고 있군.

② '해일'로 인해 '바다'가 죽음의 공간에서 재생의 공간으로 전이되는 것으로 보아, '해일'에는 영원성을 지향하는 세계관이 반영되어 있다고 볼 수 있군.

③ '살구꽃'은 '하늘'을 '여러 번씩 쳐다보던' 시선에서 비롯되는 상승의 심상과 '내려온'에서 비롯되는 하강의 심상이 공존하고 있는 것이라고 볼 수 있군.

④ '해일'은 '청사초롱'에 '불 밝'히는 '할머니'의 행위를, '살구꽃'은 '늦은 밤에라도' '불을 켜'는 '우리'의 행위를 이끌어 내어, 화자의 간절한 기다림의 회한을 드러내고 있군.

⑤ '해일'은 '마당'과 '바다'의 경계를 허물고 있다는 측면에서, '살구꽃'은 '마당'과 '하늘'의 사이에서 꽃을 피우고 있다는 측면에서 모두 세계의 만남에 관여한다고 볼 수 있군.

2. (다)를 고려하여 (나)를 감상한 내용으로 적절하지 않은 것은?

① '어머니'를 바느질의 속성과 연결하여 '살구꽃'을 통해 치유와 화합의 세계를 드러낸다고 볼 수 있겠군.

② '굵은 실밥, 자국들'은 바느질의 속성을 통해 상처를 봉합한 흔적으로서의 '살구꽃'의 의미를 드러내며 주제 의식에 관여한다고 볼 수 있겠군.

③ '틀어진', '꿰매는가', '꿰매 감친'과 같은 시어를 통해 바느질의 속성을 '살구꽃'과 연결하여 작품 전반의 시적 의미를 형성한다고 볼 수 있겠군.

④ '살림살이의 사연'과 '제일로 낮은 말소리, 발소리'는 삶의 상처를 떠오르게 하며 삶의 위안적 존재로서의 '살구꽃'의 의미를 생성하는 데에 기여한다고 볼 수 있겠군.

⑤ '흰 돛배처럼 떠 있는', '제 얼굴로 넘쳐 버린 눈빛'으로 나타낸 땅의 이미지를 '신과 신의 얼굴'로 변주하여 하늘과 땅의 조화를 추구하는 작가의 의식을 드러낸다고 볼 수 있겠군.

3. 문학 개념어 OX 확인 문제

① (가)와 (나)는 모두 계절의 변화를 활용하여 시상을 전개하고 있다. 　○　✕

② (가)와 (나)는 모두 색채 이미지를 활용하고 있다. 　○　✕

🔍 다음의 선지 판단 공식을 활용하여 빈칸을 채우고 1번 문제의 선지를 OX로 판단해 보세요.

융합 문제 선지 판단의 공식

① 설명글 (가): '해일'과 '풀밭길'이 ＿＿＿＿＿＿＿하며 새로운 의미를 생성하고, 이를 통해 '신랑'이 돌아오는 허구적 상황을 ＿＿＿＿＿＿＿로 받아들일 수 있게 됨

➕ 작품 (가): '외할먼네 마당에 올라온 해일엔요.', '＿＿＿＿이 돌아오는 풀밭길이 있어요.', '해일 속 신랑을 마중 나와'

선지➡ '해일'은 '풀밭길'과의 상호 작용을 통해 '할머니'가 '신랑'을 '마중' 나가는 허구적 상황이 시적 진실로 받아들여질 수 있도록 하고 있군.　　○ ✕

② 설명글 (가): ＿＿＿＿의 공간인 '바다'에서 재생한 '할아버지'는 '해일'이 넘쳐오면서 '할머니'와 만나게 되며, 이는 ＿＿＿＿＿＿＿＿ 이 작용한 것임

➕ 작품 (가): '외할먼네 마당에 올라온 해일엔요.', '신랑이 돌아오는 풀밭길이 있어요.', '바다에 나갔다가 / 해일에 넘쳐오는 할아버지 ＿＿＿＿'

선지➡ '해일'로 인해 '바다'가 죽음의 공간에서 재생의 공간으로 전이되는 것으로 보아, '해일'에는 영원성을 지향하는 세계관이 반영되어 있다고 볼 수 있군.　　○ ✕

③ 설명글 (나): ＿＿＿＿＿＿＿＿＿＿＿＿＿＿＿＿＿＿＿＿＿＿＿＿＿＿＿＿＿＿＿＿＿＿＿＿

➕ 작품 (나): '＿＿＿＿만 여러 번씩 쳐다보던 / 살림살이의 사연만 같고 또 / 그 하늘 아래서는 제일로 낮은 말소리, 발소리 같은 것 들려서 ＿＿＿＿＿＿ / 신과 신의 얼굴만 같고'

선지➡ '살구꽃'은 '하늘'을 '여러 번씩 쳐다보던' 시선에서 비롯되는 상승의 심상과 '내려온'에서 비롯되는 하강의 심상이 공존하고 있는 것이라고 볼 수 있군.　　○ ✕

④ 설명글 (가): '해일'과 '풀밭길'이 상호 작용함으로써 '신랑'이 돌아오는 허구적 상황을 시적 진실로 받아들일 수 있게 되며, 그를 기다리는 '＿＿＿＿'의 심정이 드러남
(나): '살구꽃'이 핀 자리는 삶의 상처로 인한 흉터가 아닌 그 상처를 감싸고 꿰맨 ＿＿＿＿의 흔적임

➕ 작품 (가): '해일 속 신랑을 마중 나와', '할머니는 // 다시 또 파, 무더기 웃는 ＿＿＿＿＿＿에 / 불 밝혀선'
(나): ＿＿＿＿＿＿＿＿＿＿＿＿＿＿＿＿＿＿＿＿＿＿＿＿＿＿＿＿＿＿＿＿＿＿＿

선지➡ '해일'은 '청사초롱'에 '불 밝'히는 '할머니'의 행위를, '살구꽃'은 '늦은 밤에라도' '불을 켜'는 '우리'의 행위를 이끌어 내어, 화자의 간절한 기다림의 회한을 드러내고 있군.　　○ ✕

⑤ 설명글 (가): 일상적인 삶의 공간인 '＿＿＿＿'은 죽음의 공간인 '바다'에서 재생한 '할아버지'가 '해일'을 통해 '할머니'와 만나게 되는 신비스러운 공간으로 변모함
(나): 하늘과 땅의 ＿＿＿＿에서 피어난 '살구꽃'을 통해 치유와 화합의 세계를 추구하고 있음을 드러냄

➕ 작품 (가): '외할먼네 마당에 올라온 ＿＿＿＿엔요.', '신랑이 돌아오는 풀밭길이 있어요.'
(나): '마당에 살구꽃이 피었다 / 밤에도 흰 돛배처럼 떠 있다.', '＿＿＿＿에 우리를 꿰매 감친 굵은 실밥, 자국들'

선지➡ '해일'은 '마당'과 '바다'의 경계를 허물고 있다는 측면에서, '살구꽃'은 '마당'과 '하늘'의 사이에서 꽃을 피우고 있다는 측면에서 모두 세계의 만남에 관여한다고 볼 수 있군.　　○ ✕

🔍 다음의 선지 판단 공식을 활용하여 빈칸을 채우고 2번 문제의 선지를 OX로 판단해 보세요.

융합 문제 선지 판단의 공식

① 설명글 '살구꽃'과 _____이라는 이질적인 속성을 연결하여 의미를 확장하였으며, '살구꽃'을 통해 _____와 화합의 세계에 대한 지향을 드러냄

➕

작품 (나): _____
_____
_____

선지➡ '어머니'를 바느질의 속성과 연결하여 '살구꽃'을 통해 치유와 화합의 세계를 드러낸다고 볼 수 있겠군. ○ ✕

② 설명글 '살구꽃'과 바느질이라는 이질적인 속성을 연결하였으며, 이를 통해 상처를 감싸고 꿰맨 _____의 흔적이라는 '살구꽃'의 의미를 드러냄

➕

작품 (나): '_____은 피었다 / 흰빛에 분홍 얼룩 혹은 / 어머니에, 하늘에 우리를 꿰매 감친 _____, 자국들'

선지➡ '굵은 실밥, 자국들'은 바느질의 속성을 통해 상처를 봉합한 흔적으로서의 '살구꽃'의 의미를 드러내며 주제 의식에 관여한다고 볼 수 있겠군. ○ ✕

③ 설명글 '살구꽃'과 _____이라는 이질적인 속성을 연결하여 의미를 확장해 감

➕

작품 (나): '빈 가지 사이사이로 / 하늘이 틀어진 채 쏟아졌었다', '이 꽃들을 피워서 제 몸뚱이에 _____', '하늘에 우리를 꿰매 감친 굵은 실밥, 자국들'

선지➡ '틀어진', '꿰매는가', '꿰매 감친'과 같은 시어를 통해 바느질의 속성을 '살구꽃'과 연결하여 작품 전반의 시적 의미를 형성한다고 볼 수 있겠군. ○ ✕

④ 설명글 _____
_____
_____

➕

작품 (나): '_____만 여러 번씩 쳐다보던 / 살림살이의 _____만 같고 또 / 그 하늘 아래서는 제일로 _____ 말소리, 발소리 같은 것 들려서 내려온 / 신과 신의 얼굴만 같고'

선지➡ '살림살이의 사연'과 '제일로 낮은 말소리, 발소리'는 삶의 상처를 떠오르게 하며 삶의 위안적 존재로서의 '살구꽃'의 의미를 생성하는 데에 기여한다고 볼 수 있겠군. ○ ✕

⑤ 설명글 _____과 ____의 경계에서 피어난 '살구꽃'을 통해 치유와 화합의 세계에 대한 지향을 드러냄

➕

작품 (나): '마당에 살구꽃이 피었다 / 밤에도 흰 돛배처럼 _____', '제 얼굴로 넘쳐 버린 눈빛', '내려온 / 신과 신의 얼굴만 같고'

선지➡ '흰 돛배처럼 떠 있는', '제 얼굴로 넘쳐 버린 눈빛'으로 나타낸 땅의 이미지를 '신과 신의 얼굴'로 변주하여 하늘과 땅의 조화를 추구하는 작가의 의식을 드러낸다고 볼 수 있겠군. ○ ✕

④ 주차

✎ 다음 글을 읽고 화자와 대상을 찾아 표시하고, 빈칸에 적절한 말을 채우세요. 또한 주어진 문제를 풀어 보세요.

(가)

거미 새끼 하나 방바닥에 나린 것을 나는 아모 생각 없이 **문 밖**
으로 쓸어 버린다
　차디찬 밤이다 추운 밤, 방바닥에 나타난 ＿＿＿＿＿＿를 문 밖으로 ＿＿＿＿＿
＿＿＿＿＿ 것이 시적 상황으로 제시되었어.

어니젠가 새끼 거미 쓸려나간 곳에 큰 거미가 왔다
나는 가슴이 짜릿한다 조금 전 새끼 거미가 나타나 화자가 쓸어 버렸던 곳에
이번엔 ＿＿＿＿＿가 나타났대. 이를 본 화자의 심정이 직접적으로 제시되고 있어.
나는 또 큰 거미를 쓸어 문 밖으로 버리며
찬 밖이라도 새끼 있는 데로 가라고 하며 서러워한다 화자는 아까와
마찬가지로 큰 거미를 문 밖으로 쓸어내면서 ＿＿＿＿＿＿을 느끼고 있어.

이렇게 해서 아린 가슴이 싹기도 전이다
어데서 좁쌀알만 한 알에서 가제 깨인 듯한 발이 채 서지도 못한
무척 작은 새끼 거미가 이번엔 큰 거미 없어진 곳으로 와서 아물
거린다
나는 가슴이 메이는 듯하다 화자의 서러움이 가라앉기도 전에 큰 거미를
쓸어낸 자리에 이번엔 ＿＿＿＿＿＿＿＿＿＿＿가 나타났대. 이는 화자의
서러운 심정을 더욱 심화시키는 일이나 봐. 화자는 가슴이 ＿＿＿＿＿ 듯하다고
말하고 있어.
내 손에 오르기라도 하라고 나는 손을 내어 미나 분명히 울고불고
할 이 작은 것은 나를 무서우이 달아나 버리며 나를 서럽게 한다
화자는 무척이나 작은 새끼 거미를 위하는 마음으로 ＿＿을 내밀지만, 이를 알 리 없는
거미는 그저 ＿＿＿＿＿ 버릴 뿐이야.
　나는 이 작은 것을 고이 ⊙**보드러운 종이**에 받어 또 **문 밖**으로
버리며 결국 화자는 이 새끼 거미도 문 밖으로 내보냈대. 이때 화자가 새끼 거미를 받쳐
드는 데 ＿＿＿＿＿＿ 종이를 사용한 것에서는 거미를 향한 화자의 배려심, 연민의 정서
등을 엿볼 수 있겠군.
　이것의 엄마와 누나나 형이 가까이 이것의 걱정을 하며 있다가
쉬이 만나기나 했으면 좋으련만 하고 슬퍼한다 화자는 지금까지 방바닥
에 나타난 거미들을 모두 한 ＿＿＿인 것으로 생각했구나. 그렇다면 화자가 거미를 문 밖
으로 쓸어 버리는 행위를 반복하면서 서러움을 점차 강하게 느꼈던 것은, 의도하지는 않았
지만 자신 때문에 거미 가족이 뿔뿔이 흩어지게 되었다는 생각 때문인 것으로 해석할 수
있겠네. 화자는 거미 가족들이 바깥에서 다시 ＿＿＿＿＿ 수 있기를 바라며 ＿＿＿＿＿을 느끼고
있어.

　　　　　　　　　　　　　　　　　　　　　　　　　　　– 백석, 「수라(修羅)」 –

화자와 대상의 관계	거미 ＿＿＿＿＿의 이산에 슬퍼하며 그들이 다시 만날 수 있기를 ＿＿＿＿＿하는 '나'

(나)

고향이 고향인 줄도 모르면서
긴 장대 휘둘러 까치밥 따는
서울 조카아이들이여

그 까치밥 따지 말라 화자가 서울의 ＿＿＿＿＿＿＿＿에게 까치밥을
＿＿＿＿＿ 말라고 말하고 있어. 고향이 고향인 줄도 모른다는 것으로 보아 서울 조카
아이들은 까치밥에 담긴 의미를 모르기에 이를 따려고 하는 것으로 짐작할 수 있군.
남도의 빈 겨울 하늘만 남으면
우리 마음 얼마나 허전할까 참고로 까치밥은 가을걷이 때, 날짐승을 위해 따지
않고 남겨 두는 감이나 대추 등의 과실을 말해. 새들을 위한 따뜻한 배려심이 담겨 있는
것이지. 그렇기에 까치밥이 사라져 ＿＿＿ 겨울 하늘만 남게 된다면, 이를 보는 우리의
마음도 무척이나 ＿＿＿＿＿할 것이라고 하는 거야.
살아온 이 세상 어느 물굽이
소용돌이치고 휩쓸려 배 주릴 때도
공중을 오가는 **날짐승에게 길을 내어주는**
그것은 따뜻한 등불이었으니 따뜻한 등불은 ＿＿＿＿＿을 뜻해. 물굽이가
소용돌이치는 것과 같은 삶의 고난 속에서도 ＿＿＿＿＿＿을 위해 까치밥을 남겨 놓는
배려심을 잊지는 않았음을 말하고 있어.
철없는 조카아이들이여
그 까치밥 따지 말라 그렇기에 화자는 그런 까치밥을 따려고 하는 조카아이들
을 ＿＿＿＿＿고 하며, 따지 말 것을 다시금 강조하여 말하고 있는 거야.
사랑방 말쿠지에 짚신 몇 죽 걸어놓고
할아버지는 무덤 속을 걸어가시지 않았느냐 시적 대상이 까치밥에서
할아버지가 남겨 놓고 가신 ＿＿＿＿＿ 몇 죽으로 바뀌었네.
그 짚신 더러는 외로운 길손의 길보시가 되고
한밤중 동네 개 컹컹 짖어 그 짚신 짊어지고
아버지는 다시 새벽 두만강 국경을 넘기도 하였느니 짚신 역시 까
치밥과 마찬가지로 외로운 ＿＿＿＿＿이나 새벽 두만강 국경을 넘어가던 ＿＿＿＿＿와
같은 다른 이들을 위한 따뜻한 배려심이 담긴 소재로 나타나고 있어.
아이들아, 수많은 기다림의 세월
그러니 서러워하지도 말아라
눈 속에 익은 ⓛ**까치밥 몇 개**가
겨울 하늘에 떠서
아직도 너희들이 **가야 할 머나먼 길**
이렇게 등 따숩게 비춰 주고 있지 않으냐. 화자는 조카아이들의 앞날에도
＿＿＿＿＿이나 ＿＿＿＿ 같은 따뜻한 배려와 인정이 있을 것이라고 말하고 있어.

　　　　　　　　　　　　　　　　　　　　　　　　　　　– 송수권, 「까치밥」 –

화자와 대상의 관계	＿＿＿＿＿＿＿＿＿＿＿＿＿＿에게 까치밥과 짚신에 담긴 ＿＿＿＿＿와 인정의 의미를 일깨워주는 '나'(우리)

(다)

　우리는 시를 감상하면서 시인이 시 속에 감추어 놓은 여러 장치
들을 발견해 내는 즐거움을 경험할 수 있다. 여러 장치 중 하나인
시적 공간은 시인이 주제를 형상화하기 위해 설정한 곳으로 우리
가 일상적 경험을 통해 지각하며 생활하게 되는 공간과는 성격이
다르다. 시의 주요 장치 중 하나인 ＿＿＿＿＿＿＿에 대한 정의가 제시되었어.
　시적 공간은 시인이 특별한 의미를 부여하는 순간부터 구성된
다. 시인은 이러한 시적 공간을 우리가 일상에서 볼 수 없는 공간

으로 설정하기도 하고, 사람들이 일반적으로 생각하는 공간과는 다른 의미의 공간으로 설정하기도 하고, 동일한 공간도 한 편의 시에서 다른 의미를 담은 공간으로 설정하기도 한다. 시인이 설정하는 시적 공간의 세 가지 유형에 대해 설명하였어.

또한 시적 공간은 시인이 살아온 삶과 가치관의 영향을 받기 때문에 주제를 이해하기 위해서는 시인에 대한 이해가 필요하다. 그리고 독자가 주체적으로 체득한 공간에 대한 인식도 중요하다. 이처럼 시적 공간은 감상의 실마리가 되며 나아가 창조적 의미를 구성하는 요소로 기능하기도 한다. 시적 공간은 시인이 설정한 것이기에 이를 바탕으로 한 작품의 주제를 정확히 이해하기 위해서는 _____에 대한 이해 역시 필요한 것이지. 다만 시인뿐만 아니라 _____가 직접 _____한 공간에 대한 인식도 함께 고려될 수 있는 요소라는 점!

1. ㉠과 ㉡에 대한 이해로 가장 적절한 것은?

① ㉠, ㉡은 모두 수고에 대한 보상을 나타낸다.

② ㉠, ㉡은 모두 다른 대상에 대한 배려를 나타낸다.

③ ㉠은 미물에 대한 용서를, ㉡은 미물에 대한 사랑을 나타낸다.

④ ㉠은 이상에 대한 동경을, ㉡은 현실에 대한 비판을 나타낸다.

⑤ ㉠은 인간과 자연의 합일을, ㉡은 인간과 자연의 조화를 나타낸다.

2. (다)를 바탕으로 (가), (나)를 이해한 내용으로 적절하지 않은 것은?

① 시인은 (가)의 1연에서 '문 밖'을 일상적 경험을 통해 지각하는 공간과는 다른, 가족 공동체가 해체된 공간으로 설정했겠군.

② (가)의 3연의 '문 밖'은 1연의 '문 밖'과 동일한 공간이지만, 시인은 특별한 의미를 부여하여 1연의 '문 밖'과는 다른 의미를 가진 공간으로 설정했겠군.

③ 시인은 (나)의 '남도의 빈 겨울 하늘'을 일반적으로 생각하는 공간과는 다른, 화자가 지키려는 가치관이 사라졌을 때를 가정한 공간으로 설정했겠군.

④ 독자는 (나)의 '날짐승에게 길을 내어주는'에서의 '길'을 일상에서 지각하는 '길'이 아닌, 시인의 고된 삶이 반영된 '길'로 이해할 수 있겠군.

⑤ 독자는 (나)의 '가야 할 머나먼 길'에서의 '길'을 일상에서 지각하며 생활하는 공간으로서의 '길'이 아닌, 주체적으로 체득한 '길'로 이해할 수 있겠군.

3. 문학 개념어 OX 확인 문제

① (가)는 설의적 표현을 통해 주제에 대한 공감을 이끌어내고 있다.　　○　✕

② (나)는 말을 건네는 방식을 통해 대상에 담긴 의미를 드러내고 있다.　　○　✕

🔍 다음의 선지 판단 공식을 활용하여 빈칸을 채우고 1번 문제의 선지를 OX로 판단해 보세요.

선지 판단의 공식

① 작품
(가): 화자는 방바닥에 나타난 '_____ 새끼 거미'를 문 밖으로 쓸어 버리기 위해 '㉠보드러운 종이'를 사용함
(나): '㉡까치밥 몇 개'는 추운 겨울 '_____는 날짐승'을 위해 따지 않고 _____ 둔 것임

선지➡ ㉠, ㉡은 모두 수고에 대한 보상을 나타낸다. ○ ✕

② 작품
(가): 화자는 방바닥에 나타난 '무척 작은 새끼 거미'를 '㉠_____ 종이'로 고이 받아 문 밖으로 내보냄
(나): '㉡까치밥 몇 개'는 추운 겨울 '공중을 오가는 날짐승'을 위해 따지 않고 남겨 둔 것임

선지➡ ㉠, ㉡은 모두 다른 대상에 대한 배려를 나타낸다. ○ ✕

③ 작품
(가): 화자는 앞서 방바닥에 나타났던 '거미 새끼 하나'와 '_____'를 문 밖으로 쓸어 버린 일에 _____을 느끼며 마지막으로 나타난 '무척 작은 새끼 거미'를 '㉠보드러운 종이'에 받아 문 밖으로 내보냄
(나): '㉡까치밥 몇 개'는 추운 겨울 '공중을 오가는 _____'을 위해 따지 않고 남겨 둔 것임

선지➡ ㉠은 미물에 대한 용서를, ㉡은 미물에 대한 사랑을 나타낸다. ○ ✕

④ 작품
(가): 화자는 방바닥에 나타난 거미를 문 밖으로 쓸어 버리는 행위를 반복하면서 서러움을 느끼며, 문 밖에서나마 거미들이 다시 '_____으면 좋으련만 하고 슬퍼'함
(나): 화자는 서울 조카아이들에게 '㉡까치밥 몇 개'를 따지 말라고 하면서 그 안에 담긴 타인을 위한 _____와 인정의 가치를 일깨워 줌

선지➡ ㉠은 이상에 대한 동경을, ㉡은 현실에 대한 비판을 나타낸다. ○ ✕

⑤ 작품
(가): 화자는 '아모 _____ 없이' 거미를 문 밖으로 쓸어 버린 자신의 행위에 서러움을 느끼고, 거미들이 문 밖에서나마 다시 '만나기나 했으면 좋으련만 하고 슬퍼'함
(나): 화자는 '㉡까치밥 몇 개'가 '물굽이 / _____ 치고 휩쓸려 배 주리는 삶의 고난 속에서도 잊지 않고 남겨 두었던 날짐승을 위한 배려의 마음임을 강조하고 있음

선지➡ ㉠은 인간과 자연의 합일을, ㉡은 인간과 자연의 조화를 나타낸다. ○ ✕

🔍 다음의 선지 판단 공식을 활용하여 빈칸을 채우고 2번 문제의 선지를 OX로 판단해 보세요.

융합 문제 선지 판단의 공식

①

설명글 | _____ 공간은 시인이 주제를 형상화하기 위해 설정한 공간으로, _____적 경험을 통해 지각하는 공간과는 성격이 다름

➕

작품 | (가): '거미 새끼 하나 방바닥에 나린 것을 나는 아모 생각 없이 _____으로 쓸어 버린다', '어니젠가 _____ 쓸려나간 곳에 _____가 왔다~나는 또 큰 거미를 쓸어 문 밖으로 버리며 / 찬 밖이라도 새끼 있는 데로 가라고 하며 서러워한다'

선지 ▶ 시인은 (가)의 1연에서 '문 밖'을 일상적 경험을 통해 지각하는 공간과는 다른, 가족 공동체가 해체된 공간으로 설정했겠군. ○ ✕

②

설명글 | _____
_____
_____

➕

작품 | (가): '거미 새끼 하나 방바닥에 나린 것을 나는 아모 생각 없이 _____으로 쓸어 버린다', '나는 이 작은 것을 고이 보드러운 종이에 받어 또 _____으로 버리며 / 이것의 _____와 누나나 ____이~쉬이 _____나 했으면 좋으련만'

선지 ▶ (가)의 3연의 '문 밖'은 1연의 '문 밖'과 동일한 공간이지만, 시인은 특별한 의미를 부여하여 1연의 '문 밖'과는 다른 의미를 가진 공간으로 설정했겠군. ○ ✕

③

설명글 | 시인은 시적 공간을 사람들이 _____적으로 생각하는 공간과는 _____의 공간으로 설정하기도 함

➕

작품 | (나): _____
_____
_____

선지 ▶ 시인은 (나)의 '남도의 빈 겨울 하늘'을 일반적으로 생각하는 공간과는 다른, 화자가 지키려는 가치관이 사라졌을 때를 가정한 공간으로 설정했겠군. ○ ✕

④

설명글 | 시적 공간은 시인이 주제를 형상화하기 위해 설정한 공간으로, 일상적 경험을 통해 지각하는 공간과는 성격이 다름, 시적 공간을 이해하는 데에는 _____에 대한 이해도 필요함

➕

작품 | (나): '공중을 오가는 날짐승에게 ____을 내어주는 / 그것은 _____이었으니 / 철없는 조카아이들이여 / 그 까치밥 따지 말라'

선지 ▶ 독자는 (나)의 '날짐승에게 길을 내어주는'에서의 '길'을 일상에서 지각하는 '길'이 아닌, 시인의 고된 삶이 반영된 '길'로 이해할 수 있겠군. ○ ✕

⑤

설명글 | 시적 공간을 이해하는 데에는 작품을 감상하는 독자가 _____적으로 체득한 공간에 대한 _____도 중요함

➕

작품 | (나): '눈 속에 익은 까치밥 몇 개가 / 겨울 하늘에 떠서 / 아직도 _____이 가야 할 머나먼 길 / 이렇게 등 따습게 _____고 있지 않으냐.'

선지 ▶ 독자는 (나)의 '가야 할 머나먼 길'에서의 '길'을 일상에서 지각하며 생활하는 공간으로서의 '길'이 아닌, 주체적으로 체득한 '길'로 이해할 수 있겠군. ○ ✕

✎ 다음 글을 읽고 화자와 대상을 찾아 표시하고, 빈칸에 적절한 말을 채우세요. 또한 주어진 문제를 풀어 보세요.

(가)

우리는 시를 통해 삶 속의 다양한 인물들을 만날 수 있다. 그중에는 특정 시대나 사회, 혹은 특정 계층을 대표할 만한 인물들이 있는데, 이런 인물을 '전형적 인물'이라고 한다. 시에 나타나는 _____ _____ 인물에 대한 정의를 제시하였어. 시 속 전형적 인물은 두 가지 양상으로 드러난다. 어떤 시에서는 화자 자신이 전형적 인물이 되기도 하고, 또 어떤 시에서는 화자가 관찰한 대상이 전형적 인물이 되기도 한다. 시 작품 속 전형적 인물의 두 유형 ① _____ 자신, ② 화자가 _____ 한 대상 전자는 화자가 체험한 현실을 자신의 생생한 목소리로 직접 전달할 수 있고, 후자는 시적 대상이 처한 현실과 그의 정서를 관찰자적 입장에서 객관적으로 담아낼 수 있다. 전형적 인물이 화자인 경우: 자신이 _____ 한 현실을 _____ 하게 전달 가능 / 전형적 인물이 화자가 관찰한 대상인 경우: 대상이 처한 현실과 이에 따른 정서를 _____ 적으로 전달 가능

또한 시는 전형적 인물이 처해 있는 상황을 통해 현실을 보다 구체적으로 보여줄 수 있다. 일제 강점기의 상황을 보여 줄 수도 있고, 산업화와 도시화로 인해 피폐해진 농촌의 상황을 보여 줄 수도 있다. 따라서 독자는 전형적 인물이 어떤 상황에 놓여 있으며, 그 상황을 어떻게 인식하고 그에 어떻게 대응하는지를 면밀히 살펴야 한다. 전형적 인물은 작품이 배경으로 하는 현실의 모습을 구체화해서 보여 줄 수 있구나. 따라서 시 작품을 감상할 때는 전형적 인물이 처해 있는 _____ 과 이에 대한 인물의 _____ 을 중요하게 살펴보아야 한다는 점!

(나)

흐르는 것이 물뿐이랴
우리가 저와 같아서 화자는 흐르는 ___ 과 자신을 (동일시/차별화)하고 있어.
강변에 나가 삽을 씻으며
거기 슬픔도 퍼다 버린다 강변에서 삽을 씻을 때 _____ 도 함께 씻어 버린다는 것에서 화자가 현재 부정적 현실에 처해 있음을 짐작할 수 있어.

일이 끝나 저물어
스스로 깊어 가는 강을 보며
쭈그려 앉아 담배나 피우고
나는 돌아갈 뿐이다 하루의 일이 모두 끝나고 저무는 때가 _____ 적 배경으로 제시되었네. 강을 바라보면서 담배나 피우고 _____ 뿐이라는 화자의 말을 통해 현실에 대한 체념적이고 소극적인 태도를 엿볼 수 있어.

삽자루에 맡긴 한 생애가 앞서 일을 마친 화자가 강물에 삽을 씻는 모습이 나타난 것과 _____ 에 맡긴 한 _____ 라고 한 이 구절을 엮어서 보면, 화자는 노동자라는 것을 알 수 있어.

이렇게 저물고, 저물어서
샛강 바닥 썩은 물에
달이 뜨는구나 하루하루 반복되는 노동자로서의 고달픈 삶에 대해 말하고 있네.
우리가 저와 같아서
흐르는 물에 삽을 씻고
먹을 것 없는 사람들의 마을로
다시 어두워 돌아가야 한다 하루 종일 일을 하였지만 저녁이 되면 _____ 없는 사람들의 마을로 돌아가야 한다는 것에서 경제적으로 궁핍한 화자의 처지와 이로 인한 비애감이 드러나고 있어. 즉 이 시는 노동자로서 고된 일상을 반복하지만 나아지지 않는 현실에 대한 답답함과 슬픔을 주제로 한 작품인 것이지.

– 정희성, 「저문 강에 삽을 씻고」 –

화자와 대상의 관계	흐르는 강물을 보며 빈곤하고 고달픈 _____로서의 ___에 _____을 느끼는 '나'(우리)

(다)

저 지붕 아래 제비집 너무도 작아
갓 태어난 새끼들만으로 가득 차고
어미는 둥지를 날개로 덮은 채 간신히 잠들었습니다 작은 _____ 에서 어미와 새끼들이 잠이 든 모습이 제시되었네.
바로 그 옆에 누가 박아 놓았을까요, 못 하나
그 못이 아니었다면
아비는 어디서 밤을 지냈을까요
못 위에 앉아 밤새 꾸벅거리는 제비를
눈이 뜨겁도록 올려다 봅니다 제비집이 너무나 작은 탓에 _____ 제비는 집 옆에 박아 놓은 ___ 위에서 밤을 지새야 했던 모양이야. 화자는 그런 아비 제비를 보며 안쓰러운 심정을 느끼고 있어.
종암동 버스 정류장, 흙바람은 불어오고
한 사내가 아이 셋을 데리고 마중 나온 모습 못 위에 앉아 잠들어 있던 아비 제비에서 시상이 전환되어 아이들을 데리고 _____ 으로 누군가를 마중 나온 _____ 의 모습이 제시되고 있네.
수많은 버스를 보내고 나서야
피곤에 지친 한 여자가 내리고, 그 창백함 때문에
반쪽 난 달빛은 또 얼마나 창백했던가요 사내와 아이들은 아내이자 엄마인 여자를 마중 나왔던 상황인 것이군. 이때 달빛마저 _____ 하게 느껴지도록 하는, _____ 에 지친 여인의 창백한 얼굴은 그녀가 매우 힘든 하루를 보내고서 귀가하는 길임을 짐작하게 해.
아이들은 달려가 엄마의 옷자락을 잡고
제자리에 선 채 달빛을 좀 더 바라보던
사내의, 그 마음을 오늘 밤은 알 것도 같습니다 그런 아내를 바라보는 사내의 마음은 편치 않겠지. 사내의 그 마음을 오늘 밤은 ___ 것 같다는 말에서 화자가 아버지에 대한 과거의 기억을 떠올리고 있는 상황임을 알 수 있어.
실업의 호주머니에서 만져지던
때 묻은 호두알은 쉽게 깨어지지 않고
그럴듯한 집 한 채 짓는 대신
못 하나 위에서 견디는 것으로 살아온 아비, 사내는 _____ 한 처지인가 봐. 그렇다면 사내 대신에 여자가 가족의 _____ 를 책임지고 있으며, 그러한 아내의 퇴근길을 마중 나온 사내가 피곤에 지쳐 창백해진 아내의 얼굴을 보며 안쓰러움과 미안함 등의 복잡한 심정을 느꼈던 상황으로 볼 수 있겠군.
거리에선 아직도 흙바람이 몰려오나 봐요
돌아오는 길 희미한 달빛은 그런대로
식구들의 손잡은 그림자를 만들어 주기도 했지만
그러기엔 골목이 너무 좁았고
늘 한 걸음 늦게 따라오던 아버지의 그림자
그 꾸벅거림을 기억나게 하는
못 하나, 그 위의 잠 집으로 돌아가는 _____ 이 너무 좁은 탓에 온 가족이 함께 걷지 못하고 아버지 혼자 한 걸음 뒤에서 걸어가고 있는 모습이야. 이는 제비집이 너무 작은 탓에 그 옆에 박아둔 못 위에서 홀로 꾸벅이며 밤을 지새는 _____ 와 비슷한

모습이지? 그렇기에 화자는 아비 제비를 보면서 과거 자신이 보았던 아버지의 모습을 연상하게 되었던 거야.

– 나희덕, 「못 위의 잠」 –

화자와 대상의 관계	___ 위에서 잠든 _____를 보며 _____ 에 대한 과거의 기억을 떠올리는 사람

1. (가)를 바탕으로 (나)와 (다)를 이해한 내용으로 가장 적절한 것은?

① (나)는 화자가 전형적 인물이 되어, (다)는 화자가 전형적 인물을 관찰하여 현실을 드러내고 있다.

② (나)는 화자가 전형적 인물을 관찰하여, (다)는 화자가 전형적 인물이 되어 현실을 드러내고 있다.

③ (나)와 (다) 모두 화자가 전형적 인물을 관찰하여 보여 주는 방식으로 현실을 담아내고 있다.

④ (나)와 (다) 모두 화자가 전형적 인물이 되어 정서를 직접 표출하는 방식으로 현실을 보여 주고 있다.

⑤ (나)와 (다) 모두 전형적 인물이 처해 있는 구체적인 시대 상황을 부각하는 방식으로 현실을 반영하고 있다.

2. (가)를 바탕으로 (나)를 감상한 내용으로 적절하지 않은 것은?

① '슬픔도 퍼다 버리'는 모습에서 현실에 대한 고뇌를 덜어내려는 마음을 읽을 수 있군.

② '쭈그려 앉아 담배나 피우'는 모습에서 현실에 대한 소극적인 대응 태도를 엿볼 수 있군.

③ '샛강 바닥 썩은 물'에서 인물이 부정적인 상황에 처해 있음을 확인할 수 있군.

④ '먹을 것 없는 사람들의 마을'에서 인물과 유사한 상황에 놓인 사람들이 적지 않음을 알 수 있군.

⑤ '다시 어두워 돌아가야 한다'에서 반복되는 일상을 극복하려는 의지를 느낄 수 있군.

3. 문학 개념어 OX 확인 문제

① (나)는 현실에 대한 냉소적 인식을 드러내고 있다.　　　　　　○　✕

② (다)는 공간의 이동에 따른 화자의 태도 변화를 보여 주고 있다.　　○　✕

🔍 다음의 선지 판단 공식을 활용하여 빈칸을 채우고 1번 문제의 선지를 OX로 판단해 보세요.

융합 문제 선지 판단의 공식

① **설명글** 특정 시대나 사회, 계층을 대표할 만한 작품 속 인물을 _____이라 함, 화자 자신 혹은 화자가 _____한 대상이 전형적 인물이 되며 그 인물이 처한 상황을 통해 현실을 구체적으로 보여줌

➕

작품
(나): '흐르는 것이 물뿐이랴 / _____가 저와 같아서', '___는 돌아갈 뿐이다' 등
(다): '한 _____가 아이 셋을 데리고 마중 나온 모습', '제자리에 선 채 달빛을 좀 더 바라보던 / 사내', '늘 한 걸음 늦게 따라오던 _____의 그림자' 등

(나)는 화자가 전형적 인물이 되어, (다)는 화자가 전형적 인물을 관찰하여 현실을 드러내고 있다. ○ ✕

② **설명글** 특정 시대나 사회, 계층을 대표할 만한 작품 속 인물을 전형적 인물이라 함, 화자 자신 혹은 화자가 관찰한 대상이 전형적 인물이 되며 그 인물이 처한 상황을 통해 _____을 구체적으로 보여줌

➕

작품
(나): '흐르는 것이 물뿐이랴 / 우리가 저와 같아서', '나는 돌아갈 뿐이다' 등
(다): '한 사내가 아이 셋을 데리고 마중 나온 모습', '제자리에 선 채 달빛을 좀 더 바라보던 / _____', '늘 한 걸음 늦게 따라오던 아버지의 그림자' 등

(나)는 화자가 전형적 인물을 관찰하여, (다)는 화자가 전형적 인물이 되어 현실을 드러내고 있다. ○ ✕

③ **설명글** 특정 시대나 사회, 계층을 대표할 만한 작품 속 인물을 전형적 인물이라 함, 화자 자신 혹은 _____ _____이 전형적 인물이 되며 그 인물이 처한 상황을 통해 현실을 구체적으로 보여줌

➕

작품
(나): '흐르는 것이 물뿐이랴 / 우리가 저와 같아서', '나는 돌아갈 뿐이다' 등
(다): '한 사내가 아이 셋을 데리고 마중 나온 모습', '제자리에 선 채 달빛을 좀 더 바라보던 / 사내', '늘 한 걸음 늦게 따라오던 아버지의 그림자' 등

(나)와 (다) 모두 화자가 전형적 인물을 관찰하여 보여 주는 방식으로 현실을 담아내고 있다. ○ ✕

④ **설명글** 전형적 인물이 어떤 상황에 놓여 있으며, 이를 어떻게 인식하고 이에 어떻게 _____하는지를 살펴보아야 함, 화자가 전형적 인물이 될 경우 체험한 _____을 생생하게 직접 전달 가능함

➕

작품
(나): _____
_____
(다): '한 사내가 아이 셋을 데리고 마중 나온 모습', '_____의, 그 마음을 오늘 밤은 _____도 같습니다'

(나)와 (다) 모두 화자가 전형적 인물이 되어 정서를 직접 표출하는 방식으로 현실을 보여 주고 있다. ○ ✕

⑤ **설명글** _____
_____
_____

➕

작품
(나): '삽자루에 맡긴 한 _____', '먹을 것 없는 _____
_____'
(다): '_____의 호주머니', '늘 한 걸음 늦게 따라오던 아버지의 그림자 / 그 _____을 _____나게 하는 / 못 하나, 그 위의 잠'

(나)와 (다) 모두 전형적 인물이 처해 있는 구체적인 시대 상황을 부각하는 방식으로 현실을 반영하고 있다. ○ ✕

🔍 다음의 선지 판단 공식을 활용하여 빈칸을 채우고 2번 문제의 선지를 OX로 판단해 보세요.

융합 문제 선지 판단의 공식

① 설명글 전형적 인물이 어떤 상황에 놓여 있으며, 이를 어떻게 _____ 하고 이에 어떻게 _____하는지를 살펴보아야 함 ➕ 작품 (나): '강변에 나가 ___을 _____며 / 거기 슬픔도 퍼다 버린다'

선지➡ '슬픔도 퍼다 버리'는 모습에서 현실에 대한 고뇌를 덜어내려는 마음을 읽을 수 있군. ○ ✕

② 설명글 전형적 인물이 어떤 상황에 놓여 있으며, 이를 어떻게 인식 하고 이에 어떻게 _____하는지를 살펴보아야 함 ➕ 작품 (나): _____
_____
_____

선지➡ '쭈그려 앉아 담배나 피우'는 모습에서 현실에 대한 소극적인 대응 태도를 엿볼 수 있군. ○ ✕

③ 설명글 전형적 인물이 어떤 _____에 놓여 있으며, 이를 어떻게 인식하고 이에 어떻게 대응하는지를 살펴보아야 함 ➕ 작품 (나): _____
_____
_____

선지➡ '샛강 바닥 썩은 물'에서 인물이 부정적인 상황에 처해 있음을 확인할 수 있군. ○ ✕

④ 설명글 _____이 어떤 상황에 놓여 있으며, 이를 어떻게 인식하고 이에 어떻게 대응하는지를 살펴보아야 함 ➕ 작품 (나): '흐르는 것이 물뿐이랴 / _____가 저와 같아서', '흐르는 물에 삽을 씻고 / 먹을 것 없는 사람들의 _____로 / 다시 어두워 돌아가야 한다'

선지➡ '먹을 것 없는 사람들의 마을'에서 인물과 유사한 상황에 놓인 사람들이 적지 않음을 알 수 있군. ○ ✕

⑤ 설명글 전형적 인물이 어떤 상황에 놓여 있으며, 이를 어떻게 인식 하고 이에 어떻게 _____하는지를 살펴보아야 함 ➕ 작품 (나): '나는 _____ 뿐이다', '삽자루에 맡긴 한 생애가 / 이렇게 저물고, 저물어서 / 샛강 바닥 썩은 물에 / 달이 뜨는구나', '먹을 것 없는 사람들의 마을로 / 다시 어두워 _____ 한다'

선지➡ '다시 어두워 돌아가야 한다'에서 반복되는 일상을 극복하려는 의지를 느낄 수 있군. ○ ✕

하루 30분, 수능 국어 만점을 향해 가는 28일

도서출판 홀수
Holsoo Publishers

하루 30분,
현대시 트레이닝

수능 국어 만점을 위한 **선지 판단력 강화** 프로그램

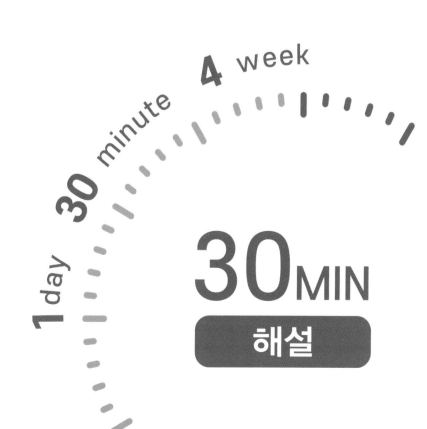

1 day 30 minute 4 week

30MIN

해설

"매일 30분씩 꼼꼼하게 독해하면, 4주 후 현대시 선지 판단력이 달라진다"

하루 30분,
현대시 트레이닝

수능 국어 만점을 위한 **선지 판단력 강화** 프로그램

1 day 30 minute 4 week

30
MIN

도서출판 홀수
Holsoo Publishers

하루 30분, 수능 국어 만점을 향해 가는 28일

DAY 01
트레이닝 날짜
월   일

DAY 02
트레이닝 날짜
월   일

DAY 03
트레이닝 날짜
월   일

DAY 04
트레이닝 날짜
월   일

DAY 05
트레이닝 날짜
월   일

DAY 06
트레이닝 날짜
월   일

DAY 07
트레이닝 날짜
월   일

DAY 08
트레이닝 날짜
월   일

DAY 09
트레이닝 날짜
월   일

DAY 10
트레이닝 날짜
월   일

DAY 11
트레이닝 날짜
월   일

DAY 12
트레이닝 날짜
월   일

DAY 13
트레이닝 날짜
월   일

DAY 14
트레이닝 날짜
월   일

DAY 15
트레이닝 날짜
월   일

DAY 16
트레이닝 날짜
월   일

DAY 17
트레이닝 날짜
월   일

DAY 18
트레이닝 날짜
월   일

DAY 19
트레이닝 날짜
월   일

DAY 20
트레이닝 날짜
월   일

DAY 21
트레이닝 날짜
월   일

DAY 22
트레이닝 날짜
월   일

DAY 23
트레이닝 날짜
월   일

DAY 24
트레이닝 날짜
월   일

DAY 25
트레이닝 날짜
월   일

DAY 26
트레이닝 날짜
월   일

DAY 27
트레이닝 날짜
월   일

DAY 28
트레이닝 날짜
월   일

하루의 학습이 끝나면 색을 채워 가며 향상된 선지 판단력을 확인해 보세요.

1

주차

30 하루 30분, 현대시 트레이닝

📅 고3 2016학년도 6월 모평AB – 서정주, 「외할머니의 뒤안 툇마루」

　　외할머니네 **집 뒤안**에는 장판지 두 장만큼한 먹오딧빛 **툇마루**가 깔려 있습니다. 화자는 외할머니네 집 뒤안에 있는 **툇마루**에 주목하고 있네. 이 툇마루는 외할머니의 손때와 그네 딸들의 손때로 날이날마다 칠해져 온 것이라 하니 **내** 어머니의 처녀 때의 손때도 꽤나 많이는 묻어 있을 것입니다마는, 외할머니네 집 뒤안의 툇마루는 오랜 세월을 거쳐 가족들의 **손때**가 묻은 공간이야. 그러나 그것은 하도나 많이 문질러서 인제는 이미 때가 아니라, 한 개의 **거울**로 번질번질 닦이어져 어린 내 얼굴을 들이비칩니다. 한 개의 **거울**이 된 외할머니네 집 뒤안의 툇마루에 화자의 **어린** 시절 얼굴이 비친다고 하네.

　　그래, 나는 어머니한테 **꾸지람**을 되게 들어 따로 어디 갈 곳이 없이 된 날은, 이 외할머니네 때거울 툇마루를 찾아와, 외할머니가 장독대 옆 뽕나무에서 따다 주는 **오디 열매**를 약으로 먹어 숨을 바로 합니다. 어머니한테 **꾸지람**을 들은 화자에게 툇마루라는 공간과 외할머니가 따다 준 **오디 열매**는 위로가 되어 주겠지. **외할머니의 얼굴**과 내 얼굴이 나란히 비치어 있는 이 툇마루에까지는 어머니도 그네 꾸지람을 가지고 올 수 없기 때문입니다. 어머니의 꾸지람이 미칠 수 없는 **외할머니의 집 뒤안** 툇마루에 외할머니의 얼굴과 자신의 얼굴이 **나란히** 비치어 있다고 하고 있어.

　　　　　　　　　　　　– 서정주, 「외할머니의 뒤안 툇마루」 –

화자와 대상의 관계	**어머니**에게 꾸지람을 듣고 외할머니네 집 뒤안 **툇마루**에 가서 위안을 얻는 **어린** '나'

1. 윗글에 대한 이해로 적절하지 않은 것은?

정답풀이

① '집 뒤안'은 화자가 툇마루에 담겨 있는 유년 시절과 단절되었음을 보여 준다.

'집 뒤안'의 '툇마루'를 보고 화자인 '나'는 어린 시절 어머니한테 꾸지람을 들으면 외할머니네 집 뒤안 툇마루로 찾아가 그곳에서 외할머니의 사랑을 느끼며 위안을 얻었던 기억을 떠올리고 있으므로, '집 뒤안'은 유년 시절과의 단절이 아닌 연결을 의미하는 것으로 볼 수 있다.

오답풀이

② '거울'은 손때가 툇마루에 쌓여 있는 오랜 세월의 흔적을 환기한다.

'툇마루'는 '외할머니의 손때와 그네 딸들의 손때로 날이날마다 칠해져 온 것'으로 '한 개의 거울로 번질번질 닦이어져 어린 내 얼굴'을 비춘다고 하였다. 따라서 '거울'은 툇마루에 쌓여 있는 오랜 세월의 흔적을 환기하는 것이라고 할 수 있다.

③ 툇마루는 '꾸지람'을 들은 뒤 찾아가 위안을 얻었던 화자의 경험을 환기한다.

어린 '나'는 '어머니한테 꾸지람을 되게 들은' 날이면 툇마루로 찾아가 외할머니가 따다 주신 '오디 열매'를 먹으며 '숨을 바로' 한다고 했다. 따라서 툇마루는 화자가 '꾸지람'을 들은 뒤 찾아가 위안을 얻었던 경험을 환기한다고 할 수 있다.

④ 툇마루를 찾아온 화자에게 외할머니가 건네 준 '오디 열매'는 외할머니의 사랑을 드러낸다.

어머니에게 꾸지람을 듣고 찾아온 어린 '나'에게 외할머니는 '장독대 옆 뽕나무에서' '오디 열매'를 따다 준다. 따라서 '오디 열매'는 외할머니의 사랑을 드러내는 소재라고 할 수 있다.

⑤ 툇마루에 비치는 '외할머니의 얼굴'은 화자와 외할머니 사이의 친밀감을 드러낸다.

'툇마루'를 통해 어린 시절의 기억과 외할머니의 사랑을 떠올린 화자가 '외할머니의 얼굴과 내 얼굴'이 툇마루에 '나란히 비치어 있'다고 한 점을 고려할 때, 이는 화자와 외할머니 사이의 친밀감을 드러낸다고 할 수 있다.

2. 문학 개념어 OX 확인 문제

① ○

• **색채 이미지**: 대상이 어떤 빛깔을 연상시키는 것. 사물의 빛깔을 표현하는 어휘, 즉 색채어가 사용되면 당연히 색채 이미지가 나타난다고 볼 수 있으며, 색채어가 사용되지 않더라도 대상이 특정 색상을 떠오르게 하면 색채 이미지가 나타난다고 할 수 있음. 색채어가 등장하면 당연히 시각적 심상이 나타나며, 두 가지 색채가 뚜렷한 대비를 이루면 '색채 대비'를 이룬다고 함.
　근거 '먹오딧빛 툇마루'

② ✕

• **거리 두기**: 대상을 멀리서 바라보거나 대상과의 심리적 거리가 멂.
• **관조**: 대상과 거리를 유지하고 느긋하게 지켜봄.

📅 고3 2014학년도 수능A – 이형기, 「낙화」

가야 할 때가 언제인가를
㉠분명히 알고 가는 이의
뒷모습은 얼마나 아름다운가.   화자는 **가야 할 때**가 언제인지 분명히 알고 떠날
줄 아는 이를 **아름답**다고 하네.

봄 한철
㉡격정을 인내한
나의 사랑은 지고 있다.   화자가 '나'로 나타났네! 시의 제목인 **낙화**를 고려하면
'나'는 자신의 사랑을 꽃으로 비유하여 사랑이 **지고 있다**고 표현하고 있어.

분분한 **낙화**……
결별이 이룩하는 축복에 싸여
지금은 가야 할 때,   사랑이 지고 있다는 것은 **결별**을 말한 거였네! 결별이 **축복**을
이룩한다고 했으니, 화자는 결별을 **긍정적**으로 받아들이고 있다고 볼 수 있겠지?

㉢무성한 녹음과 그리고
㉣머지않아 열매 맺는
가을을 향하여

나의 청춘은 꽃답게 죽는다.   무성한 **녹음**이 있는 여름을 지나 **열매**를 맺는 가을
을 맞이하듯 '나'의 청춘도 **꽃답게** 죽는다고 하네.

헤어지자
섬세한 손길을 흔들며
하롱하롱 꽃잎이 지는 어느 날

나의 사랑, 나의 결별,
㉤샘터에 물 고이듯 성숙하는
내 영혼의 슬픈 눈.   이별의 슬픔을 통해 '나'는 **성숙**할 수 있다고 생각하고 있어.

– 이형기, 「낙화」 –

화자와 대상의 관계	낙화를 보고 사랑과 **이별**의 진정한 의미를 깨달으며 **성숙**하는 '나'

1. ㉠~㉤에 대한 이해로 가장 적절한 것은?

정답풀이 ▶

④ ㉣은 이별의 경험이 내적 충만으로 이어지리라는 화자의 기대감을 계절의
의미에 빗대어 표현하고 있다.

꽃이 진 뒤 여름이 지나 가을에 열매를 맺는 과정은, 이별을 경험한 뒤
내면이 성숙해져 가는 과정과 대응된다. 마지막 연에서 '나의 사랑, 나의
결별'이 '샘터에 물 고이듯 성숙'한다고 했으므로, ㉣(머지않아 열매 맺는 /
가을을 향하여)은 이별의 경험이 내적 충만(성숙)으로 이어지리라는 기대
감을 열매를 맺는 가을의 의미에 빗대어 표현한 것이라 할 수 있다.

오답풀이 ▶

① ㉠은 이별에 직면한 화자가 겪고 있는 내적인 방황을 드러내고 있다.

㉠(분명히 알고 가는 이의 / 뒷모습은 얼마나 아름다운가)은 이별을 받아
들이는 모습의 아름다움을 나타낸 것이지 화자의 내적인 방황을 드러낸
것은 아니다.

② ㉡은 이별을 감내하면서도 지나간 사랑에 연연해 하고 있는 화자의 회한을
드러내고 있다.

㉡(격정을 인내한 / 나의 사랑은 지고 있다)에서 격정을 인내하였다고
했으므로 이별을 감내하고 있다고 볼 수는 있지만, 화자가 지나간 사랑에
대해 후회하고 미련을 가지는 모습을 드러낸 것은 아니다.

③ ㉢은 이별의 고통으로 인하여 삶의 목표를 상실하고 번민에 가득 차 있는
화자의 상황을 표현하고 있다.

화자는 ㉢(무성한 녹음)을 지나 '열매(성숙)'를 맺는 '가을을 향하여 //
나의 청춘은 꽃답게 죽는다.'라고 하였다. 이는 이별한 이후의 성숙에 대해 말하는
것일 뿐, 이별의 고통으로 인해 삶의 목표를 상실하고 번민에 가득 차 있는
화자의 상황을 표현한 것은 아니다.

⑤ ㉤은 이별로 인한 상실감을 잊고 과거의 삶으로 회귀하는 화자의 태도를
표현하고 있다.

㉤(샘터에 물 고이듯 성숙하는)은 이별을 통해 성숙하는 모습을 나타내고
있을 뿐, 이별로 인한 상실감을 잊고 과거의 삶으로 돌아가려는 화자의
태도를 표현한 것은 아니다.

2. 문학 개념어 OX 확인 문제

① ○

• 영탄: 생각이나 느낌을 억누르지 않고 강하게 드러내는 것. 감탄사와
감탄 어미의 사용을 통해 나타내기도 하고, 명령이나 권유, 혹은 설의적
표현을 통해 나타내기도 함.
근거 '뒷모습은 얼마나 아름다운가.'

• 독백체: 화자 혼자 중얼거리는 식의 말투(어조).
근거 '나의 사랑은 지고 있다.', '나의 청춘은 꽃답게 죽는다.' 등

② ○

• 하강 이미지: 아래로 향하는 모습이 나타났거나 그러한 느낌을 불러
일으키는 것. 추락하거나 침체되거나 쇠퇴하는 것도 하강 이미지라고
할 수 있음.
근거 '분분한 낙화', '하롱하롱 꽃잎이 지는' 등

📅 고3 2014학년도 9월 모평B – 유치환, 「생명의 서·일장」

나의 지식이 독한 회의를 구하지 못하고
내 또한 삶의 애증을 다 짐지지 못하여 '나'는 자신의 지식으로는 삶에 대한 회의를 해결하지 못한다고 생각하고, 삶의 애증(사랑과 미움)으로 인해 고뇌하고 있어.

㉠병든 나무처럼 생명이 부대낄 때
저 머나먼 **아라비아의 사막**으로 나는 가자 이러한 회의와 애증으로 인해 마치 병든 나무처럼 괴로울 때 화자는 머나먼 아라비아의 사막으로 가겠다고 해.

거기는 한번 뜬 백일(白日)이 불사신같이 작열하고 아라비아의 사막은 백일(빛나는 해)이 끊임없이 타오르는 곳인가 봐.
일체가 모래 속에 사멸한 ㉡영겁의 허적(虛寂)*에
오직 알라의 신만이
밤마다 고민하고 방황하는 열사(熱沙)의 끝 어떤 생명도 살 수 없는 뜨거운 사막의 모습이 떠오르지? 그곳에서는 오직 알라의 신만이 밤마다 고민하고 방황한다고 하네.

그 ㉢열렬한 고독 가운데
옷자락을 나부끼고 호올로 서면
운명처럼 반드시 **나**와 대면케 될지니 화자는 운명처럼 반드시 '나'와 대면할 것이라고 하네. 이때의 '나'는 앞에서 아라비아의 사막으로 가자고 한 '나'와는 다른, 극한의 공간에서 열렬한 고독을 겪는 자아를 의미할 거야.
하여 '나'란 나의 생명이란 '나'는 곧 나의 생명이네. 그러니까 화자는 아라비아의 사막에서 본질적 자아인 '나'와 대면하려는 것이겠네!
그 ㉣원시의 본연한 자태를 다시 배우지 못하거든
차라리 나는 어느 사구(沙丘)에 ㉤회한(悔恨) 없는 백골을 쪼이리라 화자는 원시의 본연한 자태 즉, 생명의 본질을 찾지 못한다면 차라리 죽음을 택하겠다는 비장한 의지를 보이고 있어.

– 유치환, 「생명의 서·일장(一章)」 –

*허적: 아무것도 없이 적막함.

화자와 대상의 관계	생명의 본질을 발견하고자 하는 '나'

1. 윗글의 **나**와 ㉠~㉤의 관련성을 이해한 내용으로 적절하지 않은 것은?

정답풀이 〉

③ ㉢은 절대적 고독을 나타낸 것으로, 화자가 그 절대적 고독에서 벗어남으로써 **나**에 도달할 수 있음을 알려 준다.

'그 열렬한 고독(㉢) 가운데 / 옷자락을 나부끼고 호올로 서면'에서 ㉢은 절대적인 고독으로 해석이 가능하다. 그러나 화자는 그 고독 '가운데' '호올로 서'야 "나'와 대면'하게 될 것이라고 했으므로, 화자가 '나'에 도달하기 위해 절대적 고독에서 벗어나야 한다고 볼 수는 없다.

오답풀이 〉

① ㉠은 화자가 극복해야 할 자신의 모습을 빗대어 표현한 것으로, **나**와는 대비되는 표상이다.

㉠(병든 나무)은 생명력과 진정한 자아를 상실한 화자의 모습을 비유한 표현이므로, 화자가 '원시의 본연한 자태'를 배우기 위해 '아라비아의 사막'으로 가서 대면하고자 하는 '나'와는 대비된다고 할 수 있다.

② ㉡은 어떤 것도 존재하지 못하는 극한 상태로, 화자가 **나**와 대면할 수 있는 조건에 해당한다.

㉡(영겁의 허적)은 화자가 '나'와 대면하기 위해 찾아간 '아라비아의 사막'의 모습으로, '일체가 모래 속에 사멸한' 공간이기 때문에 어떤 것도 존재하지 못하는 극한 상태이다.

④ ㉣은 생명이 본래적으로 존재하는 모습을 가리키는 것으로, **나**가 원시적 생명력을 지닌 존재임을 보여 준다.

㉣(원시의 본연한 자태)은 생명 본래의 모습으로 이해할 수 있다. 화자는 '나'라는 '그 원시의 본연한 자태'를 다시 배워야 한다고 했으므로, '나'는 원시적인 생명력을 지닌 존재임을 알 수 있다.

⑤ ㉤은 죽음에 대한 화자의 태도를 드러내는 것으로, **나**를 통해 생명을 회복하려는 화자의 의지를 담아낸 표현이다.

'원시의 본연한 자태를 다시 배우지 못하거든~회한 없는 백골(㉤)을 쪼이리라'라는 시구를 통해 이상적인 자아, 원시적인 생명력을 회복하지 못한다면 차라리 죽음을 택하겠다는 화자의 의지를 확인할 수 있다.

2. 문학 개념어 OX 확인 문제

① ✕
• 계절감: 계절의 변화에 따라 일어나는 느낌. 작품에서 구체적인 계절이 직접 언급되기도 하고, 특정 계절임을 알려주는 사물이나 현상을 통해 계절감이 나타나기도 함.

② ✕
• 탈속성: 1. 부나 명예와 같은 현실적 이익을 추구하는 마음으로부터 벗어남. 2. 속세를 벗어남.

하루 30분, 현대시 트레이닝

📅 고3 2014학년도 6월 모평A – 김소월, 「접동새」

접동
접동
아우래비 접동 접동새의 울음소리를 **아우래비**(아홉 오라비)와 연결하고 있어.

┌ 진두강 가람 가에 살던 누나는
│ 진두강 앞마을에
│ 와서 웁니다. 화자는 접동새의 울음소리를 들으면서 이를 **누나**의 울음소리
│ 라고 생각하나 봐.
│
│ 옛날, 우리나라
│ 먼 뒤쪽의
[A] 진두강 가람 가에 살던 누나는
│ 의붓어미 시샘에 죽었습니다 **의붓어미**의 시샘을 받다 죽은 누나의
│ 사연이 나오네.
│
│ 누나라고 불러 보랴
│ 오오 불설워
│ 시새움에 몸이 죽은 `우리` 누나는
└ 죽어서 접동새가 되었습니다 화자는 누나가 죽어서 **접동새**가 되었다고
하며 **서러워**하고 있어.

아홉이나 남아 되던 오랩동생을
죽어서도 못 잊어 차마 못 잊어
야삼경(夜三更) 남 다 자는 밤이 깊으면
이 산 저 산 옮아가며 슬피 웁니다. 화자는 깊은 **밤** 접동새 울음소리를 들으며
죽은 누나가 동생들을 못 **잊어** 슬피 우는 것이라고 표현하고 있어. 누나의 죽음을 안타까워
하며 그리움을 느끼는 화자의 심정을 엿볼 수 있지.

– 김소월, 「접동새」 –

화자와 대상의 관계	접동새의 울음소리를 들으며 **죽은 누나**를 그리워하는 사람 (남동생)

1. [A]에 대한 이해로 적절하지 않은 것은?

정답풀이

② 2연에서 3연으로 전개되면서 '누나'에 대한 화자의 태도가 부정적으로 변화하고 있다.

화자는 죽은 누나에 대해 슬프고 안타까운 마음을 일관되게 드러내고 있으므로 3연에서 누나에 대한 화자의 태도가 부정적으로 변화한다고 볼 수 없다.

오답풀이

① 2연에서 '누나'의 울음은 '누나'의 이야기를 떠오르게 한다.

2연에서 누나가 진두강 앞마을에 와서 운다고 하였고, 이어 3연에서 누나의 죽음에 관한 사연을 떠올리고 있으므로 적절하다.

③ 3연에서는 2연의 '누나'와 관련된 사연이 제시되고 있다.

2연에서 누나가 진두강 앞마을에 와서 운다고 하였고, 이어 3연에서 진두강 가람 가에 살던 누나가 의붓어미 시샘에 죽은 사연을 제시하고 있으므로 적절하다.

④ 4연에서는 '누나'에 대한 화자의 정서가 직설적으로 제시되고 있다.

'오오 불설워(매우 서러워)'에 누나에 대한 화자의 정서가 직설적으로 드러나 있다.

⑤ 4연에서는 '우리'라는 시어를 통해 화자와 '누나'의 관계가 강조되고 있다.

시적 대상인 누나를 '우리 누나'라고 지칭함으로써 화자와 누나의 친밀한 관계를 강조했다고 볼 수 있다.

2. 문학 개념어 OX 확인 문제

① ○

• 애상적: 슬퍼하거나 가슴 아파하는. 또는 그런 것.
　근거 '웁니다.', '불설워', '슬피 웁니다.'

② ○

• 구체적 지명의 활용: 구체적 지명이 나타난 시어를 사용하면 시상 전개에 현장감, 사실성 등이 부여됨.
• 향토적: 고향이나 시골의 정취가 담긴 것. 시골에서 볼 수 있는 자연물, 사투리, 구체적 지명, 인명 등을 사용하면 향토적 분위기가 드러남.
　근거 '진두강 가람 가', '진두강 앞마을'

📅 고3 2014학년도 6월 모평B – 백석,「팔원 – 서행시초 3」

차디찬 아침인데
묘향산행 승합자동차는 텅 하니 비어서
㉠나이 어린 **계집아이** 하나가 오른다 화자는 추운 **아침**, 묘향산행 승합자동차에 오르는 나이 어린 **계집아이**에게 주목하고 있어.
옛말속같이 진진초록 새 저고리를 입고
㉡손잔등이 밭고랑처럼 몹시도 터졌다 계집아이는 진진초록 새 저고리를 입고 있지만 **손잔등**은 몹시 터져 있네. 아마도 계집아이는 어린 나이임에도 고된 삶을 살고 있나 봐.
계집아이는 자성(慈城)으로 간다고 하는데
㉢자성은 예서 삼백오십 리 묘향산 백오십 리 묘향산 어디메서 삼촌이 산다고 한다 계집아이는 **삼촌**이 사는 곳을 찾아 먼 길을 떠나려는 중인가 봐.
㉣새하얗게 얼은 자동차 유리창 밖에
내지인 주재소장 같은 어른과 어린아이 둘이 내임*을 낸다
계집아이는 운다 느끼며 운다 내지인(일본인)으로 보이는 사람들이 계집아이를 **배웅**하고, 계집아이는 차 안에서 **울고** 있네.
㉤텅 비인 차 안 한구석에서 어느 한 사람도 눈을 씻는다 어느 한 사람이 울고 있는 계집아이의 슬픔에 공감하며 눈을 **씻고** 있어.
계집아이는 몇 해고 내지인 주재소장 집에서
밥을 짓고 걸레를 치고 아이보개를 하면서
이렇게 추운 아침에도 손이 꽁꽁 얼어서
찬물에 걸레를 쳤을 것이다 화자는 계집아이가 내지인 주재소장의 집에서 **밥**을 짓고, **아이**를 돌보고, 청소와 빨래를 하며 고된 삶을 살았을 것이라고 추측하고 있어.
　　　　　　– 백석,「팔원(八院) – 서행시초(西行詩抄) 3」–

*내임: 냄. '배웅'의 평안 방언.

화자와 대상의 관계	승합자동차에 타는 나이 어린 **계집아이**를 보고 있는 사람

1. ㉠~㉤에 대한 이해로 적절하지 않은 것은?

정답풀이

④ ㉣에서 '유리창 밖'은 안과 대비되어 육친과 이별하는 계집아이의 슬픔을 강조한다.

'유리창 밖'에서는 '내지인(일본인) 주재소장(일제강점기 때의 파출소장) 같은 어른과 어린아이 둘'이 계집아이를 배웅하고 있는데, '계집아이는 몇 해고 내지인 주재소장 집에서~걸레를 쳤을 것이다'를 통해 화자는 계집아이가 이들의 집에서 식모살이를 했을 것이라고 생각함을 알 수 있다. 따라서 계집아이가 육친(부모, 형제 등 혈족 관계에 있는 사람)과 이별하고 있다고 볼 수 없다.

오답풀이

① ㉠에서 '어린', '하나'는 화자가 계집아이에게 주목하게 된 계기를 나타낸다.

화자는 '어린 계집아이 하나'가 '묘향산행 승합자동차'에 오르는 모습을 보고 있는데, 어린 아이가 보호자도 없이 혼자 차를 탔기 때문에 주목하게 된 것으로 볼 수 있다.

② ㉡에서 '밭고랑'에 비유된 '손잔등'은 계집아이의 고달픈 삶을 드러낸다.

화자는 계집아이가 '몇 해고 내지인 주재소장 집에서' 밥을 짓고, 아이를 돌보고, 청소와 빨래를 하면서 식모살이를 했을 것이라고 추측한다. 따라서 '몹시도 터'진 '밭고랑'에 비유된 '손잔등'은 계집아이의 고달픈 삶을 드러낸다고 볼 수 있다.

③ ㉢에서 '삼백오십 리', '백오십 리'는 계집아이의 여정이 고단할 것임을 나타낸다.

'삼백오십 리'와 '백오십 리'는 계집아이가 간다고 하는 '자성'과 삼촌이 있다고 하는 '묘향산 어디메'까지의 거리로, 이렇듯 구체적인 거리를 제시함으로써 계집아이가 홀로 가야 하는 여정이 고단할 것임을 나타낸다고 볼 수 있다.

⑤ ㉤에서 '눈을 씻는다'는 계집아이에 대한 연민의 정서를 드러낸다.

계집아이와 같은 차를 타고 있던 '어느 한 사람도 눈을 씻는다'는 것은 울고 있는 계집아이를 보고 눈물을 흘렸음을 말하는 것이므로, 이는 계집아이에 대한 연민의 정서를 드러낸다고 볼 수 있다.

2. 문학 개념어 OX 확인 문제

① ✕
• 대비: 두 가지의 차이를 밝히기 위하여 서로 맞대어 비교함.

② ✕
• 역설: 표면적으로 모순되거나 부조리한 것 같지만 그 표면적인 진술 너머에서 진실을 드러내는 것.

📅 고3 2016학년도 7월 학평 – 나희덕, 「땅끝」

산 너머 고운 노을을 보려고
그네를 힘차게 차고 올라 발을 굴렀지
노을은 끝내 어둠에게 잡아먹혔지 _화자는 고운 **노을**을 보려고 그네를 탔어._
그러나 노을은 **어둠**에 먹혀 사라지고 볼 수 없게 되었지.
나를 태우고 날아가던 그넷줄이
오랫동안 삐걱삐걱 떨고 있었어 _화자는 노을을 보고 싶었던 소망이 좌절된 상황_
을 **그넷줄**이 떨고 있는 모습으로 표현하고 있어.

어릴 때는 나비를 좇듯
아름다움에 취해 땅끝을 찾아갔지 _어린 시절의 '**나**'는 **아름다움**을 좇아 땅끝에_
찾아갔다고 했으니, 이때의 **땅끝**은 화자가 추구하던 이상적이고 아름다운 공간을 의미
하겠네.
그건 아마도 끝이 아니었을지도 몰라
그러나 살면서 몇 번은 땅끝에 서게도 되지
파도가 끊임없이 땅을 먹어 들어오는 막바지에서
이렇게 뒷걸음질치면서 말야 _그러나 화자가 인생을 살면서 서게 된 땅끝은_
이상적인 공간이 아니라, **파도**가 치는 위태로운 상황에서 마주한 공간이었대.

살기 위해서는 이제
뒷걸음질만이 허락된 것이라고
파도가 아가리를 쳐들고 달려드는 곳
찾아나선 것도 아니었지만
끝내 발 디디며 서 있는 땅의 끝, _화자가 원한 것도 아닌데, 살기 위해 **뒷걸음질**_
을 치다 보니 땅의 **끝**에 서 있게 되었나 봐.
그런데 이상하기도 하지
위태로움 속에 아름다움이 스며 있다는 것이 _그런데 화자는 **위태로운** 땅끝_
에서 오히려 **아름다움**을 발견하기 시작해.
땅끝은 늘 젖어 있다는 것이 _땅끝은 육지의 끝이면서 바다가 시작되는 경계이기_
때문에 메마르지 않고 늘 **젖어** 있지. 이것이 바로 위태로운 땅끝에서 찾은 아름다움, 즉
절망적 상황에서 발견해낸 희망이라고 화자는 말하고 있는 거야.
그걸 보려고
또 몇 번은 여기에 이르리라는 것이 _그래서 화자는 절망 속에서도 **희망**을 발견_
할 수 있는 **땅끝**에 앞으로도 몇 번은 이르게 될 것이라고 생각하고 있네.

　　　　　　　　　　　　　　　　　　– 나희덕, 「땅끝」–

화자와 대상의 관계	**위태로움** 속에서도 **아름다움**과 희망을 발견할 수 있는 **땅끝** 에 대해 이야기하는 '**나**'

1. 윗글에 대한 이해로 가장 적절한 것은?

정답풀이 ▷

⑤ '위태로움 속에 아름다움이 스며 있다는 것이'는 삶의 고통 속에서 깨달은 삶의 아름다움을 표현한 것이다.

'위태로움 속에 아름다움이 스며 있다는 것이'는 '파도가 아가리를 쳐들고 달려드는' 땅끝에서 화자가 깨닫게 된 사실로, 삶의 시련과 절망 속에서 오히려 아름다움과 희망을 찾을 수 있다는 역설적 인식을 표현한 것이다.

오답풀이 ▷

① '아름다움에 취해 땅끝을 찾아갔지'는 어린 시절에 겪었던 삶의 좌절을 표현한 것이다.

'아름다움에 취해 땅끝을 찾아갔지'는 화자가 어린 시절에 아름다움을 좇아 이상적인 공간이라고 여긴 땅끝을 찾아간 적이 있음을 표현한 것이다. 이를 화자가 어린 시절에 겪었던 삶의 좌절로 보기는 어렵다.

② '그러나 살면서 몇 번은 땅끝에 서게도 되지'는 삶의 어려움을 극복하고 얻는 보람을 표현한 것이다.

'그러나 살면서 몇 번은 땅끝에 서게도 되지'는 화자가 살아가면서 위태롭고 절망적인 상황에 처한 적이 있음을 표현한 것이다. 이를 삶의 어려움을 극복하고 얻는 보람으로 보기는 어렵다.

③ '파도가 끊임없이 땅을 먹어 들어오는 막바지에서'는 삶의 시련과 이를 극복한 성취감을 표현한 것이다.

'파도가 끊임없이 땅을 먹어 들어오는 막바지에서'는 삶의 시련과 고난으로 인해 위태롭고 절박한 화자의 상황을 표현한 것이다. 이를 삶의 시련을 극복한 성취감으로 보기는 어렵다.

④ '뒷걸음질만이 허락된 것이라고'는 삶의 시련을 이겨 내려는 의지를 표현한 것이다.

'살기 위해서는 이제 / 뒷걸음질만이 허락된 것이라고'에서 '뒷걸음질'은 위태롭고 절박한 상황에 따른 화자의 처지를 드러낸다. 이를 삶의 시련을 이겨 내려는 의지로 보기는 어렵다.

2. 문학 개념어 OX 확인 문제

① ✕

• 성찰: 자기의 마음을 반성하고 살핌.

② ○

• 도치: 문장 성분의 정상적인 배열 순서를 바꾸어 그 의미를 강조하는 것. 특히 주어와 서술어의 순서가 뒤바뀌거나, 목적어와 서술어의 순서가 뒤바뀐 경우에 주의해야 함.
　근거 '그런데 이상하기도 하지~또 몇 번은 여기에 이르리라는 것이'

📅 고3 2016학년도 3월 학평 - 고은, 「머슴 대길이」

새터 관전이네 머슴 대길이는
상머슴으로

화자는 **상머슴**(일을 잘하는 장정 머슴)인 **대길이**에 대해 이야기하네.

누룩도야지 한 마리 번쩍 들어
도야지우리에 넘겼지요
그야말로 도야지 멱따는 소리까지도 후딱 넘겼지요

대길이는 **돼지** 한 마리를 번쩍 들 정도로 **힘**이 센 인물이야.

밥때 늦어도 투덜댈 줄 통 모르고
이른 아침 동네길 이슬도 털고 잘도 치워 훤히 가르마 났지요

또한 **투덜**대는 일도 없고 이른 아침부터 **동네길**을 치우는 부지런하고 배려심이 깊은 사람이지.

그러나 낮보다 어둠에 빛나는 먹눈이었지요
머슴방 등잔불 아래
나는 대길이 아저씨한테 가갸거겨 배웠지요
그리하여 장화홍련전을 주룩주룩 비 오듯 읽었지요
어린아이 세상에 눈떴지요 ·· ㉠
일제 36년 지나간 뒤 가갸거겨 아는 놈은 나밖에 없었지요

대길이는 머슴이었지만 총명한 인물이었어. '나'는 대길이 덕분에 일제 치하에서도 **한글**을 깨우칠 수 있었어.

대길이 아저씨한테는
주인도 동네 어른들도 함부로 대하지 못하였지요   ㉡

대길이의 신분이 비록 **머슴**이었지만 사람들은 대길이를 **함부로** 대하지 못했어.

살구꽃 핀 마을 뒷산 올라가서
홑적삼 처녀 따위에는 눈요기도 안하고
지겟작대기 뉘어놓고 먼 데 바다를 바라보았지요 ·············· ㉢

대길이는 이성에 대한 관심은 없고, **바다**와 같이 넓은 세상을 동경했나 봐.

나도 따라 바라보았지요
우르르르 달려가는 바다 울음소리 들리는 듯하였지요
찬 겨울 눈더미 가운데서도
덜렁 겨드랑이에 바람 잘도 드나들었지요
그가 말했지요
사람이 너무 호강하면 저밖에 모른단다   ㉣
남하고 사는 세상이란다

대길이는 **저**밖에 모르는 이기적인 삶의 태도를 경계하고, **남**하고 더불어 사는 삶을 중요하게 생각했어.

대길이 아저씨
그는 나에게 불빛이었지요   ㉤
자다 깨어도 그대로 켜져서 밤새우는 긴 불빛이었지요

대길이는 '나'에게 바람직한 가치관과 삶의 방향을 일깨워준 **불빛**과도 같은 존재야.

　　　　　　　　　　　　　　　　　　 - 고은, 「머슴 대길이」 -

| 화자와 대상의 관계 | 삶의 스승이었던 **대길이**를 떠올리는 '나' |

1. ㉠~㉤에 대해 이해한 내용으로 적절하지 **않은** 것은?

정답풀이 ▶

③ ㉢: '대길이 아저씨'가 현실 세계에 대한 대안의 공간으로 순수한 자연의 세계를 동경하고 있었음을 보여 준다.

'홑적삼 처녀'에는 관심도 가지지 않고 '먼 데 바다를 바라보'는 '대길이 아저씨'를 통해 그가 가진 이상을 확인할 수 있으나, '대길이 아저씨'는 '이른 아침 동네길 이슬도 털고 잘도 치'우는 등 자신의 일을 충실히 하는 인물이었으며, '남하고 사는 세상' 속에서 이웃을 향한 따뜻한 배려심을 갖고 있던 인물이다. 그렇기에 '대길이 아저씨'가 순수한 자연의 세계를 현실 세계에 대한 대안으로 삼아 동경했다고 보기는 어렵다.

오답풀이 ▶

① ㉠: '대길이 아저씨'에게 한글을 배워 세상에 대해 알아 갈 수 있는 눈을 갖게 되었음을 보여 준다.

'나'는 '대길이 아저씨'에게 배운 한글을 통해 '세상에 눈떴'다고 하였는데, 이는 화자가 세상을 알아 갈 수 있는 눈을 갖게 되었다는 의미로 볼 수 있다.

② ㉡: '대길이 아저씨'가 낮은 신분임에도 불구하고 그를 존중하는 태도가 공동체 내부에 형성되어 있었음을 보여 준다.

머슴이었던 '대길이 아저씨'에게 '주인도 동네 어른들도 함부로 대하지 못하였'다는 것은 마을 사람들이 신분과는 별개로 '대길이 아저씨'를 존중하고 있었다는 의미로 이해할 수 있다.

④ ㉣: 이기적인 삶을 멀리하고자 했던 '대길이 아저씨'의 가치관이 화자에게도 전달되었음을 보여 준다.

화자가 '남하고 사는 세상'이기에 '저밖에 모'르는 것을 경계해야 함을 알려준 '대길이 아저씨'의 말을 떠올리는 것에서 이기적인 삶을 멀리하고자 했던 '대길이 아저씨'의 공동체적 가치관이 화자에게도 전달되었음을 확인할 수 있다.

⑤ ㉤: '대길이 아저씨'가 화자에게 특별한 존재로 남아 변함없이 화자의 삶을 이끌어주었음을 보여 준다.

'대길이 아저씨'가 화자에게 '자다 깨어도 그대로 켜져서 밤새우는 긴 불빛'이었다는 것은, 그가 화자의 삶을 이끌어준 나침반과도 같은 특별한 존재였다는 의미로 이해할 수 있다.

2. 문학 개념어 OX 확인 문제

MEMO

① ○

- **회상**: 지난 일을 돌이켜 생각함. 또는 그런 생각.

  근거 '나는 대길이 아저씨한테 가갸거겨 배웠지요' 등

② ✕

- **가상**: 사실이 아니거나 사실 여부가 분명하지 않은 것을 사실이라고 가정하여 생각함. 시에서 화자의 실제 경험에 기반한 진술과 가상의 상황에 대한 진술은 서로 구분하여 이해해야 함.

📅 고3 2015학년도 10월 학평B – 김광균,「향수」

저물어 오는 육교 우에
한 줄기 황망한 기적을 뿌리고
초록색 램프를 달은 화물차가 지나간다 해가 **저물어** 가는 늦은 오후에
화물차가 경적 소리를 울리면서 육교 밑을 지나가고 있어.

어두운 밀물 우에 갈매기떼 우짖는
바다 가까이
정거장도 주막집도 헐어진 나무다리도
온―겨울 눈 속에 파묻혀 잠드는 **고향** 화자는 **바다** 가까이에 있는 어둡고
적막한 **고향**의 풍경을 떠올리고 있어.

산도 마을도 포플라 나무도 고개 숙인 채
호젓한* 낮과 밤을 맞이하고
그 곳에
언제 꺼질지 모르는
조그만 생활의 촛불을 에워싸고
해마다 가난해가는 **고향 사람들** 화자가 떠올리는 고향은 **쓸쓸**하고 외로운
이미지로 나타나고 있어. 그리고 화자는 그곳에서 **가난**하게 살아가는 고향 사람들도 생각
하고 있네.

낡은 비오롱*처럼
바람이 부는 날은 **서러운** 고향 화자는 고향을 떠올리며 **서러움**을 느껴.
고향 사람들의 한 줌 희망도
진달래빛 노을과 함께
한 번 가고는 다시 못 오기 고향 사람들은 곧 사라져 버리는 **노을**처럼 한 줌의
희망조차 지속하기 어려운 상황에 있어.

저무는 도시의 옥상에 기대어 서서
내 생각하고 **눈물지움**도
한 떨기 들국화처럼 차고 서글프다 화자는 저무는 **도시**의 옥상에서 **고향**을
생각하며 **눈물**짓고 서글퍼하고 있네.

– 김광균,「향수」 –

*호젓한: 쓸쓸하고 외로운.
*비오롱: 바이올린.

화자와 대상의 관계	고향과 고향 **사람들**을 떠올리며 서글퍼하는 '나'

1. 윗글에 대한 이해로 적절하지 <u>않은</u> 것은?

정답풀이

② '한 줄기 황망한 기적'과 '낡은 비오롱'은 고향에 대한 화자의 연민의 정서를 환기하고 있다.

> 1연에서 화자는 '저물어 오는 육교' 위로 울려 퍼지는 '한 줄기 황망한 기적' 소리를 듣고 있다. 이때 '황망한 기적' 소리는 저물어 가는 도시의 풍경과 조응될 뿐, 그 자체가 고향에 대한 화자의 연민의 정서를 불러일으키는 것은 아니다. 또한 4연의 '낡은 비오롱'은 바람 소리를 비유한 표현일 뿐, 이 역시 고향에 대한 화자의 안타까움과 연민을 자아내는 것과는 관련이 없다.

오답풀이

① '호젓한', '서러운'을 통해 고향에 대한 화자의 심정이 노출되고 있다.

> 화자가 떠올리고 있는 '서러운 고향'은 '호젓한' 즉, 쓸쓸하고 외로운 '낮과 밤을 맞이하'는 곳으로, 이를 통해 화자가 고향을 떠올리며 느끼는 호젓하고 서러운 심정을 확인할 수 있다.

③ '한 떨기 들국화처럼 차고 서글프다'에는 '눈물지'을 수밖에 없는 화자의 비애감이 집약되어 있다.

> 화자는 '도시의 옥상'에서 고향을 떠올리며 '눈물'짓고 있다. 따라서 '한 떨기 들국화처럼 차고 서글프다'에는 고향과 고향 사람들을 생각하며 눈물을 흘릴 수밖에 없는 화자의 비애감이 집약되어 있다고 볼 수 있다.

④ '언제 꺼질지 모르는 / 조그만 생활의 촛불'을 통해 '고향 사람들'의 힘겨운 삶의 모습을 나타내고 있다.

> '언제 꺼질지 모르는 / 조그만 생활의 촛불을 에워싸고 / 해마다 가난해가는 고향 사람들'을 통해 '고향 사람들'이 가난하고 힘겨운 처지에 있음을 알 수 있다.

⑤ '저무는 도시의 옥상'은 화자의 현재 위치를 드러내는 시공간적 배경으로 어둡고 쓸쓸한 분위기를 조성하고 있다.

> 화자는 현재 '저무는 도시의 옥상'에서 고향을 떠올리며 '눈물'짓고 있는데, 이러한 시공간적 배경은 어둡고 쓸쓸한 분위기를 조성한다고 볼 수 있다.

2. 문학 개념어 OX 확인 문제

> ① ✕
> • 음성 상징어: 사람이나 사물의 소리를 흉내 낸 말인 '의성어'와 사람이나 사물의 모양이나 움직임을 흉내 낸 말인 '의태어'를 통틀어 이르는 말.

> ② ✕
> • 점층: 뒤로 갈수록 의미가 강하게, 비중이 높게, 강도가 크게 되도록 시어를 배치하는 방법.

📅 고3 2015학년도 7월 학평B – 이용악, 「전라도 가시내」

알룩조개에 입맞추며 자랐나
눈이 바다처럼 푸를뿐더러 까무스레한 네 얼굴
가시내야   알룩조개와 **바다**의 이미지를 활용하여 **가시내**의 외양을 감각적으로 묘사하며 가시내를 부르고 있어.

나는 발을 얼구며
무쇠다리를 건너온 함경도 사내   화자인 '나'는 발이 얼어붙는 추위를 헤치며 무쇠다리를 건너온 **함경도 사내**로 제시되고 있네.

바람소리도 호개도 인전 무섭지 않다만
어두운 등불 밑 안개처럼 자욱한 시름을 달게 마시련다만   이제는 **바람소리**도 호개도 무섭지 않고 **시름**도 달게 마신다고 하네. 화자는 고달픈 삶을 묵묵히 받아들이고 있는 거야.

어디서 흥참한 기별이 뛰어들 것만 같애
두터운 벽도 이웃도 못 미더운 ㉠북간도 술막   전라도에서 온 가시내와 함경도에서 온 '나'는 분위기가 흉흉한 **북간도**의 한 술집에서 서로 마주하고 있는 상황인가 봐.

온갖 방자의 말을 품고 왔다
눈포래를 뚫고 왔다
가시내야   눈포래를 뚫고 온 '나'가 가시내를 또 불러 보네.
너의 가슴 그늘진 숲속을 기어간 오솔길을 나는 헤매이자
술을 부어 남실남실 술을 따르어
㉡가난한 이야기에 고히 잠거다오   '나'는 그늘진 숲속과도 같이 어두운 삶을 살아온 가시내의 **가난한** 이야기를 듣고 있어.

네 두만강을 건너왔다는 석 달 전이면
단풍이 물들어 천리 천리 또 천리 산마다 불탔을 겐데
그래두 외로워서 슬퍼서 초마폭으로 얼굴을 가렸더냐   석 달 전 **두만강**을 건너 북간도로 온 가시내는 고향을 떠나는 길이었기 때문에 단풍이 물든 풍경을 봐도 **외롭**고 슬펐을 거야.

두 낮 두 밤을 ㉢두루미처럼 울어 울어
불술기 구름 속을 달리는 양 유리창이 흐리더냐   불술기(기차)를 타고 고향을 떠나오면서 가시내는 **두루미**처럼 밤낮으로 울었을 거야.

차알삭 부서지는 파도소리에 취한 듯
때로 ㉣싸늘한 웃음이 소리 없이 새기는 보조개
가시내야   아마도 고향에서 들었을 **파도소리**를 떠올리며 **싸늘한 웃음**을 짓는 가시내를 화자는 다시 불러보고 있어.
울 듯 울 듯 울지 않는 전라도 가시내야
두어 마디 너의 사투리로 때 아닌 봄을 불러줄게   화자는 전라도 가시내에게 연민을 느끼며 전라도 **사투리**로 위로를 건네려 하고 있어.
손때 수줍은 분홍 댕기 휘 휘 날리며
잠깐 ㉤너의 나라로 돌아가거라   화자는 전라도 가시내가 잠깐이라도 너의 나라, 즉 **고향**을 느낄 수 있기를 바라고 있어.

이윽고 얼음길이 밝으면
나는 눈포래 휘감아치는 벌판에 우줄우줄 나설 게다

노래도 없이 사라질 게다
자욱도 없이 사라질 게다   화자는 **얼음길**과 눈포래 같은 암담한 현실 속에서도 굴하지 않고 **벌판**에 우줄우줄 나서겠다며 비장한 의지를 보이고 있어.

                       – 이용악, 「전라도 가시내」 –

화자와 대상의 관계	북간도에서 만난 **전라도 가시내**를 위로하며 암담한 **현실**에 맞서고자 하는 **의지**를 드러내는 '나'

1. ㉠~㉤에 대한 이해로 적절하지 않은 것은?

정답풀이

④ ㉣: 가시내가 함경도 사내에게 느끼는 연민의 정서를 나타낸다.

> '두만강을 건너' 북간도에 온 '가시내'는 '외로워서 슬퍼서' 눈물짓는 모습으로 그려지고 있다. 이를 통해 그녀가 고향을 떠나 외롭고 힘겨운 생활을 하고 있음을 짐작할 수 있다. 즉 '가시내'가 짓는 ㉣(싸늘한 웃음)은 자신의 고통스러운 삶에 대해 생각하며 짓는 씁쓸한 웃음으로 볼 수 있을 뿐, 이를 통해 '가시내'가 화자인 '함경도 사내'에게 연민을 느꼈는지는 알 수 없다.

오답풀이

① ㉠: 가시내가 함경도 사내와 함께 있는 공간으로 두렵고 불안한 상황임을 나타낸다.

> 화자인 '함경도 사내'가 시적 대상인 전라도 가시내를 향해 '가시내야'라고 부르며 말을 건네는 장소는 ㉠(북간도 술막)으로 볼 수 있다. 이는 '흉참한 기별이 뛰어들 것만 같은', '두터운 벽도 이웃도 못 미더운' 곳으로 그려지고 있으므로, 가시내와 함경도 사내가 처한 불안하고 두려운 상황을 나타낸다고 할 수 있다.

② ㉡: 가시내의 고통스럽고 힘들었던 삶을 나타낸다.

> '가시내'는 '두만강을 건너 왔'으며, '외로워서 슬퍼서' 눈물짓는 모습으로 그려지고 있다. 이를 통해 그녀가 고향을 떠나 외롭고 힘겨운 생활을 하고 있음을 짐작할 수 있다. 따라서 ㉡(가난한 이야기)은 '가시내'가 고통스럽고 힘겨운 삶을 살아왔음을 보여 준다고 할 수 있다.

③ ㉢: 가시내가 고국을 떠나야 했던 슬픔을 나타낸다.

> '가시내'는 '석 달 전' 고향을 떠나 '두만강을 건너' '북간도'에 왔다. 화자는 그녀가 고향을 떠나올 때 '외로워서 슬퍼서' '두루미처럼 울'었느냐고 묻고 있다. 따라서 ㉢(두루미처럼 울어 울어)은 '가시내'가 고국을 떠나야 했던 슬픔을 보여 준다고 할 수 있다.

⑤ ⓜ: 가시내가 위로를 받을 수 있는 추억의 공간을 나타낸다.

> ⓜ(너의 나라)은 화자가 '두어 마디 너의 사투리로 때 아닌 봄을' 부름으로써
> '가시내'가 잠깐이라도 돌아간 듯한 느낌을 받을 수 있었으면 하고 바라는
> 곳으로 나타나고 있다. 고향을 떠나온 '가시내'의 처지를 고려할 때 ⓜ은
> 가시내가 위로를 받을 수 있는 추억의 공간, 즉 고향을 의미함을 알 수 있다.

2. 문학 개념어 OX 확인 문제

> ① ✕
>
> • **역설**: 표면적으로는 모순되거나 부조리한 것 같지만 그 표면적인 진술
> 너머에서 진실을 드러내는 것.
>
> ② ✕
>
> • **시상의 전환(반전)**: 시에서 나타난 정서나 시적 대상이 이전과는 달리
> 바뀌는 것. 이전까지 일정한 흐름이 유지되다가 결정적인 순간에 정서나
> 시적 대상이 바뀐 경우를 시상의 전환으로 볼 수 있음.

📅 고3 2014학년도 10월 학평A – 박재삼, 「추억에서」

진주 장터 생어물전에는
바다 밑이 깔리는 해 다 진 어스름을, **생어물전**은 생선을 파는 가게야. **해**가 지고 어두워진 바다 근처 진주 **장터**의 풍경을 보여 주고 있어.

울엄매의 장사 끝에 남은 고기 몇 마리의 생어물전은 **울엄매**가 장사를 하는 일터인가 봐.
빛 발(發)하는 눈깔들이 속절없이
은전(銀錢)만큼 손 안 닿는 한(恨)이던가.
울엄매야 울엄매, 울엄매는 **고기**(생선)를 미처 다 팔지 못하고 장사를 마쳤어. 은전에 손이 닿지 않는 가난한 삶이 **한**스러웠을 거야.

별밭은 또 그리 멀리
우리 오누이의 머리 맞댄 골방 안 되어
손시리게 떨던가 손시리게 떨던가. 오누이는 **골방**에서 추위에 떨며 장사하러 간 어머니를 기다렸나 봐.

진주 남강 맑다 해도
오명 가명
신새벽이나 밤빛에 보는 것을, 어머니는 가족들의 생계를 책임지느라 **새벽** 일찍 나가서 **밤** 늦게야 돌아오는 고단한 삶을 살았어.
울엄매의 마음은 어떠했을꼬.
㉠달빛 받은 옹기전의 옹기들같이
말없이 글썽이고 반짝이던 것인가. 화자는 힘겨운 삶을 살아온 울엄매의 한스러운 **마음**과 울엄매가 흘렸을 **눈물**을 생각하고 있어.

– 박재삼, 「추억에서」 –

화자와 대상의 관계	**가난**했던 어린 시절을 떠올리며 고달픈 삶을 살았던 어머니의 **한**과 눈물을 생각하는 '나'(우리)

1. ㉠에 대한 이해로 가장 적절한 것은?

▶ 정답풀이

② 화자는 달빛이 반사되어 반짝이는 옹기에서 어머니의 눈물을 연상하며 어머니의 한을 떠올리고 있다.

화자의 어머니는 생선 장사를 하며 생계를 이어나가느라 자식들을 골방에 둔 채 '신새벽'에 집을 나섰다가 '해 다 진' 밤이 되어서야 집으로 돌아오는 고된 생활을 하였다. 화자는 그러한 '울엄매의 마음'에 대해 '달빛 받은 옹기전의 옹기들같이 / 말없이 글썽이고 반짝이던 것인가.'(㉠)라고 하였으므로, 이때 '글썽이고 반짝이던 것'은 눈물을 나타내는 표현이다. 따라서 ㉠은 화자가 달빛이 반사되어 반짝이는 옹기를 보며 어머니가 흘렸을 눈물과 한스러운 심정을 떠올린 것으로 볼 수 있다.

▶ 오답풀이

① 화자는 달빛을 보며 현실을 도피하고자 했던 어머니의 의지를 연상하고 있다.

윗글에서 어머니가 현실을 도피하고자 했다는 내용은 찾을 수 없다.

③ 화자는 옹기처럼 반짝이는 아이들의 눈을 보면서 삶의 희망을 잃지 않았던 어머니의 모습을 추억하고 있다.

'달빛 받은 옹기전의 옹기들'처럼 반짝이던 것은 화자가 연상한 어머니의 눈물로, 윗글에서 화자가 옹기처럼 반짝이는 아이들의 눈을 바라보는 부분은 확인할 수 없다.

④ 화자는 옹기전의 옹기들이 달빛에 반짝이는 아름다운 장면을 통해 어머니와의 즐거웠던 추억을 떠올리며 행복감에 젖어 있다.

화자는 옹기전의 옹기들이 달빛에 반짝이는 모습을 보며 가족의 생계를 책임지느라 고단하게 살았던 어머니의 삶과 한스러운 심정을 떠올리고 있을 뿐, 어머니와의 즐거웠던 추억을 떠올리고 있지는 않다.

⑤ 화자는 달빛 받은 옹기들을 보며 생계를 위해 밤늦게까지 옹기전에서 일할 수밖에 없었던 어머니의 고통스런 삶을 안쓰러워하고 있다.

윗글에서 화자의 어머니가 생계를 위해 밤늦게까지 일했던 장소는 '진주 장터 생어물전'으로 제시되고 있다.

2. 문학 개념어 OX 확인 문제

① ✕

• 대조: 1. 둘 이상인 대상의 내용을 맞대어 같고 다름을 검토함. 2. 서로 달라서 대비가 됨.

② ✕

• 수미상관: 시의 처음과 끝에 동일하거나 유사한 시구를 배치시키는 것. 형태적 안정감을 주고, 시상에 통일성을 부여하며, 의미를 강조하는 효과가 있음.

📅 고2 2019학년도 3월 학평 – 이용악, 「하늘만 곱구나」

집도 많은 집도 많은 남대문턱 움 속에서 두 손 오구려 혹혹 입김 불며 이따금씩 쳐다보는 하늘이사 아마 하늘이기 혼자만 곱구나 　화자는 제대로 된 집이 아닌 **움** 속에서 두 손에 **입김**을 불어 추위를 견디며 살고 있어. 이런 비참한 현실과 **달리** 이따금씩 쳐다본 **하늘**은 곱기만 하지. 부정적 현실과 아름다운 자연의 모습이 대비되고 있네.

거북네는 만주서 왔단다 두터운 얼음장과 거센 바람 속을 세월은 흘러 거북이는 만주서 나고 할배는 만주에 묻히고 세월이 무심찮아 봄을 본다고 쫓겨서 울면서 가던 길 돌아왔단다 　**거북네**는 두터운 **얼음장**과 **거센** 바람 같은 고난과 시련의 세월을 겪었어. 그리고 쫓겨서 갔던 **만주**에서 다시 고국으로 돌아온 거지.

띠팡*을 떠날 때 강을 건늘 때 조선으로 돌아가면 빼앗겼던 땅에서 농사지으며 가 갸 거 겨 배운다더니 조선으로 돌아와도 집도 고향도 없고 　거북네가 **조선**(고국)으로 돌아올 때는 잃었던 땅에서 **농사**를 짓고 **한글**도 배우며 살 수 있으리라는 희망이 있었어. 하지만 막상 돌아와 보니 **집**도 **고향**도 없었대.

거북이는 배추꼬리를 씹으며 달디달구나 배추꼬리를 씹으며 꺼무테테한 아배의 얼굴을 바라보면서 배추꼬리를 씹으며 거북이는 무엇을 생각하누 　답답한 현실 속에서 **거북이**는 배추꼬리를 씹으며 꺼무테테한 아버지의 얼굴을 보고 **생각**에 잠기지.

첫눈 이미 내리고 이윽고 새해가 온다는데 집도 많은 집도 많은 남대문턱 움 속에서 이따금씩 쳐다보는 하늘이사 아마 하늘이기 혼자만 곱구나 　새해가 가까워 오지만 거북네가 처한 현실은 변함이 없어. 여전히 **움** 속에서 바라보는 하늘은 **혼자만** 곱다고 하면서 1연의 내용이 **반복**되어 수미상관의 구조가 드러나고 있네.

– 이용악, 「하늘만 곱구나」 –

*띠팡: '장소'를 뜻하는 중국말. 여기서는 거북네가 유이민으로 생활하면서 경작하던 땅을 가리킴.

화자와 대상의 관계	추운 겨울 고운 **하늘**을 바라보며 **거북네**가 처한 **비참한** 현실에 대해 이야기하는 사람

1. 윗글에 대한 이해로 적절하지 <u>않은</u> 것은?

정답풀이 ▷

④ 4연에서는 거북이와 아배의 행동이 번갈아 제시되면서 거북이의 내적 갈등이 드러난다.

4연에서는 '배추꼬리를 씹으며' '아배의 얼굴을 바라보'고 '무엇을 생각하'고 있는 거북이의 모습이 나타날 뿐, 거북이와 아배의 행동이 번갈아 제시되고 있지는 않다.

오답풀이 ▷

① 1연에서는 고운 '하늘'과 '두 손을 오구려 혹혹 입김'을 부는 '움 속'의 상황이 대비를 이룬다.

1연에서 '두 손 오구려 혹혹 입김'을 불며 추위에 떨어야 하는 '움 속'의 상황과 혼자만 고운 '하늘'은 상황적으로 대비된다고 볼 수 있다.

② 2연에서 '두터운 얼음장과 거센 바람 속'의 세월은 거북네가 겪었을 시련을 짐작하게 한다.

2연에서 '두터운 얼음장과 거센 바람 속'의 세월은 '거북네'가 만주에서 겪었을 시련을 의미한다고 짐작할 수 있다.

③ 3연에서는 거북네가 고향에 돌아오면서 가졌던 기대와 돌아와서 직면한 현실 사이의 괴리가 드러난다.

3연에서는 '조선으로 돌아가면 빼앗겼던 땅에서 농사지으며 가 갸 거 겨', 즉 한글을 배울 수 있을 것이라고 믿은 거북네의 기대와, '조선으로 돌아와도 집도 고향도 없'다는 상황에 직면한 거북네의 현실 사이의 괴리가 드러난다고 볼 수 있다.

⑤ 5연에서 '첫눈'이 내리고 '새해가 온다는데'도 '움 속'에서 보는 '하늘'이 '혼자만 곱'다는 것은 상황의 비극성을 부각한다.

5연에서 겨울이 되어 '첫눈'이 내리고 '새해'가 오면서 새로운 희망이나 설렘을 느낄 시기에도 변함 없이 '움 속'에서 혼자만 고운 하늘을 바라보는 모습은 거북네가 처한 비참한 현실의 비극성을 부각한다고 볼 수 있다.

2. 문학 개념어 OX 확인 문제

① ○

• 구체적 지명의 활용: 구체적 지명이 나타난 시어를 사용하면 시상 전개에 현장감, 사실성 등이 부여됨.
　근거 '남대문턱', '만주', '조선'

② ○

• 반복: 같은 것을 되풀이함. 음운이나 음절의 반복, 시어나 시구의 반복, 유사한 문장 구조의 반복 등이 있으며, 이를 통해 운율을 형성하고 의미를 강조하는 효과가 있음.
　근거 '집도 많은 집도 많은', '하늘이사 아마 하늘이기 혼자만 곱구나', '배추꼬리를 씹으며 달디달구나 배추꼬리를 씹으며' 등

📅 고2 2016학년도 6월 학평 – 박목월, 「만술 아비의 축문」

아베요 아베요
내 눈이 티눈*인 걸 / 아베도 알지러요. 화자는 자신이 까막눈임을 **아베**(아버지)에게 말하고 있어.
등잔불도 없는 제사상에 / **축문***이 당한기요. 화자는 돌아가신 아버지에게 말을 건네고 있는 거였네. 글을 읽을 줄도 모르고 제사상에 **등잔불**도 없을 만큼 가난한데 제대로 된 **축문**이 있기는 어렵겠지.
눌러 눌러 / **소금에 밥**이나마 많이 묵고 가이소. 가난한 형편임에도 돌아가신 아버지를 위해 정성을 다하고자 하는 화자의 진심을 엿볼 수 있어.

┌─ 윤사월 **보릿고개**
│ 아베도 알지러요. **보릿고개**이니 제사 음식을 마련하기는 더욱 어려웠을 거야.
│ **간고등어 한 손**이믄
[A] **아베 소원** 풀어드리련만 제사상에 **간고등어** 한 손 올리지 못한 화자의 안타까움이 드러나지.
│ **저승길** 배고프라요
└─ **소금에 밥**이나마 많이 묵고 묵고 가이소. 저승길로 향하는 아버지에게 **소금**에 밥이라도 많이 드시고 가라며 정성을 다하고 있어.

┌─ 여보게 **만술(萬述) 아비**
│ 니 정성이 **엄첩다***. 여기서 화자가 바뀌었네. 1연의 화자는 **만술 아비**였나 봐. 2연에서는 만술 아비가 정성으로 제사를 지내는 모습을 대견하게 여기는 또 다른 화자가 등장했어.
[B] **이승 저승** 다 다녀도
│ 인정보다 귀한 것 있을락꼬. **인정**이 가장 가치 있는 것이라는 화자의 생각이 드러나네.
│ **망령(亡靈)**도 응감(應感)하여, 되돌아가는 **저승길**에
└─ 니 정성 느껴느껴 세상에는 굵은 **밤이슬**이 온다. 아버지의 혼도 만술 아비의 정성에 감동했다고 하네.

                            – 박목월, 「만술(萬述) 아비의 축문(祝文)」 –

*티눈: 까막눈.
*축문: 제사 때에 읽어 천지신명(天地神明)께 고하는 글.
*엄첩다: '대견하다'의 경상도 방언.

| 화자와 대상의 관계 | 화자 1: 가난하지만 정성으로 돌아가신 **아버지**의 제사상을 차리는 '나'(만술 아비) |
| | 화자 2: **만술 아비**를 지켜보며 그의 **정성**을 높이 평가하는 사람 |

1. 윗글의 [A], [B]에 대한 설명으로 적절한 것은?

정답풀이

④ [B]에서 '밤이슬'이 오는 것은 [A]의 '소금에 밥'을 바치는 마음 때문이다.

[B]에서는 만술 아비의 정성에 '망령도 응감'해서 '굵은 밤이슬'이 온다고 하였다. 이는 [A]에서 만술 아비가 돌아가신 아버지를 위해 '소금에 밥'이나마 정성으로 제사상을 차려 바친 마음이 죽은 아버지를 감동시켰다는 의미이므로, [B]의 '밤이슬'은 [A]의 '소금에 밥'을 바치는 마음에서 비롯된 것으로 볼 수 있다.

오답풀이

① [A]와 [B]에서 '저승길'을 가는 주체는 '만술 아비'이다.

[A]와 [B]에서 '저승길'을 가는 주체는 '만술 아비'의 죽은 아버지이다. [B]의 '여보게 만술 아비 / 니 정성이 엄첩다.'를 통해 '만술 아비'가 제사를 지낸 주체임을 알 수 있다.

② [A]의 '아베 소원'에 [B]의 '망령'도 응하여 감동하고 있다.

[B]의 '망령'이 응하여 감동한 것은 [A]에서 가난하지만 '소금에 밥'이나마 정성으로 제사상을 차려 바친 만술 아비의 마음 때문이다. '아베 소원'은 '간고등어 한 손'을 먹고 싶었던 것으로, 이에 대해 '망령'이 감동한 것은 아니다.

③ [A]의 '보릿고개'는 [B]의 '이승 저승'을 다 다니며 겪는 것이다.

[A]의 '보릿고개'는 제대로 된 제사상을 차리기 어려운 만술 아비의 가난한 처지를 짐작케 하는 배경일 뿐, [B]의 '이승 저승'을 다 다니며 겪는 것은 아니다.

⑤ [B]에서 '엄첩다'고 한 것은 [A]에서 '간고등어 한 손'을 준비했기 때문이다.

[A]에서 만술 아비는 '아베 소원'이었던 '간고등어 한 손'을 준비하지 못했다. 그럼에도 [B]의 화자가 만술 아비에게 '엄첩다'고 한 것은 '간고등어'는 없지만 '소금에 밥이나마' 정성으로 제사상을 차려 바친 만술 아비의 인정을 가치 있게 보았기 때문이다.

2. 문학 개념어 OX 확인 문제

① ○

• 말을 건네는 방식: 시에서 표면적 청자가 있거나 가상의 청자를 고려한 종결 표현을 사용하여 화자가 누군가에게 말을 건네는 느낌이 나타나게 하는 것.
  [근거] '아베요 아베요', '여보게 만술 아비' 등

② ✕

• 원경: 멀리 보이는 경치. 또는 먼 데서 보는 경치.
• 근경: 가까이 보이는 경치. 또는 가까운 데서 보는 경치.

📅 고3 2015학년도 수능B – 오장환, 「고향 앞에서」 / 최두석, 「낡은 집」

(가)

흙이 풀리는 내음새
강바람은
산짐승의 우는 소리 불러
㉠다 녹지 않은 얼음장 울멍울멍 떠내려간다.　흙이 **풀리는** 냄새가
나는 것으로 보아 겨울에서 봄으로 계절이 바뀌고 있나 봐. 강바람에 산짐승의 **우는**
소리가 실려 오고, **얼음장**은 울멍울멍 떠내려가고 있어.

진종일
나룻가에 서성거리다
행인의 손을 쥐면 따뜻하리라.　화자는 하루 종일 **나룻가**에서 서성거리고
있나 봐. 그러면서 행인의 손을 쥐면 느끼게 될 **따뜻함**에 대해 생각하고 있어.

고향 가차운 주막에 들러
㉡누구와 함께 지난날의 꿈을 이야기하랴.　고향 가까운 곳의 **주막**에
들른 화자는 지난날의 **꿈**을 함께 이야기할 사람이 없음에 안타까움을 느끼고 있어.

양귀비 끓여다 놓고
주인집 늙은이는 공연히 눈물짓는다.　**주인집 늙은이**가 공연히(까닭 없이)
눈물을 흘리고 있네. 고향 근처 주막의 쓸쓸하고 애상적인 분위기가 잘 드러나고 있어.

간간이 잰나비 우는 산기슭에는
아직도 무덤 속에 조상이 잠자고
설레는 바람이 가랑잎을 휩쓸어간다.　**조상**의 무덤이 있는 산기슭의 풍경
도 쓸쓸하고 적막한 분위기를 자아내고 있어.

예제로* 떠도는 장꾼들이여!
상고(商賈)하며 오가는 길에
㉢혹여나 보셨나이까.

전나무 우거진 **마을**
집집마다 누룩을 디디는 소리, 누룩이 뜨는 내음새……　화자는
여기저기로 떠도는 **장꾼**들에게 전나무가 우거지고 집집마다 누룩 내음새가 나는 **마을**
을 보았는지 물어보며 고향을 그리워하고 있어.

　　　　　　　　　　　　　– 오장환, 「고향 앞에서」 –

*예제로: 여기저기로.

화자와 대상의 관계	나룻가와 **주막**에서 평화로운 고향의 모습을 떠올리며 **그리워**하는 사람

(나)

　귀향이라는 말을 매우 어설퍼하며 마당에 들어서니 다리를
저는 오리 한 마리 유난히 허둥대며 두엄자리로 도망간다.　화자
는 오랜만에 고향에 돌아왔는지 **귀향**이라는 말이 어설프다고 하네. ㉣**나의 부모인
농부 내외와 그들의 딸**이 사는 슬레이트 흙담집, 겨울 해어름의

㉤집 안엔 아무도 없고 방바닥은 선뜩한 냉돌이다.　겨울 저녁, 슬레이트
와 흙담으로 이루어진 허름한 고향집에 와 보니, 아무도 없고 방바닥은 차가운 **냉돌**이었나 봐.
여덟 자 방구석엔 고구마 뒤주가 여전하며 벽에 메주가 매달려 서로
박치기한다.　여덟 자인 작은 방 안의 모습은 예전과 **같았나** 봐. 허리 굽은 **어머니**
는 냇가 빨래터에서 오셔서 콩깍지로 군불을 피우고 동생은 면에
있는 중학교에서 돌아와 반가워한다.　고향에 돌아온 '나'를 위해 **군불**을 피
우는 어머니와 나를 **반가워**하는 동생의 모습에서 가족들의 따뜻한 사랑을 느낄 수 있어.
닭똥으로 비료를 만드는 공장에 나가 일당 서울 광주 간 차비 정
도를 버는 **아버지**는 한참 어두워서야 귀가해 장남의 절을 받고,
고향에 있는 가족들의 가난한 처지를 엿볼 수 있어. 가을에 이웃의 텃밭에 나갔다
팔매질당한 다리병신 오리를 잡는다.　고향에 돌아온 '나'를 위해 **오리**를 잡는
아버지의 모습에서도 가족의 **사랑**을 느낄 수 있지.

　　　　　　　　　　　　　　　　– 최두석, 「낡은 집」 –

화자와 대상의 관계	낡고 허름한 **고향집**에 돌아와 고된 삶을 사는 **가족**들에게 환대를 받는 '나'

1. ㉠～㉤에 대한 이해로 적절하지 <u>않은</u> 것은?

정답풀이

③ ㉢: 이리저리 떠돌며 고향에 가지 못하는 장꾼들의 설움을 독백조로 토로
하고 있다.

　㉢은 화자가 장꾼들에게 말을 건네는 방식을 활용하여 고향에 대한 그리움
을 표현한 것이지 장꾼들의 설움을 토로한 것이 아니다.

오답풀이

① ㉠: 계절이 바뀌면서 얼음이 풀리는 강변 풍경을 시각적으로 묘사하고 있다.

　봄이 되어 날씨가 풀리자 점차 얼음이 녹고 있는 강변 풍경을 미처 '다 녹지
않은 얼음장'이 '울멍울멍 떠내려간다.'라고 하여 시각적으로 묘사하고 있다.

② ㉡: 꿈이 있던 시절을 함께 회상할 사람이 없는 아쉬움을 설의적으로 드러
내고 있다.

　'누구와 함께 지난날의 꿈을 이야기하랴.'라는 설의적 표현을 통해 꿈이 있
던 고향에서의 추억을 함께 떠올릴 사람이 없어 아쉽고 안타까운 마음을
드러내고 있다.

④ ㉣: 가족의 일원이면서도 자신의 가족을 객관화하여 지칭하고 있다.

　자신의 가족을 마치 제3자의 입장에서 바라보는 듯이 '농부 내외와 그들
의 딸'로 객관화하여 지칭하고 있다.

⑤ ⑩: 썰렁한 집 안의 정경 묘사를 통해 화자가 느끼는 심정을 간접적으로 드러내고 있다.

'집 안엔 아무도 없고 방바닥은 선뜩한 냉돌'에서 썰렁한 집 안의 정경을 묘사하여 화자가 슬레이트와 흙담으로 이루어진 초라하고 허름한 고향집에 돌아와 느끼는 심정을 간접적으로 드러내고 있다.

2. 문학 개념어 OX 확인 문제

① ○

• **향토적**: 고향이나 시골의 정취가 담긴 것. 시골에서 볼 수 있는 자연물, 사투리, 구체적 지명, 인명 등을 사용하면 향토적 분위기가 드러남.

　근거　(나): '흙담집', '뒤주', '메주', '이웃의 텃밭' 등

② ○

• **현재형**: 용언의 어간에 종결 어미 '-ㄴ다', '-느냐' 등의 종결 어미를 사용하거나, 명사에 서술격 조사 '이다'를 결합하여 현재 시제를 표현하는 것으로, 현재형 시제를 사용할 경우 상황을 생생하게 표현하는 효과가 있음.

　근거　(가): '떠내려간다.', '눈물지운다.' 등 / (나): '도망간다.', '냉돌이다.' 등

📅 고3 2019학년도 3월 학평 – 곽재구, 「구두 한 켤레의 시」 / 문태준, 「극빈」

(가)

차례를 지내고 돌아온
구두 밑바닥에
고향의 저문 **강물소리**가 묻어 있다 　차례를 지내기 위해 **고향**에 다녀온 화자는
구두 밑바닥에 고향의 **강물소리**가 묻어 있다고 하네.

겨울보리 파랗게 꽂힌 강둑에서
살얼음만 몇 발자국 밟고 왔는데
쑥골 상엿집 흰 눈 속을 넘을 때도
골목 앞 보세점 흐린 불빛 아래서도
찰랑찰랑 강물소리가 들린다 　화자가 고향에 다녀온 건 추운 **겨울**의 일이었구나.
내 귀는 얼어
한 소절도 듣지 못한 강물소리를
구두 혼자 어떻게 듣고 왔을까 　화자는 듣지 못한 강물소리를 **구두**는 들었다고
하네. 집으로 돌아와서 **구두**를 통해 다시금 **고향**을 떠올리고 있는 거겠지?

구두는 지금 황혼
뒤축의 꿈이 몇 번 수습되고 　구두가 오래되어 **뒤축**을 몇 번 수선했다는 의미야.
지난 가을 터진 가슴의 어둠 새로
누군가의 살아 있는 오늘의 부끄러운 촉수가
싸리 유채 꽃잎처럼 꿈틀댄다 　화자가 현재 **부끄러움**을 느끼고 있다는 점에
주목하자.
고향 텃밭의 허름한 꽃과 어둠과
구두는 **초면** 나는 **구면** 　이 낡은 구두를 신고 고향에 다녀온 건 처음이나 봐.
건성으로 겨울을 보내고 돌아온 내게
고향은 꽃잎 하나 바람 한 점 꾸려주지 않고 　화자는 겨울에 고향을 다녀
왔잖아? **건성**으로 겨울을 보냈다는 것은 고향에 갈 때의 화자의 태도를 말하는 것이겠군.
화자는 고향의 모습을 제대로 보지 못한 거지.
영하 속을 흔들리며 떠나는 내 낡은 구두가
저문 고향의 강물소리를 들려준다.
출렁출렁 아니 덜그럭덜그럭 　고향에 다녀온 화자는 자신의 구두에서 고향의
강물소리를 떠올리고 이는 다시 구두 소리로 바뀌고 있어.

– 곽재구, 「구두 한 켤레의 시」 –

화자와 대상의 관계	고향에 다녀온 뒤 **구두**에서 고향의 **강물소리**를 떠올리는 '나'

(나)

열무를 심어놓고 게을러
뿌리를 놓치고 줄기를 놓치고
가까스로 꽃을 얻었다 공중에
흰 **열무꽃**이 파다하다 　화자는 열무를 심었지만 수확 시기를 놓쳐서 흰 **열무꽃**이
피게 되었나 봐.
채소밭에 꽃밭을 가꾸었느냐
사람들은 묻고 **나**는 망설이는데 　채소밭을 왜 **꽃밭**으로 만들었냐는 사람들의
물음에 '나'는 할 말이 없어서 망설여.

그 문답 끝에 **나비** 하나가
나비가 데려온 또 하나의 나비가
흰 열무꽃잎 같은 나비 떼가
흰 열무꽃에 내려앉는 것이었다 　그런데 그 열무꽃에 **나비** 떼가 내려앉았어.
가녀린 발을 딛고
3초씩 5초씩 **짧게짧게** 혹은
그네들에겐 보다 **느슨한** 시간 동안
날개를 접고 바람을 잠재우고
편편하게 앉아 있는 것이었다
설핏설핏 선잠이 드는 것만 같았다 　**열무꽃**은 나비들이 잠시 내려앉아 휴식을
취할 수 있는 곳이라는 점에서 의미가 있었네.
발 딛고 쉬라고 내줄 곳이
선잠 들라고 내준 무릎이
살아오는 동안 나에겐 없었다 　화자는 그 열무꽃처럼 다른 존재에게 쉴 곳을 **내준**
적이 없었던 자신의 지난 삶을 돌아보고 있어.
내 열무밭은 꽃밭이지만
나는 **비로소** 나비에게 꽃마저 잃었다 　화자는 꽃밭이 되어버린 열무밭에서
나비가 쉬는 것을 보며, 다른 이에게 베푸는 삶의 가치를 깨닫고 있어.

– 문태준, 「극빈」 –

화자와 대상의 관계	**열무꽃**에 나비가 내려앉아 쉬는 모습을 보며 다른 존재에게 베푸는 삶의 가치를 깨달은 '나'

1. (가)와 (나)에 대한 이해로 적절하지 <u>않은</u> 것은?

정답풀이

⑤ '가까스로'와 '비로소'를 통해 본래의 의도가 실현되지 못한 상황에 대한
화자의 안타까움을 드러내고 있다.

(나)의 화자는 '가까스로 꽃을 얻었다'고 하여 '열무를 심'었지만 수확 시기
가 지나 '뿌리'와 '줄기'를 놓치고 '꽃'만 겨우 얻은 상황을 나타냈다. 그리고
'비로소 나비에게 꽃마저 잃었다'에서는 그 꽃이 나비에게 쉴 곳이 되었음을
'비로소'라는 부사어를 통해 강조하고 있다. 따라서 '가까스로'와 '비로소'는
열무꽃에 대한 화자의 인식의 변화를 강조할 뿐, 본래의 의도가 실현되지 못한
상황에 대한 안타까움을 드러내지는 않는다.

오답풀이

① '찰랑찰랑'에서 '출렁출렁'으로의 어감 변화를 통해 화자의 정서가 심화되었
음을 드러내고 있다.

(가)에서는 구두가 들려주는 강물소리를 나타내는 음성 상징어가 '찰랑찰랑'
에서 '출렁출렁'으로 바뀐 것을 확인할 수 있다. 양성 모음에서 음성 모음으
로의 변화가 가져오는 어감 차이를 통해 고향을 생각하면서 느끼는 화자의
정서가 심화되었음을 드러낸다고 할 수 있다.

② '초면'과 '구면'의 대비를 통해 대상에 대한 화자의 과거 경험이 내포되어 있음을 드러내고 있다.

> (가)에서는 '고향 텃밭의 허름한 꽃과 어둠'과 화자는 '구면'이지만 구두는 '초면'이라고 하였다. 이는 화자가 그 구두를 신고 고향에 간 것은 처음 이지만, 화자에게 고향은 익숙한 공간이라는 뜻이다. 따라서 '초면'과 '구면'을 대비한 표현에는 고향에 대한 화자의 과거 경험이 내포되어 있다고 볼 수 있다.

③ '짧게짧게'와 '느슨한'의 대비를 통해 동일한 것도 주체에 따라 다르게 받아들여질 수 있다는 화자의 인식을 드러내고 있다.

> (나)에서 화자는 나비가 열무꽃에 앉아 있는 시간을 '3초씩 5초씩 짧게짧게 혹은 / 그네들에겐 보다 느슨한 시간 동안'이라고 표현하였다. 이는 같은 시간도 화자에게는 짧게 느껴지지만, 나비 떼에게는 상대적으로 긴 시간으로 인식될 수 있다는 점을 드러낸 것이다.

④ '편편하게'와 '설핏설핏'을 통해 예기치 않게 조성된 화자의 상황이 대상에게 긍정적으로 작용하고 있음을 드러내고 있다.

> (나)에서 화자는 열무꽃에 앉은 나비의 모습을 '편편하게' 앉아 '설핏설핏 선잠이 드는 것' 같다고 하였다. 이는 열무의 수확 시기를 놓쳐 열무밭이 열무꽃밭이 된 일은 예기치 않게 조성된 상황이지만, 그것이 나비에게는 쉴 곳을 제공하여 결국 긍정적으로 작용했음을 드러낸 것이다.

2. 문학 개념어 OX 확인 문제

> ① ○
>
> • 색채 이미지: 대상이 어떤 빛깔을 연상시키는 것. 사물의 빛깔을 표현 하는 어휘, 즉 색채어가 사용되면 당연히 색채 이미지가 나타난다고 볼 수 있으며, 색채어가 사용되지 않더라도 대상이 특정 색상을 떠오르게 하면 색채 이미지가 나타난다고 할 수 있음. 색채어가 등장하면 당연히 시각적 심상이 나타나며, 두 가지 색채가 뚜렷한 대비를 이루면 '색채 대비'를 이룬 다고 함.
>
> 근거 (가): '겨울보리 파랗게 꽂힌 강둑', '흰 눈', '유채 꽃잎' / (나): '흰 열무꽃'
>
> ② ✕
>
> • 반어: 말하고자 하는 바와 반대로 표현하여 그 의미를 강화하는 것.

하루 30분

선 지 판 단 력
강 화 프 로 그 램

현대시 트레이닝

2
주차

📅 고3 2020학년도 4월 학평 – 정호승, 「허물」

느티나무 둥치에 **매미 허물**이 붙어 있다
바람이 불어도 꼼짝도 하지 않고 착 달라붙어 있다
나는 허물을 떼려고 손에 힘을 주었다   '나'는 **바람**이 불어도 꼼짝 않고
느티나무에 착 달라붙어 있는 **매미 허물**을 떼려고 하고 있어.

순간
죽어 있는 줄 알았던 허물이 갑자기 **몸에 힘**을 주었다
내가 **힘**을 주면 줄수록 허물의 발이 느티나무에 더 착 달라붙
었다   '나'가 힘을 주어 **허물**을 떼어내려 해도 허물은 마치 살아 있는 것처럼 느티나무에서
떨어지지 않으려고 힘을 주었대.

허물은 허물을 벗고 날아간 **어린 매미**를 생각했던 게 분명하다
허물이 없으면 **매미의 노래**도 사라진다고 생각했던 게 분명
하다   '나'는 **허물**이 자신을 벗고 날아간 **어린 매미**를 위해 느티나무에서 떨어지지 않으려
한다고 생각하고 있어.

나는 떨어지지 않으려고 안간힘을 쓰는 허물의 힘에 놀라
슬며시 손을 떼고 집으로 돌아와 **어머니**를 보았다   '나'는 떨어지지
않으려는 허물을 통해 **어머니**를 생각했나 봐.

팔순의 어머니가 무릎을 곧추세우고 **걸레**가 되어 마루를 닦는다
어머니는 나의 허물이다
어머니가 **안간힘**을 쓰며 아직 느티나무 둥치에 붙어 있는 까닭은
아들이라는 매미 때문이다   '나'는 마루를 닦는 팔순의 **어머니**를 바라보며
느티나무에 붙어 있던 **허물**과 연결짓고 있어. 허물이 **어린 매미**를 위해 온 힘을 다해
나무에 붙어 있던 것처럼 늙은 어머니도 **아들** 곁을 지키며 살아오신 거지.

– 정호승, 「허물」 –

화자와 대상의 관계	어린 매미를 위해 느티나무에 붙어 있는 **허물**을 보고 자식(아들, 자신)을 향한 **어머니**의 헌신에 대해 생각하는 '나'

1. 윗글에 대한 이해로 적절하지 <u>않은</u> 것은?

정답풀이

③ '몸에 힘'을 주는 허물을 떼려는 '힘'은 자식을 향한 끈질긴 모성을 의미하고 있다.

화자는 '허물'이 '느티나무 둥치'에 붙어 있으려고 '안간힘을 쓰는' 것이 '어린 매미'와 '매미의 노래' 때문일 것이라고 추측하고 있다. 따라서 허물이 '몸에 힘'을 주는 것은 모성과 연결하여 이해할 수 있는데, 그러한 허물을 떼려는 화자의 '힘' 자체가 자식을 향한 끈질긴 모성을 의미한다고 보기는 어렵다.

오답풀이

① '매미 허물'이 없으면 '매미의 노래'도 사라질 수 있다는 화자의 추측에는 어머니 없이는 자식의 삶도 지속될 수 없다는 인식이 드러나 있다.

화자는 '매미 허물'이 느티나무에 붙어 있으려고 안간힘을 쓰는 이유가 '어린 매미'와 '매미의 노래' 때문일 것이라고 추측하고 있다. 이후 집으로 돌아온 화자가 '어머니'를 허물에, 아들인 자신을 '매미'에 빗대어 표현한 것을 고려할 때, 화자의 추측에는 어머니의 존재가 사라지면 자식의 삶도 지속될 수 없다는 인식이 드러나 있다고 볼 수 있다.

② '죽어 있는 줄 알았던 허물'의 이미지와 '걸레'가 된 '팔순의 어머니'의 이미지는 자식을 위한 헌신으로 남루해진 모습을 형상화하고 있다.

'걸레가 되어 마루를 닦는 '팔순의 어머니'의 모습은 '죽어 있는 줄 알았던 허물'의 이미지와 연결되는 것으로, 이를 통해 자식을 위한 헌신으로 남루해진 어머니의 모습을 형상화했다고 볼 수 있다.

④ '어린 매미'가 벗어 놓은 '허물'이 어린 매미를 낳은 어머니라는 발상을 바탕으로 하고 있다.

화자는 '허물'이 '느티나무 둥치'에 붙어 있으려고 안간힘을 쓰는 것이 '어린 매미'를 위한 행위라고 생각하는데, 이는 '허물을 벗고 날아간 어린 매미'는 자식, '허물'은 매미를 낳은 어머니라는 발상을 바탕으로 했다고 볼 수 있다. 이후 집으로 돌아온 화자가 어머니를 '허물'에, 아들인 자신을 '매미'에 빗대어 표현한 것을 통해서도 그러한 발상을 확인할 수 있다.

⑤ '안간힘'을 쓰고 있는 이유가 자식 때문이라는 점에서 화자는 매미의 허물과 자신의 어머니를 동일시하고 있다.

'매미 허물'은 느티나무 둥치에서 떨어지지 않으려고 안간힘을 쓰고 있고 화자의 '어머니'는 팔순의 나이에도 힘겹게 걸레질을 하고 있는데, 화자는 '어머니는 나의 허물이다~아들이라는 매미 때문이다'라고 하며 매미의 허물과 자신의 어머니를 동일시하고 있다.

2. 문학 개념어 OX 확인 문제

① ✕

• 대조: 1. 둘 이상인 대상의 내용을 맞대어 같고 다름을 검토함. 2. 서로 달라서 대비가 됨.

② ✕

• 점층: 뒤로 갈수록 의미가 강하게, 비중이 높게, 강도가 크게 되도록 시어를 배치하는 방법.

🔍 1번 문제의 선지 판단 공식에 대한 답을 확인해 보세요.

MEMO

선지 판단의 공식

① 작품
화자는 허물이 나무에서 떨어지지 않으려고 하는 이유에 대해 '허물이 없으면 매미의 노래도 사라진다고 생각했던 게 분명'하다고 추측함, 이후 집으로 돌아와서 본 어머니를 '나의 허물', 아들인 자신은 '매미'라고 함

선지➡ '매미 허물'이 없으면 '매미의 노래'도 사라질 수 있다는 화자의 추측에는 어머니 없이는 자식의 삶도 지속될 수 없다는 인식이 드러나 있다. ○

② 작품
'죽어 있는 줄 알았던 허물'이 '허물을 벗고 날아간 어린 매미를 생각'하여 나무에서 떨어지지 않으려고 안간힘을 씀, 화자가 집에 돌아와서 본 어머니는 팔순의 나이임에도 '걸레가 되어 마루를 닦'는 모습으로 그려짐, 화자는 그러한 어머니를 '허물', 아들인 자신은 '매미'라고 함

선지➡ '죽어 있는 줄 알았던 허물'의 이미지와 '걸레'가 된 '팔순의 어머니'의 이미지는 자식을 위한 헌신으로 남루해진 모습을 형상화하고 있다. ○

③ 작품
화자가 허물을 나무에서 떼려고 하자 허물이 '갑자기 몸에 힘'을 줌, 화자가 손에 힘을 줄수록 허물은 나무에 더 착 달라붙음

선지➡ '몸에 힘'을 주는 허물을 떼려는 '힘'은 자식을 향한 끈질긴 모성을 의미하고 있다. ✕

④ 작품
화자는 허물이 나무에서 떨어지지 않으려고 하는 이유에 대해 '허물은 허물을 벗고 날아간 어린 매미를 생각했던 게 분명'하다고 추측함, 이후 집으로 돌아와서 본 어머니를 '나의 허물'이라고 함

선지➡ '어린 매미'가 벗어 놓은 '허물'이 어린 매미를 낳은 어머니라는 발상을 바탕으로 하고 있다. ○

⑤ 작품
허물은 자신이 없어지면 어린 매미의 노래도 사라진다고 생각하여 나무에서 떨어지지 않으려고 안간힘을 씀, 화자는 집으로 돌아와서 본 어머니 역시 '안간힘을 쓰며 아직 느티나무 둥치에 붙어 있다'고 함

선지➡ '안간힘'을 쓰고 있는 이유가 자식 때문이라는 점에서 화자는 매미의 허물과 자신의 어머니를 동일시하고 있다. ○

📅 고3 2016학년도 4월 학평 – 유치환,「선한 나무」

내 언제고 지나치는 길가에 한 그루 남아 선 **노송(老松)** 있어 _{화자}
_{인 '나'가 지나다니는 **길가**에 서 있는 한 그루의 **노송**이 시적 대상인가 봐.} 바람 있음을 조
금도 깨달을 수 없는 날씨에도 아무렇게나 뻗어 높이 치어든 그
검은 가지는 추추히* 탄식하듯 울고 있어, _{**바람**의 존재를 느끼기 어려운}
_{날씨에도 자유롭게 하늘 높이 뻗은 노송의 **가지**는 바람에 흔들리며 마치 탄식하듯 소리를}
_{내고 있어.} 내 항상 그 아래 한때를 머물러 아득히 생각을 그 소리 따
라 천애(天涯)*에 노닐기를 즐겨하였거니, _{화자는 노송 아래에서 그 가지}
_{가 바람에 흔들리면서 내는 **소리**를 들으며 사색하는 것을 즐겼대.} 하룻날 다시 와서
그 나무 이미 무참히도 베어 넘겨졌음을 보았나니 _{그런데 하루는 그}
_{노송이 **베어 넘겨진** 것을 보게 된 거야. 이를 **무참**하다고 표현한 것에서 화자의 안타까운}
_{심정이 느껴져.}

진실로 현실은 이 한 그루 나무 그늘을 길가에 세워 바람에 울리
느니보다 빠개어 육신의 더움을 취함에 미치지 못하겠거늘, _{그늘을}
_{만드는 이 한 그루 나무(노송)를 **길가**에 그대로 세워 두는 것보다 빠개어 **육신의 더움**을}
_{취하는 것, 즉 땔감으로 활용하는 것이 실용적인 관점에서는 더 유용할 수 있겠지.} 내
애석하여 그가 섰던 자리에 서서 팔을 높이 허공에 올려 보았으나,
_{화자는 그것을 **애석**해 하며 노송이 서 있던 자리에서 그 가지가 그러했듯이 허공으로 **팔**을}
_{높이 뻗어 보고 있어.} 그러나 어찌 나의 손바닥에 그 유현(幽玄)한* 솔바람
소리 생길 리 있으랴 _{그러나 노송의 가지가 바람에 흔들리며 만들어 냈던 깊고}
_{그윽한 **솔바람** 소리를 화자의 뻗은 팔로는 만들어낼 수 **없었지.**}

그러나 나의 머리 위, 저 묘막(渺漠)한* 천공(天空)에 시방도 오고
가는 신운(神韻)*이 없음이 아닐지니 오직 그를 증거할 선(善)한
나무 없음이 안타까울 따름이로다 _{화자는 아득하게 넓은 저 하늘에는}
_{지금도 **신운**이 있겠지만, 이를 증명해 줄 **선한 나무**(노송)는 더 이상 존재하지 않는다는}
_{사실에 안타까워하고 있어.}

– 유치환,「선한 나무」–

*추추히: 우는 소리가 구슬프게.
*천애: 하늘의 끝.
*유현한: 깊고 그윽하며 미묘한.
*묘막한: 아득하게 넓은.
*신운: 고상하고 신비스러운 운치.

화자와 대상의 관계	**노송**이 사라져 더 이상 솔바람 소리와 자연의 신비한 운치를 느낄 수 없음에 **안타까움(애석함)**을 느끼는 '나'

1. 윗글을 이해한 내용으로 적절하지 않은 것은?

> **정답풀이**

⑤ '증거할 선한 나무 없음이 안타까울 따름'이라는 표현에는 '묘막한 천공'에 '신운이 없음'을 인지한 화자의 상실감이 드러난다.

> 화자는 노송이 '베어 넘겨'진 후 노송이 서 있던 자리에서 '팔을 높이 허공에 올려' '신운'을 느껴보려 하지만 느끼지 못한다. 그러나 화자는 '저 묘막한 천공에 시방도 오고 가는 신운이 없음이 아'니라고 하였으므로, 신운이 있으나 이를 증거할 수 있는 '선한 나무'가 없어졌음을 안타까워하는 것이지 '신운이 없음'을 인지한 것은 아니다.

> **오답풀이**

① '바람 있음을 조금도 깨달을 수 없는 날씨'에도 노송이 '추추히 탄식하듯 울고' 있다고 표현한 것에는 자연의 미세한 변화에 반응하는 노송에 대한 화자의 인식이 담겨 있다.

> '바람 있음을 조금도 깨달을 수 없는 날씨'는 화자가 자연의 미세한 변화를 느끼지 못함을 나타낸다. 그에 비해 노송이 '추추히 탄식하듯 울고' 있다는 표현은 바람에 나뭇가지가 흔들리는 모습을 묘사한 것으로 자연의 미세한 변화에 반응하는 노송에 대한 화자의 인식이 담겨 있는 것으로 볼 수 있다.

② '무참히도'에는 '항상 그 아래 한때를 머물러' 노닐었던 화자가 노송이 '베어 넘겨'진 상황에 대해 안타까워하는 심정이 드러난다.

> 화자는 '항상 그 아래 한때를 머물러' 노송이 흔들리면서 내는 소리를 들으며 생각하기를 즐겼다고 하여 노송에 대한 긍정적 태도를 나타내고 있다. 따라서 그 노송이 '베어 넘겨'진 상황에 대해 '무참히도'라고 표현한 것에는 자신이 긍정하는 대상이 사라진 상황에 대한 안타까움이 드러난다고 볼 수 있다.

③ '애석하여'에는 노송을 '길가에 세워 바람에 울리'는 것보다 '빠개어 육신의 더움을 취'하는 상황에 대한 화자의 부정적 인식이 담겨 있다.

> 노송의 그늘을 '길가에 세워 바람에 울리'는 것보다 '빠개어 육신의 더움을 취'하는 상황은 노송의 실용적 가치를 더 중시하는 상황으로 볼 수 있으며, 이를 두고 '애석하여'라고 표현한 것에는 이러한 상황에 대한 화자의 부정적 인식이 담겨 있다고 볼 수 있다.

④ '팔을 높이 허공에 올려'보려 했으나 '유현한 솔바람 소리가 생길 리' 없다고 한 것에는 자신이 노송에 미치지 못한다는 화자의 인식이 담겨 있다.

> '팔을 높이 허공에 올려'보려는 행위는 노송이 부재한 상황에서 노송이 느꼈던 '신운'을 느껴보고자 하는 화자의 시도로 볼 수 있으며, '유현한 솔바람 소리 생길 리' 없다고 한 것에는 자신은 노송과 달리 신운을 느낄 수 없다는 인식이 담겨 있다고 볼 수 있다.

2. 문학 개념어 OX 확인 문제

① ✕
• 나열: 여러 가지 대상이나 시어를 낱낱이 죽 늘어놓는 표현 방식.

② ✕
• 감정 이입: 화자가 대상도 자신과 같은 감정을 가지고 있는 것처럼 표현하는 것. 이때 그 대상은 원래 감정이 없는 사물이거나 상관없는 사람이어야 함.

🔍 1번 문제의 선지 판단 공식에 대한 답을 확인해 보세요.

선지 판단의 공식

① 작품 노송은 화자와는 달리 바람의 존재를 '조금도 깨달을 수 없는 날씨'에도 '검은 가지'를 흔들며 '탄식하듯' 우는 소리를 냄. 화자는 항상 그 아래에서 생각에 잠기며 '노닐기를 즐겨'함

선지➡ '바람 있음을 조금도 깨달을 수 없는 날씨'에도 노송이 '추추히 탄식하듯 울고' 있다고 표현한 것에는 자연의 미세한 변화에 반응하는 노송에 대한 화자의 인식이 담겨 있다. ○

② 작품 노송 아래에서 생각에 잠기며 '노닐기를 즐겨'하였던 화자는 노송이 '베어 넘겨'진 것을 보고 '무참'하다고 표현함

선지➡ '무참히도'에는 '항상 그 아래 한때를 머물러' 노닐었던 화자가 노송이 '베어 넘겨'진 상황에 대해 안타까워하는 심정이 드러난다. ○

③ 작품 화자는 노송이 '베어 넘겨'진 것을 보고 '무참'하다고 함. 화자는 이에 대해 노송을 '길가에 세워 바람에 울리느니보다 빠개어 육신의 더움을 취'한 것이라고 하며 '애석'하다고 함

선지➡ '애석하여'에는 노송을 '길가에 세워 바람에 울리'는 것보다 '빠개어 육신의 더움을 취'하는 상황에 대한 화자의 부정적 인식이 담겨 있다. ○

④ 작품 '바람 있음을 조금도 깨달을 수 없는 날씨'에도 바람에 흔들리며 소리를 내던 노송과는 달리, 화자는 노송이 서 있던 자리에서 '팔을 높이 허공에 올려'도 '솔바람 소리'를 만들어 낼 수 없음

선지➡ '팔을 높이 허공에 올려'보려 했으나 '유현한 솔바람 소리가 생길 리' 없다고 한 것에는 자신이 노송에 미치지 못한다는 화자의 인식이 담겨 있다. ○

⑤ 작품 화자는 자신의 머리 위 묘막한 하늘에는 '시방도 오고 가는 신운이 없'지 않다고 함. 다만 신운의 존재를 '증거할 선한 나무 없음'을 안타까워함

선지➡ '증거할 선한 나무 없음이 안타까울 따름'이라는 표현에는 '묘막한 천공'에 '신운이 없음'을 인지한 화자의 상실감이 드러난다. ✕

📅 고3 2014학년도 10월 학평B - 문정희, 「율포의 기억」

일찍이 어머니가 **나**를 바다에 데려간 것은
소금기 많은 ㉠푸른 물을 보여주기 위해서가 아니었다
바다가 뿌리 뽑혀 밀려 나간 후
꿈틀거리는 ㉡검은 뻘밭 때문이었다　'나'는 어머니가 검은 뻘밭을 보여 주기
위해 자신을 바다에 데려갔던 일을 떠올리고 있어.

뻘밭에 위험을 무릅쓰고 퍼덕거리는 것들
숨 쉬고 사는 것들의 힘을 보여주고 싶었던 거다　어머니는 뻘밭에서
숨 쉬고 사는 것들의 **힘**, 즉 생명력을 보여 주고 싶으셨던 거야.

먹이를 건지기 위해서는
사람들은 왜 무릎을 꺾는 것일까
깊게 허리를 굽혀야만 할까　화자는 뻘밭에서 생계를 위해 **무릎**을 꺾고 **허리**를
깊게 굽히며 고된 노동을 하는 사람들의 모습을 보며 의문을 갖고 사색하기 시작해.

생명이 사는 곳은 왜 저토록 쓸쓸한 맨살일까　온갖 **생명**이 살아가는
뻘밭의 쓸쓸한 모습을 안타까워 하고 있어.

일찍이 어머니가 나를 바다에 데려간 것은
저 무위(無爲)한 해조음을 들려주기 위해서가 아니었다　어머니가
'나'를 바다에 데려간 것은 무위한(아무것도 이룬 것이 없는) **해조음**(파도 소리)을 들려주기
위해서는 아니었대.

물 위에 집을 짓는 새들과
각혈하듯 노을을 내뿜는 포구를 배경으로
성자처럼 뻘밭에 고개를 숙이고
먹이를 건지는
슬프고 경건한 손을 보여주기 위해서였다　화자는 생계를 위해 뻘밭에서
힘겨운 노동을 하는 사람들을 거룩한 순교자인 **성자**에 비유하며, 그들의 손을 슬프고 **경건**
하다고 표현하고 있어.

- 문정희, 「율포의 기억」 -

화자와 대상의 관계	어머니가 데려간 **바다**에서 검은 뻘밭을 보고 먹이를 건지는 사람들에게서 경건함을 느꼈던 '나'

1. 윗글의 ㉠, ㉡에 대해 반응한 것으로 가장 적절한 것은?

정답풀이

④ ㉠은 삶과 관련하여 깨달음을 주지 못하지만, ㉡은 그곳에서 치열하게 살아 가는 생명들을 통해 깨달음을 얻게 하는군.

> 어머니는 ㉠(푸른 물)이 아닌 ㉡(검은 뻘밭)을 보여주기 위해 '나를 바다에 데려간 것'이다. ㉡은 '위험을 무릅쓰고 퍼덕거리는 것들'이 살아가는 공간 이며, '먹이를 건지기 위해' 사람들이 '무릎을 꺾'고 '깊게 허리를 굽'히는 공간이다. 화자는 그곳에서 치열하게 살아가는 사람들을 관찰하며 경건함을 느끼고 있다.

오답풀이

① ㉠은 순수한 자연을 통해 아름다움을 느끼게 하고, ㉡은 위험이 도사리고 있어 공포를 느끼게 하는군.

> ㉠은 '소금기 많은' 공간으로 드러나고 있을 뿐이므로, 이를 통해 자연의 아름다움이 드러난다고 보기 어렵다. 또한 ㉡은 '위험을 무릅쓰고 퍼덕 거리는 것들'의 생명력이 느껴지는 공간이지 공포를 느끼게 하는 공간 이라고 보기 어렵다.

② ㉠은 푸른 이미지로 생명과 희망을 환기시키고, ㉡은 검은 이미지로 허무와 어둠의 정서를 불러일으키고 있군.

> ㉠은 푸른 이미지를 나타내지만 생명과 희망을 환기한다고 보기 어렵다. 또한 ㉡은 검은 이미지를 나타내지만 허무와 어둠의 정서가 아니라 뻘밭 에서 살아가는 생명체들의 생동감과 생명력을 드러내는 공간이다.

③ ㉠은 힘겨운 삶을 극복한 사람들이 얻게 되는 환희를 상징하고, ㉡은 힘겹게 살아가는 사람들의 탄식을 상징하는군.

> 윗글에는 힘겨운 삶을 극복한 사람들의 환희가 나타나지 않으므로 ㉠에 대한 반응으로 적절하지 않다. 또한 ㉡에서 사람들이 '무릎을 꺾'고 '깊게 허리를 굽혀' '먹이를 건지'는 모습을 통해 힘겹게 생계를 유지하고 있음을 알 수 있지만, 뻘밭에서 일하는 사람들은 힘들지만 치열하게 살아가고 있으 므로 ㉡이 탄식을 상징하는 공간이라고 보기는 어렵다.

⑤ ㉠은 화자가 미래에 살아갈 모습에 대해 상상하게 해 주고, ㉡은 어머니와 함께했던 시절의 추억을 떠올리게 해 주는군.

> ㉠과 ㉡은 모두 어머니가 과거에 '나'를 바다에 데려갔던 일을 떠올리게 하는 곳으로, 화자가 미래에 살아갈 모습에 대해 상상하게 해 주는 공간으로 보기는 어렵다.

2. 문학 개념어 OX 확인 문제

① 〇

- **(역)동적**: 무언가 (활기차게) 움직이는 느낌을 불러일으키는 것.

　근거 '꿈틀거리는 검은 뻘밭', '뻘밭에 위험을 무릅쓰고 퍼덕거리는 것들 / 숨 쉬고 사는 것들의 힘'

② ✕

- **반어**: 말하고자 하는 바와 반대로 표현하여 그 의미를 강화하는 것.

2 주차

🔍 1번 문제의 선지 판단 공식에 대한 답을 확인해 보세요.

선지 판단의 공식

① 작품
'어머니가 나를 바다에 데려간 것은 / 소금기 많은 ㉠푸른 물을 보여주기 위해서가 아'님, 어머니는 ㉡검은 뻘밭에 '위험을 무릅쓰고 퍼덕거리는 것들'과 거기 '숨 쉬고 사는 것들의 힘을 보여주고 싶었'음

선지 ㉠은 순수한 자연을 통해 아름다움을 느끼게 하고, ㉡은 위험이 도사리고 있어 공포를 느끼게 하는군.   ✕

② 작품
'소금기 많은 ㉠푸른 물'은 '무위한 해조음'이 들리는 공간임. '㉡검은 뻘밭'은 '위험을 무릅쓰고 퍼덕거리는 것들'이 사는 곳으로, '숨 쉬고 사는 것들의 힘'이 드러남

선지 ㉠은 푸른 이미지로 생명과 희망을 환기시키고, ㉡은 검은 이미지로 허무와 어둠의 정서를 불러일으키고 있군.   ✕

③ 작품
'먹이를 건지기 위해' 사람들은 뻘밭에서 '무릎을 꺾'고 '깊게 허리를 굽'힘

선지 ㉠은 힘겨운 삶을 극복한 사람들이 얻게 되는 환희를 상징하고, ㉡은 힘겹게 살아가는 사람들의 탄식을 상징하는군.   ✕

④ 작품
'어머니가 나를 바다에 데려간 것'은 '㉠푸른 물'이 아닌 '꿈틀거리는 ㉡검은 뻘밭'을 보여주기 위해서임, '나'는 그곳에서 '뻘밭에 고개를 숙이고 / 먹이를 건지는' 사람들의 손이 '슬프고 경건'하다고 생각함

선지 ㉠은 삶과 관련하여 깨달음을 주지 못하지만, ㉡은 그곳에서 치열하게 살아가는 생명들을 통해 깨달음을 얻게 하는군. ○

⑤ 작품
화자는 '일찍이 어머니'가 자신을 '바다에 데려간' 일을 떠올림

선지 ㉠은 화자가 미래에 살아갈 모습에 대해 상상하게 해 주고, ㉡은 어머니와 함께했던 시절의 추억을 떠올리게 해 주는군.   ✕

📅 고3 2014학년도 3월 학평A – 박두진, 「어서 너는 오너라」

복사꽃이 피었다고 일러라. 살구꽃도 피었다고 일러라. 화자는 꽃이 피었다는 소식을 알리라고 해. 너이 오오래 정들이고 살다 간 집, 함부로 함부로 짓밟힌 울타리에, 앵도꽃도 오얏꽃도 피었다고 일러라. 낮이면 벌떼와 나비가 날고 밤이면 소쩍새가 울더라고 일러라. 화자는 누군가에 의해 함부로 짓밟힌 너이(너희)가 살던 집의 울타리에 아름다운 봄이 찾아 왔음을 알리고 있지.

[A]
다섯 묻과, 여섯 바다와, 철이야, 아득한 구름 밖 아득한 하늘가에 나는 어디로 향을 해야 너와 마주 서는 게냐. '나'는 어디로 향해야 철이(너)와 만날 수 있는지 묻고 있어.

달 밝으면 으레 뜰에 앉아 부는 내 피리의 서른 가락도 너는 못 듣고, 골을 헤치며 산에 올라 아침마다, 푸른 봉우리에 올라서면, 어어이 어어이 소리 높여 부르는 나의 음성도 너는 못 듣는다. 너는 '나'의 피리 가락도, 소리 높여 부르는 '나'의 음성도 못 듣는 상황인가 봐.

어서 너는 오너라. 화자는 그런 너에게 어서 오라고 하고 있어. 별들 서로 구슬피 헤어지고, 별들 서로 정답게 모이는 날, 흩어졌던 너이 형 아우 총총히 돌아오고, 흩어졌던 네 순이도 누이도 돌아오고, 너와 나와 자라난, 막쇠도 돌이도 복술이도 왔다. 흩어졌던 사람들이 모두 돌아왔으니 너 역시 어서 왔으면 하고 바라는 거야.

눈물과 피와 푸른 빛 깃발을 날리며 오너라……. 비둘기와 꽃다발 과 푸른 빛 깃발을 날리며 너는 오너라……. 네가 오기를 간절히 바라는 화자의 마음이 드러나고 있어.

복사꽃 피고, 살구꽃 피는 곳, 너와 나와 뛰놀며 자라난 푸른 보리밭에 남풍은 불고, 젖빛 구름, 보오얀 구름 속에 종달새는 운다. 기름진 냉이꽃 향기로운 언덕, 여기 푸른 잔디밭에 누워서, 철이야, 너는 늴늴늴 가락 맞춰 풀피리나 불고, 나는, 나는, 두둥싯 두둥실 붕새춤 추며, 막쇠와, 돌이와, 복술이랑 함께, 우리, 우리, 옛날을 옛날을, 딩굴어 보자. '나'는 네가 돌아와서 평화롭던 옛날의 삶을 다시 함께 누릴 수 있게 되기를 소망하고 있어.

– 박두진, 「어서 너는 오너라」 –

| 화자와 대상의 관계 | 흩어졌던 '너'가 돌아올 것을 소망하는 '나' |

1. [A]에 대한 이해로 가장 적절한 것은?

정답풀이

① '너'와의 거리에서 오는 '나'의 안타까움이 나타나 있다.

[A]에서 '나'는 '너'를 '소리 높여' 불러 보지만 '너는 못 듣는' 것과 '어디로 향을 해야 너와 마주 서는 게냐.'라고 물으며 '너'를 찾는 '나'의 모습에서 '나'와 '너'의 거리감과 그로 인한 '나'의 안타까움을 엿볼 수 있다.

오답풀이

② '너'로 인해 떠올린 고향에 대한 '나'의 그리움이 드러나 있다.

[A]에는 '너'를 향해 '어어이 어어이 소리 높여 부르는' '나'의 그리움이 드러나 있을 뿐 '너'로 인해 떠올린 고향에 대한 그리움이 나타나지는 않는다.

③ '너'에게 조금씩 다가서면서 느끼는 '나'의 설렘이 나타나 있다.

[A]에서 '나'는 '뜰에 앉아' 피리를 불고, '어어이 어어이 소리 높여' '너'를 불러 보지만 '너'는 듣지 못한다. 따라서 '너'에게 다가가며 느끼는 '나'의 설렘이 나타난다고 보기 어렵다.

④ '너'에게 미처 다가서지 못하는 '나'의 부끄러움이 드러나 있다.

[A]에서 '나'는 '어디로 향을 해야 너와 마주 서는 게냐.'라고 하며 '너'를 찾고 있으므로 '너'에게 미처 다가서지 못한 것을 부끄러워한다고 볼 수 없다.

⑤ '너'와의 갈등이 해소되기를 바라는 '나'의 바람이 나타나 있다.

[A]에는 '나'가 '어어이 어어이 소리 높여' '너'를 부르지만, '너'는 이를 듣지 못하는 상황이 나타나 있을 뿐 '나'와 '너'의 갈등이 나타나지는 않으므로 갈등이 해소되기를 바라는 '나'의 바람이 나타난다고 볼 수 없다.

2. 문학 개념어 OX 확인 문제

① ○

• **쉼표의 잦은 사용**: 시에서 쉼표의 잦은 사용은 시상 전개의 완급을 조절하거나 쉼표를 기준으로 끊어 읽게 되는 특정 어구를 부각하여 그 안에 담긴 의미를 강조하는 등 여러 의도에 따라 나타날 수 있음.

근거 '기름진 냉이꽃 향기로운 언덕, 여기 푸른 잔디밭에 누워서, 철이야, ~ 막쇠와, 돌이와, 복술이랑 함께, 우리, 우리, 옛날을 옛날을, 딩굴어 보자.' 등

② ○

• **통사 구조의 반복**: 통사 구조란 문장 구조를 뜻함. 조사나 어미가 같은 위치에 있거나, 특정 어휘가 같은 위치에 있으면 유사한 통사 구조로 볼 수 있음. 참고로 두 구절이 서로 짝을 이루어 연달아 나타날 때를 말하는 대구와 달리 통사 구조의 반복은 해당되는 두 구절이 멀리 떨어져 있어도 상관이 없음.

근거 '~고 일러라', '흩어졌던~돌아오고', '~오너라' 등

🔍 1번 문제의 선지 판단 공식에 대한 답을 확인해 보세요.

선지 판단의 공식

MEMO

① 작품 '나'는 '다섯 뭍과, 여섯 바다'에 흩어진 철이('너')를 부름. '아득한 구름 밖'과 '하늘가'에 어디로 향해야 '너와 마주 서는 게냐'고 묻고 있음

선지➡ '너'와의 거리에서 오는 '나'의 안타까움이 나타나 있다. ○

② 작품 '나'는 '어어이 어어이 소리 높여' '너'를 부르며 '너와 마주' 서고 싶어함

선지➡ '너'로 인해 떠올린 고향에 대한 '나'의 그리움이 드러나 있다. ✕

③ 작품 '나'는 '달'이 밝으면 '뜰에 앉아' '피리'를 불고, '아침마다, 푸른 봉우리에 올라' '소리 높여' '너'를 부르지만 '너'는 내 피리 소리도, 음성도 듣지 못함

선지➡ '너'에게 조금씩 다가서면서 느끼는 '나'의 설렘이 나타나 있다. ✕

④ 작품 '나'는 어디를 향해야 '너와 마주' 설 수 있는지 묻고 있음

선지➡ '너'에게 미처 다가서지 못하는 '나'의 부끄러움이 드러나 있다. ✕

⑤ 작품 '나'는 '어어이 어어이 소리 높여' '너'를 부르지만, '너'는 '다섯 뭍과, 여섯 바다'와 '아득한' 곳에 있어 듣지 못함

선지➡ '너'와의 갈등이 해소되기를 바라는 '나'의 바람이 나타나 있다. ✕

30 하루 30분, 현대시 트레이닝

📅 고3 2013학년도 10월 학평B – 정지용, 「고향」

ⓐ**고향**에 고향에 돌아와도
그리던 ⓑ**고향**은 아니러뇨.　화자는 그리워하던 **고향**에 돌아왔지만 마음속에 간직해 온 **고향**의 모습과 달라서 상실감을 느끼고 있어.

산꿩이 알을 품고
뻐꾸기 제철에 울건만,

마음은 제 고향 지니지 않고
머언 항구로 떠도는 **구름**.　예전 모습 그대로인 고향의 **산꿩**, **뻐꾸기**와 달리 화자의 마음은 **고향**이 낯설게 느껴지나 봐.

오늘도 뫼 끝에 홀로 오르니
흰 점 꽃이 인정스레 웃고.　오늘도 홀로 **산(뫼)**에 오른 화자를 **꽃**이 반갑게 맞아 주네.

어린 시절에 불던 풀피리 소리 아니 나고
메마른 입술에 쓰디쓰다.　어린 시절을 떠올리며 **풀피리**를 불어봐도 **쓸쓸함**만 되살아나나 봐.

고향에 고향에 돌아와도
그리던 하늘만이 높푸르구나.　고향이 그리던 모습과 달라 느낀 거리감으로 인해 그리던 **하늘**도 높게만 느껴지는 거겠지?

　　　　　　　　　　　　　　– 정지용, 「고향」 –

화자와 대상의 관계	낯설게만 느껴지는 **고향**으로 돌아와 **상실감**을 느끼는 사람

1. ⓐ, ⓑ와 관련하여 윗글의 '구름'을 설명할 때, 가장 적절한 것은?

정답풀이 ▷

⑤ ⓐ와 ⓑ의 괴리를 경험하게 된 화자의 내면세계를 나타낸다.

'고향(ⓐ)에 고향에 돌아와도 / 그리던 고향(ⓑ)은 아니러뇨.'를 통해 ⓐ는 현실의 고향을, ⓑ는 화자가 그리워하던 기억 속 고향을 의미한다는 것을 알 수 있다. '산꿩', '뻐꾸기'와 같은 자연의 모습은 예전 그대로이지만, 고향은 예전의 고향이 아님을 깨달은 화자는 자신의 마음을 '머언 항구로 떠도는 구름'에 비유하고 있으므로 '구름'은 ⓐ와 ⓑ의 괴리를 경험하게 된 화자의 내면세계를 나타낸다고 볼 수 있다.

오답풀이 ▷

① ⓐ와 ⓑ를 이어주는 매개물이다.

'구름'이 현재의 고향과 화자의 기억 속 고향을 이어준다고 볼 수 없다.

② ⓐ에 대한 화자의 그리움을 환기한다.

'구름'은 그리워하던 고향에 돌아왔으나, 자신이 그리워하던 고향과는 달라진 모습에 방황하는 화자의 마음을 형상화한 것일 뿐, ⓐ에 대한 화자의 그리움을 환기한다고 볼 수 없다.

③ ⓑ의 부재를 화자가 인식하는 계기가 된다.

화자는 고향에 돌아왔지만 자신이 그리워하던 고향과 달라졌음을 깨닫게 되므로, ⓑ가 부재하는 상황으로 볼 수 있다. 그러나 '구름'은 ⓑ의 부재를 인식한 화자가 느끼는 안타까움과 방황의 심리를 표현한 것일 뿐, ⓑ의 부재를 인식하는 계기가 된 것은 아니다.

④ ⓐ와 ⓑ의 부정적 현실을 수용하려는 화자의 태도이다.

화자는 ⓐ와 ⓑ의 괴리를 경험하고 그 부정적 현실에 대한 안타까움과 방황의 심리를 '구름'으로 표현하였을 뿐, 그러한 현실을 수용하려는 태도는 드러내지 않는다.

2. 문학 개념어 OX 확인 문제

① ○

- 수미상관: 시의 처음과 끝에 동일하거나 유사한 시구를 배치시키는 것. 형태적 안정감을 주고, 시상에 통일성을 부여하며, 의미를 강조하는 효과가 있음.
　근거 1연과 6연

② ○

- 설의: 쉽게 판단할 수 있는 사실을 의문의 형식으로 표현하여 상대편이 스스로 판단하게 하는 것. 의미를 강조하기 위한 것으로 실제적인 답을 요구하는 것이 아님.
　근거 '그리던 고향은 아니러뇨.'

Q 1번 문제의 선지 판단 공식에 대한 답을 확인해 보세요.

정답 및 해설

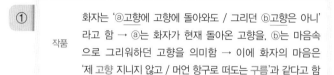

선지 판단의 공식

MEMO

2 주차

① 작품
화자는 '@고향에 고향에 돌아와도 / 그리던 ⓑ고향은 아니'
라고 함 → @는 화자가 현재 돌아온 고향을, ⓑ는 마음속
으로 그리워하던 고향을 의미함 → 이에 화자의 마음은
'제 고향 지니지 않고 / 머언 항구로 떠도는 구름'과 같다고 함

선지 @와 ⓑ를 이어주는 매개물이다.　　　　✕

② 작품
화자는 '@고향에 고향에 돌아와도 / 그리던 ⓑ고향은 아니'
라고 함 → @는 화자가 현재 돌아온 고향을, ⓑ는 마음속
으로 그리워하던 고향을 의미함

선지 @에 대한 화자의 그리움을 환기한다.　　　　✕

③ 작품
화자는 '@고향에 고향에 돌아와도 / 그리던 ⓑ고향은 아니'
라고 함 → @는 화자가 현재 돌아온 고향을, ⓑ는 마음속으로
그리워하던 고향을 의미함 → 이에 화자의 마음은 '제 고향
지니지 않고 / 머언 항구로 떠도는 구름'과 같다고 함

선지 ⓑ의 부재를 화자가 인식하는 계기가 된다.　　　　✕

④ 작품
화자는 '@고향에 고향에 돌아와도 / 그리던 ⓑ고향은 아니'
라고 함 → @는 화자가 현재 돌아온 고향을, ⓑ는 마음속으
로 그리워하던 고향을 의미함 → 이에 '머언 항구로 떠도는
구름'같다고 표현한 화자의 '마음'은 @와 ⓑ의 괴리로 인해
느끼는 안타까움과 방황의 심정을 의미함

선지 @와 ⓑ의 부정적 현실을 수용하려는 화자의 태도이다.　　✕

⑤ 작품
화자는 '@고향에 고향에 돌아와도 / 그리던 ⓑ고향은 아니'
라고 함 → @는 화자가 현재 돌아온 고향을, ⓑ는 마음속으
로 그리워하던 고향을 의미함 → 이에 '머언 항구로 떠도는
구름'같다고 표현한 화자의 '마음'은 @와 ⓑ의 괴리로 인해
느끼는 안타까움과 방황의 심정을 의미함

선지 @와 ⓑ의 괴리를 경험하게 된 화자의 내면세계를 나타낸다.
　　　　○

📅 고3 2013학년도 7월 학평B – 이수익, 「방울소리」

청계천 7가 골동품 가게에서
나는 어느 황소 목에 걸렸던 ㉠방울을
하나 샀다.   화자인 '나'는 골동품 가게에서 소의 목에 다는 **방울**을 하나 샀어.

그 영롱한 소리의 방울을 딸랑거리던
소는 이미 이승의 짐승이 아니지만,   골동품 가게에서 산 방울을 달고 딸랑
거리던 **소**는 이미 죽었을 거라고 추측하고 있네.
나는 ㉡소를 몰고 여름 해 질 녘 하산하던
그날의 소년이 되어, 배고픈 저녁 연기 피어오르는
마을로 터덜터덜 걸어 내려왔다.   **방울**을 매개로 화자는 어린 시절 **소**를 몰고
마을로 내려오던 과거를 회상하고 있네.

장사치들의 흥정이 떠들썩한 문명의
골목에선 지금, 삼륜차가 울려 대는 ㉢경적이
저자바닥에 따가운데   다시 현재의 장면이야. 장사치들의 흥정이 떠들썩한 **문명의
골목**이나, 자동차 경적 소리가 울리는 **저자바닥**은 복잡하고 시끄러운 도시의 풍경이지.
내가 몰고 가는 소의 딸랑이는 ㉣방울소리는   과거와 현재가 중첩되고
있어. 화자는 현재 골동품 가게에서 산 **방울**을 들고 시끄러운 **저자바닥**에 서 있지만, 과거에
소를 몰고 가던 때의 일을 마치 현재에 일어나고 있는 것처럼 표현하고 있어.
돌담 너머 옥분이네 안방에
들릴까 말까,
사립문 밖에 나와 날 기다리며 섰을
누나의 귀에는 들릴까 말까.   옥분이나 **누나**는 **과거**의 존재로, 화자에게 있어
그리움의 대상일 거야. 그들의 귀에 **방울소리**가 들릴지 안 들릴지 묻는 의문형의 문장을
활용하며 아련한 추억을 떠올리고 있어.

– 이수익, 「방울소리」–

| 화자와 대상의 관계 | 골동품 가게에서 산 **방울**을 매개로 **유년** 시절의 기억을 떠올리는 '나' |

1. ㉠~㉣을 중심으로 윗글을 이해한 것 중, 적절하지 않은 것은?

정답풀이 ▶

⑤ ㉣은 ㉡을 통해 깨닫게 된 자연과 인간사의 부조화를 상징한다.

㉣(방울소리)은 화자가 떠올린 어린 시절의 기억 속 소리이다. 이는 화자가 골동품 가게에서 산 ㉠(방울)과 그로 인해 떠올린 ㉡(소)을 계기로 연상하게 된 것이다. 화자가 ㉡을 통해 자연과 인간사의 부조화를 깨닫게 된 것은 아니며, ㉣이 자연과 인간사의 부조화를 상징하지도 않는다.

오답풀이 ▶

① ㉠은 화자를 유년 시절의 시간과 공간으로 유도하는 기능을 한다.

화자는 ㉠을 산 뒤 '그 영롱한 소리의 방울을 딸랑거리던 / 소'와 '소를 몰고 여름 해 질 녘 하산하던' 어린 시절의 고향 마을을 떠올린다. 따라서 ㉠은 화자를 유년 시절의 시간과 공간으로 유도하는 기능을 한다고 볼 수 있다.

② ㉡은 ㉠에 의해 연상된 것으로 화자의 소박하고 평화롭던 시절을 환기한다.

화자는 ㉠을 산 뒤 '그 영롱한 소리의 방울을 딸랑거리던 / 소'를 떠올린다. 그리고 '소(㉡)를 몰고' '마을로 터덜터덜 걸어 내려'오던 소박하고 평화로운 어린 시절의 한 장면을 떠올린다. 따라서 ㉡은 ㉠에 의해 연상된 것으로 화자의 소박하고 평화롭던 시절을 환기한다고 볼 수 있다.

③ ㉢은 ㉣과 대비되어 현대 문명의 부정적 이미지를 부각시킨다.

화자는 현재 '장사치들의 흥정이 떠들썩'하고 삼륜차의 '경적(㉢)'이 울려 대는 '문명의 / 골목'에 있지만, 소가 '딸랑이는 방울소리(㉣)'를 내고 누나가 '사립문 밖에 나와' 자신을 기다리던 과거의 고향을 그리워하고 있다. 따라서 ㉢은 ㉣과 대비되어 현대 문명의 부정적 이미지를 부각한다고 볼 수 있다.

④ ㉣은 화자가 소중한 이에 대한 그리움의 정서를 환기한다.

㉣은 화자가 떠올린 어린 시절의 기억 속 소리이다. 화자는 소의 목에 걸린 방울에서 딸랑거리던 그 소리가 '옥분이네 안방에 / 들릴'지, 자신을 '기다리며 섰을 / 누나의 귀'에 들릴지 궁금해 한다. 따라서 ㉣은 옥분이나 누나와 같은 소중한 사람에 대한 화자의 그리움을 환기한다고 볼 수 있다.

2. 문학 개념어 OX 확인 문제

① ✕
• 시선의 이동: 화자가 주목하는 대상이 바뀌는 것. 원경에서 근경으로, 혹은 A라는 대상에서 B라는 대상으로 화자의 시선이 이동하는 것을 말함.

② ○
• 음성 상징어: 사람이나 사물의 소리를 흉내 낸 말인 '의성어'와 사람이나 사물의 모양이나 움직임을 흉내 낸 말인 '의태어'를 통틀어 이르는 말.
근거 '터덜터덜'

🔍 1번 문제의 선지 판단 공식에 대한 답을 확인해 보세요.

선지 판단의 공식

①

작품 　화자는 '청계천 7가 골동품 가게에서' '어느 황소 목에 걸렸던 ㉠방울'을 산 뒤, '㉡소를 몰고 여름 해 질 녘 하산하던 / 그날'을 떠올림

선지 ➡ ㉠은 화자를 유년 시절의 시간과 공간으로 유도하는 기능을 한다. ○

②

작품 　화자는 '청계천 7가 골동품 가게에서' '어느 황소 목에 걸렸던 ㉠방울'을 산 뒤, '㉡소를 몰고 여름 해 질 녘'에 '저녁 연기 피어오르는 / 마을'로 하산하던 '그날'을 떠올림

선지 ➡ ㉡은 ㉠에 의해 연상된 것으로 화자의 소박하고 평화롭던 시절을 환기한다. ○

③

작품 　화자는 현재 '장사치들의 흥정이 떠들썩한 문명의 골목'에서 '삼륜차가 울려 대는 ㉢경적'을 듣고 있음. 동시에 '내가 몰고 가는 소의 딸랑이는 ㉣방울소리는 / 돌담 너머 옥분이네 안방에 / 들릴까 말까'라고 하여 방울을 딸랑이는 소를 몰고 마을로 내려가던 어린 시절의 평화로운 장면을 떠올림

선지 ➡ ㉢은 ㉣과 대비되어 현대 문명의 부정적 이미지를 부각시킨다. ○

④

작품 　'내가 몰고 가는 소의 딸랑이는 ㉣방울소리는 / 돌담 너머 옥분이네 안방에 / 들릴까 말까, / 사립문 밖에 나와 날 기다리며 섰을 / 누나의 귀에는 들릴까 말까.'라고 하여 어린 시절의 추억 속 '옥분이'와 '누나'를 떠올림

선지 ➡ ㉣은 화자가 소중한 이에 대한 그리움의 정서를 환기한다. ○

⑤

작품 　화자는 '청계천 7가 골동품 가게에서' '어느 황소 목에 걸렸던 ㉠방울'을 산 뒤, '㉡소를 몰고 여름 해 질 녘 하산하던 / 그날'을 떠올리면서 어린 시절 몰고 가던 소에게서 나던 '㉣방울소리'가 '옥분이'나 '누나'에게 들릴지 궁금해 함

선지 ➡ ㉣은 ㉡을 통해 깨닫게 된 자연과 인간사의 부조화를 상징한다. ✕

📅 고3 2017학년도 6월 모평 – 박두진, 「향현」 / 강은교, 「우리가 물이 되어」

(가)

아랫도리 다박솔 깔린 산(山) 넘어 큰 산(山) 그 넘엇 산(山)
안 보이어 **내** 마음 둥둥 구름을 타다. 화자는 **큰 산** 그 넘엇 산이 보이지 않아
마음이 둥둥 **구름**을 타고 있다고 하네. 보고 싶은 대상이 보이지 않아 답답한 마음일 거야.

우뚝 솟은 산(山), 묵중히 엎드린 산(山), 골골이 장송(長松)
들어섰고, 머루 다랫넝쿨 바위 엉서리에 얽혔고, 샅샅이 떡갈나무
억새풀 우거진 데 너구리, 여우, 사슴, 산(山)토끼, 오소리, 도마뱀,
능구리 등(等), 실로 무수한 짐승을 지니인, **산**에는 장송도 있고, 머루
다랫넝쿨도 얽혀 있고, 억새풀 우거진 데 너구리, 여우, 사슴, 산토끼 등의 **무수한 짐승들이**
살고 있나 봐. 산의 공동체적 성격이 나타나네.

산(山), 산(山), 산(山)들! 누거만년(累巨萬年) 너희들 침묵(沈默)
이 흠뻑 지리함즉 하매, 화자는 이런 산들이 오랜 세월 **침묵**하는 것에 **지루(지리)**
함을 느끼고 있어.

산(山)이여! 장차 너희 솟아난 봉우리에, 엎드린 마루에, 확 확
치밀어 오를 화염(火焰)을 내 기다려도 좋으랴? 산의 침묵을 깨고 장차
치밀어 오를 **화염**을 기다리고 있네.

핏내를 잊은 여우 이리 등속이 사슴 토끼와 더불어 싸릿순 칡순
을 찾아 함께 즐거이 뛰는 날을 믿고 길이 기다려도 좋으랴? 화자는
핏내를 잊은 여러 동물들이 **더불어** 즐겁게 뛰는 날이 올 것이라 믿으며 이를 **기다리고** 있어.

– 박두진, 「향현(香峴)」 –

화자와 대상의 관계	**침묵**하는 **산**을 보며 답답함을 느끼고, 여러 생명이 화합 하는 평화로운 이상 세계를 소망하는 '**나**'

(나)

우리가 물이 되어 만난다면
가문 어느 집에선들 좋아하지 않으랴. 화자는 가뭄처럼 메마른 상황에서
우리가 **물**이 되어 만나기를 소망하고 있어.
우리가 키 큰 나무와 함께 서서
우르르 우르르 비 오는 소리로 흐른다면. **키 큰 나무**에 시원하게 쏟아
지는 **비**와 같은 물이 되고 싶나 봐.

흐르고 흘러서 저물녘엔
저 혼자 깊어지는 강물에 누워
죽은 나무뿌리를 적시기도 한다면. 죽은 **나무뿌리**를 적셔 생명력을 불어
넣는 존재가 되기를 원하는 거야.
아아, 아직 처녀인
부끄러운 바다에 닿는다면. **물**이 되어 **바다**에 가 닿기를 원하고 있네.

그러나 지금 우리는
불로 만나려 한다. 하지만 지금은 물이 아닌 **불**로 만나려 해.

벌써 숯이 된 뼈 하나가
세상에 불타는 것들을 쓰다듬고 있나니 **불**로 인해 숯이 된 뼈 하나가
불타는 것들을 쓰다듬는 모습에서 연민을 느낄 수 있어.

만 리 밖에서 기다리는 그대여
저 불 지난 뒤에
흐르는 물로 만나자. 멀리서 기다리는 그대와 불이 지나고 난 뒤 **물**로 만나기를
소망하고 있어.
푸시시 푸시시 불 꺼지는 소리로 말하면서
올 때는 인적 그친
넓고 깨끗한 하늘로 오라. 그대에게 불이 다 꺼지고 완전히 정화된 **넓고**
깨끗한 하늘에서 만나자고 하네.

– 강은교, 「우리가 물이 되어」 –

화자와 대상의 관계	흐르는 **물**이 되어 넓고 깨끗한 **하늘**에서 그대와 만나기를 염원하는 '**나**'(우리)

1. (가), (나)에 대한 감상으로 적절하지 않은 것은?

정답풀이

④ (가)의 '내 마음'이 '둥둥 구름을 타'는 것은 '큰 산', '그 넘엇 산'을 바꾸려는
화자의 바람이 이루어지는 과정을, (나)의 '키 큰 나무와 함께 서서'는 화자가
현실에서 벗어나 자연과 하나가 되고 싶은 마음을 표현한 것이겠군.

(가)에서 '그 넘엇 산'이 안 보여 '내 마음'이 '둥둥 구름을' 탄다고 했는데,
이는 보고 싶은 산이 보이지 않아 답답하고 안타까워하는 마음을 표현한
것이라 짐작해 볼 수 있다. 그러나 '내 마음'이 '둥둥 구름을 타'는 것에서
'큰 산', '그 넘엇 산'을 바꾸려는 화자의 바람이나 그것이 이루어지는 과정은
나타나지 않는다. 또한 (나)의 '키 큰 나무와 함께 서서'는 건강한 생명력을
갖고 '우르르 우르르 비 오는 소리로' 흘러 현실의 메마름을 해소하려는
자세와 관련된 것으로는 볼 수 있으나, 현실에서 벗어나 자연과 하나가 되고
싶은 마음을 표현한 것이라고 보기는 어렵다.

오답풀이

① (가)는 산이 '누거만년' 동안 '침묵'하고 있는 것을 '지리함즉 하'다고 말함
으로써 화자가 마주한 현실이 지향하는 세계와 거리가 있음을 보여 주는 것이
겠군.

(가)에서는 산이 '누거만년' 동안, 즉 오랜 세월 동안 '침묵'하고 있는 것을
'지리함즉 하'다고 하였다. '지리하다'는 '지루하다'라는 의미이므로, 이를
통해 화자가 자신이 마주한 현실을 오랜 세월 동안 답답하게 여겨왔음을
알 수 있다. 즉 화자가 마주한 현실은 지향하는 세계와 거리가 있다고 볼
수 있다.

② (가)의 '내 기다려도 좋으랴'와 관련하여 볼 때 '화염'이 치밀어 오르는 것은 화자가 기대하는 산의 변화를 나타내는 것이겠군.

(가)의 '내 기다려도 좋으랴'는 화자의 기대와 소망을 나타낸다고 볼 수 있으며, 그 대상인 '화염'은 긍정적 대상이라 할 수 있다. 3연에서 '산'이 오랜 세월 동안 침묵했다고 한 것을 고려할 때 '화염'은 이러한 현실에 변화를 가져올 수 있는 대상으로 해석할 수 있다.

③ (나)에서 '만난다면', '좋아하지 않으랴'라고 말하는 화자는 자신이 소망하는 만남이 앞으로 실현되기를 바라는 태도를 취하고 있는 것이겠군.

(나)는 '우리가 물이 되어 만난다면'이라는 가정과 '좋아하지 않으랴'라는 설의적 표현을 사용하여 물이 되어 만날 미래의 상황을 가정하며 긍정적 전망을 나타내고 있다. 즉 이는 화자가 소망하는 만남이 앞으로 실현되기를 바라는 태도를 보여 준다고 할 수 있다.

⑤ (가)의 '핏내를 잊은~즐거이 뛰는 날'은 평화로운 세계를, (나)의 '넓고 깨끗한 하늘'은 화자가 '그대'와 만나 진정한 합일을 이루려는 세계를 표현한 것으로 볼 수 있겠군.

(가)의 '핏내를 잊은~즐거이 뛰는 날'은 모든 생명체가 '더불어', '함께', '즐거이' 공존하는 평화로운 세계를 표현한 것이라 할 수 있다. 그리고 (나)의 4연에서는 화자가 '그대'에게 '저 불 지난 뒤에', '푸시시 푸시시 불 꺼지는 소리'를 내며 '넓고 깨끗한 하늘로 오라.'라고 하고 있다. 따라서 불이 완전히 꺼지고 난 후, 물이 되어 그대와 만나는 곳인 '넓고 깨끗한 하늘'은 '그대'와 만나 진정한 합일을 이루려는 세계를 표현한 것이라 할 수 있다.

2. 문학 개념어 OX 확인 문제

① ○

• 청자: 시에서 화자의 말을 듣고 있는 사람. 화자가 어떤 대상을 호명하거나 어떤 대상과 대화를 나누는 경우 청자를 명시적으로 드러냈다고 할 수 있음.
　근거 (가): '산이여! 장차 너희 솟아난 봉우리에,~기다려도 좋으랴?'

② ○

• 대립: 의견이나 처지, 속성 따위가 서로 반대되거나 모순됨. 또는 그런 관계.
　근거 (나): '물' ↔ '불'

🔍 1번 문제의 선지 판단 공식에 대한 답을 확인해 보세요.

선지 판단의 공식

① 작품
(가): 산이 '누거만년' 동안, 즉 오랜 세월 동안 '침묵'하고 있는 것을 '지리함즉 하'다(지루하다)고 함, 화자는 '화염'과 산의 짐승들이 다 함께 '즐거이 뛰는 날'을 기다림

선지➡ (가)는 산이 '누거만년' 동안 '침묵'하고 있는 것을 '지리함즉 하'다고 말함으로써 화자가 마주한 현실이 지향하는 세계와 거리가 있음을 보여 주는 것이겠군.　○

② 작품
(가): 화자는 침묵하고 있는 '산'에서 '확 치밀어 오를 화염'을 기다림

선지➡ (가)의 '내 기다려도 좋으랴'와 관련하여 볼 때 '화염'이 치밀어 오르는 것은 화자가 기대하는 산의 변화를 나타내는 것이겠군.　○

③ 작품
(나): '우리가 물이 되어 만난다면 / 가문 어느 집에선들 좋아하지 않으랴'

선지➡ (나)에서 '만난다면', '좋아하지 않으랴'라고 말하는 화자는 자신이 소망하는 만남이 앞으로 실현되기를 바라는 태도를 취하고 있는 것이겠군.　○

④ 작품
(가): 화자는 '큰 산 그 넘엇 산'이 '안 보이어 내 마음 둥둥 구름'을 탄다고 함
(나): 화자는 '키 큰 나무와 함께 서서' '비 오는 소리로' 흘러 '죽은 나무뿌리를 적시'려 함

선지➡ (가)의 '내 마음'이 '둥둥 구름을 타'는 것은 '큰 산', '그 넘엇 산'을 바꾸려는 화자의 바람이 이루어지는 과정을, (나)의 '키 큰 나무와 함께 서서'는 화자가 현실에서 벗어나 자연과 하나가 되고 싶은 마음을 표현한 것이겠군.　✕

⑤ 작품
(가): 화자는 '핏내를 잊은~즐거이 뛰는 날', 즉 여러 생명체가 '더불어', '함께', '즐거이' 공존하는 세계를 기다림
(나): 화자는 '그대'에게 '불'이 다 꺼지고 난 후 '넓고 깨끗한 하늘'에서 흐르는 '물'로 만나자고 함

선지➡ (가)의 '핏내를 잊은~즐거이 뛰는 날'은 평화로운 세계를, (나)의 '넓고 깨끗한 하늘'은 화자가 '그대'와 만나 진정한 합일을 이루려는 세계를 표현한 것으로 볼 수 있겠군.　○

📅 고3 2016학년도 수능B – 박남수, 「아침 이미지 1」 / 김기택, 「풀벌레들의 작은 귀를 생각함」

(가)

어둠은 새를 낳고, 돌을
낳고, 꽃을 낳는다.   어둠을 새, 돌, 꽃을 낳는 주체로 표현하고 있어.
아침이면,
어둠은 온갖 물상(物象)을 돌려주지만
스스로는 땅 위에 굴복한다.   아침이 되면 어둠이 사라지면서 밤에는 잘 보이지
않던 온갖 물상이 나타나지.
무거운 어깨를 털고
물상들은 몸을 움직이어
노동의 시간을 즐기고 있다.   아침이 되어 물상들이 나타나는 양상을 몸을 움직여
노동의 시간을 즐기는 모습으로 표현하네.
즐거운 지상의 잔치에
금(金)으로 타는 태양의 즐거운 울림.   금처럼 빛나는 태양의 빛이 지상에
내리쬐고 있는 아침의 모습을 즐거운 잔치가 벌어진 듯한 이미지로 나타내고 있어.
아침이면,
세상은 개벽을 한다.   어둠이 걷히고 아침이 오면 모든 것들이 새로 태어나듯 활기
차게 움직이지. 화자는 이를 세상이 처음으로 생기는 개벽의 순간과 같다고 본 거야.

– 박남수, 「아침 이미지 1」 –

화자와 대상의 관계	어둠이 걷히고 아침이 되어 온갖 물상이 새롭게 태어나 활기차게 움직이는 모습을 보고 있는 사람

(나)

텔레비전을 끄자
풀벌레 소리
어둠과 함께 방 안 가득 들어온다   텔레비전을 끄자 어둠 속에서 풀벌레 소리가
들리기 시작했나 봐.
어둠 속에서 들으니 벌레 소리들 환하다
별빛이 묻어 더 낭랑하다   어둠 속에서 들으니 벌레 소리들에 별빛이 묻어 그
소리가 맑고 선명하다고 하고 있어.
귀뚜라미나 여치 같은 큰 울음 사이에는
너무 작아 들리지 않는 소리도 있다   너무 작아 듣지 못했던 소리를 텔레비전을
끄자 인식하게 되었나 봐.
그 풀벌레들의 작은 귀를 생각한다
내 귀에는 들리지 않는 소리들이 드나드는
까맣고 좁은 통로들을 생각한다   화자는 자신이 듣지 못하는 소리들을 듣는
풀벌레들의 작은 귀를 생각하고 있어.
그 통로의 끝에 두근거리며 매달린
여린 마음들을 생각한다
발뒤꿈치처럼 두꺼운 내 귀에 부딪쳤다가
되돌아간 소리들을 생각한다   화자는 그동안 듣지 못했던 소리들과 풀벌레들의
여린 마음들을 생각하고 있어.
브라운관이 뿜어낸 현란한 빛이
내 눈과 귀를 두껍게 채우는 동안

그 울음소리들은 수없이 나에게 왔다가
너무 단단한 벽에 놀라 되돌아갔을 것이다
하루살이들처럼 전등에 부딪쳤다가
바닥에 새카맣게 떨어졌을 것이다   화자는 브라운관의 현란한 빛에 정신을
빼앗긴 동안 풀벌레들의 작은 소리에 귀 기울이지 못한 지난날의 삶을 성찰(회고)하고 있어.
크게 밤공기 들이쉬니
허파 속으로 그 소리들이 들어온다
허파도 별빛이 묻어 조금은 환해진다   화자는 밤공기를 들이쉬어 풀벌레
소리들을 받아들이며 내면이 밝게 정화되는 느낌을 받았을 거야.

– 김기택, 「풀벌레들의 작은 귀를 생각함」 –

화자와 대상의 관계	어둠 속에서 풀벌레 소리를 들으며 풀벌레들의 작은 귀를 생각하는 '나'

1. (가), (나)의 '어둠'에 대한 설명으로 적절하지 않은 것은?

정답풀이

⑤ (가)에서는 '어둠'의 생산력을, (나)에서는 '어둠'의 포용력을 앞세워 '어둠'이 밝음에 순응하는 모습을 부각하고 있다.

(가)에서는 '어둠'이 '새', '돌', '꽃'을 '낳는다'는 점에서 생산력을 가지고 있다고 볼 수 있다. 또한 아침에 자신이 낳은 것을 돌려주고 스스로 땅 위에 굴복하는 모습에서 밝음에 순응하는 모습도 확인할 수 있다. 그러나 (나)에서는 '어둠'이 무엇을 포용하고 있는지 나타나 있지 않다. '함께 있다는 것'과 '포용한다는 것'은 별개의 개념이다. 여기에서 '어둠'은 포용력 있는 존재라기보다는 인위적인 빛('브라운관이 뿜어낸 현란한 빛')과 대립되는 것으로, 화자가 시각적인 제약에서 벗어나 청각에 집중하게 하여 평소에는 느낄 수 없었던 것들을 느끼게 하는 기능을 한다고 볼 수 있다. 그러므로 (나)에서 '어둠'이 포용력을 가지고 밝음에 순응하는 모습으로 나타난다는 설명은 적절하지 않다.

오답풀이

① (가)에서 '어둠'은 '물상'을 돌려주는 행위의 주체로 표현되고 있다.

(가)에서 '어둠은 온갖 물상을 돌려'준다고 하였으므로, '어둠'은 돌려주는 행위의 주체로 표현된 것으로 볼 수 있다.

② (나)에서 '어둠'은 '풀벌레 소리'를 도드라지게 하고 있다.

(나)에서 '어둠 속에서 들으니 벌레 소리들 환하다'라고 하였으므로 '어둠'은 '풀벌레 소리'를 도드라지게 한다고 볼 수 있다.

③ (가)에서는 '어둠'이 사라져 가는 시간을, (나)에서는 '어둠'이 지속되는 시간을 배경으로 삼고 있다.

(가)는 아침이 밝아오면서 '어둠'이 '온갖 물상을 돌려주'며 '땅 위에 굴복'하는 때를 시간적 배경으로 하며, (나)는 '풀벌레 소리'가 '어둠과 함께 방 안 가득 들어'오는 밤을 시간적 배경으로 한다.

④ (가)에서는 '어둠'이 물러나면서 상황이 변화하고, (나)에서는 '어둠'이 들어
오면서 '방 안'의 분위기가 변화한다.

> (가)는 '어둠'이 물러나고 아침이 밝아오면서 '온갖 물상'이 '무거운 어깨를
> 털고' '몸을 움직이'기 시작하는 상황의 변화를 보여 준다. (나)는 '현란한
> 빛'을 뿜어내는 '텔레비전을 끄자 / 풀벌레 소리'가 '어둠과 함께 방 안 가
> 득 들어'왔다고 하여 '방 안'의 분위기 변화를 보여 주고 있다.

2. 문학 개념어 OX 확인 문제

① ○

- 의인: 사람이 아닌 것에 인격을 부여하여 사람인 것처럼 표현하는 것.

  근거 (가): '어둠은 온갖 물상을 돌려주지만 / 스스로는 땅 위에 굴복한다.', '물상
  들은 몸을 움직이어 / 노동의 시간을 즐기고 있다.' 등 / (나): '여린 마음들', '그 울음
  소리들은 수없이 나에게 왔다가 / 너무 단단한 벽에 놀라 되돌아갔을 것이다' 등

② ○

- 공감각: 어떤 하나의 감각이 다른 영역의 감각을 일으키는 현상. 공감각적
  심상은 하나의 감각이 다른 감각으로 옮겨져 표현되며, 이를 '감각의
  전이'라고도 함.

  근거 (가): '금으로 타는 태양의 즐거운 울림.' / (나): '어둠 속에서 들으니 벌레
  소리들 환하다'

🔍 1번 문제의 선지 판단 공식에 대한 답을 확인해 보세요.

선지 판단의 공식

① 작품
> (가): '아침이면, / 어둠은 온갖 물상을 돌려주지만 / 스스로는
> 땅 위에 굴복한다.'

선지➡ (가)에서 '어둠'은 '물상'을 돌려주는 행위의 주체로 표현되고
있다. ○

② 작품
> (나): '텔레비전을 끄자 / 풀벌레 소리 / 어둠과 함께 방 안
> 가득 들어온다 / 어둠 속에서 들으니 벌레 소리들 환하다'

선지➡ (나)에서 '어둠'은 '풀벌레 소리'를 도드라지게 하고 있다. ○

③ 작품
> (가): '아침이면, / 어둠은 온갖 물상을 돌려주지만 / 스스로는
> 땅 위에 굴복한다.'라고 하여 어둠이 사라지고 아침이 밝아오
> 면서 나타나는 모습에 주목함
> (나): '풀벌레 소리 / 어둠과 함께 방 안 가득 들어온다'라고
> 하여 어둠 속에서 풀벌레 소리가 들려오는 것에 주목함

선지➡ (가)에서는 '어둠'이 사라져 가는 시간을, (나)에서는 '어둠'이
지속되는 시간을 배경으로 삼고 있다. ○

④ 작품
> (가): 어둠이 사라지고 아침이 밝아오면서 '온갖 물상'이 '몸을
> 움직이'기 시작하는 모습을 표현함
> (나): '브라운관이 뿜어낸 현란한 빛이 / 내 눈과 귀를 두껍게
> 채우'던 방 안에서 '텔레비전을 끄자 / 풀벌레 소리'가 '어둠과
> 함께 방 안 가득 들어'왔다고 표현함

선지➡ (가)에서는 '어둠'이 물러나면서 상황이 변화하고, (나)에서는
'어둠'이 들어오면서 '방 안'의 분위기가 변화한다. ○

⑤ 작품
> (가): '새를 낳고, 돌을 / 낳고, 꽃을 낳는' 어둠이 '아침'이 되
> 면 '온갖 물상을 돌려주'면서 '땅 위에 굴복한다.'라고 표현함
> (나): '텔레비전을 끄자 / 풀벌레 소리 / 어둠과 함께 방 안 가
> 득 들어온다 / 어둠 속에서 들으니 벌레 소리들 환하다'라고
> 하여 텔레비전의 빛과 소리가 차단되자 어둠과 함께 풀벌레
> 소리를 인식하게 됨을 표현함

선지➡ (가)에서는 '어둠'의 생산력을, (나)에서는 '어둠'의 포용력을
앞세워 '어둠'이 밝음에 순응하는 모습을 부각하고 있다. ✕

고3 2015학년도 9월 모평B – 김영랑, 「모란이 피기까지는」 / 김종길, 「고고」

(가)
모란이 피기까지는
나는 아직 ㉠나의 봄을 기다리고 있을 테요 화자는 **모란**이 피는 봄을
기다리고 있어.

모란이 뚝뚝 떨어져 버린 날
나는 비로소 봄을 여읜 **설움**에 잠길 테요 화자는 모란이 떨어져 버리면
봄을 여읜 **설움**에 잠길 거래.

오월 어느 날 그 하루 무덥던 날
떨어져 누운 꽃잎마저 시들어 버리고는
천지에 모란은 자취도 없어지고
뻗쳐오르던 내 보람 서운케 무너졌으니
모란이 지고 말면 그뿐 내 **한 해**는 다 가고 말아
삼백예순 날 하냥 섭섭해 우옵네다 모란이 지고 말면 한 해가 다 지나갔다고
여기며 삼백예순 날 **섭섭해** 운다고 해.

모란이 피기까지는
나는 아직 기다리고 있을 테요 **찬란한 슬픔의 봄을** 화자는 봄을 모란이
피는 **찬란함**과 모란이 지고 난 후에 느끼는 **슬픔**이 공존하는 계절이라 생각하며 모란을
기다리고 있어.

– 김영랑, 「모란이 피기까지는」 –

화자와 대상의 관계	모란이 피는 찬란한 슬픔의 봄을 기다리는 '나'

(나)
북한산이
다시 그 높이를 회복하려면
다음 겨울까지는 기다려야만 한다. 북한산이 다시 그 **높이**를 회복하려면
겨울까지는 기다려야 한대.

밤사이 눈이 내린,
그것도 백운대나 인수봉 같은
높은 봉우리만이 옅은 화장을 하듯
가볍게 눈을 쓰고 마치 **옅은** 화장을 하듯 눈이 살짝 덮힌 북한산 높은 **봉우리**의
모습을 묘사하고 있어.

왼 산은 차가운 수묵(水墨)으로 젖어 있는,
어느 겨울날 이른 아침까지는 기다려야만 한다. 높은 봉우리에 가볍게
눈이 쌓인 겨울날 **이른** 아침까지는 기다려야 한대.

신록이나 단풍,
골짜기를 피어오르는 안개로는,
눈이래도 왼 산을 뒤덮는 적설(積雪)로는 드러나지 않는, 신록, 단풍,
안개, 왼 산을 뒤덮는 **적설**로는 북한산의 고고함이 드러나지 않나 봐.

심지어는 장밋빛 햇살이 와 닿기만 해도 변질하는,
그 ㉡고고(孤高)한 높이를 회복하려면

백운대와 인수봉만이 **가볍게 눈을 쓰는**
어느 겨울날 이른 아침까지는
기다려야만 한다. 화자가 생각하는 북한산의 고고한 **높이**는 이른 아침 햇살이 와
닿기만 해도 변질할 만큼 아슬아슬한 것으로, 높은 봉우리에만 **가볍게** 눈이 쌓인 상태인가 봐.

– 김종길, 「고고(孤高)」 –

화자와 대상의 관계	북한산이 **고고한 높이**를 회복하는 **겨울**날 **이른 아침**까지 기다려야 한다고 말하는 사람

1. ㉠, ㉡과 관련지어 (가), (나)를 이해한 내용으로 적절하지 <u>않은</u> 것은?

정답풀이 ▷

① (가)의 '설움'은 ㉠을 경험하지 못하게 방해하는 요인을 나타낸다.

(가)의 화자가 '봄을 여읜 설움에 잠'긴 이유는 '모란이 뚝뚝 떨어져 버'렸기 때문이다. 즉 (가)의 '설움'은 모란이 지고 나면 화자가 겪는 정서이지 ㉠(나의 봄)을 경험하지 못하게 방해하는 요인은 아니다.

오답풀이 ▷

② (가)의 '내 한 해는 다 가고 말아'는 ㉠의 경험이 화자의 삶에서 차지하는 비중이 큼을 나타낸다.

㉠은 화자가 기다리는 모란이 피는 봄이다. '모란이 지고 말면 그뿐 내 한 해는 다 가고 말아 / 삼백예순 날 하냥 섭섭해 우옵네다'를 통해 ㉠의 경험이 화자의 삶에서 큰 비중을 차지함을 알 수 있다.

③ (가)의 '찬란한 슬픔'은 ㉠에서 경험할 수 있는 강렬한 정서를 나타낸다.

화자에게 봄은 모란이 피기에 찬란한 계절이지만 모란이 곧 질 것을 알고 있기 때문에 슬픈 계절이기도 하다. 그래서 화자는 봄을 '찬란한 슬픔'이라고 한 것이며, 이러한 역설적 표현을 통해 ㉠에서 경험할 수 있는 화자의 정서를 더욱 강조하고 있다.

④ (나)의 '어느 겨울날 이른 아침'은 ㉡을 경험할 수 있는 특정 시간을 나타낸다.

화자는 '북한산이 / 다시 그 높이를 회복하려면 / 다음 겨울까지는 기다려야만 한다.'라고 했고, '왼 산은 차가운 수묵으로 젖어 있는, / 어느 겨울날 이른 아침까지는 기다려야만 한다.'라고 하였다. 이때 기다림의 대상은 ㉡(고고한 높이)의 회복이므로 '어느 겨울날 이른 아침'은 ㉡을 경험할 수 있는 특정 시간을 나타낸다고 할 수 있다.

⑤ (나)의 '가볍게 눈을 쓰는'은 ㉡을 경험하기 위한 대상의 요건을 나타낸다.

㉡을 경험하기 위해 화자는 높은 봉우리만이 '가볍게 눈을 쓰고' 있어야 하며, '눈이래도 왼 산을 뒤덮는 적설'로는 드러나지 않는다고 하였다. 따라서 '가볍게 눈을 쓰는' 것은 ㉡을 경험하기 위한 하나의 요건으로 볼 수 있다.

1번 문제의 선지 판단 공식에 대한 답을 확인해 보세요.

2. 문학 개념어 OX 확인 문제

① ○

• 수미상관: 시의 처음과 끝에 동일하거나 유사한 시구를 배치시키는 것. 형태적 안정감을 주고, 시상에 통일성을 부여하며, 의미를 강조하는 효과가 있음.

　근거　(가): 1~2행과 11~12행 / (나): 1연과 6연

② ×

• 도치: 문장 성분의 정상적인 배열 순서를 바꾸어 그 의미를 강조하는 것. 특히 주어와 서술어의 순서가 뒤바뀌거나, 목적어와 서술어의 순서가 뒤바뀐 경우에 주의해야 함.

　근거　(가): '나는 아직 기다리고 있을 테요 찬란한 슬픔의 봄을'

선지 판단의 공식

①
작품 　(가): '㉠나의 봄'은 '모란'이 핀 때이고, 화자는 '모란이 뚝뚝 떨어져 버린 날' '봄을 여읜 설움'에 잠김

선지➡ (가)의 '설움'은 ㉠을 경험하지 못하게 방해하는 요인을 나타낸다.　　×

②
작품 　(가): '㉠나의 봄'은 '모란'이 핀 때이고, 화자는 '모란이 지고 말면' '내 한 해는 다 가고 말아 / 삼백예순 날 하냥 섭섭해' 운다고 함

선지➡ (가)의 '내 한 해는 다 가고 말아'는 ㉠의 경험이 화자의 삶에서 차지하는 비중이 큼을 나타낸다.　　○

③
작품 　(가): '㉠나의 봄'은 '모란'이 핀 때로 화자에게 기다림의 대상이지만, '모란'이 지면 슬픔에 잠기므로 화자는 봄을 '찬란한 슬픔의 봄'이라고 함

선지➡ (가)의 '찬란한 슬픔'은 ㉠에서 경험할 수 있는 강렬한 정서를 나타낸다.　　○

④
작품 　(나): 화자는 '북한산'이 '㉡고고한 높이'를 회복하려면 '어느 겨울날 이른 아침까지는 기다려야만 한다.'라고 함

선지➡ (나)의 '어느 겨울날 이른 아침'은 ㉡을 경험할 수 있는 특정 시간을 나타낸다.　　○

⑤
작품 　(나): 화자는 '㉡고고한 높이'를 회복하려면 '백운대와 인수봉만이 가볍게 눈을 쓰는 / 어느 겨울날 이른 아침까지는 / 기다려야만 한다.'라고 함

선지➡ (나)의 '가볍게 눈을 쓰는'은 ㉡을 경험하기 위한 대상의 요건을 나타낸다.　　○

30 하루 30분, 현대시 트레이닝

📅 고3 2012학년도 9월 모평 − 정일근, 「어머니의 그륵」 / 최두석, 「노래와 이야기」

(가)

어머니는 그륵이라 쓰고 읽으신다
그륵이 아니라 그릇이 바른 말이지만
어머니에게 그릇은 그륵이다 **그륵**은 그릇의 방언인데, 화자의 어머니는 그릇을
그륵이라고 쓰고 읽으셨대.
물을 담아 오신 어머니의 그륵을 앞에 두고
그륵, 그륵 중얼거려 보면
그륵에 담긴 물이 편안한 수평을 찾고
어머니의 그륵에 담겨졌던 모든 것들이
사람의 체온처럼 따뜻했다는 것을 깨닫는다 화자가 어머니의 그륵에 담
겨졌던 모든 것들이 **따뜻했다**고 생각하는 이유는 어머니의 따뜻한 사랑·온정이 담겨 있기
때문이겠지?

┌ **나**는 학교에서 그릇이라 배웠지만
│ 어머니는 인생을 통해 그륵이라 배웠다
[A] 그래서 내가 담는 한 그릇의 물과
└ 어머니가 담는 한 그륵의 물은 다르다 '**나**'는 학교에서 **그릇**이라는
단어의 지시적 의미를 배웠을 뿐이야. 이와 달리 어머니는 인생을 통해 **그륵**이라고
배우신 것이기에, 내가 담는 한 그릇의 물과 어머니의 인생이 담긴 한 그륵의 물은
다를 수밖에 없지.

┌ 말 하나가 살아남아 빛나기 위해서는
│ 말과 하나가 되는 사랑이 있어야 하는데
[B] 어머니는 어머니의 삶을 통해 말을 만드셨고
└ 나는 사전을 통해 쉽게 말을 찾았다 '**나**'는 **사전**을 통해 쉽게 말을 찾고
어머니는 **삶**을 통해 말을 만드신다고 했으니 말과 하나가 되는 사랑이 있는 말은
어머니의 말이겠지?

무릇 시인이라면 하찮은 것들의 이름이라도
뜨겁게 살아 있도록 불러 주어야 하는데
두툼한 개정판 국어사전을 자랑처럼 옆에 두고
서정시를 쓰는 내가 부끄러워진다 화자는 **하찮은** 것들의 이름이라도 뜨겁게
살아 있도록 불러주는 것을 **시**를 쓰는 바람직한 태도로 여기면서, 사전을 통해 쉽게 말을
찾아내 시를 쓰는 자신의 모습을 **부끄러워** 하고 있네.

− 정일근, 「어머니의 그륵」 −

화자와 대상의 관계	어머니가 **그륵**이라고 쓰고 읽은 것의 의미를 생각하며 시인으로서 **부끄러움**을 느끼는 '나'

(나)

노래는 심장에, **이야기**는 뇌수에 박힌다 화자는 **노래**와 **이야기**를 구분하고
있네.
처용이 밤늦게 돌아와, 노래로써
아내를 범한 귀신을 꿇어 엎드리게 했다지만
막상 목청을 떼어 내고 남은 가사는
베개에 떨어뜨린 머리카락 하나 건드리지 못한다 고려가요 「처용가」에
따르면 처용은 노래를 불러 귀신을 감복시켜 굴복하게 했어. 화자는 처용 설화를 활용해
노래는 상대의 **심장**에 박혀 행동을 변화시킬 수 있지만, 목청을 떼고 **가사만** 남는다면
머리카락 하나 건드리지 못한다고 하고 있어.

하지만 처용의 이야기는 살아남아
새로운 노래와 풍속을 짓고 유전해 가리라 **목청**을 떼어 내고 남은 **가사**는,
노래와 분리된 이야기라고 볼 수 있겠지? 처용의 이야기는 살아남아 새로운 노래와 풍속을
짓고 이어질 거래.

┌ 정간보가 오선지로 바뀌고
[C]│ 이제 아무도 시집에 악보를 그리지 않는다
┌ 노래하고 싶은 시인은 말 속에
[D]│ 은밀히 심장의 박동을 골라 넣는다 아무도 시집에 **악보**를 그리지 않는
것은 시와 음악이 분리된 상황을 말하는 거야. 그래도 시인은 말 속에 **심장**의 박동,
즉 음악을 골라 넣는다고 해.
┌ 그러나 **내** 격정의 상처는 노래에 쉬이 덧나
│ 다스리는 처방은 이야기일 뿐
[E] 이야기로 하필 시를 쓰며
└ 뇌수와 심장이 가장 긴밀히 결합되길 바란다. 화자는 노래는
격정의 상처를 덧나게 하지만, **이야기**가 상처를 다스리는 처방이 될 것이라고 해.
화자는 뇌수와 심장, 즉 **이야기**와 **노래**가 결합된 시를 쓰기를 바라고 있어.

− 최두석, 「노래와 이야기」 −

화자와 대상의 관계	이야기로 시를 쓰며 뇌수(**이야기**)와 심장(**노래**)이 긴밀히 결합되기를 바라는 '나'

1. [A]~[E]에 대한 감상으로 가장 적절한 것은?

정답풀이

④ [D]: 말에 생명을 불어넣어 감동을 주는 시를 쓰고자 하는 바람을 표현하고
있군.

시인이 말 속에 '심장의 박동을 골라 넣는다'고 한 것은 말에 생명을 불어
넣어 감동을 주는 시를 쓰고자 하는 것으로 이해할 수 있다.

오답풀이

① [A]: '그륵'보다는 '그릇'이 훨씬 풍부하고 다채로운 의미를 담고 있다는 뜻이군.

'나'는 학교에서 '그릇'을 배웠지만 어머니는 인생을 통해 '그륵'을 배웠기
때문에 어머니가 담는 '한 그륵의 물'은 내가 담는 '한 그릇의 물'과는 다르
다고 했다. 따라서 '그륵'이 '그릇'보다 훨씬 풍부하고 다채로운 의미를 담고
있다고 볼 수 있다.

② [B]: '그릇'이라는 말은 창조된 것이고 '그륵'이라는 말은 발견된 것이라는
뜻이군.

'어머니는 어머니의 삶을 통해 말을 만드셨고 / 나는 사전을 통해 쉽게 말
을 찾았다'라고 했다. 즉 '그륵'이 창조된 것이고, '그릇'이 발견된 것이라고
해야 적절하다.

③ [C]: 시와 음악의 분리를 비판하는 것으로 보아 자유시보다 정형시를 선호하는군.

> '아무도 시집에 악보를 그리지 않는다'는 것은 현대에 들어 목청(음악)과 가사(시)가 분리된 상황을 의미하는 것으로, 이를 통해 시와 음악의 분리를 비판한다고 보기 어렵고, 자유시보다 정형시를 선호한다는 것으로 해석할 수도 없다.

⑤ [E]: 덧난 상처를 '이야기'로 치유한다면 상처의 원인은 '노래'에 있다는 뜻이군.

> '격정의 상처는 노래에 쉬이 덧나 / 다스리는 처방은 이야기일 뿐'은 감정이 지나친(격정의) 상태가 되어 생기는 상처는 노래에 쉬이 덧날 수 있는데, 이는 이야기로 치유할 수 있다는 의미이다. 그러나 이 상처는 무엇인가에 대한 '격정'에서 온 것이고, 노래로 인해 상처가 더 심화되는 상황인 것이지 노래가 상처의 원인인 것은 아니다.

2. 문학 개념어 OX 확인 문제

> ① ✕
>
> • 반복: 같은 것을 되풀이함. 음운이나 음절의 반복, 시어나 시구의 반복, 유사한 문장 구조의 반복 등이 있으며, 이를 통해 운율을 형성하고 의미를 강조하는 효과가 있음.
>
> 근거 (가): '어머니의 그륵'
>
> ② ✕
>
> • 역설: 표면적으로 모순되거나 부조리한 것 같지만 그 표면적인 진술 너머에서 진실을 드러내는 것.

🔍 1번 문제의 선지 판단 공식에 대한 답을 확인해 보세요.

선지 판단의 공식

①
작품 | (가): '나'는 '학교'에서 '그륵'이라 배웠고, '어머니'는 '인생'을 통해 '그륵'이라고 배웠기에 '내가 담는 한 그륵의 물'과 '어머니가 담는 한 그륵의 물'은 다름

선지 ➡ [A]: '그륵'보다는 '그릇'이 훨씬 풍부하고 다채로운 의미를 담고 있다는 뜻이군. ✕

②
작품 | (가): 어머니는 '삶을 통해 말을 만드셨'는데, '나'는 '사전을 통해 쉽게 말을 찾'아냄

선지 ➡ [B]: '그릇'이라는 말은 창조된 것이고 '그륵'이라는 말은 발견된 것이라는 뜻이군. ✕

③
작품 | (나): 화자는 '정간보가 오선지로 바뀌고' 난 후에 '시집에 악보를 그리'는 사람이 없다고 하는데, 이는 '목청(음악)을 떼어 내고 남은 가사(시)'와 유사한 상황을 표현한 것임 → 화자는 '뇌수(이야기)와 심장(노래)이 가장 긴밀히 결합'되는 시를 쓰기를 바람

선지 ➡ [C]: 시와 음악의 분리를 비판하는 것으로 보아 자유시보다 정형시를 선호하는군. ✕

④
작품 | (나): '노래'는 '심장'에 박힌다고 했으므로, '시인'이 '말' 속에 '심장의 박동을 골라 넣'는 것은 화자가 심장에 박히는 노래와 같은 시를 쓰고자 하는 바람을 나타낸 것임

선지 ➡ [D]: 말에 생명을 불어넣어 감동을 주는 시를 쓰고자 하는 바람을 표현하고 있군. ◯

⑤
작품 | (나): 화자는 '노래' 때문에 쉽게 덧나는 '격정의 상처'를 '이야기'로 다스릴 수 있다고 보며, '이야기'로 '시'를 써 '뇌수(이야기)와 심장(노래)이 가장 긴밀히 결합'되기를 바람

선지 ➡ [E]: 덧난 상처를 '이야기'로 치유한다면 상처의 원인은 '노래'에 있다는 뜻이군. ✕

📅 고3 2011학년도 수능 – 고은, 「선제리 아낙네들」 / 김명인, 「그 나무」

(가)

먹밤중 한밤중 새터 중뜸 개들이 시끌짝하게 짖어댄다
이 개 짖으니 저 개도 짖어
들 건너 갈메 개까지 덩달아 짖어댄다　한밤중에 개들이 요란하게 짖는 소리
가 들려오고 있어.
이런 개 짖는 소리 사이로
언뜻언뜻 까 여 다 여 따위 말끝이 들린다
밤 기러기 드높게 날며
추운 땅으로 떨어뜨리는 소리하고 남이 아니다
앞서거니 뒤서거니 의좋은 그 소리하고 남이 아니다　개 짖는 소리 사이로
사람의 말소리가 언뜻 섞여서 들린다고 하네. 기러기가 내는 소리와 의좋은 소리를 남이
아니라고 하며 서로 관련시키고 있어.
콩밭 김칫거리
아쉬울 때 마늘 한 접 이고 가서
군산 묵장 가서 팔고 오는 선제리 아낙네들
팔다 못해 파장떨이로 넘기고 오는 아낙네들　말소리의 주인공은 선제리
의 아낙네들이었구나. 군산 시장으로 가서 마늘을 팔다가 날이 저물자 함께 선제리로 돌아
가는 중인가 봐.
㉠시오릿길 한밤중이니
십릿길 더 가야지　선제리까지 십 리나 되는 길을 더 가야 하나 봐.
빈 광주리야 가볍지만
빈 배 요기도 못하고 오죽이나 가벼울까　팔다 못한 마늘은 파장떨이로
넘기고 와서 광주리는 가볍지만, 하루종일 장사를 하느라 끼니를 못 챙긴 탓에 아낙네들의
배 역시 텅 비어서 가볍대.
그래도 이 고생 혼자 하는 게 아니라
못난 백성
못난 아낙네 끼리끼리 나누는 고생이라
얼마나 ㉡의좋은 한세상이더냐　그래도 혼자 하는 고생이 아니라 서로 돕고 의
지할 수 있어 의좋은 한세상이라 여기고 있어.
그들의 말소리에 익숙한지
어느새 개 짖는 소리 뜸해지고
밤은 내가 밤이다 하고 말하려는 듯 어둠이 눈을 멀뚱거린다　개 짖는
소리가 뜸해지고 점점 더 깊어져 가는 밤의 모습으로 시를 마무리하고 있어.

　　　　　　　　　　　　　－ 고은, 「선제리 아낙네들」 －

화자와 대상의 관계	한밤중 군산의 장터에서 선제리로 돌아가고 있는 아낙네들의 삶에 대해 이야기하는 사람

(나)

한 해의 꽃잎을 며칠 만에 활짝 피웠다 지운
벚꽃 가로 따라가다가
미처 제 꽃 한 송이도 펼쳐 들지 못하고 멈칫거리는
늦된 그 나무 발견했지요.　화자가 벚꽃 길을 걷다가 어떤 나무를 발견했어. 다른
나무들은 이미 활짝 꽃을 피웠다 진 시점인데, 아직 꽃 한 송이도 제대로 피우지 못한 늦된
그 나무에게 관심이 갔나 봐.

들킨 게 부끄러운지, 그 나무
시멘트 개울 한 구석으로 비틀린 뿌리 감춰놓고
앞줄 아름드리 그늘 속에 반쯤 숨어 있었지요.　늦된 나무는 마치 부끄러
워서 자신의 모습을 감추려는 듯이 다른 울창한 나무들이 만들어낸 그늘 속에 서 있었대.
봄은 그 나무에게만 더디고 더뎌서
꽃철 이미 지난 줄도 모르는지,
그래도 여느 꽃나무와 다름없이
가지 가득 매달고 있는 멍울 어딘가 안쓰러웠지요.　꽃철이 이미 지났
는데 이제야 꽃망울을 매달고 있는 나무의 모습을 화자는 안쓰럽게 느껴졌나 봐.
늦된 나무가 비로소 밝혀드는 ㉢꽃불 성화,
환하게 타오를 것이므로 나도 이미 길이 끝난 줄
까마득하게 잊어버리고 한참이나 거기 멈춰 서 있었지요.　늦된 나무가
마치 꽃불 성화처럼 환하게 꽃을 피워낼 것이라 기대하며 화자는 그 앞에서 한참이나 멈춰
서 있었대.
산에서 내려 두 달거리나 제자릴 찾지 못해
헤매고 다녔던 저 ㉣난만한 봄길 어디,
늦깎이 깨달음 함께 얻으려고 한나절
나도 병든 그 나무 곁에서 서성거렸지요.　화자는 늦된 나무를 보면서 무언가
깨달음을 얻으려고 그 곁에서 한나절이나 서성거렸나 봐.
이 봄 가기 전 저 나무도 푸릇한 잎새 매달까요?
무거운 청록으로 여름도 지치고 말면
불타는 소신공양 틈새 ㉤가난한 소지(燒紙)*,
저 나무도 가지가지마다 지펴 올릴 수 있을까요?　화자는 저 나무도 언젠
가는 푸릇한 잎새를 매달고, 여름이 지나 가을이 되면 고운 단풍(가난한 소지)으로 물들기를
기대하고 있어.

　　　　　　　　　　　　　－ 김명인, 「그 나무」 －

*소지: 부정을 없애고 신에게 소원을 빌기 위하여 태워서 공중에 올리는 종이.

화자와 대상의 관계	꽃철이 지난 늦은 봄, 뒤늦게 꽃망울을 매달고 있는 늦된 나무를 보며 깨달음을 얻고자 하는 '나'

1. ㉠~㉤에 대한 설명으로 적절하지 않은 것은?

정답풀이

④ ㉣: '벚꽃'이 흐드러지게 피어 있는 '봄길'로, 일탈적 삶에 대한 화자의 갈망이 간절한 것이었음을 나타낸다.

㉣(난만한 봄길)은 화자가 '제자릴 찾지 못해 / 헤매고 다녔던' 길이다. 또한 화자는 방황하던 삶에서 벗어나 '늦깎이 깨달음'을 얻기 위해 '병든 그 나무 곁에서' 서성거렸던 것이므로, ㉣에서 화자는 '일탈적 삶'을 갈망하는 것이 아니라 '깨달음'을 갈망하고 있는 것이라 할 수 있다.

H O L S O O

오답풀이

① ㉠: '군산 묵은장'과 '선제리' 사이의 거리로, '한밤중', '십릿길'과 더불어 '아낙네들'이 처한 상황을 구체적으로 나타낸다.

> ㉠(시오릿길)은 '한밤중'에 선제리 아낙네들이 '군산 묵은장'에서 집으로 돌아오는 거리로, '십릿길 더 가야지'를 통해 선제리로 돌아가기 위해 아낙네들이 길을 더 가야 하는 상황임을 알 수 있다.

② ㉡: '끼리끼리'와 상관되는 것으로, 공동체적 삶에 공감하는 화자의 태도가 내포되어 있다.

> ㉡(의좋은 한세상)은 '끼리끼리'와 서로 관련이 있는 것으로, 화자는 아낙네들의 고생을 '혼자 하는 게 아니라' '끼리끼리 나누는 고생'이라고 하고 있다. 따라서 ㉡에는 공동체적 삶에 공감하는 화자의 태도가 드러나고 있다.

③ ㉢: '늦된 나무'가 피워 낼 '꽃'을 성스러운 불에 비유한 것으로, '늦된 나무'에 대한 화자의 기대가 내포되어 있다.

> ㉢(꽃불 성화)은 '늦된 나무'가 비로소 피워낼 꽃을 의미한다. 화자는 언젠가는 '늦된 나무'도 꽃을 피워 '환하게 타오를 것'이라고 기대하고 있는 것이다.

⑤ ㉤: 가을의 나뭇잎을 '깨달음'과 관련하여 표현한 것으로, '불타는 소신공양'과 대비되어 화자의 겸손한 태도를 드러낸다.

> '불타는 소신공양'은 본래 자기 몸을 불태워 부처 앞에 바친다는 의미이지만, (나)에서는 여름이 지나고 가을날이 되어 화려하게 물든 나무들을 의미한다. 반면 ㉤(가난한 소지)은 '늦된 나무'가 할 수 있는 최선의 모습으로, 소박하게나마 잎을 물들인 모습일 것이다. 따라서 ㉤은 '불타는 소신공양'과 대비되며 작고 소박한 마음으로 깨달음을 얻기를 소망하는 화자의 겸손한 태도를 드러낸다.

2. 문학 개념어 OX 확인 문제

> ① ✕
> • 낙관: 인생이나 사물을 밝고 희망적인 것으로 봄. 앞으로의 일 따위가 잘되어 갈 것으로 여김.
>
> ② ✕
> • 자조: 자신을 비웃음. 스스로에게 냉소하는 것.

🔍 1번 문제의 선지 판단 공식에 대한 답을 확인해 보세요.

선지 판단의 공식

① 작품
(가): '군산 묵은장'에 가서 '마늘'을 파느라 '한밤중'이 되어서야 시장에서 '㉠시오릿길' 떨어진 거리의 '선제리'로 돌아가는 중인 아낙네들은 앞으로 '십릿길'을 더 가야 함

선지➡ ㉠: '군산 묵은장'과 '선제리' 사이의 거리로, '한밤중', '십릿길'과 더불어 '아낙네들'이 처한 상황을 구체적으로 나타낸다. ○

② 작품
(가): '선제리 아낙네'들은 하루 종일 장사를 하면서 '빈 배 요기도 못'하여 배가 텅 빈 상태인데, '이 고생 혼자 하는 게 아니라' '못난 아낙네 끼리끼리 나누는 고생'이기에 화자는 이에 대해 '㉡의좋은 한세상'이라고 함

선지➡ ㉡: '끼리끼리'와 상관되는 것으로, 공동체적 삶에 공감하는 화자의 태도가 내포되어 있다. ○

③ 작품
(나): 화자는 꽃철이 다 지났지만 아직 꽃을 피우지 못한 '늦된 나무'에서도 '㉢꽃불 성화'가 '환하게 타오를 것'이라고 생각하며 한참이나 늦된 나무를 바라보고 있음

선지➡ ㉢: '늦된 나무'가 피워 낼 '꽃'을 성스러운 불에 비유한 것으로, '늦된 나무'에 대한 화자의 기대가 내포되어 있다. ○

④ 작품
(나): 화자는 산에서 내려와 두 달가량을 '제자릴 찾지 못'한 채 '㉣난만한 봄길'을 '헤매고 다녔'음. 그러다가 우연히 '늦된 나무'를 보고 '늦깎이 깨달음 함께 얻으려고 한나절'을 '그 나무 곁에서 서성'거림

선지➡ ㉣: '벚꽃'이 흐드러지게 피어 있는 '봄길'로, 일탈적 삶에 대한 화자의 갈망이 간절한 것이었음을 나타낸다. ✕

⑤ 작품
(나): '늦된 나무'를 보며 깨달음을 얻고자 한 화자는 '무거운 청록으로 여름도 지치고' 가을이 오면 마치 '불타'는 듯 화려하게 단풍을 물들이는 다른 나무들 틈새에서 '늦된 나무'도 '㉤가난한 소지', 즉 소박하게나마 단풍으로 잎을 물들일 수 있을지를 생각하고 있음

선지➡ ㉤: 가을의 나뭇잎을 '깨달음'과 관련하여 표현한 것으로, '불타는 소신공양'과 대비되어 화자의 겸손한 태도를 드러낸다. ○

정답 및 해설 045

📅 고3 2020학년도 10월 학평 – 이용악, 「하나씩의 별」 / 유치환, 「귀고」

(가)

무엇을 실었느냐 화물 열차의
검은 문들은 탄탄히 잠겨졌다
바람 속을 달리는 화물 열차의 지붕 우에
우리 제각기 드러누워
한결같이 쳐다보는 하나씩의 별 화자는 어디론가 향하는 **화물 열차**의 지붕 위
에 올라탄 채 하늘에 뜬 **별**을 보고 있어.

두만강 저쪽에서 온다는 사람들과
쟈무스*에서 온다는 사람들과
험한 땅에서 험한 벌 치르고
눈보라 치기 전에 고향으로 돌아간다는
남도 사람들과 화물 열차의 지붕 위에는 서로 다른 곳에서 온 사람들이 화자와 함께
있나 봐.
북어 쪼가리 초담배 밀가루 떡이랑
나눠서 요기하며 내사 서울이 그리워
고향과는 딴 방향으로 흔들려 간다 화물 열차는 **서울**로 향해 가고 있구나.

⎡ 푸르른 바다와 거리거리를
⎜ 설움 많은 이민 열차의 흐린 창으로
[A] 그저 서러이 내다보던 골짝 골짝을
⎜ 갈 때와 마찬가지로
⎣ 헐벗은 채 돌아오는 이 사람들과 **설움** 많은 이민 열차를 타고 떠났다고
한 것으로 보아, 당시에는 원하지 않지만 고향을 떠날 수밖에 없었던 상황이었나 봐.
가진 것 없이 **헐벗**은 채 떠났던 사람들이 고국으로 돌아올 때에도 마찬가지로 **헐벗**은
상태라고 하네.
마찬가지로 헐벗은 나요 화자 역시 헐벗었다고 하니 고난과 시련의 삶을 살아왔을
거야.
나라에 기쁜 일 많아
울지를 못하는 함경도 사내 화자의 고향은 **함경**도였구나. **나라**에 기쁜 일이 생겨
다른 사람들과 마찬가지로 서울로 향하는 화물 열차에 몸을 실었으나, 그곳은 정작 화자의
고향과는 **다른** 방향이었던 거지.

총을 안고 뽈가*의 노래를 부르던
슬라브의 늙은 병정은 잠이 들었나
바람 속을 달리는 화물 열차의 지붕 우에
우리 제각기 드러누워
한결같이 쳐다보는 하나씩의 별 1연의 구절을 유사하게 **반복**하며 시상을
마무리하고 있네.

– 이용악, 「하나씩의 별」 –

*쟈무스: 자무쓰. 중국 북단의 한 지명.
*뽈가: 러시아 서부의 볼가강.

화자와 대상의 관계	객지에서 힘겨운 삶을 살아온 유이민들과 함께 고국으로 향하는 **화물 열차**의 **지붕** 위에서 별을 바라보는 '나'

(나)

⎡ 검정 사포를 쓰고 똑딱선(船)을 내리면
⎜ 우리 고향의 선창가는 길보다도 사람이 많았소 화자가 배에서
⎣ 내려 마주한 **고향**의 모습은 많은 사람들로 북적였나 봐.
[B] 양지바른 뒷산 푸른 송백(松柏)을 끼고
⎜ 남쪽으로 트인 하늘은 기(旗)빨처럼 다정하고 선창가에 모인
⎜ 사람들 뒤편으로는 푸른 **산**과 탁 트인 **하늘**이 펼쳐져 있는 모습이네.
⎣ 낯설은 신작로 옆대기를 들어가니
내가 크던 돌다리와 집들이
소리 높이 창가하고 돌아가던
저녁놀이 사라진 채 남아 있고 고향에는 낯선 **신작로**도 들어섰지만, 화자가
어릴 때 보았던 **돌다리와 집**들, **저녁놀**도 여전히 남아 있어.
그 길을 찾아가면
우리 집은 유약국 익숙한 고향의 풍경을 따라 간 화자가 **집**에 도착하였네.
행이불언(行而不言) 하시는 아버지께선 어느덧
돋보기를 쓰시고 나의 절을 받으시고
헌 책력(冊曆)처럼 애정에 낡으신 어머님 옆에서 **아버지**와 **어머니** 모두
흐르는 세월 속에서 늙으신 모습이야.
나는 끼고 온 신간(新刊)을 그림책인 양 보았소 어머니 옆에서 가지고 온
신간을 읽는 화자는 마치 어린 시절 **그림책**을 읽던 때와 같은 기분을 느끼고 있어.

– 유치환, 「귀고」 –

화자와 대상의 관계	고향으로 돌아와 느끼는 감회에 대해 이야기하는 '나'

1. [A], [B]에 대한 이해로 가장 적절한 것은?

정답풀이

④ [A]의 '골짝 골짝'에는 떠나는 이의 슬픔이, [B]의 '하늘'에는 돌아온 이의 반가움이 투영되어 있다.

[A]에서 '골짝 골짝'은 '설움 많은 이민 열차'를 타고 가던 때 '내다보'았던 창 밖의 풍경으로, 고향을 떠날 수밖에 없었던 이들의 슬픔이 투영된 대상으로 볼 수 있다. [B]에서 하늘은 '똑딱선'에서 내린 화자가 마주한 고향의 풍경 중 하나인데, 이를 '기빨처럼 다정'하다고 표현하고 있으므로 돌아온 이의 반가움이 투영된 것으로 볼 수 있다.

오답풀이

① [A]의 '거리거리'와 [B]의 '신작로'에는 시간의 경과에 따른 화자의 변화된 인식이 내포되어 있다.

> [A]에서 '거리거리'는 사람들이 '설움 많은 이민 열차'를 타고 떠나던 때 보았던 풍경일 뿐, 시간의 경과에 따른 화자의 변화된 인식이 내포되어 있지는 않다. [B]에서 '낯설은 신작로'는 고향으로 돌아온 화자가 마주한 새로운 풍경일 뿐, 시간의 경과에 따른 화자의 변화된 인식이 내포되어 있지는 않다.

② [A]의 '이민 열차'는 현실에 대한 화자의 기대감을, [B]의 '똑딱선'은 미래에 대한 화자의 기대감을 부각하고 있다.

> [A]에서 '이민 열차'에는 '설움'이 많다고 했으므로 이가 현실에 대한 화자의 기대감을 부각한다고 보기는 어렵다. 또한 [B]에서 '똑딱선'은 화자가 고향으로 돌아올 때 타고 온 것일 뿐, 미래에 대한 화자의 기대감을 부각한다고 보기 어렵다.

③ [A]의 '흐린 창'과 [B]의 '양지바른 뒷산'은 시적 분위기와 대비되는 이미지를 드러내고 있다.

> [A]에서 '흐린 창'은 과거 고향을 떠날 수밖에 없었던 이들의 서러운 심정과 연결되며, [B]의 '양지바른 뒷산'은 고향에 돌아와 반가움을 느끼고 있는 화자의 심정과 연결된다. 따라서 '흐린 창'과 '양지바른 뒷산'은 모두 시적 분위기와 대비되는 이미지를 드러낸다고 보기 어렵다.

⑤ [A]의 '사람들'과 [B]의 '사람'에는 화자의 연민이 내포되어 있다.

> [A]의 '사람들'은 어쩔 수 없이 고향을 떠나던 때와 마찬가지로 '헐벗은 채 돌아'온다고 하였으므로 화자의 연민이 내포되었다고 볼 수 있다. 그러나 [B]의 '사람'은 고향에 돌아온 화자가 '선창가'에서 마주한 인파를 말하는 것일 뿐, 화자의 연민이 내포되어 있다고 보기는 어렵다.

2. 문학 개념어 OX 확인 문제

> ① ✗
>
> • 대비: 두 가지의 차이를 밝히기 위해 서로 맞대어 비교함.
>
> ② ✗
>
> • 대화체: 화자와 대상이 대화를 주고받는 구성이 나타나는 경우. 말을 건네는 방식도 대화체에 포함시켜야 한다고 보는 견해가 있으나 이견이 존재함.
> • 독백체: 화자 혼자 중얼거리는 식의 말투(어조).

🔍 1번 문제의 선지 판단 공식에 대한 답을 확인해 보세요.

선지 판단의 공식

① 작품
(가): '거리거리'는 과거에 '설움 많은 이민 열차'를 타고 떠났던 이들이 본 창 밖의 풍경임
(나): 고향에 돌아온 화자는 처음 '신작로'를 보고 낯설다고 함

선지➡ [A]의 '거리거리'와 [B]의 '신작로'에는 시간의 경과에 따른 화자의 변화된 인식이 내포되어 있다. ✗

② 작품
(가): '이민 열차'는 '헐벗은 채' 떠났던 사람들이 서러움을 느꼈던 공간임
(나): '똑딱선'을 타고 고향에 돌아온 화자는 자신이 본 고향의 풍경과 이에 따른 정서를 이야기하고 있음

선지➡ [A]의 '이민 열차'는 현실에 대한 화자의 기대감을, [B]의 '똑딱선'은 미래에 대한 화자의 기대감을 부각하고 있다. ✗

③ 작품
(가): 사람들은 이민 열차의 '흐린 창'을 통해 어쩔 수 없이 떠나야만 하는 고국의 풍경을 내다보며 서러움을 느꼈음
(나): 고향에 돌아온 화자는 '양지바른 뒷산' 등의 풍경을 바라보며 '다정'함과 친근함을 느끼고 있음

선지➡ [A]의 '흐린 창'과 [B]의 '양지바른 뒷산'은 시적 분위기와 대비되는 이미지를 드러내고 있다. ✗

④ 작품
(가): 사람들은 이민 열차의 창 밖으로 내다보이는 '푸르른 바다와 거리거리', '골짝 골짝' 등의 풍경을 보며 서러움을 느꼈음
(나): 고향에 돌아온 화자는 '남쪽으로 트인 하늘'을 보며 '기빨처럼 다정'하다고 함

선지➡ [A]의 '골짝 골짝'에는 떠나는 이의 슬픔이, [B]의 '하늘'에는 돌아온 이의 반가움이 투영되어 있다. ○

⑤ 작품
(가): '설움 많은 이민 열차'를 타고 '헐벗은 채' 떠났던 사람들이 '갈 때와 마찬가지로 / 헐벗은 채 돌아'온다고 함
(나): 화자가 '똑딱선'에서 내리자 '선창가'에는 많은 사람들이 모여 있음

선지➡ [A]의 '사람들'과 [B]의 '사람'에는 화자의 연민이 내포되어 있다. ✗

📅 고3 2019학년도 7월 학평 – 정지용, 「나비」 / 김기택, 「얼음 속의 밀림」

(가)

시키지 않은 일이 서둘러 하고 싶기에 난로에 싱싱한 물푸레 갈
어 지피고 등피(燈皮)* 호 호 닦어 끼우어 심지 튀기니 불꽃이 새
록 돋다 _{화자가 **난로**에 불을 지피고 **등불**을 밝히고 있어.} 미리 떼고 걸고 보니
캘린더 이튿날 날짜가 미리 붉다 <sub>화자는 어서 **이튿날**이 되기를 기다리고 있
나 봐.</sub> 이제 차츰 밟고 넘을 다람쥐 등솔기같이 구브레 벗어 나갈 연
봉(連峯) 산맥길 위에 아슬한 가을 하늘이여 초침 소리 유달리 뚝
닥거리는 낙엽 벗은 산장 밤 <sub>**낙엽**이 떨어진 늦가을 밤의 **산장**에서 시계의 **초침**
소리가 유달리 선명하게 들려오고 있어. 적막한 분위기가 느껴지지?</sub> ⊙창유리까
지에 구름이 드뉘니 후 두 두 두 낙수(落水) 짓는 소리 크기 손바
닥만한 어인 나비가 따악 붙어 들여다본다 <sub>고요한 산장에 **구름**이 드리우
면서 비가 내리자, 어디선가 손바닥만한 **나비**가 나타나 창유리에 붙었어.</sub> 가엾어라 열
리지 않는 창 주먹 쥐어 징징 치니 날을 기식(氣息)도 없이 네 벽
이 도로혀 날개와 떤다 <sub>날아갈 기운이 없어 유리창에 붙어 날개만 떨고 있는 나
비를 화자는 **가엾게** 여기고 있어.</sub> 해발 오천 척 위에 떠도는 한 조각 비 맞
은 환상(幻想) 호흡하노라 서툴리 붙어 있는 이 자재화(自在畵)*
한 폭은 활 활 불피워 담기어 있는 이상스런 계절이 몹시 부러
웁다 <sub>나비를 한 조각의 비 맞은 **환상**과 **자재화** 한 폭에 비유하였어. 화자는 유리창에 붙어
있는 나비가 창 안에 피워져 있는 난로와 등불의 불빛을 보며 **부러움**을 느낀다고 생각하고
있어.</sub> 날개가 찢어진 채 검은 눈을 잔나비처럼 뜨지나 않을까 무서
워라 _{화자는 나비에게 **날개**가 찢어지는 시련이 생기지는 않을까 두려워하고 있어.} 구
름이 다시 유리에 바위처럼 부서지며 별도 휩쓸려 나려가 산 아래
어느 마을 위에 총총하뇨 <sub>산장에는 구름이 몰려와 다시 **비**가 내리고, 이로 인
해 하늘의 **별**마저 보이지 않는 상황이야.</sub> 백화(白樺) 숲 희부옇게 어정거리는
절정(絕頂)* 부유스름하기 황혼 같은 밤. <sub>산장 주변의 밤 풍경을 시각적으
로 묘사하였네.</sub>

– 정지용, 「나비」 –

*등피: 등불이 꺼지지 않도록 바람을 막고 불빛을 밝게 하기 위하여 남포등에 씌우는
유리로 만든 물건.
*자재화: 자, 컴퍼스 따위를 쓰지 않고 연필이나 붓만으로 그린 그림.
*절정: 산꼭대기.

화자와 대상의 관계	늦가을 밤, 비 내리는 산장에서 **유리창**에 붙어 있는 **나비**를 바라보는 사람

(나)

겨울 아침, ⓛ유리창 가득 반짝이는
성에를 본다. 유리창에 만발한 하얀 식물,
꽃과 잎과 줄기를 본다. <sub>화자는 겨울 아침, **유리창**에 낀 **성에**를 관찰하면서
하얀 식물에 비유하고 있네.</sub>
무엇일까, 막힘없는 물방울들을
섬세한 꽃과 잎의 무늬 안에 가두어놓은 힘은. <sub>화자는 막힘없는 **물방
울들**을 가두어 성에를 만든 **힘**에 대해 궁금해하고 있어.</sub>

결빙의 힘 속에
식물의 본능이 숨어 있었던 것일까.

땅 속에서 물을 퍼올려
잎을 피우고 꽃을 터뜨리는 생명의 비밀이
얼음 속에도 있었던 것일까. <sub>화자는 물방울이 얼어 성에가 만들어지는 **결빙**
의 과정과 식물이 **잎**과 **꽃**을 피워내는 생장의 과정을 서로 연결지어 생각하고 있어.</sub>
모든 흐트러짐과 자유로움을
정교하고 엄격한 계율로 만드는
서슬 푸른 법(法)과 도(道)의 세계가
결빙의 과정 속에 있었던 것일까. <sub>흐트러짐과 자유로움을 **정교**하고 엄격한
계율로 만드는 결빙의 과정을 통해 성에가 만들어졌다고 여기고 있어.</sub>

이 화려한 무늬를 들여다보면
막 얼기 시작한 물이
결빙의 칼날과 환희를 견디다가
절정의 순간 얼음의 결정체마다 살라놓은
투명한 불의 흔적이 보인다. <sub>화자는 결빙을 통해 만들어진 성에의 **화려한
무늬**를 들여다보며 **불**의 흔적을 발견하고 있어.</sub>

겨울 아침, 하얀 식물 성에를 보며
문득 지상의 모든 얼음을 떠올린다.
푸른 얼음 속에 울창하게 퍼져 있는
또다른 원시림을 본다. <sub>성에를 보면서 떠올린 생각을 **지상**의 모든 **얼음**으로
확장하고, 얼음 속에서 원시림을 발견하고 있어.</sub>

청정한 법(法)과 도(道)가
열대의 온갖 동식물처럼
뿌리내리고 자라 넘실거리는,
뛰고 날고 헤엄치며 노는,
투명하고 차가운 밀림을 본다. <sub>화자는 성에를 비롯한 지상의 모든 **얼음**에
서 열대의 온갖 **동식물**이 생동하는 역동성을 발견한 거야.</sub>

– 김기택, 「얼음 속의 밀림」 –

화자와 대상의 관계	유리창에 낀 성에를 보며, 그 안에 있는 역동적인 **생명력**을 발견하는 사람

1. ⊙, ⓛ에 대한 이해로 가장 적절한 것은?

정답풀이

① ⊙은 ⓛ과 달리 안과 밖의 두 공간을 차단하는 기능을 하고 있다.

> (가)의 ⊙(창유리)은 '나비'가 산장 안으로 들어오지 못한다는 점에서 안과
> 밖의 두 공간을 차단하는 기능을 한다고 볼 수 있다. 그러나 (나)의 ⓛ(유리
> 창)은 화자가 '성에'를 볼 수 있도록 하는 매개체로 작용하고 있을 뿐, 안과
> 밖의 두 공간을 차단하는 기능을 한다고 보기는 어렵다.

오답풀이

② ⓛ은 ⓙ과 달리 과거를 회상하는 매개체의 역할을 하고 있다.

> (나)의 화자는 ⓛ에 낀 성에를 세밀하게 관찰하면서 그 안에 있는 역동적인 생명력을 발견하고 있을 뿐, 과거를 회상하고 있지는 않다.

③ ⓙ과 ⓛ은 모두 화자가 추구하는 이상향을 자각하게 하는 동기가 되고 있다.

> (가)의 화자는 ⓙ에 붙은 나비가 기운 없이 날개만 떠는 것을 보며 가엾어 하고, '날개가 찢어진 채 검은 눈을 잔나비처럼 뜨지나 않을까' 하는 생각에 무서움을 느끼고 있을 뿐, 자신이 추구하는 이상향을 자각하고 있지는 않다. (나)의 화자 역시 ⓛ에 낀 성에를 보며 그 안에 있는 역동적인 생명력에 대해 말하고 있을 뿐, 이상향을 자각하고 있지는 않다.

④ ⓙ과 ⓛ은 모두 화자가 처한 현실을 객관적으로 투영하는 대상이 되고 있다.

> ⓙ에 붙은 나비는 (가)의 화자가 자신이 처한 현실을 투영한 대상으로 볼 여지가 있으나, ⓙ 자체가 화자가 처한 현실을 객관적으로 투영하는 대상이라고 보기 어렵다. (나)의 화자는 (나)의 화자는 ⓛ에 낀 성에를 바라보고 관찰하고 있을 뿐, ⓛ에 자신이 처한 현실을 객관적으로 투영하고 있지는 않다.

⑤ ⓙ과 ⓛ은 모두 대상에 대한 화자의 긍정적 인식이 부정적으로 변하는 계기가 되고 있다.

> (가)의 화자는 ⓙ에 붙은 나비를 보며 안쓰러움을 느끼고 있을 뿐, 대상에 대한 인식이 부정적으로 변하는 모습은 나타나지 않는다. 또한 (나)의 화자는 ⓛ에 낀 성에에서 역동적인 생명력을 발견하고 있으므로 대상에 대한 긍정적 인식이 부정적으로 변하였다고 보기는 어렵다.

2. 문학 개념어 OX 확인 문제

① ✕
- 공간의 이동: 화자가 장소나 배경을 옮겨가며 시상을 전개하는 방식.

② ○
- 정적: 움직임이 없고 고요한 느낌을 불러일으키는 것.
- (역)동적: 무언가 (활기차게) 움직이는 느낌을 불러일으키는 것.
  > 근거 (나): '뿌리내리고 자라 넘실거리는, / 뛰고 날고 헤엄치며 노는, / 투명하고 차가운 밀림을 본다.'

🔍 **1번 문제의 선지 판단 공식에 대한 답을 확인해 보세요.**

선지 판단의 공식

① 작품
(가): 화자는 'ⓙ창유리'에 붙은 나비를 보며 가엾음을 느낌. 나비는 '활 활 불피워 담기어 있는' 창 안을 바라봄
(나): 화자는 'ⓛ유리창'에 낀 성에를 관찰하며 결빙의 과정에 깃든 힘과 '생명의 비밀'에 대해 깨닫고 있음

선지➡ ⓙ은 ⓛ과 달리 안과 밖의 두 공간을 차단하는 기능을 하고 있다. ○

② 작품
(가): 화자가 가을 밤 산장에서 'ⓙ창유리'에 붙은 나비를 보며 느낀 바를 중심으로 시상이 전개됨
(나): 화자가 겨울 아침 'ⓛ유리창'에 낀 성에를 관찰하면서 생각한 바를 중심으로 시상이 전개됨

선지➡ ⓛ은 ⓙ과 달리 과거를 회상하는 매개체의 역할을 하고 있다. ✕

③ 작품
(가): 화자는 'ⓙ창유리'에 붙은 나비를 보며 가엾음을 느끼고 있음
(나): 화자는 'ⓛ유리창'에 낀 성에를 관찰하며 결빙의 과정에 깃든 힘에 대해 생각하고, 이를 '지상의 모든 얼음' 차원으로 확장하고 있음

선지➡ ⓙ과 ⓛ은 모두 화자가 추구하는 이상향을 자각하게 하는 동기가 되고 있다. ✕

④ 작품
(가): 화자는 'ⓙ창유리'에 붙은 나비를 '한 조각 비 맞은 환상', '자재화 한 폭'으로 표현하며 기운 없이 날개를 떠는 나비를 가엾다고 함. 화자는 나비의 날개가 찢어지는 일을 염려하고 있음
(나): 화자는 'ⓛ유리창'에 낀 성에를 관찰하며 결빙의 과정에 깃든 힘과 '생명의 비밀'에 대해 깨닫고 있음

선지➡ ⓙ과 ⓛ은 모두 화자가 처한 현실을 객관적으로 투영하는 대상이 되고 있다. ✕

⑤ 작품
(가): 화자는 'ⓙ창유리'에 붙은 나비가 기운 없이 날개를 떠는 것을 보며 가엾다고 함. 화자는 나비의 날개가 찢어지는 일을 염려하고 있음
(나): 화자는 'ⓛ유리창'에 낀 성에를 관찰하며 결빙의 힘이 만들어낸 무늬를 화려하다고 표현함. 또한 이를 '지상의 모든 얼음' 차원으로 확장하며 역동적인 생명력을 발견함

선지➡ ⓙ과 ⓛ은 모두 대상에 대한 화자의 긍정적 인식이 부정적으로 변하는 계기가 되고 있다. ✕

📅 고3 2011학년도 4월 학평 - 이형기, 「산」 / 천양희, 「마음의 수수밭」

(가)

산은 조용히 비에 젖고 있다.
밑도 끝도 없이 내리는 가을비 화자는 조용히 가을비에 젖고 있는 **산**을 바라보고 있어.
가을비 속에 진좌한 무게를
그 누구도 가늠하지 못한다. 가을비에 **진좌**(자리잡아 앉음)한 산은 **무게** 있게 다가와.
표정은 뿌연 시야에 가리우고
다만 ㉠윤곽만을 드러낸 산 비가 내리니 산의 **표정**은 잘 안 보이고 산의 **윤곽**만 보이는 상태야.
천 년 또는 그 이상의 세월이
오후 한때 가을비에 젖는다. 산에는 오랜 **세월**이 담겨 있어.
이 심연 같은 적막에 싸여 산의 고요함을 **심연**에 비유하네.
조는 둥 마는 둥
아마도 반쯤 눈을 감고
방심무한 비에 젖는 산 산은 반쯤 **눈**을 감고 아무 생각 없이 **비**에 젖고 있어.
그 옛날의 ㉡격노의 기억은 간 데 없다.
깎아지른 절벽도 앙상한 바위도
오직 한 가닥
완만한 곡선에 눌려 버린 채 지난날 산이 지닌 **격노의 기억**과 깎아지른 절벽, 앙상한 바위는 이제 가려지고, 오직 완만한 **곡선**만이 보일 뿐이야.
어쩌면 눈물 어린 눈으로 보듯
가을비 속에 어룽진 윤곽
아 아 그러나 지울 수 없다. 화자는 가을비에 부드러운 **윤곽**만 뿌옇게 보이는 산을 잊을 수 없다고 해.

― 이형기, 「산」 ―

화자와 대상의 관계	가을비에 젖고 있는 **산**을 바라보는 사람

(나)

마음이 또 수수밭을 지난다. 머위잎 몇장 더 얹어 뒤란으로 간다. 저녁만큼 저문 것이 여기 또 있다. 화자의 마음은 또 **수수밭**을 지난대. **또**라고 한 걸로 보아 이전에도 마음이 수수밭을 지난 적이 있었나 봐. **뒤란**으로 가면 저녁만큼 저문 것이 또 있다고 하네. 아마도 화자의 마음은 **어두운** 상태인 것 같아.
개밥바라기별이
내 눈보다 먼저 땅을 들여다본다
세상을 내려놓고는 길 한쪽도 볼 수 없다
논둑길 너머 길 끝에는 보리밭이 있고
㉢보릿고개를 넘은 세월이 있다 '나'는 **보릿고개**를 넘은 가난했던 세월을 떠올리고 있어.
바람은 자꾸 등짝을 때리고, 절골의
그림자는 암처럼 깊다. 나는 바람은 등짝을 때리고 **절골**(절이 있는 골짜기)의 그림자도 깊다고 하네. '나'의 마음과 관계된 것이겠지?
몇 번 머리를 흔들고 산 속의 산,
산 위의 산을 본다. 산은 올려다보아야

한다는 걸 이제야 알았다. 저기 저
하늘의 자리는 싱싱하게 푸르다. '나'는 괴로워하다가 **머리**를 몇 번 흔들고는 푸르고 싱싱한 **산**과 하늘을 올려다보게 돼.
푸른 것들이 어깨를 툭 친다. 올라가라고
그래야 한다고. 나를 부추기는 솔바람 속에서
내 막막함도 올라간다. 번쩍 제정신이 든다 푸른 것들이 '나'에게 **올라가**라고 재촉하니 고뇌 속에 잠겨 있던 '나'의 마음이 번쩍 **정신**이 들었대.
정신이 들 때마다 우짖는 내 속의 ㉣목탁새들
나를 깨운다. 이 세상에 없는 길을
만들 수가 없다. 산 옆구리를 끼고
절벽을 오르니, 천불산(千佛山)이
몸속에 들어와 앉는다. 마음속 **목탁새**들로 인해 정신이 든 '나'는 산 옆구리를 끼고 **절벽**을 오르기 시작해.
내 ㉤맘속 수수밭이 환해진다. 화자의 마음에 **천불산**이 들어와 앉은 뒤, 맘속 **수수밭**이 환해진다고 하네. 아마도 어두웠던 내면이 환해지며 평온을 얻은 것 같아.

― 천양희, 「마음의 수수밭」 ―

화자와 대상의 관계	**산**을 오르며 깨달음을 얻어 **어두운** 내면이 평온해지는 '나'

1. ㉠~㉤에 대한 설명으로 적절하지 않은 것은?

정답풀이

① ㉠: '비'에 젖어 뿌옇게 보이는 산으로 화자 자신의 답답한 심정을 암시하고 있다.

┈ ㉠(윤곽만을 드러낸 산)은 '가을비'에 젖어 뿌옇게 보이는 산으로, 화자는 비에 젖어 진좌한 무게를 드러내는 산의 고요하고 신비로운 모습을 보며 느낀 감동을 '지울 수 없다'는 말로 드러내고 있다. 따라서 이러한 산의 모습은 화자의 답답한 심정을 암시한다고 볼 수 없다.

오답풀이

② ㉡: '완만한 곡선'이 되기 전 격정적인 감정에 휩싸였던 '산'의 지난날을 의미하고 있다.

┈ ㉡(격노의 기억)은 '깎아지른 절벽'과 '앙상한 바위'가 보이던 산의 옛 모습을 나타낸 것이다. 이렇게 격정적인 감정에 휩싸였던 산의 지난 모습은 비에 젖으며 '완만한 곡선에 눌려' 보이지 않게 되었다고 볼 수 있다.

③ ㉢: '보리밭'과 겹치어 마음속에 연상된 것으로 화자의 힘들었던 과거를 함축하고 있다.

┈ ㉢(보릿고개를 넘은 세월)은 '논둑길 너머 길 끝'에 보이는 '보리밭'에서 연상한 것으로, '농촌의 식량 사정이 가장 어려운 때'를 비유적으로 이르는 말인 '보릿고개'를 통해 화자가 궁핍하게 보냈던 지난 세월을 함축한다고 볼 수 있다.

④ ②: '하늘'과 '솔바람'에 의해 제정신이 든 화자를 일깨우는 존재를 의미하고 있다.

> ②(목탁새)은 '정신이 들 때마다' 화자의 마음속에서 우짖는 새로, '어깨를 툭' 치는 '하늘'과 '부추기는 솔바람'에 의해 정신이 든 화자의 내면을 끊임없이 일깨우는 존재로 볼 수 있다.

⑤ ②: '절벽'에 오르고 '산'을 받아들이면서 어둡고 우울한 상태에서 벗어나고 있는 화자의 심리를 의미하고 있다.

> ②(맘속 수수밭)은 화자가 '절벽'에 오르니 '천불산이 / 몸속에 들어와' 앉으면서 환해진 내면을 표현한 것으로, 화자의 마음이 어둡고 우울한 상태에서 벗어나고 있음을 표현한 것으로 볼 수 있다.

2. 문학 개념어 OX 확인 문제

① ○

- 계절감: 계절의 변화에 따라 일어나는 느낌. 작품에는 구체적인 계절이 직접 언급되기도 하고, 특정 계절임을 알려주는 사물이나 현상을 통해 계절감이 나타나기도 함.

  근거 (가): '가을비'

② ○

- 현재형: 용언의 어간에 종결 어미 '-ㄴ다', '-느냐' 등의 종결 어미를 사용하거나, 명사에 서술격 조사 '이다'를 결합하여 현재 시제를 표현하는 것으로, 현재형 시제를 사용할 경우 상황을 생생하게 표현하는 효과가 있음.

  근거 (가): '못한다', '젖는다' 등 / (나): '지난다', '간다', '있다' 등

🔍 1번 문제의 선지 판단 공식에 대한 답을 확인해 보세요.

선지 판단의 공식

① 작품
(가): '산은 조용히 비에 젖고 있'고, '가을비 속'에서 '뿌연 시야에 가리'워진 채 다만 '윤곽만을 드러'냄, 화자는 '가을비 속에 어룽진 윤곽'을 보며 '지울 수 없다'고 말함

선지 ⊙: '비'에 젖어 뿌옇게 보이는 산으로 화자 자신의 답답한 심정을 암시하고 있다. ✕

② 작품
(가): 화자는 '가을비에 젖'은 산의 모습이 '그 옛날의 ⓛ격노의 기억'을 지운 듯 '깎아지른 절벽'과 '앙상한 바위'가 '완만한 곡선'의 산등성이에 눌려 버린 모습이라 함

선지 ⓛ: '완만한 곡선'이 되기 전 격정적인 감정에 휩싸였던 '산'의 지난날을 의미하고 있다. ○

③ 작품
(나): '논둑길 너머 길 끝에는 보리밭이 있'는데, 이를 통해 화자는 '보릿고개를 넘은' 지난 세월을 떠올림

선지 ⓒ: '보리밭'과 겹치어 마음속에 연상된 것으로 화자의 힘들었던 과거를 함축하고 있다. ○

④ 작품
(나): 화자는 '푸른 것들이 어깨를 툭' 치며 '올라가라' 하고, '솔바람'이 '부추기'는 바람에 '번쩍 제정신'이 듦, '정신이 들 때마다 우짖는' ②목탁새들이 화자를 깨움

선지 ②: '하늘'과 '솔바람'에 의해 제정신이 든 화자를 일깨우는 존재를 의미하고 있다. ○

⑤ 작품
(나): '산 옆구리를 끼고 / 절벽을 오르니' 화자의 몸속에는 '천불산'이 들어옴, 그때 화자의 '②맘속 수수밭'이 '환해'지게 됨

선지 ②: '절벽'에 오르고 '산'을 받아들이면서 어둡고 우울한 상태에서 벗어나고 있는 화자의 심리를 의미하고 있다. ○

하루 30분

선지 판단력
강화 프로그램

현대시 트레이닝

3
주차

30 하루 30분, 현대시 트레이닝

📅 고3 2015학년도 9월 모평A – 황지우, 「겨울 – 나무로부터 봄 – 나무에로」

나무는 자기 몸으로
나무이다
자기 온몸으로 나무는 나무가 된다　나무가 자기 온몸으로 나무가 된대.
자기 온몸으로 헐벗고 영하 13도
영하 20도 지상에
온몸을 뿌리 박고 대가리 처들고
무방비의 **나목**(裸木)으로 서서
두 손 올리고 **벌받는** 자세로 서서　나무는 영하의 혹독한 추위에도 **뿌리** 박고,
대가리를 쳐든 무방비의 **나목**(잎이 지고 가지만 앙상한 나무)으로 **벌받는** 듯한 자세로
두 손을 올리고 서 있어.
아 **벌받은** 몸으로, **벌받는** 목숨으로 기립하여, 그러나
이게 아닌데 이게 아닌데
온 혼(魂)으로 애타면서 속으로 몸속으로 불타면서
버티면서 거부하면서 영하에서
영상으로 영상 5도 영상 13도 지상으로
밀고 간다, 막 밀고 올라간다　나무는 부정하고 버티고 **거부**하면서 영하에서
영상으로, 그리고 **지상**으로 막 밀고 올라간대.
온몸이 으스러지도록
으스러지도록 부르터지면서
터지면서 자기의 뜨거운 혀로 싹을 내밀고
천천히, 서서히, 문득, 푸른 잎이 되고
푸르른 사월 하늘 들이받으면서
나무는 자기의 온몸으로 나무가 된다　으스러지고 부르터지는 고통을 **극복**
하며 나무는 싹을 내밀고, 푸른 잎을 피우고, 자기의 **온몸**으로 **나무**가 된다.
아아, 마침내, 끝끝내
꽃 피는 나무는 자기 몸으로
꽃 피는 나무이다　마침내 나무는 꽃 피는 나무가 되었네.
                    – 황지우, 「겨울 – 나무로부터 봄 – 나무에로」 –

화자와 대상의 관계	무방비의 **나목**으로 벌받는 자세로 서 있던 겨울 나무가 **꽃** 피는 봄 나무가 되기까지의 과정을 떠올리는 사람

1. 〈보기〉를 참고하여 윗글을 감상한 내용으로 적절하지 <u>않은</u> 것은?

〈보기〉

이 시는 나무의 변화가 자기 부정을 통해서 일어나고, 생성은 나무 스스로의 내적인 힘에 의해 이루어진다는 것을 강조한 것으로 이해될 수 있다. 나무의 자기 부정 → 변화, 나무의 내적인 힘 → 생성 즉 <u>겨울에서 봄으로의 변화</u>는 단지 외부에 의한 것이 아니라 <u>나무 내부의 변화와 생성을 위한 전면적인 노력</u>과 관련된 것임을 의미하고 있다. 나무의 전면적인 노력 → 겨울 나무에서 봄 나무로의 변화

정답풀이 ▶

④ '마침내, 끝끝내'는 겨울-나무가 마지막까지 겨울-나무이고자 하는 의지를 표현한다.

> '마침내, 끝끝내'는 앙상했던 '겨울-나무'가 온갖 시련과 고통을 이겨내고 꽃을 피워 '봄-나무'가 된 것에 대한 화자의 심리적 반응을 표현한 것이므로, 여기에 마지막까지 '겨울-나무'이고자 하는 의지는 드러나지 않는다.

오답풀이 ▶

① '이게 아닌데 이게 아닌데'는 나무가 변화를 지향하며 자기 부정을 하는 장면으로 볼 수 있다.

> 〈보기〉에서 '나무의 변화가 자기 부정을 통해서 일어'난다고 했으므로, '이게 아닌데 이게 아닌데'는 나무가 변화를 지향하며 자기 부정을 하는 모습이라 할 수 있다.

② '밀고 간다, 막 밀고 올라간다'는 나무의 의지로 나무가 내적인 힘을 쏟는 것으로 볼 수 있다.

> 〈보기〉에서 '생성은 나무 스스로의 내적인 힘에 의해 이루어진다'고 했으므로, '밀고 간다, 막 밀고 올라간다'는 나무가 스스로의 의지로 싹을 틔우기 위해 내적인 힘을 쏟는 것이라 할 수 있다.

③ '온몸이 으스러지도록'은 나무가 변화와 생성을 위해 기울이는 전면적인 노력을 강조하는 것이다.

> 〈보기〉에서 나무는 '나무 내부의 변화와 생성을 위한 전면적인 노력'을 한다고 했으므로, 윗글의 '온몸이 으스러지도록'은 변화와 생성의 과정에서 나타나는 나무의 전면적인 노력을 강조한 표현이라 할 수 있다.

⑤ '꽃 피는 나무'는 나무가 스스로의 변화를 거쳐 새로운 단계로 성장했음을 표상하는 것이다.

> 〈보기〉에서 나무는 '자기 부정'과 '스스로의 내적인 힘'에 의해 변화하고 생성된다고 했다. 따라서 '꽃 피는 나무'는 나무 스스로의 변화를 거쳐 새로운 단계로 성장했음을 보여 주는 것이라 할 수 있다.

2. 문학 개념어 OX 확인 문제

> ① ✕
>
> • 토속어: 지방 고유의 정취가 느껴지는 말로, 향토색이 짙게 나타남.

> ② ✕
>
> • 근경: 가까이 보이는 경치. 또는 가까운 데서 보는 경치.
> • 원경: 멀리 보이는 경치. 또는 먼 데서 보는 경치.

🔍 1번 문제의 선지 판단 공식에 대한 답을 확인해 보세요.

〈보기〉 문제 선지 판단의 공식

①

〈보기〉 나무의 변화는 자기 부정을 통해서 일어남　➕　작품 '이게 아닌데 이게 아닌데 / 온 혼으로 애타면서 속으로 몸속으로 불타면서 / 버티면서 거부하면서', '밀고 간다, 막 밀고 올라간다'

선지➡ '이게 아닌데 이게 아닌데'는 나무가 변화를 지향하며 자기 부정을 하는 장면으로 볼 수 있다.　　○

②

〈보기〉 나무의 생성은 생성을 위한 나무 내적인 힘과 노력에 의해 이루어짐　➕　작품 '온 혼으로 애타면서 속으로 몸속으로 불타면서 / 버티면서 거부하면서', '밀고 간다, 막 밀고 올라간다'

선지➡ '밀고 간다, 막 밀고 올라간다'는 나무의 의지로 나무가 내적인 힘을 쏟는 것으로 볼 수 있다.　　○

③

〈보기〉 겨울에서 봄으로의 변화는 나무 내부의 변화와 생성을 위한 노력과 관련되어 있음　➕　작품 '온 혼으로 애타면서 속으로 몸속으로 불타면서 / 버티면서 거부하면서 영하에서 / 영상으로', '온몸이 으스러지도록 / 으스러지도록 부르터지면서 / 터지면서 자기의 뜨거운 혀로 싹을 내밀고'

선지➡ '온몸이 으스러지도록'은 나무가 변화와 생성을 위해 기울이는 전면적인 노력을 강조하는 것이다.　　○

④

〈보기〉 나무는 변화와 생성을 위한 노력을 통해 겨울에서 봄으로의 변화를 겪음　➕　작품 '아아, 마침내, 끝끝내 / 꽃 피는 나무는 자기 몸으로 / 꽃 피는 나무이다'

선지➡ '마침내, 끝끝내'는 겨울−나무가 마지막까지 겨울−나무이고자 하는 의지를 표현한다.　　✕

⑤

〈보기〉 나무는 스스로 내적인 힘과 노력으로 변화와 생성을 이룸　➕　작품 '무방비의 나목으로 서서 / 두 손 올리고 벌받는 자세로 서서', '밀고 간다, 막 밀고 올라간다', '온몸이 으스러지도록 / 으스러지도록 부르터지면서', '꽃 피는 나무는 자기 몸으로 / 꽃 피는 나무이다'

선지➡ '꽃 피는 나무'는 나무가 스스로의 변화를 거쳐 새로운 단계로 성장했음을 표상하는 것이다.　　○

📅 고3 2014학년도 수능B – 곽재구, 「사평역에서」

막차는 좀처럼 오지 않았다
대합실 밖에는 밤새 송이눈이 쌓이고   대합실 밖은 밤새 **송이눈**이
쌓이고 있어.
흰 보라 수수꽃 눈시린 유리창마다
톱밥난로가 지펴지고 있었다   대합실 안에는 **톱밥난로**가 지펴지고 있네.
[A]   그믐처럼 몇은 졸고
몇은 감기에 쿨럭이고   대합실에서 **막차**를 기다리는 사람들은 피곤해
졸고 있거나 **감기**에 걸려 기침을 하고 있어.
그리웠던 순간들을 생각하며 나는
한 줌의 톱밥을 불빛 속에 던져 주었다   '나'는 난로에 **톱밥**을 한 줌
던지며 **그리웠던** 순간들을 떠올리고 있어.

내면 깊숙이 할 말들은 가득해도
청색의 손바닥을 불빛 속에 적셔두고
모두들 아무 말도 하지 않았다   대합실 안 사람들은 **말**없이 추위에 언
손을 난로에 녹이고 있네.
산다는 것이 때론 술에 취한 듯
한 두름의 굴비 한 광주리의 사과를
만지작거리며 귀향하는 기분으로
[B]   침묵해야 한다는 것을
모두들 알고 있었다   '나'는 막차를 기다리는 사람들을 보며 산다는 것은
때로 묵묵히 **침묵**하며 감내하는 것이라고 생각하고 있어.
오래 앓은 기침소리와
쓴 약 같은 입술담배 연기 속에서
싸륵싸륵 눈꽃은 쌓이고
그래 지금은 모두들
눈꽃의 화음에 귀를 적신다   대합실 안 사람들은 고단하고 힘겨운 삶을
살아온 사람들일 거야. 이들은 모두 침묵하며 **눈꽃**의 화음에 귀를 적시고 있어.

자정 넘으면
낯설음도 뼈아픔도 다 설원인데   눈은 **낯설음**이나 **뼈아픔** 같은 삶의
모든 고통을 다 덮어 버리네.
[C]   단풍잎 같은 몇 잎의 차창을 달고
밤열차는 또 어디로 흘러가는지
그리웠던 순간들을 호명하며 나는
한 줌의 눈물을 불빛 속에 던져 주었다.   '나'는 그리웠던 순간들을
떠올리며 **눈물**을 흘리고 있어.

– 곽재구, 「사평역(沙平驛)에서」 –

| 화자와 대상의 관계 | 옛 추억에 대한 **그리움**과 대합실에서 **막차**를 기다리는 사람들에 대한 연민을 느끼고 있는 '나' |

---

1. 〈보기〉를 참고하여 윗글을 감상한 내용으로 적절하지 않은 것은?

〈보기〉

「사평역에서」의 화자('나')는 대합실에서 막차를 기다리는 사람들의 모습을 공감 어린 시선(화자의 태도)으로 바라본다. 화자는 이런 시선으로 불빛, 눈 등을 바라보며 고단한 삶을 견디어 내는 사람들의 속내에 주목한다. 화자가 주목하는 대상: 고단한 삶을 견디어 내는 사람들의 속내 '한 줌의 눈물'은 그들을 위해 화자가 바치는, 작지만 진심 어린 하나의 선물이라 할 수 있다. '한줌의 눈물': 고단한 사람들을 위한 화자의 진심

정답풀이 ▷

③ [B]에서 화자는 '눈꽃의 화음'이 열악한 상황을 드러낸다고 보고 있으므로, '한 줌의 눈물'은 그러한 상황을 극복해 내려는 화자의 의지를 담고 있는 것이라고 할 수 있겠어.

'눈꽃의 화음'은 눈 내리는 풍경을 비유한 표현으로 대합실에 모인 고단한 사람들을 잠시나마 위로하는 소재이지 열악한 상황을 드러내는 것은 아니다. 또한 〈보기〉를 참고할 때, 화자는 '공감 어린 시선'으로 '눈 등을 바라'본다고 하였으므로 '눈꽃'은 화자의 공감 어린 태도를 보여 주는 것이지 열악한 상황을 드러낸다고 볼 수 없다. '한 줌의 눈물'에도 위로의 마음이 담겨 있을 뿐, 화자의 극복 의지가 담겨 있다고 할 수는 없다.

오답풀이 ▷

① [A]의 '한 줌의 톱밥'이 불을 피우는 데 쓰여 추위를 견디게 해 주는 것처럼, '한 줌의 눈물'은 사람들이 자신의 힘든 상황을 견디는 데 위로가 된다고 할 수 있겠어.

〈보기〉에서 '한 줌의 눈물'은 고단한 삶을 견디어 내는 사람들을 위해 '화자가 바치는, 작지만 진심 어린 하나의 선물'이라고 했다. 따라서 톱밥이 추위를 견디게 해 주는 것처럼 '한 줌의 눈물'은 사람들이 힘든 상황을 견디는 데 위로가 된다고 할 수 있다.

② [B]에서 화자가 사람들의 속내를 잘 이해하는 것을 보면, '한 줌의 눈물'은 할 말이 있는데도 침묵하는 사람들의 속내에 화자가 공감하여 흘리는 것이라고 할 수 있겠어.

〈보기〉에서 화자는 사람들을 '공감 어린 시선'으로 보고 있다고 했고, [B]에서 화자는 '모두들 아무 말도 하지 않았'음에도 불구하고 '내면 깊숙이 할 말들'이 가득하다는 것을 알고 있다. 따라서 화자가 흘리는 '한 줌의 눈물'에는 침묵하는 사람들의 속내에 대한 공감이 담겨 있다고 볼 수 있다.

④ [C]에서 화자가 지난날을 '호명'하며 '한 줌의 눈물'을 흘리는 것을 보면, '한 줌의 눈물'은 고단한 현재를 견디어 내게 해 주는 힘이 과거의 추억처럼 소박한 데 있음을 암시한다고 할 수 있겠어.

〈보기〉에 따르면 '한 줌의 눈물'은 역 안에 있는 사람들에게 보내는 화자의 '진심 어린 하나의 선물'이라고 했고, [C]에서 화자는 그리웠던 순간들을 호명하며 '한 줌의 눈물'을 흘린다. 즉 고단한 삶을 살아가는 사람들에게 주는 위로의 선물은 과거의 기억에서 나오는 '한 줌의 눈물'인 것이다. 따라서 고단한 현재를 이겨 내는 힘은 과거의 추억처럼 소박한 데 있다는 것을 알 수 있다.

⑤ [A]에서 [C]로 전개되면서 화자가 '불빛 속'에 '한 줌의 눈물'을 던지는 것을 보면, '한 줌의 눈물'은 삶의 고단함을 견디어 내는 데 힘을 보태고자 하는 화자의 진심이 담긴 것이라고 할 수 있겠어.

[A]에서 화자는 '한 줌의 톱밥을 불빛 속에 던'지고 [C]에서는 '한 줌의 눈물'을 불빛 속에 던'진다. 이는 모두 고단한 삶을 견디어 내는 사람들이 조금이나마 더 따뜻해지기를 바라는 화자의 마음이 담긴 것이라고 할 수 있다. 또한 〈보기〉를 통해서도 '한 줌의 눈물'은 삶의 고단함을 견디어 내는 데 힘을 보태고자 하는 화자의 '작지만 진심 어린 하나의 선물'임을 알 수 있다.

2. 문학 개념어 OX 확인 문제

① ○

- 비유: 표현하고자 하는 대상을 다른 대상에 빗대어 표현하는 방법으로 직유, 은유, 의인 등이 있음. 이때 표현하고자 하는 대상을 '원관념', 원관념에 비유되는 것을 '보조 관념'이라고 함.

  근거 '그믐처럼', '술에 취한 듯', '쓴 약 같은' 등

② ✕

- 상승 이미지: 위로 향하는 모습이 나타났거나 그러한 느낌을 불러일으키는 것. 현실을 초월하거나 점층적인 고조가 나타나는 경우도 해당됨.

🔍 1번 문제의 선지 판단 공식에 대한 답을 확인해 보세요.

〈보기〉 문제 선지 판단의 공식

① 〈보기〉 화자는 고단한 삶을 견디어 내는 사람들의 속내에 주목함, 한 줌의 눈물은 화자가 사람들을 위해 바치는, 작지만 진심 어린 하나의 선물임 ➕ 작품 '나는 / 한 줌의 톱밥을 불빛 속에 던져 주었다', '나는 / 한 줌의 눈물을 불빛 속에 던져 주었다.'

👉 [A]의 '한 줌의 톱밥'이 불을 피우는 데 쓰여 추위를 견디게 해 주는 것처럼, '한 줌의 눈물'은 사람들이 자신의 힘든 상황을 견디는 데 위로가 된다고 할 수 있겠어. ○

② 〈보기〉 화자는 막차를 기다리는 사람들의 모습을 공감 어린 시선으로 바라봄, 고단한 삶을 견디어 내는 사람들의 속내에 주목함, 한 줌의 눈물은 화자가 사람들을 위해 바치는, 작지만 진심 어린 하나의 선물임 ➕ 작품 '내면 깊숙이 할 말들은 가득해도', '모두들 아무 말도 하지 않았다', '침묵해야 한다는 것을 / 모두들 알고 있었다', '나는 / 한 줌의 눈물을 불빛 속에 던져 주었다.'

👉 [B]에서 화자가 사람들의 속내를 잘 이해하는 것을 보면, '한 줌의 눈물'은 할 말이 있는데도 침묵하는 사람들의 속내에 화자가 공감하여 흘리는 것이라고 할 수 있겠어. ○

③ 〈보기〉 화자는 공감 어린 시선으로 불빛, 눈 등을 바라보며 고단한 삶을 견디어 내는 사람들의 속내에 주목함, 한 줌의 눈물은 화자가 사람들을 위해 바치는, 작지만 진심 어린 하나의 선물임 ➕ 작품 '그래 지금은 모두들 / 눈꽃의 화음에 귀를 적신다', '나는 / 한 줌의 눈물을 불빛 속에 던져 주었다.'

👉 [B]에서 화자는 '눈꽃의 화음'이 열악한 상황을 드러낸다고 보고 있으므로, '한 줌의 눈물'은 그러한 상황을 극복해 내려는 화자의 의지를 담고 있는 것이라고 할 수 있겠어. ✕

④ 〈보기〉 화자는 고단한 삶을 견디어 내는 사람들의 속내에 주목함, 한 줌의 눈물은 화자가 사람들을 위해 바치는, 작지만 진심 어린 하나의 선물임 ➕ 작품 '그리웠던 순간들을 호명하며 나는 / 한 줌의 눈물을 불빛 속에 던져 주었다.'

👉 [C]에서 화자가 지난날을 '호명'하며 '한 줌의 눈물'을 흘리는 것을 보면, '한 줌의 눈물'은 고단한 현재를 견디어 내게 해주는 힘이 과거의 추억처럼 소박한 데 있음을 암시한다고 할 수 있겠어. ○

⑤ 〈보기〉 화자는 공감 어린 시선으로 불빛, 눈 등을 바라보며 고단한 삶을 견디어 내는 사람들의 속내에 주목함, 한 줌의 눈물은 화자가 사람들을 위해 바치는, 작지만 진심 어린 하나의 선물임 ➕ 작품 '나는 / 한 줌의 톱밥을 불빛 속에 던져 주었다.', '나는 / 한 줌의 눈물을 불빛 속에 던져 주었다.'

👉 [A]에서 [C]로 전개되면서 화자가 '불빛 속'에 '한 줌의 눈물'을 던지는 것을 보면, '한 줌의 눈물'은 삶의 고단함을 견디어 내는 데 힘을 보태고자 하는 화자의 진심이 담긴 것이라고 할 수 있겠어. ○

📅 고3 2017학년도 3월 학평 – 김광균, 「노신」

시를 믿고 어떻게 살아가나
서른 먹은 사내가 하나 잠을 못 잔다. 화자는 시를 믿고 살아가는 일에 대해
고민하고 있는 서른 먹은 사내인가 봐.

먼— 기적(汽笛) 소리 처마를 스쳐가고
잠들은 아내와 어린것의 벼개 맡에
밤눈이 내려 쌓이나 보다. 화자는 부양해야 할 가족이 있는 가장으로서의 책임감
때문에 잠들지 못하고 홀로 고민하고 있는 거야.

무수한 손에 뺨을 얻어맞으며
항시 곤두박질해 온 생활의 노래 무수한 손에 뺨을 얻어 맞고 항상 곤두박질
해 온 고단한 생활을 화자는 노래, 즉 시로 표현했네.

지나는 돌팔매에도 이제는 피곤하다.
먹고 산다는 것,
너는 언제까지 나를 좇아오느냐. 화자는 삶에 피로를 느끼고 있어. 그렇기에
근본적인 생활의 문제인 먹고 산다는 것의 문제가 언제까지 자신을 괴롭힐 것인지 걱정하며
한탄하고 있지.

등불을 켜고 일어나 앉는다.
담배를 피워 문다.
쓸쓸한 것이 오장을 씻어 내린다. 잠 못 들고 일어나 쓸쓸하게 담배를 피우는
화자의 모습에서 고뇌가 느껴져.

노신(魯迅)이여
이런 밤이면 그대가 생각난다. 이렇게 잠 못드는 밤이면 화자는 노신이 생각
난대.
온— 세계가 눈물에 젖어 있는 밤
상해(上海) 호마로(胡馬路) 어느 뒷골목에서
쓸쓸히 앉아 지키던 등불 등불은 노신 본인 혹은 노신이 지키던 가치(지조)를
비유한 표현이겠지? 그러니까 노신은 온 세계가 눈물에 젖어 있는 밤에도 홀로 삶의 가치를
지키던 사람이었나 봐.

등불이 나에게 속삭어린다.
여기 하나의 상심(傷心)한 사람이 있다.
여기 하나의 굳세게 살아온 인생이 있다. 화자는 등불 앞에서 마음에 상처를
입고 상심했으면서도 굳세게 살았던 노신을 떠올리며 그러한 삶의 방식을 자신에게 투영
하고 있네.

— 김광균, 「노신」 —

화자와 대상의 관계	시를 쓰는 사람으로서 현실의 문제로 고뇌하지만, 노신을 떠올리며 극복 의지를 다지는 '나'

1. 〈보기〉의 관점에서 윗글을 감상한 내용으로 적절하지 않은 것은?

〈보기〉

시인 김광균은 해방 이후 혼란스러운 사회 현실 속에서 갈등을 겪고 있던 당대의 시단에 회의감을 느끼고 일상과 개인의 문제에 관심을 기울이게 된다. 시인 김광균의 문학적 관심 대상: 일상과 개인의 문제 이때 그는, 혼란스러운 현실 속에서도 의지를 잃지 않고 문학적 성취를 이룬 중국 작가 '노신'을 자신과 동일시했다. 시인의 이러한 의식은 그가 쓴 「노신의 문학 입장」이라는 다음의 글에 나타나 있으며, 그의 시 「노신」에 잘 반영되어 있다. 김광균의 시 「노신」은 중국의 작가 노신과 자신을 동일시한 작가의 의식을 반영한 작품임

"……혁명의 혼탁과 동란의 전진에 싸여 작품과 인간이 격앙하고 충혈되었을 때 홀로 정밀한 비가를 노래하던 노신의 심정을 나는 나대로 생각하고 있다……."

정답풀이 ▶

② '밤눈이 내려 쌓이'는 것은 시인이 일상과 개인의 문제에 관심을 기울여 문학적 성취를 이루어 감을 의미하는 것이겠군.

화자는 '시를 믿고' 살아가는 일에 대해 고뇌하며 잠들지 못하고 있는 '서른 먹은 사내'로, '잠들은 아내와 어린것'을 보며 그 베개 맡에 '밤눈이 내려 쌓이'는 것 같다고 느끼고 있다. 이때 밤눈은 부양해야 할 가족들을 보며 화자가 느끼고 있는 가장으로서의 책임감이나 고민을 상징하는 표현일 뿐, 화자가 문학적 성취를 이루어 감을 의미한다고 보기는 어렵다.

오답풀이 ▶

① '사내'가 '잠을 못' 이루는 것은 혼란스러운 현실 속에서 고뇌하는 시인의 모습을 나타낸 것이겠군.

〈보기〉에서 시인 김광균은 '혼란스러운 사회 현실 속에서 갈등을 겪고 있던 당대의 시단에 회의감을 느끼고 일상과 개인의 문제에 관심을 기울'였다고 하였다. 이를 참고할 때, '시를 믿고 어떻게 살'아가야 하는지를 생각하며 '잠을 못' 이루고 있는 '사내'는 혼란스러운 현실 속에서 고뇌하는 시인의 모습을 나타낸 것으로 볼 수 있다.

③ '지나는 돌팔매에도 이제는 피곤하다'는 당대의 현실 속에서 시인이 힘들게 살았음을 드러내는 것이겠군.

〈보기〉에서 시인 김광균은 '혼란스러운 사회 현실 속에서 갈등을 겪고 있던 당대의 시단에 회의감을 느'꼈다고 하였다. 이를 참고할 때, '지나는 돌팔매에도 이제는 피곤하다'는 당대의 현실 속에서 힘들게 살았던 시인의 삶을 드러낸 것으로 볼 수 있다.

④ '쓸쓸히 앉아 지키던 등불'은 힘든 상황에서도 문학적 의지를 잃지 않았던 고독한 '노신'을 시인이 떠올린 것이겠군.

〈보기〉에서 시인 김광균은 '혼란스러운 현실 속에서도 의지를 잃지 않고 문학적 성취를 이룬 중국 작가 '노신'을 자신과 동일시'했다고 하였다. 이를 참고할 때, '온– 세계가 눈물에 젖어 있는 밤'에도 '상해 호마로 어느 뒷골목에서 / 쓸쓸히 앉아 지키던 등불'에서는 시인이 힘든 상황에서도 문학적 의지를 잃지 않았던 고독한 '노신'을 떠올린 것임을 알 수 있다.

⑤ '여기 하나의 굳세게 살아온 인생이 있다'는 시인이 '노신'의 삶의 태도를 내면화하여 의지적인 태도를 드러낸 것이겠군.

〈보기〉에서 시인 김광균은 '혼란스러운 현실 속에서도 의지를 잃지 않고 문학적 성취를 이룬 중국 작가 '노신'을 자신과 동일시'했다고 하였다. 이를 참고할 때, '노신'을 비유한 '등불'이 화자에게 속삭이며 '여기 하나의 굳세게 살아온 인생이 있다.'라고 한 것은 시인이 자기 스스로에게 한 말이라 할 수 있다. 즉, 시인은 힘든 상황에서도 문학적 의지를 잃지 않았던 노신의 삶과 마찬가지로 자신 역시 그러한 삶을 살겠다는 의지적 태도를 드러낸 것이라 할 수 있다.

2. 문학 개념어 OX 확인 문제

① O

• 의문형 문장: 화자가 청자에게 질문하는 문장. '–니/–까/–ㄴ(는)가' 등의 의문형 종결 어미가 사용됨.

　근거　'먹고 산다는 것. / 너는 언제까지 나를 쫓아오느냐.'

② X

• 연쇄: 앞말의 끝부분을 뒷말의 첫 부분에서 이어 받아서 운율감을 형성함.

🔍 1번 문제의 선지 판단 공식에 대한 답을 확인해 보세요.

〈보기〉 문제 선지 판단의 공식

① 〈보기〉 시인 김광균은 혼란한 사회 현실 속에서 당대의 시단에 회의감을 느낌 ➕ 작품 '시를 믿고 어떻게 살어가나 / 서른 먹은 사내가 하나 잠을 못 잔다.'

선지➡ '사내'가 '잠을 못' 이루는 것은 혼란스러운 현실 속에서 고뇌하는 시인의 모습을 나타낸 것이겠군. ○

② 〈보기〉 시인 김광균은 일상과 개인의 문제에 관심을 기울임 ➕ 작품 '잠들은 아내와 어린것의 벼개 맡에 / 밤눈이 내려 쌓이나 보다.'

선지➡ '밤눈이 내려 쌓이'는 것은 시인이 일상과 개인의 문제에 관심을 기울여 문학적 성취를 이루어 감을 의미하는 것이겠군. ✕

③ 〈보기〉 시인 김광균은 해방 이후의 혼란스러운 사회 현실을 경험함 ➕ 작품 '지나는 돌팔매에도 이제는 피곤하다. / 먹고 산다는 것. / 너는 언제까지 나를 쫓아오느냐.'

선지➡ '지나는 돌팔매에도 이제는 피곤하다'는 당대의 현실 속에서 시인이 힘들게 살았음을 드러내는 것이겠군. ○

④ 〈보기〉 시인 김광균은 혼란스러운 현실에서 의지를 잃지 않고 문학적 성취를 이룬 '노신'을 자신과 동일시함. 그러한 시인의 인식은 「노신」에 반영됨 ➕ 작품 '노신이여 / 이런 밤이면 그대가 생각난다. / 온– 세계가 눈물에 젖어 있는 밤~쓸쓸히 앉아 지키던 등불'

선지➡ '쓸쓸히 앉아 지키던 등불'은 힘든 상황에서도 문학적 의지를 잃지 않았던 고독한 '노신'을 시인이 떠올린 것이겠군. ○

⑤ 〈보기〉 시인 김광균은 혼란스러운 현실에서 의지를 잃지 않고 문학적 성취를 이룬 '노신'을 자신과 동일시함. 그러한 시인의 인식은 「노신」에 반영됨 ➕ 작품 '쓸쓸히 앉아 지키던 등불 / 등불이 나에게 속삭어린다.~ 여기 하나의 굳세게 살아온 인생이 있다.'

선지➡ '여기 하나의 굳세게 살아온 인생이 있다'는 시인이 '노신'의 삶의 태도를 내면화하여 의지적인 태도를 드러낸 것이겠군. ○

고3 2016학년도 4월 학평 – 김용택, 「섬진강 1」

가문 섬진강을 따라가며 보라 가문 **섬진강**을 보라고 하네.
㉠퍼가도 퍼가도 전라도 실핏줄 같은
개울물들이 끊기지 않고 모여 **흐르며** 현재 섬진강은 **가문** 상태이지만, 그
물줄기는 **끊기지** 않는 생명력을 지닌 대상으로 그려지고 있어.
해 저물면 저무는 강변에
쌀밥 같은 토끼풀꽃,
숯불 같은 자운영꽃 머리에 이어주며
지도에도 없는 동네 강변
식물도감에도 없는 풀에
어둠을 끌어다 죽이며
㉡그을린 이마 훤하게
꽃등도 달아준다 또한 섬진강은 강변에 핀 **토끼풀꽃**, 자운영꽃, **식물도감**에도 없는
풀과 같이 소박한 자연물들을 품어 주고 있어.
흐르다 흐르다 목메이면
영산강으로 가는 물줄기를 불러
㉢뼈 으스러지게 그리워 얼싸안고
지리산 뭉툭한 허리를 감고 돌아가는
섬진강을 따라가며 보라 **영산강**으로 흐르는 물줄기와 만나 **지리산**을 감싸며
흐르는 섬진강의 모습을 묘사하고 있네.
섬진강물이 어디 몇 놈이 달려들어
퍼낸다고 마를 강물이더냐, **퍼낸다**고 해도 마르지 않는 섬진강의 강한 생명
력을 강조하고 있어.
㉣지리산이 저문 강물에 얼굴을 씻고
일어서서 껄껄 웃으며
무등산을 보며 그렇지 않느냐고 물어보면
노을 띤 무등산이 그렇다고 훤한 이마 끄덕이는
고갯짓을 바라보며 지리산의 물음에 **무등산**이 이마를 **끄덕**이며 긍정의 뜻을 드러
내고 있어. 서로 조화와 교감을 이루는 자연의 모습이야.
저무는 섬진강을 따라가며 보라
㉤어디 몇몇 애비 없는 후레자식들이
퍼간다고 마를 강물인가를. 섬진강은 절대 **마르지** 않을 것이라는 화자의 확신
이 담겨 있어.

– 김용택, 「섬진강 1」 –

화자와 대상의 관계	**섬진강**이 지닌 강인한 **생명력**과 포용력에 대해 이야기하는 사람

1. 〈보기〉를 참고하여 ㉠~㉤을 감상한 내용으로 적절하지 않은 것은?

〈보기〉

「섬진강 1」은 섬진강과 그 주변의 자연물을 소재로 하여 끊임없는 수탈로 황폐해진 농촌의 고된 상황과 그러한 상황 속에서도 넉넉한 마음으로 공동체적 삶을 영위하는 농민들의 생명력을 보여 준다. 수탈로 인해 황폐해진 농촌의 상황과 고된 상황 속에서도 유지되는 농민들의 생명력을 섬진강과 그 주변의 자연물을 통해 보여 줌 이를 통해 시인은 절망적 상황 속에서도 건강한 삶을 살아가는 농민들에 대한 애정과 믿음을 드러내고 있다.

정답풀이

② ㉡에서 꽃등은 황폐한 농촌 상황에 놓인 농민들의 고된 삶을 부각하는 소재이군.

㉡의 '그을린 이마'는 고된 농촌 생활로 인해 힘들게 살아가는 농민들의 모습을 나타낸 것으로, 그들의 그을린 이마에 훤하게 '꽃등'을 달아주는 행위에는 그들에 대한 위로가 담겨 있다고 볼 수 있다. 〈보기〉에서도 '시인은 절망적 상황 속에서도 건강한 삶을 살아가는 농민들에 대한 애정'을 드러낸다고 하였으므로 '꽃등'을 농민들의 고된 삶을 부각하는 소재라고 볼 수 없다.

오답풀이

① ㉠에서 끊어지지 않고 흘러가는 개울물의 이미지는 농민들의 끈질긴 생명력을 환기하는군.

〈보기〉에서 윗글은 '섬진강과 그 주변의 자연물을 소재'로 '공동체적 삶을 영위하는 농민들의 생명력을 보여 준다'고 하였다. 이를 참고하면 ㉠의 '끊기지 않고 모여 흐르'는 개울물은 고된 상황 속에서도 함께 생활하며 삶을 포기하지 않는 농민들의 끈질긴 생명력을 환기한다고 볼 수 있다.

③ ㉢에서 그리워 얼싸안는 행위는 힘겨운 삶 속에서 서로에게 의지하며 살아가는 농민들의 모습을 형상화한 것이군.

〈보기〉에서 윗글은 고된 상황 속에서도 '넉넉한 마음으로 공동체적 삶을 영위하는 농민들의 생명력을 보여 준다'고 하였다. 이를 참고하면 ㉢에서 '뼈 으스러지게 그리워 얼싸안'는 모습은 힘겨운 상황 속에서도 공동체적 삶을 통해 서로 의지하며 고통을 감내하는 농민들의 모습을 형상화한 것으로 볼 수 있다.

④ ㉣에서 지리산이 껄껄 웃는 모습은 수탈을 당하면서도 삶의 여유를 잃지 않는 농민들의 삶을 보여주는군.

〈보기〉에서 윗글은 '끊임없는 수탈로 황폐해진 농촌의 고된 상황과 그러한 상황 속에서도 넉넉한 마음으로 공동체적 삶을 영위하는 농민들의 생명력을 보여 준다'고 하였다. 이를 참고하면 ㉣의 '저문 강물에 얼굴을 씻고 / 일어서서 껄껄 웃'는 지리산은 수탈로 인한 고된 삶 속에서도 삶의 여유를 잃지 않는 농민들의 모습을 형상화한 것이라 할 수 있다.

⑤ ⓜ에서 강물이 마르지 않을 것이라는 인식은 건강한 삶을 살아가는 농민
   들에 대한 믿음을 보여주는군.

〈보기〉에서 윗글은 '절망적 상황 속에서도 건강한 삶을 살아가는 농민들에
대한 애정과 믿음을 드러'낸다고 하였다. 이를 참고하면 ⓜ의 '후레자식들이
/ 퍼간다고 마를 강물인가를.'에는 절망적 상황에서도 건강한 삶을 살아나갈
농민들에 대한 화자의 믿음이 내포되어 있다고 할 수 있다.

2. 문학 개념어 OX 확인 문제

① ○

• **명령형 문장**: 화자가 청자에게 어떤 행동을 요구하는 문장. '–아/어라,
  –게, –십시오' 등으로 종결됨.

  근거 '섬진강을 따라가며 보라'

② ✕

• **시간에 따른 전개**: 계절의 흐름, 아침 → 점심 → 저녁, 과거 → 현재 →
  미래와 같이 시간의 변화에 따라 시상을 전개하는 방식.

🔍 1번 문제의 선지 판단 공식에 대한 답을 확인해 보세요.

〈보기〉 문제 선지 판단의 공식

① 〈보기〉 섬진강과 그 주변의 자연물을 소재로 하여 농민들이 지닌 생명력을 보여 줌 ➕ 작품 '가문 섬진강을 따라가며 보라 / ㉠퍼가도 퍼가도 전라도 실핏줄 같은 / 개울물들이 끊기지 않고 모여 흐르며'

선지 ➡ ㉠에서 끊어지지 않고 흘러가는 개울물의 이미지는 농민들의 끈질긴 생명력을 환기하는군.　　○

② 〈보기〉 섬진강과 그 주변의 자연물을 소재로 하여 수탈로 황폐해진 농촌의 고된 상황을 보여 줌 ➕ 작품 '가문 섬진강을 따라가며 보라', '식물도감에도 없는 풀에 / 어둠을 끌어다 죽이며 / ㉡그을린 이마 훤하게 / 꽃등도 달아준다'

선지 ➡ ㉡에서 꽃등은 황폐한 농촌 상황에 놓인 농민들의 고된 삶을 부각하는 소재이군.　　✕

③ 〈보기〉 섬진강과 그 주변의 자연물을 소재로 하여 고된 상황 속에서도 공동체적 삶을 영위하는 농민들의 생명력을 보여 줌 ➕ 작품 '흐르다 흐르다 목메이면 / 영산강으로 가는 물줄기를 불러 / ㉢뼈 으스러지게 그리워 얼싸안고'

선지 ➡ ㉢에서 그리워 얼싸안는 행위는 힘겨운 삶 속에서 서로에게 의지하며 살아가는 농민들의 모습을 형상화한 것이군.　　○

④ 〈보기〉 섬진강과 그 주변의 자연물을 소재로 하여 고된 상황 속에서도 넉넉한 마음을 잃지 않고 건강한 삶을 살아가는 농민들의 모습을 보여 줌 ➕ 작품 '섬진강물이 어디 몇 놈이 달려들어 / 퍼낸다고 마를 강물이더냐. / ㉣지리산이 저문 강물에 얼굴을 씻고 / 일어서서 껄껄 웃으며'

선지 ➡ ㉣에서 지리산이 껄껄 웃는 모습은 수탈을 당하면서도 삶의 여유를 잃지 않는 농민들의 삶을 보여주는군.　　○

⑤ 〈보기〉 섬진강과 그 주변의 자연물을 소재로 하여 절망적 상황 속에서도 강인한 생명력을 가지고 건강한 삶을 살아가는 농민들에 대한 애정과 믿음을 드러냄 ➕ 작품 '저무는 섬진강을 따라가며 보라 / ㉤어디 몇몇 애비 없는 후레자식들이 / 퍼간다고 마를 강물인가를.'

선지 ➡ ㉤에서 강물이 마르지 않을 것이라는 인식은 건강한 삶을 살아가는 농민들에 대한 믿음을 보여주는군.　　○

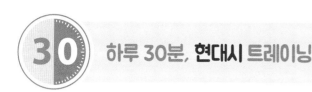

📅 고3 2015학년도 10월 학평B – 나태주, 「등 너머로 훔쳐 듣는 대숲바람 소리」

등 너머로 훔쳐 듣는 남의 집 대숲바람 소리 속에는
밤 사이 내려와 놀던 초록별들의
퍼렇게 멍든 날갯죽지가 떨어져 있다. 대숲바람 소리 속에 초록별들의 퍼렇게 멍든 날갯죽지가 떨어져 있대.
어린 날 뒤울안에서
매 맞고 혼자 숨어 울던 눈물의 찌꺼기가
비칠비칠 아직도 거기
남아 빛나고 있다. 초록별들의 멍든 날갯죽지는 어린 시절 매를 맞고 혼자 숨어 울던 기억과 연결되는군. 화자는 대숲바람 소리를 들으면서 어린 시절의 아픈 기억을 떠올리고 있는 거지.

심청이네집 심청이
빌어먹으러 나가고
심봉사 혼자 앉아
날무처럼 끄들끄들 졸고 있는 툇마루 끝에 고전소설 속 등장인물을 등장시키고 있어. 심청이가 밥을 얻기 위해 나간 사이 심봉사 홀로 툇마루에 앉아 졸고 있네.
개다리소반 위 비인 상사발*에
마음만 부자로 쌓여주던 그 햇살이
다시 눈트고 있다, 다시 눈트고 있다. 궁핍한 처지임에도 마음만은 부자로 만들어주던 한 줄기 희망 같은 햇살이 다시 눈트고 있다고 해.
장승상네 참대밭의 우레 소리도
다시 무너져서 내게로 달려오고 있다.

등 너머로 훔쳐 듣는
남의 집 대숲바람 소리 속에는
내 어린 날 여름 냇가에서
손바닥 벌려 잡다 놓쳐버린
발가벗은 햇살의 그 반쪽이
앞질러 달려와서 기다리며
저 혼자 심심해 반짝이고 있다.
저 혼자 심심해 물구나무 서 보이고 있다. 대숲바람 소리 속에서 아픈 추억을 떠올렸던 화자가 이제는 어린 날 여름 냇가에서 보았던 햇살에 담긴 긍정적 기억을 떠올리고 있어.

　　　　　 – 나태주, 「등 너머로 훔쳐 듣는 대숲바람 소리」 –

*상사발: 품질이 낮은 사발.

화자와 대상의 관계	대숲바람 소리를 들으며 어린 시절의 상처를 떠올리지만, 이내 희망을 발견하는 '나'

1. 〈보기〉를 바탕으로 하여 윗글을 감상할 때, 적절하지 않은 것은?

〈보기〉

　케네스 버크는 문학적 소재를 크게 '내적 소재'와 '외적 소재'로 구별하고 있다. 전자가 작가의 상상력을 통해 창조적 의미를 지니게 된 소재라면, 후자는 잘 알려진 역사나 고전에서 선택된 소재를 의미한다. 내적 소재: 작가의 상상력을 바탕으로 한 창조적 의미를 지님 / 외적 소재: 잘 알려진 고전에서 선택됨 윗글은 '대숲바람 소리'를 중심으로 제시된 내적 소재들과 「심청전」에서 가져 온 외적 소재들이 절묘하게 접목되어 있는 작품이다. 화자의 어린 시절과 「심청전」에 등장하는 인물의 상황이 겹쳐지면서, '심청'이 가난하고 힘겨운 상황 속에서도 품었던 희망이 화자 자신의 어린 시절에도 존재하고 있음을 발견하게 된다. 이를 통해 윗글은 아픔 속에도 희망이 존재하며, 상처마저도 그리움과 추억이 된다는 것을 일깨우고 있다. 주제 의식: 아픔 속에도 존재하는 희망

정답풀이 ▷

⑤ 외적 소재를 통해 내적 소재의 의미가 확장되면서, 고통마저도 '햇살'이 되었던 어린 시절을 외면해 온 화자 자신에 대한 후회가 '발가벗은 햇살'에 투영되어 있군.

　〈보기〉에서 윗글은 내적 소재들과 외적 소재들이 절묘하게 접목되어 있다고 하며, "심청'이 가난하고 힘겨운 상황 속에서도 품었던 희망이 화자 자신의 어린 시절에도 존재하고 있음을 발견'한다고 했다. 2연에서 궁핍한 심청이네의 '그 햇살이 / 다시 눈트'는 것은 3연에서 화자의 어린 시절 '발가벗은 햇살'로 확장된다. 화자는 '햇살'을 통해 '아픔 속에도 희망이 존재하며, 상처마저도 그리움과 추억이 된다'는 깨달음을 드러내고 있을 뿐, 고통마저도 '햇살'이 되었던 어린 시절을 외면해 온 것에 대한 후회를 '발가벗은 햇살'에 투영했다고 볼 수 없다.

오답풀이 ▷

① 어른이 된 화자가 '대숲바람 소리'를 통해 과거와 대면하게 되는 것이므로, 내적 소재인 '대숲바람 소리'는 과거와 현재를 이어주는 매개체로 볼 수 있군.

　화자는 '대숲바람 소리'를 듣고 '어린 날 뒤울안에서 / 매 맞고 혼자 숨어 울던 눈물의 찌꺼기'와 '내 어린 날 여름 냇가에서 / 손바닥 벌려 잡다 놓쳐버린 / 발가벗은 햇살의 그 반쪽'을 발견하고 있다. 즉 '대숲 바람 소리'를 매개체로 화자의 과거와 현재가 연결되고 있다고 볼 수 있다.

② 내적 소재인 '대숲바람 소리' 속에 '초록별의 멍든 날갯죽지'와 '눈물의 찌꺼기'가 남아 있다는 것으로 보아, '대숲바람 소리'가 환기하는 정서는 어린 시절의 아픔이라 할 수 있군.

　화자는 '대숲바람 소리'를 듣고 자신의 어린 시절을 회상하는데, 이때 화자는 '초록별들의 / 퍼렇게 멍든 날갯죽지'와 자신이 '매 맞고 혼자 숨어 울던' 모습을 연상한다. 따라서 화자는 '대숲바람 소리'를 통해 어린 시절의 아픔을 회상했다고 볼 수 있다.

③ '심청'이 '심봉사'를 혼자 남겨 두고 '빌어먹으러' 나갔을 때의 장면이 외적 소재로 제시되어, 화자의 힘겨웠던 어린 시절을 짐작할 수 있게 해 주는군.

〈보기〉에서는 '화자의 어린 시절과 「심청전」에 등장하는 인물의 상황이 겹쳐'진다고 하였다. 따라서 '빌어먹으러' 나간 '심청이'의 상황을 통해 화자의 어린 시절도 힘겨웠을 것이라 짐작할 수 있다.

④ 외적 소재와 내적 소재가 접목되면서, '심청'이 지녔던 희망이 자신의 삶에도 존재하고 있음을 인식하는 화자의 내면이 '그 햇살이 / 다시 눈트'는 것으로 형상화되고 있군.

〈보기〉에서는 '화자의 어린 시절과 「심청전」에 등장하는 인물의 상황이 겹쳐지면서, '심청'이 가난하고 힘겨운 상황 속에서도 품었던 희망이 화자 자신의 어린 시절에도 존재하고 있음을 발견하게 된다.'라고 하였다. 따라서 '그 햇살이 / 다시 눈트고 있다. 다시 눈트고 있다.'에는 '심청'이 지녔던 희망이 자신의 삶에도 존재하고 있음을 인식하는 화자의 내면이 형상화되어 있다고 볼 수 있다.

2. 문학 개념어 OX 확인 문제

① ○

• 의인(= 자연물에 인격 부여): 사람이 아닌 것에 인격을 부여하여 사람인 것처럼 표현하는 것.

근거 '발가벗은 햇살의 그 반쪽이 / 앞질러 달려와서 기다리며 / 저 혼자 심심해 반짝이고 있다. / 저 혼자 심심해 물구나무 서 보이고 있다.'

② ○

• 대구: 비슷한 어조나 구조를 가진 구절이나 문장 두 개를 짝지어 배치하는 표현 기법.

근거 '저 혼자 심심해 반짝이고 있다 / 저 혼자 심심해 물구나무 서 보이고 있다.'

🔍 1번 문제의 선지 판단 공식에 대한 답을 확인해 보세요.

〈보기〉 문제 선지 판단의 공식

① 〈보기〉 윗글에서 '대숲바람 소리'를 중심으로 제시된 내적 소재들은 화자의 어린 시절과 관련됨 ➕ 작품 '대숲바람 소리 속에는~어린 날 뒤울안에서 / 매 맞고 혼자 숨어 울던 눈물의 찌꺼기가~남아 빛나고 있다.'

선지▶ 어른이 된 화자가 '대숲바람 소리'를 통해 과거와 대면하게 되는 것이므로, 내적 소재인 '대숲바람 소리'는 과거와 현재를 이어주는 매개체로 볼 수 있군. ○

② 〈보기〉 윗글에서 '대숲바람 소리'를 중심으로 제시된 내적 소재들은 화자의 어린 시절과 관련됨 ➕ 작품 '대숲바람 소리 속에는 / 밤 사이 내려와 놀던 초록별들의 / 퍼렇게 멍든 날갯죽지가 떨어져 있다. / 어린 날 뒤울안에서 / 매 맞고 혼자 숨어 울던 눈물의 찌꺼기가~남아 빛나고 있다.'

선지▶ 내적 소재인 '대숲바람 소리' 속에 '초록별의 멍든 날갯죽지'와 '눈물의 찌꺼기'가 남아 있다는 것으로 보아, '대숲바람 소리'가 환기하는 정서는 어린 시절의 아픔이라 할 수 있군. ○

③ 〈보기〉 윗글은 화자의 어린 시절과 관련된 내적 소재들과 잘 알려진 고전인 「심청전」에서 가져 온 외적 소재들을 접목함 ➕ 작품 '심청이네집 심청이 / 빌어먹으러 나가고 / 심봉사 혼자 앉아 / 날무처럼 끄들끄들 졸고 있는'

선지▶ '심청'이 '심봉사'를 혼자 남겨 두고 '빌어먹으러' 나갔을 때의 장면이 외적 소재로 제시되어, 화자의 힘겨웠던 어린 시절을 짐작할 수 있게 해 주는군. ○

④ 〈보기〉 화자의 어린 시절과 「심청전」 속 등장인물의 상황이 겹쳐지면서 화자는 심청이 힘겨운 상황에서도 품었던 희망이 자신의 어린 시절에도 존재함을 깨닫게 됨 ➕ 작품 '마음만 부자로 쌓여주던 그 햇살이 / 다시 눈트고 있다.~ 내게로 달려오고 있다.', '내 어린 날 여름 냇가에서 / 손바닥 벌려 잡다 놓쳐버린 / 발가벗은 햇살의 그 반쪽이~반짝이고 있다.'

선지▶ 외적 소재와 내적 소재가 접목되면서, '심청'이 지녔던 희망이 자신의 삶에도 존재하고 있음을 인식하는 화자의 내면이 '그 햇살이 / 다시 눈트'는 것으로 형상화되고 있군. ○

⑤ 〈보기〉 윗글은 내적 소재들과 외적 소재들을 결합하여 아픔 속에서도 희망이 존재하며, 상처마저도 그리움과 추억이 된다는 점을 일깨워 줌 ➕ 작품 '마음만 부자로 쌓여주던 그 햇살이 / 다시 눈트고 있다.', '내 어린 날 여름 냇가에서 / 손바닥 벌려 잡다 놓쳐버린 / 발가벗은 햇살의 그 반쪽이 / 앞질러 달려와서 기다리며 / 저 혼자 심심해 반짝이고 있다.'

선지▶ 외적 소재를 통해 내적 소재의 의미가 확장되면서, 고통마저도 '햇살'이 되었던 어린 시절을 외면해 온 화자 자신에 대한 후회가 '발가벗은 햇살'에 투영되어 있군. ✕

하루 30분, 현대시 트레이닝

📅 고3 2014학년도 4월 학평A – 김광규, 「상행」

가을 연기 자욱한 저녁 들판으로
상행 열차를 타고 평택(平澤)을 지나갈 때
흔들리는 차창에서 너는
문득 **낯선** 얼굴을 발견할지도 모른다.
그것이 너의 모습이라고 생각지 말아 다오.　화자는 상행 열차를 타고 평택
을 지나는 **너**에게 말을 건네며, 차창에서 발견한 **낯선** 얼굴을 너라고 생각하지 말라고 해.
오징어를 씹으며 화투판을 벌이는
낯익은 얼굴들이 네 곁에 있지 않느냐.　너의 **곁**에 있는 **낯익은** 얼굴들은 오징
어를 씹으며 화투판을 벌이는 모습이구나. 이는 차창에 비쳤던 낯선 얼굴과는 **다른** 모습일
거야.
황혼 속에 고함치는 원색의 지붕들과
잠자리처럼 파들거리는 TV 안테나들
흥미 있는 주간지를 보며
고개를 끄덕여 다오.　원색의 지붕들, TV 안테나는 1970년대의 산업화, 근대화와
관련된 소재들이야. 화자는 너에게 이런 것들을 보며 고개를 **끄덕**이라고 하네.
농약으로 질식한 풀벌레의 울음 같은
심야 방송이 잠든 뒤의 전파 소리 같은
듣기 힘든 소리에 귀 기울이지 말아 다오.　농약으로 **질식**한 풀벌레의 **울음**
과 심야 방송 이후의 전파 소리에는 어떤 고통과 호소가 담겨 있는 것 같아. 화자는 이러한
듣기 **힘든** 소리에는 귀 기울이지 **말**라고 하고 있어.
확성기마다 울려 나오는 힘찬 노래와
고속도로를 달려가는 자동차 소리는 얼마나 경쾌하냐.　확성기에서
나오는 힘찬 **노래**와 고속도로를 달리는 **자동차** 소리도 산업화, 근대화와 관련된 소재야.
화자는 이를 **경쾌**하다고 하네.
예부터 인생은 여행에 비유되었으니
맥주나 콜라를 마시며
즐거운 여행을 해 다오.
되도록 생각을 하지 말아 다오.　화자는 즐거운 **여행**을 하듯이 되도록 **생각**하지
말고 살라고 하고 있어.
놀라울 때는 다만
'아!'라고 말해 다오.
보다 긴 말을 하고 싶으면 침묵해 다오.　놀라울 때에도 짧은 감탄사 외에
긴 말은 하지 말고 **침묵**하라고 하네.
침묵이 어색할 때는
오랫동안 가문 날씨에 관하여
아르헨티나의 축구 경기에 관하여
성장하는 GNP와 증권 시세에 관하여
이야기해 다오.
너를 위하여
그리고 **나**를 위하여.　화자는 심각한 현실의 문제와는 동떨어진 날씨나 **축구 경기**,
GNP, **증권 시세**와 같은 이야기만 하라고 하고 있어. 조금 이상하지? 이 시는 전체적으로
반어적 표현을 활용하여 산업화와 근대화의 부정적인 이면과 이로 인해 소외된 이들의 고통
에는 무관심한 이들의 태도를 비판하고 있는 거야.

　　　　　　　　　　　　　　　　– 김광규, 「상행(上行)」 –

화자와 대상의 관계	**너**에게 말을 건네며 현실의 문제에 무관심한 소시민적 삶에 대해 **비판**의식을 드러내는 '나'

1. 〈보기〉를 바탕으로 시적 화자와 대상과의 관계를 분석했을 때, 적절하지 **않은** 것은?

〈보기〉

　이 시는, 급속하게 진행되는 산업화의 과정에서 파생된 현실의 부정적 상황을 도외시한 채 쾌락과 이익만을 추구하는 인간 군상에 대한 비판의식을 드러내고 있다. 비판 대상: 산업화 과정에서 파생된 현실의 문제를 도외시한 채 쾌락과 이익만을 추구하는 인간 군상 시인은 삶에 대한 진지한 고뇌와 자각이 인간의 삶을 좀 더 바람직한 방향으로 전환하게 하는 계기가 됨을 시적 화자의 목소리를 통해 말하고 있다. 바람직한 삶을 위해서는 삶에 대한 진지한 고뇌와 자각이 필요한 이 작품에서의 '너'를 시적 대상이자 청자라고 할 때, 아래와 같이 나타낼 수 있다.

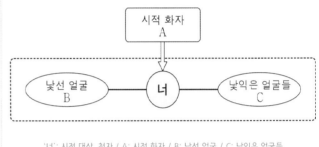

'너': 시적 대상, 청자 / A: 시적 화자 / B: 낯선 얼굴 / C: 낯익은 얼굴들

정답풀이 ▷

④ A는 B의 인식 변화를 통해 '너'가 직면하고 있는 현실이 개선될 것으로 기대하고 있다.

　윗글의 A(시적 화자)는 반어적 표현을 통해 시적 대상인 '너'에게 산업화 사회의 부정적 이면을 외면하고 쾌락과 이익만을 추구하는 C(낯익은 얼굴들)와 같은 사람이 아닌, 산업화 사회 이면의 문제들을 고민하며 비판의식을 지닌 B(낯선 얼굴)와 같은 사람으로 살아가기를 당부하고 있다. 따라서 A가 B의 인식 변화를 통해 현실이 개선될 것을 기대하고 있다고 볼 수 없다.

오답풀이

① A는 개인주의적 태도에 대한 자기 성찰의 필요성을 '너'에게 일깨워 주고 있다.

> 〈보기〉에서 '시인은 삶에 대한 진지한 고뇌와 자각이 인간의 삶을 좀 더 바람직한 방향으로 전환하게 하는 계기가 됨을 시적 화자의 목소리를 통해 말하고 있다.'라고 했다. 따라서 A가 '되도록 생각을 하지 말아 다오.', '보다 긴 말을 하고 싶으면 침묵해 다오.'와 같이 말한 것은 반어적 표현이며, 이를 통해 A는 '너'에게 개인주의적 태도에서 벗어나 부정적 현실을 인식하고 고민하는 자기 성찰의 필요성을 일깨워 주고 있다고 볼 수 있다.

② B는 사회 이면에 존재하는 근본 문제에 대해 고민하는 인물의 모습을 형상화하고 있다.

> 〈보기〉에서 윗글은 '부정적 상황을 도외시한 채 쾌락과 이익만을 추구하는 인간 군상'을 비판하며, '삶에 대한 진지한 고뇌와 자각'의 필요성을 드러낸다고 하였다. 〈보기〉의 도식에서 B와 C는 모두 '너'와 연결되어 있는데, 작품에서 C는 부정적 현실 문제에는 '귀 기울이지' 않고 '되도록 생각'하지 않으며 쾌락과 이익만을 추구하는 비판의 대상에 해당하며, 이와 대조되는 B는 사회의 이면에 존재하는 근본 문제에 대해 고민하는 인물의 모습을 형상화한 것이라 할 수 있다.

③ C는 사회 현실을 외면한 채 자신의 욕망에만 집착하는 현대인의 모습을 나타내고 있다.

> 〈보기〉에서 윗글은 '부정적 상황을 도외시한 채 쾌락과 이익만을 추구하는 인간 군상에 대한 비판의식을 드러'낸다고 했다. 이 작품에서 C는 부정적 현실 문제에는 '귀 기울이지' 않고 '되도록 생각'하지 않으며 '축구 경기'나 '증권 시세'와 같은 이야기만 하는 대상이라 할 수 있다. 즉, C는 사회 현실의 문제는 외면한 채 개인적 욕망에만 집착하는 현대인의 모습을 나타낸다고 볼 수 있다.

⑤ A는 '너'가, C로 대표되는 삶의 유형으로부터 벗어나 냉철한 인식을 지니도록 요청하고 있다.

> 〈보기〉에서 '시인은 삶에 대한 진지한 고뇌와 자각이 인간의 삶을 좀 더 바람직한 방향으로 전환하게 하는 계기가 됨을 시적 화자의 목소리를 통해 말하고 있다.'라고 했다. 따라서 A가 C로 살아가는 '너'에게 '되도록 생각을 하지 말아 다오.', '보다 긴 말을 하고 싶으면 침묵해 다오.'와 같이 말한 것은 반어적 표현이며, 이를 통해 A는 '너'에게 C에서 벗어나 부정적 현실에 대한 냉철한 인식을 지니도록 요청하고 있다고 볼 수 있다.

2. 문학 개념어 OX 확인 문제

① ○

- **감각적 이미지**: 언어에 의해 마음속에 떠오르는 구체적인 모습, 움직임, 상태 등의 감각적 영상을 '이미지(심상)'라고 함. 시각적, 청각적, 후각적, 미각적, 촉각적 이미지가 있으며 이 중 청각적 이미지는 귀로 듣는 것과 관련된 이미지를 말함.

  근거 '풀벌레의 울음', '전파 소리', '확성기마다 울려 나오는 힘찬 노래', '자동차 소리' 등

② ✕

- **하강 이미지**: 아래로 향하는 모습이 나타났거나 그러한 느낌을 불러일으키는 것. 추락하거나 침체되거나 쇠퇴하는 것도 하강 이미지라고 할 수 있음.

🔍 1번 문제의 선지 판단 공식에 대한 답을 확인해 보세요.

〈보기〉 문제 선지 판단의 공식

① 〈보기〉 이 시는 현실의 부정적 상황을 도외시한 채 쾌락과 이익만을 추구하는 인간 군상에 대한 비판의식과, 삶에 대한 진지한 고뇌와 자각이 인간의 삶을 좀 더 바람직한 방향으로 전환한다는 시인의 인식을 드러냄 ➕ A: 시적 화자, '너': 시적 대상이자 청자 ➕ 작품 '듣기 힘든 소리에 귀 기울이지 말아 다오', '되도록 생각을 하지 말아 다오.', '보다 긴 말을 하고 싶으면 침묵해 다오.'

선지➡ A는 개인주의적 태도에 대한 자기 성찰의 필요성을 '너'에게 일깨워 주고 있다.　○

② 〈보기〉 시인은 삶에 대한 진지한 고뇌와 자각이 인간의 삶을 좀 더 바람직한 방향으로 전환한다고 봄 ➕ B: 낯선 얼굴 ➕ 작품 '흔들리는 차창에서 너는 / 문득 낯선 얼굴을 발견할지도 모른다. / 그것이 너의 모습이라고 생각지 말아 다오.'

선지➡ B는 사회 이면에 존재하는 근본 문제에 대해 고민하는 인물의 모습을 형상화하고 있다.　○

③ 〈보기〉 이 시는 현실의 부정적 상황을 도외시한 채 쾌락과 이익만을 추구하는 인간 군상에 대한 비판의식을 드러냄 ➕ C: 낯익은 얼굴들 ➕ 작품 '오징어를 씹으며 화투판을 벌이는 / 낯익은 얼굴들이 네 곁에 있지 않느냐.'

선지➡ C는 사회 현실을 외면한 채 자신의 욕망에만 집착하는 현대인의 모습을 나타내고 있다.　○

④ 〈보기〉 이 시는 현실의 부정적 상황을 도외시한 채 쾌락과 이익만을 추구하는 인간 군상에 대한 비판의식과, 삶에 대한 진지한 고뇌와 자각이 인간의 삶을 좀 더 바람직한 방향으로 전환한다는 시인의 인식을 드러냄 ➕ A: 시적 화자, B: 낯선 얼굴 ➕ 작품 '흔들리는 차창에서 너는 / 문득 낯선 얼굴을 발견할지도 모른다. / 그것이 너의 모습이라고 생각지 말아 다오.'

선지➡ A는 B의 인식 변화를 통해 '너'가 직면하고 있는 현실이 개선될 것으로 기대하고 있다.　✕

⑤ 〈보기〉 이 시는 현실의 부정적 상황을 도외시한 채 쾌락과 이익만을 추구하는 인간 군상에 대한 비판의식과, 삶에 대한 진지한 고뇌와 자각이 인간의 삶을 좀 더 바람직한 방향으로 전환한다는 시인의 인식을 드러냄 ➕ A: 시적 화자, '너': 시적 대상이자 청자, C: 낯익은 얼굴들 ➕ 작품 '흔들리는 차창에서 너는 / 문득 낯선 얼굴을 발견할지도 모른다. / 그것이 너의 모습이라고 생각지 말아 다오. / 오징어를 씹으며 화투판을 벌이는 / 낯익은 얼굴들이 네 곁에 있지 않느냐.', '되도록 생각을 하지 말아 다오.', '보다 긴 말을 하고 싶으면 침묵해 다오.'

선지➡ A는 '너'가, C로 대표되는 삶의 유형으로부터 벗어나 냉철한 인식을 지니도록 요청하고 있다.　○

📅 고3 2013학년도 3월 학평B − 오세영, 「모순의 흙」

흙이 되기 위하여
흙으로 빚어진 그릇
언제인가 접시는
깨진다. 흙으로 빚어진 그릇은 언제인가 깨지게 되면 다시 흙으로 돌아가겠지?

생애의 영광을 잔치하는
순간에
바싹 깨지는 그릇
인간은 한 번
죽는다. 생애의 영광스러운 순간에 깨지는 그릇처럼 **인간**도 언젠가는 **죽음**을 맞이하는
존재임을 말하고 있어.

물로 반죽되고 불에 그슬려서
비로소 살아 있는 흙 흙이 물로 반죽되고 **불**에 구워져 비로소 그릇으로 만들어지는
과정을 말하고 있어.
누구나 인간은 한 번쯤 물에 젖고
불에 탄다. 그릇이 만들어지는 과정과 마찬가지로 **인간**도 물에 젖고 불에 타는 시련
의 과정을 겪는다는 거야.

하나의 접시가 되리라
깨어져서 완성(完成)되는
저 절대(絕對)의 파멸(破滅)이 있다면, 화자는 **접시**가 깨어져서 다시 흙으로
돌아가야 비로소 **완성**되는 것이라 생각하기 때문에 절대의 **파멸**이라고 말하는 거야.

흙이 되기 위하여
흙으로 빚어진
모순(矛盾)의 그릇. 이렇듯 흙으로 돌아가기 위해 흙으로 빚어진 그릇이기에 화자는
이를 **모순**의 그릇이라고 표현하는 거야.

— 오세영, 「모순의 흙」 —

화자와 대상의 관계	흙으로 빚어져 흙으로 돌아가는 **그릇**을 통해 인간의 삶에 대해 **성찰**하고 있는 사람

1. 〈보기〉를 토대로 윗글을 감상한 내용으로 적절하지 <u>않은</u> 것은?

─────〈보기〉─────

유추는 서로 다른 대상 사이에서 유사성을 발견하고, 그 유사성에 근거하여
새로운 인식에 도달하는 사유 방식이다. 유추: 서로 다른 대상 사이의 유사성에 근거
하여 새로운 인식에 도달하는 것 우리는 유추를 통해 감각으로 인식할 수 있는 일
상적 대상에서 인간과 삶의 의미에 대해 성찰해 보게 된다. 감각으로 인식할 수
있는 일상적 대상 → 인간과 삶의 의미를 성찰

정답풀이 ▷

④ 화자는 죽음을 잊고 생애에 충실한 대상에서 '인간'이 추구할 '생애의 영광'을
발견하고 있다.

> 〈보기〉에서는 윗글이 '서로 다른 대상 사이에서 유사성을 발견하고, 그
> 유사성에 근거하여 새로운 인식에 도달하는' 유추를 활용했다고 하였다.
> 화자는 2연의 '생애의 영광'의 순간에 그릇이 깨어지는 것에서 인간의 죽음
> 을 유추하였는데, 4연에서 접시가 깨지는 것이 곧 완성이라고 한 것을 고려
> 할 때 그릇을 '죽음을 잊고 생애에 충실한 대상'으로 볼 수 없으며, '생애의
> 영광'을 인간이 추구할 가치로 볼 수도 없다.

오답풀이 ▷

① 화자는 '깨진다'는 대상의 속성과 '죽는다'는 '인간'의 속성을 대응시키고 있다.

> 〈보기〉에서는 윗글이 '서로 다른 대상 사이에서 유사성을 발견하고, 그
> 유사성에 근거하여 새로운 인식에 도달하는' 유추를 활용했다고 하였다.
> 윗글의 1연에서는 '언제인가 접시는 / 깨진다.'라고 하고 2연에서 '인간은
> 한 번 죽는다.'라고 하여 접시의 '깨진다'는 속성과 인간의 '죽는다'는 속성을
> 대응시키고 있다.

② 화자는 대상과 유사하게 '인간'도 '물에 젖고 불에 타는' 것으로 바라보고 있다.

> 〈보기〉에서는 윗글이 '서로 다른 대상 사이에서 유사성을 발견하고, 그
> 유사성에 근거하여 새로운 인식에 도달하는' 유추를 활용했다고 하였다.
> 화자는 그릇이 '물로 반죽되고 불에 그슬려서' 만들어짐을 말한 뒤 인간
> 역시 '한 번쯤 물에 젖고 / 불에 탄다.'라고 하여 그릇과 인간 사이의 유사
> 성을 발견하고 있다.

③ '하나의 접시가 되리라'는 화자가 대상과 '인간'을 동일시하고 있음을 보여주고
있다.

> 〈보기〉에서는 윗글이 '서로 다른 대상 사이에서 유사성을 발견하고, 그
> 유사성에 근거하여 새로운 인식에 도달하는' 유추를 활용했다고 하였다.
> 화자는 '하나의 접시가 되리라.'에서 시적 대상인 그릇과 인간을 동일시
> 함으로써 '깨어져서 완성'되는 그릇처럼 인간의 죽음 역시 끝이 아닌 생애의
> 완성임을 말하고 있다.

⑤ '모순'은 화자가 깨닫게 된 '인간'과 삶에 대한 인식을 함축하고 있다.

> 〈보기〉에서 윗글은 '유추를 통해 감각으로 인식할 수 있는 일상적 대상에서
> 인간과 삶의 의미에 대해 성찰'하게 한다고 하였다. 화자는 그릇이 '흙이
> 되기 위하여 / 흙으로 빚어진 / 모순'이라고 하여 그릇처럼 인간의 삶 역시
> '깨어져서 완성되는' 역설적인 것이라는 인식을 드러내고 있다.

2. 문학 개념어 OX 확인 문제

① ○

- **도치**: 문장 성분의 정상적인 배열 순서를 바꾸어 그 의미를 강조하는 것. 특히 주어와 서술어의 순서가 뒤바뀌거나, 목적어와 서술어의 순서가 뒤바뀐 경우에 주의해야 함.

  근거 '하나의 접시가 되리라 / 깨어져서 완성되는 / 저 절대의 파멸이 있다면,'

② ✕

- **시상의 전환(반전)**: 시에서 나타난 정서나 시적 대상이 이전과는 달리 바뀌는 것. 이전까지 일정한 흐름이 유지되다가 결정적인 순간에 정서나 시적 대상이 바뀐 경우를 시상의 전환으로 볼 수 있음.

🔍 1번 문제의 선지 판단 공식에 대한 답을 확인해 보세요.

〈보기〉 문제 선지 판단의 공식

① 〈보기〉 유추는 서로 다른 대상 사이에서 유사성을 발견하고, 그 유사성에 근거하여 새로운 인식에 도달하는 사유 방식임 작품 '언제인가 접시는 / 깨진다. // 생애의 영광을 잔치하는 / 순간에 / 바싹 깨지는 그릇 / 인간은 한 번 / 죽는다.'

선지➡ 화자는 '깨진다'는 대상의 속성과 '죽는다'는 '인간'의 속성을 대응시키고 있다. ○

② 〈보기〉 유추는 서로 다른 대상 사이에서 유사성을 발견하고, 그 유사성에 근거하여 새로운 인식에 도달하는 사유 방식임 작품 '물로 반죽되고 불에 그슬려서 / 비로소 살아 있는 흙 / 누구나 인간은 한 번쯤 물에 젖고 / 불에 탄다.'

선지➡ 화자는 대상과 유사하게 '인간'도 '물에 젖고 불에 타는' 것으로 바라보고 있다. ○

③ 〈보기〉 유추는 서로 다른 대상 사이에서 유사성을 발견하고, 그 유사성에 근거하여 새로운 인식에 도달하는 사유 방식임 작품 '하나의 접시가 되리라 / 깨어져서 완성되는 / 저 절대의 파멸이 있다면.'

선지➡ '하나의 접시가 되리라'는 화자가 대상과 '인간'을 동일시하고 있음을 보여주고 있다. ○

④ 〈보기〉 유추는 서로 다른 대상 사이에서 유사성을 발견하고, 그 유사성에 근거하여 새로운 인식에 도달하는 사유 방식임 작품 '생애의 영광을 잔치하는 / 순간에 / 바싹 깨지는 그릇 / 인간은 한 번 / 죽는다.', '하나의 접시가 되리라 / 깨어져서 완성되는 / 저 절대의 파멸이 있다면.'

선지➡ 화자는 죽음을 잊고 생애에 충실한 대상에서 '인간'이 추구할 '생애의 영광'을 발견하고 있다. ✕

⑤ 〈보기〉 유추를 통해 감각으로 인식할 수 있는 일상적 대상에서 인간과 삶의 의미에 대해 성찰하게 됨 작품 '하나의 접시가 되리라 / 깨어져서 완성되는 / 저 절대의 파멸이 있다면, // 흙이 되기 위하여 / 흙으로 빚어진 / 모순의 그릇.'

선지➡ '모순'은 화자가 깨닫게 된 '인간'과 삶에 대한 인식을 함축하고 있다. ○

📅 고3 2020학년도 9월 모평 – 김영랑, 「청명」 / 고재종, 「초록 바람의 전언」

(가)

호르 호르르 호르르르 가을 아침
취어진* 청명을 마시며 거닐면
수풀이 호르르 벌레가 호르르르 화자는 가을 아침에 계절의 정취에 젖어 청명한
기운 속에 거닐면서 수풀과 벌레의 소리를 듣고 있어.
청명은 내 머릿속 가슴속을 젖어 들어
발끝 손끝으로 새어 나가나니 청명이 화자의 온몸으로 퍼져가는 것처럼 표현
하고 있네.

온 살결 터럭 끝은 모두 눈이요 입이라
나는 수풀의 정을 알 수 있고
벌레의 예지를 알 수 있다 자신의 살과 털 끝은 모두 눈이나 입과 같아서 수풀의
정과 벌레의 예지를 느낄 수 있다는 거야.
그리하여 나도 이 아침 청명의
가장 고웁지 못한 노래꾼이 된다

수풀과 벌레는 자고 깨인 어린애라
밤새워 빨고도 이슬은 남았다 수풀과 벌레를 어린애에 비유하고 있어. 아기가
젖을 먹듯 수풀과 벌레도 이슬을 빨아 먹는다고 표현한 거지.
남았거든 나를 주라
나는 이 청명에도 주리나니
방에 문을 달고 벽을 향해 숨 쉬지 않았느뇨 화자는 이슬이 남았거든
자신에게 달라고 하며 자연의 정기에 흠뻑 취하고 싶다는 소망을 드러내고 있어.

햇발이 처음 쏟아오아
청명은 갑자기 으리으리한 관을 쓴다 가을 아침의 눈부신 햇발이 쏟아지자
청명이 으리으리한 관을 쓴다고 표현하고 있어.
그때에 토록 하고 동백 한 알은 빠지나니 그때 동백나무에서 열매 한 알이
토록 하고 떨어져.
오! 그 빛남 그 고요함
간밤에 하늘을 쫓긴 별살의 흐름이 저러했다 화자는 동백 열매가 떨어지는
모습이 마치 하늘에서 쫓겨난 별살(혜성)의 흐름과 같다고 하네.

온 소리의 앞 소리요
온 빛깔의 비롯이라 호르르 하는 수풀과 벌레의 소리, 동백 한 알이 떨어지며 토록
하는 소리와 쏟아지는 햇발의 빛남은 모든 소리의 앞 소리이고 온 빛깔의 시작이래.
이 청명에 포근 취어진 내 마음
감각의 낯익은 고향을 찾았노라
평생 못 떠날 내 집을 들었노라 자신의 마음이 청명에 젖어 들어 감각의 낯익은
고향, 평생 못 떠날 내 집을 찾았다고 하며 포근함과 익숙함을 느끼고 있어.

– 김영랑, 「청명」 –

*취어진: 계절의 정취에 젖어 든.

화자와 대상의 관계	가을 아침 수풀과 벌레의 소리를 들으며 계절의 정취에 젖어 청명함을 느끼는 '나'

(나)

뒷동산 청솔잎을 빗질해주던 바람이
무어라 무어라 하는 솔나무의 속삭임을 듣고
푸른 햇살 요동치는 강변으로 달려갔다 하자. 청솔잎을 빗질하던 바람이
솔나무의 속삭임을 듣고 강변으로 달려갔대.
달려가선, 거기 미루나무에게 전하니
알았다 알았다는 듯 나무는 잎새를 흔들어
강물 위에 짤랑짤랑 구슬알을 쏟아냈다 하자. 바람이 솔나무의 속삭임을
미루나무에게 전하자, 나무는 알았다는 듯 잎새를 흔들어 구슬알을 쏟아냈대.
그 의중 알아챈 바람이 이젠 그 누구보단
앞들 보리밭에서 물결치듯 김을 매다
이마의 구슬땀 씻어올리는 여인에게 전하니, 미루나무의 의중을 알아챈
바람이 이제는 보리밭에서 김을 매다 땀을 씻는 여인에게 전했어.
여인이야 이윽고 아픈 허리를 곧게 펴곤
눈앞 가득 일어서는 마을의 정자나무를 향해
고개를 끄덕끄덕, 무언가 일별을 보냈다 하자. 그리고 여인은 일어서서
정자나무를 향해 일별을 보내지. 1연에서 화자는 바람과 나무들이 서로 소통할 수 있는 것
처럼 표현하고 그것이 여인에게도 전해진다고 해서 자연과 인간을 조화롭게 그려내고 있어.

아무려면 어떤가, 산과 강과 들과 마을이
한 초록으로 짙어가는 오월도 청청한 날에,
소쩍새는 또 바람결에 제 한 목청 다 싣는 날에. 산, 강, 들, 마을이 초록
으로 짙어가는 오월, 소쩍새가 한 목청으로 우는 계절은 봄이지. 즉 이 작품은 봄날의 생동
감 넘치는 풍경을 산과 강, 마을을 오가는 바람의 움직임에 주목하여 그려낸 거야.

– 고재종, 「초록 바람의 전언」 –

화자와 대상의 관계	초록 바람을 맞으며 봄날의 풍경을 바라보는 사람

1. 〈보기〉를 참고하여 (가)와 (나)를 감상한 내용으로 적절하지 않은 것은?

〈보기〉

자연은 시인에게 상상력의 주요한 원천이 되어 왔다. 그중 생태학적 상상력은 생태계 구성원 간의 관계에 주목한다. 생태학적 상상력은 모든 생태계 구성원을 평등한 존재로 보는 데에서 출발하여, 서로 교감·소통하며 유대감을 느끼는 관계로, 나아가 영향을 주고받는 순환의 관계로 인식한다. 생태학적 상상력: 생태계 구성원의 관계에 주목함, 생태계 구성원은 평등하고 서로 교감·소통하며 유대감을 느끼고 영향을 주고 받는 순환의 관계 생태학적 상상력을 통해 시인은 자연의 근원적 가치와, 인간과 자연의 조화로운 관계를 드러내며 궁극적으로는 이들을 하나의 생태 공동체로 형상화한다. 자연의 근원적 가치, 인간과 자연의 조화로운 관계를 드러냄

정답풀이

④ (가)에서 화자가 '동백 한 알'이 떨어지는 모습에서 '하늘'의 '별살'을 떠올린 것과 (나)에서 화자가 '잎새'의 흔들림에서 반짝이는 '구슬알'을 떠올린 것은 생명의 탄생을 계기로 순환하는 생태계의 질서를 보여 주는군.

(가)의 화자는 '동백 한 알'이 떨어지는 모습을 보고 '간밤에 하늘을 쫓긴 별살의 흐름이 저러했다'고 하며 '별살'을 떠올리고 있다. 그러나 이는 동백 열매가 떨어지는 모습에서 혜성이 떨어지던 모습을 떠올린 것일 뿐, 생명의 탄생을 계기로 순환하는 생태계의 질서를 보여 준 것은 아니다. 한편 (나)의 화자는 '나무는 잎새를 흔들어 / 강물 위에 짤랑짤랑 구슬알을 쏟아냈다'고 하여 '잎새'의 흔들림에서 '구슬알'을 연상하고 있다. 그러나 이 또한 잎새가 흔들리고 강물이 반짝이는 모습을 표현한 것일 뿐, 생명의 탄생을 계기로 순환하는 생태계의 질서를 보여 준 것으로 볼 수 없다.

오답풀이

① (가)에서 화자가 '온 살결 터럭 끝'을 '눈'과 '입'으로 삼아 자연을 대하는 것은 인간과 자연 간의 교감을, (나)에서 '바람'이 '뒷동산 청솔잎을 빗질'하는 것은 자연과 자연 간의 교감을 드러내는군.

〈보기〉에서 '생태학적 상상력'은 '모든 생태계 구성원'을 '서로 교감·소통하며 유대감을 느끼는 관계'로 본다고 하였다. 이를 참고하면 (가)의 화자가 자신의 '온 살결 터럭 끝'을 '눈'과 '입'으로 삼아 가을 아침의 청명함을 감각적으로 느끼는 모습은 인간과 자연의 교감을 드러낸 것이라 할 수 있다. 또한 (나)에서 '바람'이 '뒷동산 청솔잎을 빗질해'주는 것은 '바람'과 '청솔잎'이 교감하는 모습을 드러낸 것이라고 할 수 있다.

② (가)에서 화자가 '수풀의 정'과 '벌레의 예지'를 '알 수 있다'고 하는 것과 (나)에서 '솔나무'가 '무어라' 하고 '미루나무'가 '알았다'고 하는 것은 구성원들이 서로 소통하는 조화로운 생태계의 모습을 보여 주는군.

〈보기〉에서 '생태학적 상상력'은 '모든 생태계 구성원'을 '서로 교감·소통하며 유대감을 느끼는 관계'로 보며, 이를 통해 인간과 자연은 '하나의 생태 공동체로 형상화'된다고 하였다. 이를 참고하면 (가)의 화자가 '수풀의 정'과 '벌레의 예지'를 알 수 있다고 한 것과, (나)의 '솔나무'가 '무어라' 하고 '미루나무'가 '알았다'고 하는 것은 모두 생태계 구성원들이 서로 소통하는 조화로운 모습을 보여 준 것이라고 할 수 있다.

③ (가)에서 화자가 '수풀'과 '벌레'의 소리를 듣고 '나도' 청명함의 '노래꾼이 된다'고 하는 것과 (나)에서 '솔나무의 속삭임'을 '바람'이 '미루나무'에게 전하고, 이를 '여인'도 '정자나무'에게 전하는 것은 자연과 인간 간의 유대감을 드러내는군.

〈보기〉에서 '생태학적 상상력'은 '모든 생태계 구성원'을 '서로 교감·소통하며 유대감을 느끼는 관계'로 본다고 하였다. 이를 참고하면 (가)의 화자가 '수풀'과 '벌레'의 소리를 듣고 자신도 '청명의 / 가장 고웁지 못한 노래꾼이 된다'고 한 것과, (나)의 '솔나무', '미루나무', '여인', '정자나무'가 서로 소통하는 모습은 모두 자연과 인간이 서로 소통하며 느끼는 유대감을 드러낸 것이라고 할 수 있다.

⑤ (가)에서 자연을 '온 소리의 앞 소리'와 '온 빛깔의 비롯'이라고 표현한 것은 근원적 존재로서의 자연의 가치를, (나)에서 '오월'에 '산'과 '마을'이 '한 초록으로 짙어' 간다고 표현한 것은 인간과 자연이 하나가 되어 가는 생태 공동체를 형상화하는군.

〈보기〉에서 '생태학적 상상력을 통해 시인은 자연의 근원적 가치와, 인간과 자연의 조화로운 관계를 드러내며 궁극적으로는 이들을 하나의 생태 공동체로 형상화한다.'라고 하였다. 이를 참고하면 (가)의 화자가 자연을 '온 소리의 앞 소리'와 '온 빛깔의 비롯'이라고 표현한 것은 자연의 근원적 가치를 강조한 것으로 볼 수 있다. 또한 (나)의 '산과 강과 들과 마을이 / 한 초록으로 짙어가는' 모습은 인간과 자연이 한 색으로 물들어가는 모습을 표현한 것이므로, 인간과 자연이 하나가 되어 가는 생태 공동체를 형상화한 것으로 볼 수 있다.

2. 문학 개념어 OX 확인 문제

① ✕

- 현실과 이상의 거리감: 화자가 처한 현실과 화자가 지향하는 이상이 다름으로 인해 느끼는 감정. 일반적으로 화자가 이상향을 꿈꾸고 있지만 처한 현실이 부정적일 때 나타남.

② ✕

- 계절의 변화(흐름): 작품에서 계절을 직접 언급하거나 특정 계절임을 알려 주는 구체적인 사물이나 현상을 활용해 계절이 변화했음을 드러내는 것.

🔍 1번 문제의 선지 판단 공식에 대한 답을 확인해 보세요.

〈보기〉 문제 선지 판단의 공식

① 〈보기〉 생태학적 상상력에서는 모든 생태계 구성원을 서로 교감·소통하며 유대감을 느끼는 관계로 봄 ➕ 작품 (가): '온 살결 터럭 끝은 모두 눈이요 입이라 / 나는 수풀의 정을 알 수 있고 / 벌레의 예지를 알 수 있다'
(나): '뒷동산 청솔잎을 빗질해주던 바람'

선지➡ (가)에서 화자가 '온 살결 터럭 끝'을 '눈'과 '입'으로 삼아 자연을 대하는 것은 인간과 자연 간의 교감을, (나)에서 '바람'이 '뒷동산 청솔잎을 빗질'하는 것은 자연과 자연 간의 교감을 드러내는군. ○

② 〈보기〉 생태학적 상상력에서는 모든 생태계 구성원을 서로 교감·소통하며 유대감을 느끼는 관계로 보며, 이를 통해 인간과 자연은 하나의 생태 공동체로 형상화됨 ➕ 작품 (가): '온 살결 터럭 끝은 모두 눈이요 입이라 / 나는 수풀의 정을 알 수 있고 / 벌레의 예지를 알 수 있다'
(나): '바람이 / 무어라 무어라 하는 솔나무의 속삭임을 듣고', '미루나무에게 전하니 / 알았다 알았다는 듯 나무는 잎새를 흔들어'

선지➡ (가)에서 화자가 '수풀의 정'과 '벌레의 예지'를 '알 수 있다'고 하는 것과 (나)에서 '솔나무'가 '무어라' 하고 '미루나무'가 '알았다'고 하는 것은 구성원들이 서로 소통하는 조화로운 생태계의 모습을 보여 주는군. ○

③ 〈보기〉 생태학적 상상력에서는 모든 생태계 구성원을 서로 교감·소통하며 유대감을 느끼는 관계로 봄 ➕ 작품 (가): '나는 수풀의 정을 알 수 있고 / 벌레의 예지를 알 수 있다 / 그리하여 나도 이 아침 청명의 / 가장 고웁지 못한 노래꾼이 된다'
(나): '바람이 / 무어라 무어라 하는 솔나무의 속삭임을 듣고', '미루나무에게 전하니 / 알았다 알았다는 듯 나무는 잎새를 흔들어', '여인에게 전하니, / 여인이야 이윽고 아픈 허리를 곧게 펴곤 / 눈앞 가득 일어서는 마을의 정자나무를 향해 / 고개를 끄덕끄덕, 무언가 일별을 보냈다 하자.'

선지➡ (가)에서 화자가 '수풀'과 '벌레'의 소리를 듣고 '나도' 청명함의 '노래꾼이 된다'고 하는 것과 (나)에서 '솔나무의 속삭임'을 '바람'이 '미루나무'에게 전하고, 이를 '여인'도 '정자나무'에게 전하는 것은 자연과 인간 간의 유대감을 드러내는군. ○

④ 〈보기〉 생태학적 상상력에서는 모든 생태계 구성원을 평등한 존재로 보고, 서로 교감·소통하며 유대감을 느끼는 관계로, 나아가 영향을 주고받는 순환의 관계로 인식함 ➕ 작품 (가): '그때에 토록 하고 동백 한 알은 빠지나니 / 외 그 빛남 그 고요함 / 간밤에 하늘을 쫓긴 별살의 흐름이 저러했다'
(나): '나무는 잎새를 흔들어 / 강물 위에 짤랑짤랑 구슬알을 쏟아냈다 하자.'

선지➡ (가)에서 화자가 '동백 한 알'이 떨어지는 모습에서 '하늘'의 '별살'을 떠올린 것과 (나)에서 화자가 '잎새'의 흔들림에서 반짝이는 '구슬알'을 떠올린 것은 생명의 탄생을 계기로 순환하는 생태계의 질서를 보여 주는군. ✕

⑤ 〈보기〉 생태학적 상상력을 통해 시인은 자연의 근원적 가치와, 인간과 자연의 조화로운 관계를 드러내며, 궁극적으로 자연과 인간을 하나의 생태 공동체로 형상화함 ➕ 작품 (가): '온 소리의 앞 소리요 / 온 빛깔의 비롯이라 / 이 청명에 포근 취어진 내 마음'
(나): '산과 강과 들과 마을이 / 한 초록으로 짙어가는 오월'

선지➡ (가)에서 자연을 '온 소리의 앞 소리'와 '온 빛깔의 비롯'이라고 표현한 것은 근원적 존재로서의 자연의 가치를, (나)에서 '오월'에 '산'과 '마을'이 '한 초록으로 짙어' 간다고 표현한 것은 인간과 자연이 하나가 되어 가는 생태 공동체를 형상화하는군. ○

하루 30분, 현대시 트레이닝

📅 고3 2017학년도 9월 모평 – 윤동주, 「병원」 / 박목월, 「나무」

(가)

살구나무 그늘로 얼굴을 가리고, 병원 뒤뜰에 누워, 젊은 여자가 흰옷 아래로 하얀 다리를 드러내 놓고 일광욕을 한다. 화자는 병원 뒤뜰에 누워 있는 **젊은 여자**에 주목하고 있네. 한나절이 기울도록 가슴을 앓는다는 이 여자를 찾아오는 이, 나비 한 마리도 없다. 그 젊은 여자는 가슴을 앓고 있는데 아무도 그녀를 찾아오지 않아. 슬프지도 않은 살구나무 가지에는 바람조차 없다. 찾는 이도, 나비도, **바람**도 없는 상황에서 쓸쓸함이 느껴져.

나도 모를 아픔을 오래 참다 처음으로 이곳에 찾아왔다. 화자도 아픔 때문에 **병원(이곳)**에 찾아왔네. 그러나 나의 늙은 의사는 젊은이의 병을 모른다. 나한테는 병이 없다고 한다. 그런데 **늙은 의사**는 화자에게 병이 없다고 해. 이 지나친 **시련**, 이 지나친 **피로**, 나는 성내서는 안 된다. 화자의 **시련**과 **피로**는 육체적 질병에서 비롯된 것이 아니라 마음에서 비롯된 것인가 봐. 의사는 병이 없다고 했으니까.

여자는 자리에서 일어나 옷깃을 여미고 화단에서 금잔화 한 포기를 따 가슴에 꽂고 병실 안으로 사라진다. 누워 있던 여자는 **금잔화 한 포기**를 가슴에 꽂고 병실로 사라져. 나는 그 여자의 건강이 — 아니 내 건강도 속히 회복되기를 바라며 그가 누웠던 자리에 누워 본다. 화자는 그 여자와 자신의 건강이 **회복**되기를 바라며 **여자**가 누웠던 자리에 누워 봐.

– 윤동주, 「병원」 –

화자와 대상의 관계	병원에서의 고독과 고통을 생각하며, **젊은 여자**와 자신의 **건강**이 회복되기를 바라는 '나'

(나)

유성에서 조치원으로 가는 어느 들판에 우두커니 서 있는 한 그루 늙은 나무를 만났다. 수도승일까. 묵중하게 서 있었다. 화자는 유성에서 조치원으로 가는 길에 **한 그루 늙은 나무**를 발견하고, 그 나무가 마치 묵중하게 선 **수도승** 같다고 느껴.

다음날은 조치원에서 공주로 가는 어느 가난한 마을 어귀에 그들은 떼를 져 몰려 있었다. 멍청하게 몰려 있는 그들은 어설픈 **과객**일까. 몹시 추워 보였다. 조치원에서 공주로 가는 길에서는 떼를 져 몰려 있는 **나무들**을 보고 춥고 어설픈 **과객** 같다고 느끼지.

공주에서 온양으로 우회하는 뒷길 어느 산마루에 그들은 멀리 서 있었다. 하늘 문을 지키는 **파수병**일까. 외로워 보였다. 공주에서 온양으로 우회하는 길 산마루에서도 나무들을 발견하고 **파수병**처럼 외롭게 서 있다고 하지.

온양에서 서울로 돌아오자, 놀랍게도 그들은 이미 **내** 안에 뿌리를 펴고 있었다. 묵중한 그들의. 침울한 그들의. 아아 고독한 모습. 그 후로 나는 뽑아낼 수 없는 몇 그루의 나무를 기르게 되었다. 서울로 돌아온 화자는 자신의 **내면(안)**에서 묵중하고 침울하고 고독한 모습의 **나무들**을 발견해.

– 박목월, 「나무」 –

화자와 대상의 관계	유성에서 출발하여 서울로 가는 길에 **나무(들)**를 보고 삶의 본질적인 고독감을 느끼는 '나'

---

1. 〈보기〉의 관점에서 (가), (나)의 '화자와 대상의 관계'에 대해 이해한 내용으로 적절하지 <u>않은</u> 것은?

〈보기〉

(가), (나)의 화자는 특정한 대상에 대한 인식을 통해 자신을 성찰하고 대상에 공감한다. (가)와 (나)의 공통점: 특정 대상 인식 → 자아를 성찰, 대상에 공감 (가)의 화자는 병원에서 본 '여자'의 모습에 주목하고 '여자'의 아픔에 비추어 자신의 처지를 성찰하며 '여자'가 지닌 치유에 대한 소망에 공감한다. (가): '여자'를 인식 → '여자'의 아픔을 통해 자아를 성찰, 치유에 대한 소망에 공감 (나)의 화자는 여행 중에 만난 '나무'들의 모습에 주목하고 '나무'들에 비추어 자신의 내면을 성찰하며 '나무'들의 모습에서 드러나는 정서에 공감한다. (나): '나무'들을 인식 → 자아를 성찰, '나무'들의 모습에서 드러나는 정서에 공감 이를 통해 (가), (나)의 화자는 대상과의 동질성을 확인한다. (가)와 (나)의 공통점: 대상과의 동질성 확인

정답풀이 ▶

③ (가)의 화자는 '젊은이의 병'을 모르는 '늙은 의사'에 대한 원망을 '여자'와 공유함으로써, (나)의 화자는 '멀리 서 있는' '나무'들의 위치를 확인함으로써 대상과 자신의 거리를 좁히려 하고 있다.

(가)의 화자는 '여자'가 지닌 치유에 대한 소망에 공감하고 동질성을 확인할 뿐, '늙은 의사'에 대한 원망을 '여자'와 공유하고 있지는 않다. 또한 (나)의 화자가 '멀리 서 있는' '나무'들의 위치를 확인함으로써 대상과 자신의 거리를 좁히려 하고 있는 것도 아니다. (나)의 화자는 '멀리 서 있는' '나무'들의 모습에서 외로움을 느끼고 이에 공감하며 대상과의 동질성을 확인하고 있을 뿐이다.

오답풀이 ▶

① (가)의 화자는 '병원 뒤뜰'에 누워 있는 '여자'를 관찰함으로써, (나)의 화자는 여로에서 만난 '나무'를 반복적으로 제시함으로써 대상을 인식하고 있음을 보여 주고 있다.

(가)의 화자는 '병원 뒤뜰'에 누워 일광욕을 하는 '여자'를 관찰함으로써, (나)의 화자는 유성에서 서울까지의 여로에서 만난 '나무'를 반복적으로 제시함으로써 대상을 인식하고 있음을 보여 준다.

② (가)의 화자는 찾는 이가 없는 '가슴을 앓는다는 이 여자'의 처지에, (나)의 화자는 '나무'에게서 본 '수도승', '과객', '파수병'의 모습에 자신을 비추어 보고 있다.

(가)의 화자는 '가슴을 앓는다는 이 여자'를 찾아오는 이가 아무도 없다는 것에 비추어 '아픔을 오래 참다' 병원에 온 자신의 처지를 성찰하고 있다. 그리고 (나)의 화자는 '놀랍게도 그들은 이미 내 안에 뿌리를 펴고 있었다.'라고 하여 내면의 근원적 고독을 발견하고 있다. 이는 '나무'에게서 본 '수도승', '과객', '파수병'의 모습에 자신을 비추어 봄으로써 대상과의 동질감을 느낀 것이라고 할 수 있다.

④ (가)의 화자는 '금잔화 한 포기'를 꽂고 병실로 들어가는 '여자'에게서 '회복'에 대한 소망을 읽어 냄으로써, (나)의 화자는 '나무'들이 '외로워 보였다'고 표현함으로써 대상에 공감하고 있다.

> (가)의 화자는 '금잔화 한 포기'를 꽂고 병실로 들어가는 '여자'의 모습에서 치유에 대한 소망을 발견하고 이에 공감하고 있다. 그리고 (나)의 화자는 '나무'들이 '외로워 보였다'고 표현함으로써 대상의 정서에 공감하고 있다.

⑤ (가)의 화자는 '그가 누웠던' 곳에 '누워 본다'고 함으로써, (나)의 화자는 '뽑아낼 수 없'는 '나무를 기르게 되었다'고 함으로써 대상과 자신의 동질성을 드러내고 있다.

> (가)의 화자는 '여자'가 '누웠던 자리에 누워' 보며 동질성을 드러내고 있고, (나)의 화자는 '뽑아낼 수 없'는 '나무를 기르게 되었다'고 함으로써 대상에서 느낀 고독이 자신에게도 있음을 인식하고 대상과의 동질감을 드러내고 있다.

2. 문학 개념어 OX 확인 문제

① ○

• 색채 이미지: 대상이 어떤 빛깔을 연상시키는 것. 사물의 빛깔을 표현하는 어휘, 즉 색채어가 사용되면 당연히 색채 이미지가 나타난다고 볼 수 있으며, 색채어가 사용되지 않더라도 대상이 특정 색상을 떠오르게 하면 색채 이미지가 나타난다고 할 수 있음. 색채어가 등장하면 당연히 시각적 심상이 나타나며, 두 가지 색채가 뚜렷한 대비를 이루면 '색채 대비'를 이룬다고 함.
근거 (가): '흰옷', '하얀 다리'

② ○

• 변주: 일정한 주제나 형식을 유지하면서 내용을 조금씩 바꿔나가는 것.
근거 (나): '수도승일까', '과객일까', '파수병일까'

🔍 1번 문제의 선지 판단 공식에 대한 답을 확인해 보세요.

〈보기〉 문제 선지 판단의 공식

① 〈보기〉
(가): 화자는 병원에서 본 여자의 모습에 주목함
(나): 화자는 여행 중에 만난 나무들의 모습에 주목함

작품
(가): '병원 뒤뜰에 누워, 젊은 여자가 흰옷 아래로 하얀 다리를 드러내 놓고 일광욕을 한다.'
(나): '어느 들판에 우두커니 서 있는 한 그루 늙은 나무를 만났다.', '어느 가난한 마을 어귀에 그들은 떼를 져 몰려 있었다.', '어느 산마루에 그들은 멀리 서 있었다.'

선지 (가)의 화자는 '병원 뒤뜰'에 누워 있는 '여자'를 관찰함으로써, (나)의 화자는 여로에서 만난 '나무'를 반복적으로 제시함으로써 대상을 인식하고 있음을 보여 주고 있다. ○

② 〈보기〉
(가): 화자는 병원에서 본 여자의 모습에 주목하고 여자의 아픔에 비추어 자신의 처지를 성찰함
(나): 화자는 여행 중에 만난 나무들의 모습에 주목하고 나무들에 비추어 자신의 내면을 성찰함

작품
(가): '한나절이 기울도록 가슴을 앓는다는 이 여자를 찾아오는 이, 나비 한 마리도 없다.', '나도 모를 아픔을 오래 참다 처음으로 이곳에 찾아왔다.'
(나): '수도승일까. 묵중하게 서 있었다.', '어설픈 과객일까. 몹시 추워 보였다.', '하늘 문을 지키는 파수병일까, 외로워 보였다.', '놀랍게도 그들은 이미 내 안에 뿌리를 펴고 있었다.'

선지 (가)의 화자는 찾는 이가 없는 '가슴을 앓는다는 이 여자'의 처지에, (나)의 화자는 '나무'에게서 본 '수도승', '과객', '파수병'의 모습에 자신을 비추어 보고 있다. ○

③ 〈보기〉
(가): 화자는 여자가 지닌 치유에 대한 소망에 공감함
(나): 화자는 여행 중에 만난 나무들의 모습에 주목함
(가), (나): 화자는 대상과의 동질성을 확인함

작품
(가): '나의 늙은 의사는 젊은이의 병을 모른다.', '나는 그 여자의 건강이 — 아니 내 건강도 속히 회복되기를 바라며 그가 누웠던 자리에 누워 본다.'
(나): '어느 산마루에 그들은 멀리 서 있었다. 하늘 문을 지키는 파수병일까, 외로워 보였다.'

선지 (가)의 화자는 '젊은이의 병'을 모르는 '늙은 의사'에 대한 원망을 '여자'와 공유함으로써, (나)의 화자는 '멀리 서 있'는 '나무'들의 위치를 확인함으로써 대상과 자신의 거리를 좁히려 하고 있다. ✕

④ 〈보기〉
(가): 화자는 여자가 지닌 치유에 대한 소망에 공감함
(나): 화자는 나무들의 모습에서 드러나는 정서에 공감함

작품
(가): '여자는 자리에서 일어나 옷깃을 여미고 화단에서 금잔화 한 포기를 따 가슴에 꽂고 병실 안으로 사라진다. 나는 그 여자의 건강이 — 아니 내 건강도 속히 회복되기를 바라며 그가 누웠던 자리에 누워 본다.'
(나): '하늘 문을 지키는 파수병일까, 외로워 보였다.', '묵중한 그들의. 침울한 그들의. 아아 고독한 모습.'

선지 (가)의 화자는 '금잔화 한 포기'를 꽂고 병실로 들어가는 '여자'에게서 '회복'에 대한 소망을 읽어 냄으로써, (나)의 화자는 '나무'들이 '외로워 보였다'고 표현함으로써 대상에 공감하고 있다. ○

하루 30분. 현대시 트레이닝

⑤

〈보기〉
(가): 화자는 여자가 지닌 치유에 대한 소망에 공감함
(나): 화자는 나무들의 모습에서 드러나는 정서에 공감함
(가), (나): 화자는 대상과의 동질성을 확인함

작품
(가): '나는 그 여자의 건강이 ― 아니 내 건강도 속히 회복되기를 바라며 그가 누웠던 자리에 누워 본다.'
(나): '그 후로 나는 뽑아낼 수 없는 몇 그루의 나무를 기르게 되었다.'

센스➡ (가)의 화자는 '그가 누웠던' 곳에 '누워 본다'고 함으로써, (나)의 화자는 '뽑아낼 수 없'는 '나무를 기르게 되었다'고 함으로써 대상과 자신의 동질성을 드러내고 있다.

○

30 하루 30분, 현대시 트레이닝

📅 고3 2015학년도 6월 모평B – 김광균,「와사등」/ 박용래,「울타리 밖」

(가)

차단―한 등불이 하나 비인 하늘에 걸려 있다.
내 호올로 어딜 가라는 슬픈 신호냐. 빈 하늘에 등불 하나만 밝혀져 있는 적막하고 쓸쓸한 분위기 속에서 화자는 혼자 어디로 가야 할지 몰라 **슬퍼**하고 있어.

긴―여름해 황망히 나래를 접고
늘어선 고층(高層) 창백한 묘석(墓石)같이 황혼에 젖어 해가 진 여름, **고층**의 건물들이 늘어선 도시의 풍경이 상황적 배경으로 제시되고 있어. 화자가 이를 **창백한** 묘석(무덤 앞에 세우는 돌)에 비유한 것으로 보아 자신이 처한 상황을 **부정적**으로 인식하고 있음을 짐작할 수 있어.

찬란한 야경 무성한 잡초인 양 헝클어진 채
사념(思念) 벙어리 되어 입을 다문다. 화자는 **잡초**와 같이 느껴지는 야경을 보며 생각에 잠긴 채 아무 말도 하지 않고 있어. 이를 통해서도 현재의 시적 상황에 대한 화자의 인식을 엿볼 수 있어.

피부의 바깥에 스미는 어둠
낯설은 거리의 아우성 소리
까닭도 없이 눈물겹고나 화자는 어둠이 내려앉은 낯선 **거리**에서 **눈물**겨워하고 있네.

공허한 군중의 행렬에 섞이어
내 어디서 그리 무거운 비애를 지니고 왔기에
길―게 늘인 그림자 이다지 어두워

내 어디로 어떻게 가라는 슬픈 신호기
차단―한 등불이 하나 비인 하늘에 걸리어 있다. **군중**의 행렬에 섞이어 보지만 여전히 갈 곳을 알지 못하는 화자의 비애감이 부각되며 시상이 마무리되었어.

– 김광균,「와사등」–

화자와 대상의 관계	**등불**을 보며 가야할 곳을 알지 못하는 자신의 처지에 슬퍼하는 '나'

(나)

머리가 마늘쪽같이 생긴 **고향의 소녀**와
한여름을 알몸으로 사는 **고향의 소년**과
같이 낯이 설어도 사랑스러운 들길이 있다 고향의 **소녀**, **소년**, 그리고 낯설어도 사랑스러운 **들길**의 모습을 떠올리고 있네.

그 길에 아지랑이가 피듯 태양이 타듯
제비가 날듯 길을 따라 물이 흐르듯 그렇게
그렇게 **아지랑이**가 피어 오르고, **태양**이 내리쬐고, 제비가 나는 고향 들길의 풍경을 보여주네.

천연(天然)히 천연히는 '생긴 그대로 조금도 꾸밈이 없이'라는 뜻이야. 꾸밈없이 소박하지만 정겨운 **고향**의 풍경에 대해 말하고자 하는 것이지.

울타리 밖에도 화초를 심는 마을이 있다
오래오래 잔광(殘光)이 부신 마을이 있다
밤이면 더 많이 별이 뜨는 마을이 있다. 울타리 밖에 **화초**가 심어져 있고, 해 질 무렵의 **잔광**이 비추던 마을의 풍경, 그리고 밤이 되면 많은 **별**이 뜨는 고향의 이미지를 제시함으로써 여운을 남기며 시상을 마무리하였네.

– 박용래,「울타리 밖」–

화자와 대상의 관계	아름다운 **고향** 마을의 여러 모습을 떠올리며 이야기하는 사람

1. 〈보기〉를 참고하여 (가), (나)를 감상한 내용으로 적절하지 **않은** 것은?

〈보기〉

1930년대 모더니즘을 주도했던 김광균은 감성보다 지성을 중시하는 이미지즘을 자신만의 방식으로 소화했다. 그는 상실감과 소외감 등의 정서에 회화적 이미지를 결합하여 현대 문명에 대한 태도를 보여 주었다. 1950년대 후반의 시적 경향을 보여 주는 박용래는 모더니즘의 기법에 전통과 자연에 대한 관심을 결합했다. 그는 사라져 가는 재래의 것들을 회화적 이미지로 복원하여 **토속적 정취**를 환기하고, 소박한 자연의 이미지를 병치하여 **자연의 지속성과 인간과 자연의 조화**에 대한 바람을 드러냈다. 공통점: 모더니즘 기법 → 회화적 이미지 사용 / 차이점: 상실감과 소외감의 정서 → 현대 문명에 대한 부정적 태도(김광균), 전통과 자연에 대한 관심 → 인간과 자연의 조화를 소망(박용래)

정답풀이

② (가)는 시간의 순환적 흐름을 통해 도시의 황폐함을, (나)는 시간의 순차적 흐름을 통해 자연의 지속성을 강조하고 있군.

(가)는 도시 문명에서 느끼는 쓸쓸함, 고독의 정서를 회화적으로 표현하고 있으므로 '도시의 황폐함'을 드러낸다고 할 수 있으나, 시간의 순환적 흐름('아침 → 점심 → 저녁 → 다시 아침', '봄 → 여름 → 가을 → 겨울 → 다시 봄'과 같이 시간이 주기적으로 되풀이되며 흐름)은 찾아볼 수 없다. (나)의 '아지랑이가 피듯 태양이 타듯 / 제비가 날듯 길을 따라 물이 흐르듯'에서는 '소박한 자연의 이미지를 병치'하여 '천연'한 '자연의 지속성'을 강조한다고 볼 수 있다. 그러나 시간의 순차적 흐름을 통해 자연의 지속성을 강조한 것은 아니다. 2연에서 '아지랑이'가 피고 '태양'이 타는 모습을 낮의 풍경으로, 4연의 '잔광이 부신' 모습과 '밤이면 더 많이 별이 뜨는' 모습을 저녁과 밤의 풍경으로 보아 시간의 순차적 흐름이 나타났다 하더라도 이는 시간의 흐름에 따라 변화하는 자연의 모습을 드러낼 뿐, 자연의 지속성을 강조하는 것으로 보기는 어렵다.

오답풀이

① (가), (나) 모두 주로 시각적 이미지를 활용하여 풍경을 묘사함으로써 회화성을 잘 살리고 있군.

> (가), (나) 모두 주로 시각적 이미지가 사용되었으며, 〈보기〉를 통해 (가)와 (나)의 작가가 모두 '회화적 이미지'를 활용했음을 알 수 있다.

③ (가)의 '무성한 잡초'는 인간과 문명의 불화에 따른 상심을, (나)의 '화초'는 인간과 자연의 조화에 대한 바람을 함축하고 있군.

> 〈보기〉에서 김광균은 현대 문명에 대해 '상실감과 소외감 등의 정서'를 보여 주었다고 했으므로, 도시의 '찬란한 야경'을 비유적으로 표현한 (가)의 '무성한 잡초'는 인간과 문명의 불화에 따른 상심을 함축하고 있다고 할 수 있다. 또한 〈보기〉에서 박용래가 '인간과 자연의 조화에 대한 바람'을 드러냈다고 했으므로, (나)의 '화초'는 시인의 바람을 함축한 시어임을 알 수 있다.

④ (가)는 (나)와 달리 감정을 노출하는 시어를 빈번하게 사용하여 현대 문명으로 인한 소외감을 제시하고 있군.

> (나)에 비해 (가)는 '슬픈', '낯설은', '눈물겹고나', '비애' 등 감정을 노출하는 시어를 빈번하게 사용하고 있으며, 이를 통해 〈보기〉에서 언급된 현대 문명에 대한 '상실감과 소외감 등의 정서'를 제시하고 있다.

⑤ (나)는 (가)와 달리 토속적 정취를 자아내는 시어를 활용하여 전통적 세계에 대한 지향을 드러내고 있군.

> (나)의 '마늘쪽', '들길', '울타리' 등은 토속적 정취를 자아내는 시어로 볼 수 있다. 〈보기〉에 따르면 시인은 이를 통해 '사라져 가는 재래의 것들을 회화적 이미지로 복원하여 토속적 정취를 환기'한다고 했다. 따라서 (나)는 '전통적 세계에 대한 지향'이 드러난다고 할 수 있다.

2. 문학 개념어 OX 확인 문제

① ○

- **비유**: 표현하고자 하는 대상을 다른 대상에 빗대어 표현하는 방법으로 직유, 은유, 의인 등이 있음. 이때 표현하고자 하는 대상을 '원관념', 원관념에 비유되는 것을 '보조 관념'이라고 함.

> **근거** (가): '늘어선 고층 창백한 묘석같이 황혼에 젖어', '찬란한 야경 무성한 잡초인 양 헝클어진 채' / (나): '아지랑이가 피듯 태양이 타듯 / 제비가 날듯 길을 따라 물이 흐르듯'

② ✕

- **영탄**: 생각이나 느낌을 억누르지 않고 강하게 드러내는 것. 감탄사와 감탄형 어미의 사용을 통해 나타내기도 하고, 명령이나 권유, 혹은 설의적 표현을 통해 나타내기도 함.
- **경외감**: 공경하면서 두려워하는 마음.

1번 문제의 선지 판단 공식에 대한 답을 확인해 보세요.

〈보기〉 문제 선지 판단의 공식

① 〈보기〉 (가): 시인 김광균은 이미지즘을 자신만의 방식으로 소화함, 상실감과 소외감 등의 정서에 회화적 이미지를 결합함
(나): 시인 박용래는 모더니즘 기법에 전통과 자연에 대한 관심을 결합함, 사라져 가는 재래의 것들을 회화적 이미지로 복원함

＋ 작품

(가): '차단─한 등불이 하나 비인 하늘에 걸려 있다.', '늘어선 고층 창백한 묘석같이 황혼에 젖어' 등
(나): '오래오래 잔광이 부신 마을이 있다 / 밤이면 더 많이 별이 뜨는 마을이 있다.' 등

선지➡ (가), (나) 모두 주로 시각적 이미지를 활용하여 풍경을 묘사함으로써 회화성을 잘 살리고 있군. ○

② 〈보기〉 (가): 시인 김광균은 상실감과 소외감 등의 정서에 회화적 이미지를 결합하여 현대 문명에 대한 태도를 보여 줌
(나): 시인 박용래는 소박한 자연의 이미지를 병치하여 자연의 지속성에 대한 바람을 드러냄

＋ 작품

(가): '늘어선 고층 창백한 묘석같이 황혼에 젖어 / 찬란한 야경 무성한 잡초인 양 헝클어진 채'
(나): '그 길에 아지랑이가 피듯 태양이 타듯 / 제비가 날듯 길을 따라 물이 흐르듯 그렇게'

선지➡ (가)는 시간의 순환적 흐름을 통해 도시의 황폐함을, (나)는 시간의 순차적 흐름을 통해 자연의 지속성을 강조하고 있군. ×

③ 〈보기〉 (가): 시인 김광균은 상실감과 소외감 등의 정서에 회화적 이미지를 결합하여 현대 문명에 대한 태도를 보여 줌
(나): 시인 박용래는 소박한 자연의 이미지를 병치하여 인간과 자연의 조화에 대한 바람을 드러냄

＋ 작품

(가): '찬란한 야경 무성한 잡초인 양 헝클어진 채 / 사념 벙어리 되어 입을 다물다.'
(나): '울타리 밖에도 화초를 심는 마을이 있다'

선지➡ (가)의 '무성한 잡초'는 인간과 문명의 불화에 따른 상심을, (나)의 '화초'는 인간과 자연의 조화에 대한 바람을 함축하고 있군. ○

④ 〈보기〉 (가): 시인 김광균은 상실감과 소외감 등의 정서에 회화적 이미지를 결합하여 현대 문명에 대한 태도를 보여 줌

＋ 작품

(가): '내 호올로 어딜 가라는 슬픈 신호냐.', '까닭도 없이 눈물겹고나', '무거운 비애' 등

선지➡ (가)는 (나)와 달리 감정을 노출하는 시어를 빈번하게 사용하여 현대 문명으로 인한 소외감을 제시하고 있군. ○

⑤ 〈보기〉 (나): 시인 박용래는 모더니즘 기법에 전통과 자연에 대한 관심을 결합함, 사라져 가는 재래의 것들을 회화적 이미지로 복원하여 토속적 정취를 환기함

＋ 작품

(나): '머리가 마늘쪽같이 생긴', '낯이 설어도 사랑스러운 들길', '울타리 밖에도 화초를 심는 마을'

선지➡ (나)는 (가)와 달리 토속적 정취를 자아내는 시어를 활용하여 전통적 세계에 대한 지향을 드러내고 있군. ○

고3 2013학년도 9월 모평 – 윤동주, 「또 다른 고향」 / 오세영, 「자화상 · 2」

(가)

고향에 돌아온 날 밤에
내 백골이 따라와 한방에 누웠다. '나'가 고향에 돌아온 날 **밤**에 백골도 함께
왔나 봐.

어둔 **방**은 우주로 통하고
하늘에선가 소리처럼 바람이 불어온다.

어둠 속에 곱게 풍화작용하는
백골을 들여다보며 어두운 방에 곱게 누워 있는 **백골**을 들여다보고 있네.
눈물짓는 것이 내가 우는 것이냐
백골이 우는 것이냐
아름다운 혼이 우는 것이냐 '나', **백골**, **아름다운 혼**으로 분열된 자아 중 누가
울고 있는 것인지 혼란스러워 하고 있어.

지조 높은 개는
밤을 새워 어둠을 짖는다.

어둠을 짖는 개는
나를 쫓는 것일 게다. 지조 높은 개는 **어둠**을 짖는 개로, 어둠 속에 있는 '나'를 쫓는
다고 하네.

가자 가자
쫓기우는 사람처럼 가자
백골 몰래
아름다운 또 다른 고향에 가자. '나'는 **백골** 몰래 또 다른 고향에 가려고 다짐
하고 있어.

- 윤동주, 「또 다른 고향(故鄉)」 -

화자와 대상의 관계	백골 몰래 **또 다른 고향**에 가고자 하는 '나'

(나)

전신이 검은 **까마귀**,
까마귀는 까치와 다르다.
마른 가지 끝에 높이 앉아
먼 설원을 굽어보는 저
형형한* 눈,
고독한 이마 그리고 날카로운 부리. 까치와는 다른 **까마귀**의 빛나는 눈과
고독한 모습을 보여 주고 있어.
얼어붙은 지상에는
그 어디에도 낟알 한 톨 보이지 않지만
그대 차라리 눈발을 뒤지다 굶어 죽을지언정
결코 까치처럼
인가의 안마당을 넘보진 않는다. **까마귀**는 아무리 힘든 현실에서도 까치처럼
인가의 안마당을 넘보지는 않는다고 하네. 까마귀를 **긍정적**으로, 까치를 **부정적**으로 보고
있어.

검을 테면
철저하게 검어라. 단 한 개의 깃털도
남기지 말고……
겨울 되자 온 세상 수북이 눈은 내려
저마다 하얗게 하얗게 분장하지만 **눈**이 내려 세상이 하얗게 덮인 모습을 **분장**
한 것으로 표현하여 본래의 모습을 가리는 눈의 속성을 드러내고 있어.
나는
빈 가지 끝에 홀로 앉아
말없이
먼 지평선을 응시하는 한 마리
검은 **까마귀**가 되리라. 화자는 검은 **까마귀**가 되고자 다짐하고 있어.

- 오세영, 「자화상 · 2」 -

*형형한: 광채가 반짝반짝 빛나며 밝은.

화자와 대상의 관계	**까치**와는 다른 검은 **까마귀**가 되고자 하는 '나'

1. 〈보기〉를 참고하여 (가)와 (나)를 감상한 내용으로 적절하지 **않은** 것은?

〈보기〉

　자아 성찰의 주제를 담은 현대시에서는 시적 자아가 분열된 모습으로 등장
하는 경우가 많다. (가)와 (나)의 화자는 자아 성찰을 통해 자아의 부정적인 모
습과 단절하고 새로운 존재로 거듭나려 한다는 점에서 공통적이다. (가)와 (나)
화자의 공통점: 부정적 자아와 단절하고 새로운(긍정적) 존재로 거듭나려 함 하지만 (가)의
화자는 시선을 자신의 내면으로 돌려 자아의 부정적, 긍정적 면모를 발견한 후
이들을 상징적 시어로 표현하고 있고, (가): 시선 → 내면, 부정적 면모: 백골 / 긍정적
면모(새로운 존재): 지조 높은 개에 쫓겨 또 다른 고향에 가려는 '나' (나)의 화자는 시선
을 바깥으로 돌려 자신의 삶의 태도를 외부의 상징적 존재에 투영하여 표현하
고 있다. (나): 시선 → 바깥, 삶의 태도를 투영한 외부의 상징적 존재: 까치(부정적), 까마귀
(긍정적)

정답풀이

⑤ (가)의 '방'은 화자의 어두운 내면을, (나)의 '먼 지평선'은 화자가 처한 부정적
현실을 상징하는군.

　(가)의 '어둔 방'은 현실에 안주하려는 부정적 자아인 '백골'이 누워 있는
곳이다. 따라서 화자의 어두운 내면이 나타나 있다고 볼 수 있다. 하지만
(나)의 '먼 지평선'은 '먼 설원'과 함께 화자가 되고자 하는 '까마귀'가 응시
하는 곳이므로, 부정적 현실을 상징한다고 볼 수 없다.

오답풀이

① (가)의 '들여다보며'에서는 '백골'로 상징화된 부정적 자아를 향한 화자의 내면의 시선을 확인할 수 있군.

〈보기〉를 통해 '(가)의 화자는 시선을 자신의 내면으로 돌려' 발견한 부정적 자아와 긍정적 자아를 상징적 시어로 표현하며, '자아의 부정적인 모습과 단절하고 새로운 존재로 거듭나려' 함을 알 수 있다. (가)에서 화자는 '백골을 들여다보며 / 눈물짓'고 있고, '백골 몰래 / 아름다운 또 다른 고향에 가자.'라고 했으므로 '백골'은 부정적 자아에 해당하며, 이를 '들여다보'는 것에서 화자의 내면의 시선을 확인할 수 있다.

② (가)의 '지조 높은 개'는 자아의 부정적인 모습과 대비되어 화자를 새로운 존재로 거듭나게 하는군.

〈보기〉를 통해 (가)의 화자는 '자아의 부정적인 모습과 단절하고 새로운 존재로 거듭나려' 함을 알 수 있다. (가)에서 '백골'은 어둠 속에 곱게 풍화작용하고 있는데, '지조 높은 개'는 '어둠'을 짖고 '나'를 쫓고(일깨우고) 있으므로, '지조 높은 개'는 자아의 부정적인 모습인 '백골'과 대비되어 화자를 새로운 존재로 거듭나게 한다고 볼 수 있다.

③ (나)에서 먼 설원을 굽어보는 '형형한 눈'은 바람직한 삶을 지향하는 화자의 태도를 떠올리게 하는군.

〈보기〉를 통해 '(나)의 화자는 시선을 바깥으로 돌려 자신의 삶의 태도를 외부의 상징적 존재에 투영'하여 '자아의 부정적인 모습과 단절하고 새로운 존재로 거듭나려' 함을 알 수 있다. (나)에서 화자는 '검은 까마귀가 되리라.'라고 하며 외부의 존재인 '까마귀'에 지향하는 삶의 모습을 투영하고 있다. 따라서 까마귀의 '형형한 눈'은 바람직한 삶의 태도를 떠올리게 한다고 볼 수 있다.

④ (나)에서 인가의 안마당을 넘보는 '까치'는 화자가 단절하고자 하는 삶의 태도를 나타내는군.

〈보기〉를 통해 '(나)의 화자는 시선을 바깥으로 돌려 자신의 삶의 태도를 외부의 상징적 존재에 투영'하여 '자아의 부정적인 모습과 단절하고 새로운 존재로 거듭나려' 함을 알 수 있다. (나)의 화자는 '까마귀'와 '까치'가 다르다고 말하며, '인가의 안마당'을 넘보는 '까치'를 부정적인 존재로 보고 있다. 따라서 '까치'는 화자가 단절하고자 하는 삶의 태도를 떠올리게 한다고 볼 수 있다.

2. 문학 개념어 OX 확인 문제

① ○

• 대비: 두 가지의 차이를 밝히기 위하여 서로 맞대어 비교함.

근거 (가): '백골'이 누운 '고향'의 '어둔 방' ↔ '백골 몰래' 가려고 하는 '또 다른 고향' / (나): '까치'가 넘보는 '인가의 안마당' ↔ '까마귀'가 응시하는 '먼 설원', '먼 지평선'

② ✕

• 비관: 인생을 어둡게만 보아 슬퍼하거나 절망스럽게 여김. 앞으로의 일이 잘 안 될 것이라고 봄.

🔍 1번 문제의 선지 판단 공식에 대한 답을 확인해 보세요.

〈보기〉 문제 선지 판단의 공식

① 〈보기〉 (가): 화자는 시선을 자신의 내면으로 돌려 자아의 부정적, 긍정적 면모를 상징적 시어로 표현함 ➕ 작품 (가): '어둠 속에 곱게 풍화작용하는 / 백골을 들여다보며 / 눈물짓는 것'

선지 (가)의 '들여다보며'에서는 '백골'로 상징화된 부정적 자아를 향한 화자의 내면의 시선을 확인할 수 있군. ○

② 〈보기〉 (가): 자아의 부정적, 긍정적 면모를 상징적 시어로 표현함 → 자아의 부정적인 모습과 단절하고 새로운 존재로 거듭나려 함 ➕ 작품 (가): '어둠 속에 곱게 풍화작용하는 / 백골', '지조 높은 개는 / 밤을 새워 어둠을 짖는다.~나를 쫓는 것일 게다.'

선지 (가)의 '지조 높은 개'는 자아의 부정적인 모습과 대비되어 화자를 새로운 존재로 거듭나게 하는군. ○

③ 〈보기〉 (나): 화자는 자신의 삶의 태도를 외부의 상징적 존재에 투영함 ➕ 작품 (나): '먼 설원을 굽어보는 저 / 형형한 눈', '한 마리 / 검은 까마귀가 되리라.'

선지 (나)에서 먼 설원을 굽어보는 '형형한 눈'은 바람직한 삶을 지향하는 화자의 태도를 떠올리게 하는군. ○

④ 〈보기〉 (나): 화자는 자신의 삶의 태도를 외부의 상징적 존재에 투영함 → 자아의 부정적인 모습과 단절하고 새로운 존재로 거듭나려 함 ➕ 작품 (나): '까마귀는 까치와 다르다.', '결코 까치처럼 / 인가의 안마당을 넘보진 않는다.'

선지 (나)에서 인가의 안마당을 넘보는 '까치'는 화자가 단절하고자 하는 삶의 태도를 나타내는군. ○

⑤ 〈보기〉 (가)와 (나)의 화자는 자아의 부정적인 모습과 단절하고 새로운 존재로 거듭나려 함
(가): 자아의 부정적, 긍정적 면모를 상징적 시어로 표현함
(나): 화자는 자신의 삶의 태도를 외부의 상징적 존재에 투영함 ➕ 작품 (가): '내 백골이 따라와 한방에 누웠다.', '어둠 속에 곱게 풍화작용하는 / 백골'
(나): '말없이 / 먼 지평선을 응시하는 한 마리 / 검은 까마귀가 되리라.'

선지 (가)의 '방'은 화자의 어두운 내면을, (나)의 '먼 지평선'은 화자가 처한 부정적 현실을 상징하는군. ✕

📅 고3 2020학년도 7월 학평 – 문태준, 「맨발」 / 송찬호, 「구두」

(가)

어물전 개조개 한마리가 움막 같은 몸 바깥으로 **맨발**을 내밀어 보이고 있다 화자는 어물전에 있는 **개조개** 한 마리를 관찰하고 있어. 어물전은 생선류를 판매하는 곳으로, 개조개는 **죽음**을 앞둔 처지지. 조개껍질 바깥으로 나온 조개의 속살을 **맨발**로 인식하네.

죽은 부처가 슬피 우는 제자를 위해 관 밖으로 잠깐 발을 내밀어 보이듯이 맨발을 내밀어 보이고 있다 개조개의 맨발을 보고 화자는 죽은 **부처**가 슬피 우는 제자를 위해 잠깐 **관** 밖으로 내민 발과 같다고 생각해.

㉠펄과 물속에 오래 담겨 있어 부르튼 맨발
내가 조문하듯 그 맨발을 건드리자 개조개는
㉡최초의 궁리인 듯 가장 오래하는 궁리인 듯 천천히 발을 거두어갔다 저 속도로 시간도 길도 흘러왔을 것이다 '나'가 개조개의 맨발을 건드리자 개조개는 **천천히** 발을 껍질 속으로 거두어 갔어. 이런 느린 속도로 개조개의 **시간**과 길이 흘러왔을 거야.

누군가를 만나러 가고 또 헤어져서는 저렇게 천천히 돌아왔을 것이다
늘 맨발이었을 것이다
사랑을 잃고서는 새가 부리를 가슴에 묻고 밤을 견디듯이 맨발을 가슴에 묻고 슬픔을 견디었으리라 개조개는 늘 **맨발**인 상태로 살아오며 그 맨발을 가슴에 묻고 **슬픔**을 견뎌왔을 거야.

아—하고 집이 울 때
부르튼 맨발로 양식을 탁발하러 거리로 나왔을 것이다 개조개는 집이 울 때 **양식**을 탁발하러 **부르튼** 맨발로 거리로 나왔을 거야.
㉢맨발로 하루 종일 길거리에 나섰다가
가난의 냄새가 벌벌벌벌 풍기는 움막 같은 집으로 돌아오면
아—하고 울던 것들이 배를 채워
저렇게 캄캄하게 울음도 멎었으리라 개조개는 맨발로 하루 종일 **길거리**에서 양식을 구해 집에서 울던 것들의 **배**를 채웠구나. '나'는 **어물전**에서 죽음을 앞둔 개조개의 부르튼 맨발을 통해 **가족**의 생계를 위해 고단하고 힘들게 살아가는 이들의 삶을 형상화하는 거야.

– 문태준, 「맨발」 –

화자와 대상의 관계	어물전에서 발견한 개조개의 **맨발**을 보며 고단한 삶을 살아가는 이들을 생각하는 '나'

(나)

나는 새장을 하나 샀다
그것은 가죽으로 만든 것이다
㉣날뛰는 내 발을 집어넣기 위해 만든 **작은 감옥**이었던 것 '나'는 **새장**을 샀어. 그 새장은 날뛰는 내 **발**을 가두기 위해 만든 작은 **감옥**이래. 시의 제목이 **구두**인 걸로 보아 가죽으로 만든 새장은 가죽 구두를 의미한다고 볼 수 있어.
처음 그것은 발에 너무 컸다

한동안 덜그럭거리는 감옥을 끌고 다녀야 했으니 새장이 새를 가두는 감옥이듯 구두는 '나'의 자유를 구속해.
감옥은 작아져야 한다
새가 날 때 **구두**를 감추듯 새가 날아오를 때 발을 감추는 것처럼 화자도 자유를 위해 발을 감싸고 있는 **감옥**이 작아져야 한다고 생각해.

새장에 모자나 구름을 집어넣어본다
그러나 그들은 언덕을 잊고 보리 이랑을 세지 않으며 날지 않는다 '나'는 새장에 모자나 **구름**을 넣어보지만, 새들은 날지 않는대.
새장에는 조그만 먹이통과 구멍이 있다
그것이 새장을 아름답게 하는 것인지도 모른다 새들이 날지 않는 이유는 새장에 조그만 **먹이통**과 구멍이 있기 때문이야. 편안함에 길들여져서 현실에 안주하고 **자유**를 잊게 된 모습이지.

나는 오늘 새 **구두**를 샀다
그것은 구름 위에 올려져 있다
내 구두는 아직 물에 젖지 않은 한 척의 배, '나'는 새 **구두**(=한 척의 배)를 샀는데, 그것은 어디든 자유롭게 갈 수 있게 **구름** 위에 올려져 있어.

한때는 속박이었고 또 한때는 제멋대로였던 삶의 한 켠에서
나는 가끔씩 늙고 고집센 내 발을 위로하는 것이다
오래 쓰다 버린 낡은 목욕통 같은 구두를 벗고
㉤새의 육체 속에 발을 집어넣어보는 것이다 '나'는 자신의 늙고 **고집**센 발을 **위로**하면서 새 구두에 발을 집어넣어. 이전의 구두와 다른 **새 구두**를 신으며 자유롭게 살 수 있기를 소망하는 거지.

– 송찬호, 「구두」 –

화자와 대상의 관계	새 구두를 사며 **자유**를 소망하는 '나'

1. 〈보기〉를 참고하여 ㉠~㉤을 이해한 내용으로 적절하지 **않은** 것은?

---〈보기〉---

인간의 신체 중 가장 낮은 곳에 위치하고 있는 '발'은 보통 삶의 무게를 견뎌내야 하는 고단한 존재'발'의 의미 ①나 '발자취'와 같이 인간의 삶의 과정을 드러내는 존재'발'의 의미 ②로 표현된다. 또한 '발'은 '신발'과 함께 연결되어 표현되고는 한다. 이때 '신발'은 '발'을 보호하여 원하는 곳으로 자유롭게 이동할 수 있도록 돕는 의미'신발'의 의미 ①로 사용되는 동시에 발을 구속하는 의미'신발'의 의미 ②로 나타나기도 한다.

정답풀이

② ⓛ: 신체의 가장 낮은 곳에서 '천천히' 이동하고 있는 '발'의 모습을 통해 현실로부터 소외되어 살아가는 외로움을 나타내고 있다.

> ⓛ에서 개조개는 '천천히 발을 거두어갔'는데, 이를 두고 '최초의 궁리인 듯'하고 '가장 오래하는 궁리인 듯'하다고 하였다. 즉 ⓛ은 무언가를 고민하면서 느리게 '발'을 움직이는 모습을 나타낸 것이지, 현실로부터 소외되어 살아가는 외로움을 나타낸다고 보기 어렵다.

오답풀이

① ㉠: 신발로부터 보호받지 못한 '부르튼 맨발'의 모습을 보여 주어 '펄과 물속'에서 힘겹게 살아온 고단함을 부각하고 있다.

> 〈보기〉에서 '신발'은 '발'을 '보호'하는 것이라고 한 것을 참고하면, 아무것도 신지 않아 신발로부터 보호받지 못한 채 '펄과 물속에 오래 담겨 있어 부르튼' ㉠의 '맨발'은 고생하며 살아온 고단함을 부각한다고 볼 수 있다.

③ ⓒ: 삶의 무게를 견뎌 내는 존재로서의 '발'을 통해 양식을 구하러 '하루 종일 길거리에 나'설 수밖에 없는 힘겨운 삶의 모습을 연상할 수 있다.

> 〈보기〉에서 '발'은 '인간의 신체 중 가장 낮은 곳에 위치'하여 '보통 삶의 무게를 견뎌 내야 하는 고단한 존재'로 표현된다고 한 것을 참고하면, ⓒ에서 '맨발로 하루 종일 길거리에' 나선 것은 양식을 구하러 나설 수밖에 없는 힘겨운 삶의 모습을 연상하게 한다고 볼 수 있다.

④ ⓔ: '발'을 구속하는 신발을 '작은 감옥'으로 표현하여 현실에 속박된 삶을 살아가는 처지를 드러내고 있다.

> 〈보기〉에서 '신발'은 '발을 구속하는 의미로 나타나기도' 한 점을 참고하면, ⓔ에서 화자가 구두를 '날뛰는 내 발을 집어넣기' 위한 '작은 감옥'이라고 한 것은 현실에 속박된 삶을 살아가는 자신의 처지를 드러낸 것으로 볼 수 있다.

⑤ ⓜ: '발'을 감싸는 신발을 '새의 육체'로 변주하여 일상의 구속을 깨고 자유로움을 추구하고자 하는 마음을 보여 주고 있다.

> 〈보기〉에서 '신발'은 '원하는 곳으로 자유롭게 이동할 수 있도록 돕는 의미로 사용'된다고 한 점을 참고하면, ⓜ에서 화자가 '낡은 목욕통 같은 구두를 벗고' 자신의 발을 '새의 육체 속에' 집어넣는 것은 '구두'를 '새의 육체'로 변주하여 일상의 구속을 깨고 자유로움을 추구하려는 마음을 보여 주는 것으로 볼 수 있다.

2. 문학 개념어 OX 확인 문제

> ① ✕
> - 회상: 지난 일을 돌이켜 생각함. 또는 그런 생각.
> - 성찰: 자기의 마음을 반성하고 살핌.
>
> ② ○
> - 대조: 1. 둘 이상인 대상의 내용을 맞대어 같고 다름을 검토함. 2. 서로 달라서 대비가 됨.
>   > **근거** (나): 구속을 상징하는 '구두', '새장' ↔ 자유로운 삶의 지향을 상징하는 '새 구두', '한 척의 배', '새의 육체' 등

🔍 1번 문제의 선지 판단 공식에 대한 답을 확인해 보세요.

〈보기〉 문제 선지 판단의 공식

① 〈보기〉 신발은 발을 보호하는데 발은 보통 삶의 무게를 견뎌 내야 하는 고단한 존재로 표현됨 ➕ 작품 (가): '㉠펄과 물속에 오래 담겨 있어 부르튼 맨발'

선지➡ ㉠: 신발로부터 보호받지 못한 '부르튼 맨발'의 모습을 보여 주어 '펄과 물속'에서 힘겹게 살아온 고단함을 부각하고 있다. ○

② 〈보기〉 발은 인간의 신체 중 가장 낮은 곳에 위치하고 있음 ➕ 작품 (가): '㉡최초의 궁리인 듯 가장 오래하는 궁리인 듯 천천히 발을 거두어갔다'

선지➡ ㉡: 신체의 가장 낮은 곳에서 '천천히' 이동하고 있는 '발'의 모습을 통해 현실로부터 소외되어 살아가는 외로움을 나타내고 있다. ✕

③ 〈보기〉 발은 보통 삶의 무게를 견뎌 내야 하는 고단한 존재로 표현됨 ➕ 작품 (가): '집이 울 때 / 부르튼 맨발로 양식을 탁발하러 거리로 나왔을 것이다 / ㉢맨발로 하루 종일 길거리에 나섰다가'

선지➡ ㉢: 삶의 무게를 견뎌 내는 존재로서의 '발'을 통해 양식을 구하러 '하루 종일 길거리에 나'설 수밖에 없는 힘겨운 삶의 모습을 연상할 수 있다. ○

④ 〈보기〉 신발은 발을 보호하는 의미 외에 구속하는 의미를 나타내기도 함 ➕ 작품 (나): '㉣날뛰는 내 발을 집어넣기 위해 만든 작은 감옥이었던 것'

선지➡ ㉣: '발'을 구속하는 신발을 '작은 감옥'으로 표현하여 현실에 속박된 삶을 살아가는 처지를 드러내고 있다. ○

⑤ 〈보기〉 신발은 발이 원하는 곳으로 자유롭게 이동할 수 있도록 돕는 의미를 나타내기도 함 ➕ 작품 (나): '오래 쓰다 버린 낡은 목욕통 같은 구두를 벗고 / ㉤새의 육체 속에 발을 집어넣어보는 것이다'

선지➡ ㉤: '발'을 감싸는 신발을 '새의 육체'로 변주하여 일상의 구속을 깨고 자유로움을 추구하고자 하는 마음을 보여 주고 있다. ○

📅 고3 2019학년도 10월 학평 – 백석, 「북방에서 – 정현웅에게」 / 송수권, 「대숲 바람소리」

(가)

아득한 옛날에 **나**는 떠났다
부여를 숙신을 발해를 여진을 요를 금을
홍안령을 음산을 아무우르를 숭가리를   위에 나온 지역은 모두 북방에
해당해. '나'는 아득한 **옛날(넷날)**에 북방을 떠났어.
범과 사슴과 너구리를 배반하고
송어와 메기와 개구리를 속이고 나는 떠났다   '나'는 여러 대상들을 **배반**
하고 속이며 북방을 떠났대. 북방을 떠난 자신에 대한 **부정적** 인식이 드러나지?

나는 그때
자작나무와 이깔나무의 **슬퍼하든 것**을 기억한다
갈대와 장풍의 **붙드든 말**도 잊지 않었다   '나'가 떠날 때 북방의 자연물
들이 **슬퍼하며** 보냈었구나.
오로촌*이 멧돌*을 잡어 나를 잔치해 보내든 것도
쏠론*이 십리길을 따라나와 **울든 것**도 잊지 않었다   북방에 거주하는
소수 **민족**들도 아쉬움과 눈물로 '나'를 떠나보냈었네.

나는 그때
아모 이기지 못할 슬픔도 시름도 없이
다만 게을리 **먼 앞대***로 떠나 나왔다   '나'는 북방에서 남쪽(한반도)으로
슬픔과 시름도 없이 게을리 떠나왔대.
그리하여 따사한 햇귀에서 하이얀 옷을 입고 **매끄러운 밥을 먹고
단샘을 마시고 낮잠을 잤다**   앞대로 내려와서는 **안락한** 삶을 살았네.
밤에는 먼 개소리에 놀라나고
아츰에는 지나가는 사람마다에게 절을 하면서도
나는 나의 부끄러움을 알지 못했다   '나'는 **부끄러움**을 알지 못했다고 해.

그동안 돌비는 깨어지고 많은 은금보화는 땅에 묻히고 가마귀도
긴 족보를 이루었는데
이리하야 또 한 아득한 새 넷날이 비롯하는 때
이제는 참으로 이기지 못할 슬픔과 시름에 쫓겨
나는 **나의 넷 한울로 땅으로 – 나의 태반**으로 돌아왔으나   '나'는
세월이 흘러 슬픔과 **시름**에 쫓겨 다시 '나'의 옛 하늘과 땅인 **북방(태반)**으로 돌아왔어.

이미 해는 늙고 달은 파리하고 바람은 미치고 보래구름만 혼자
넋없이 떠도는데   '나'는 늙고 **파리**한 모습의 북방에 돌아와 허무함을 느끼고 있어.

아, 나의 조상은 형제는 일가친척은 정다운 이웃은 그리운 것은
사랑하는 것은 우러르는 것은 나의 자랑은 나의 힘은 없다 **바람과
물과 세월과 같이 지나가고 없다**   세월이 지나고 다시 돌아온 북방인데, '나'가
그리워하고 소중하게 여겼던 모든 것들은 사라지고 없다며 **상실감**을 느껴.

– 백석, 「북방에서 – 정현웅에게」 –

*오로촌: 오로촌족. 중국의 동북 지방에 거주하는 소수 민족의 하나.
*멧돌: 멧돼지.
*쏠론: 쏠론족. 중국의 동북 지방에 거주하는 소수 민족의 하나.
*앞대: 평북 내지 평안도를 벗어난 남쪽 지방. 황해도·강원도에서부터 제주도까지에
이르는 각지.

화자와 대상의 관계	아득한 옛날에 떠나온 **북방**에 다시 돌아와 상실감을 느끼는 '나'

(나)

대숲 바람 속에는 **대숲 바람소리**만 흐르는 게 아니라요
서느라운 모시옷 물맛 나는 한 사발의 냉수물에 어리는
우리들의 맑디맑은 사랑   대숲 바람 속에는 바람소리만 흐르는 게 아니래. 우
리들의 맑디맑은 **사랑**도 담겨 있어.

봉당 밑에 깔리는 대숲 바람소리 속에는
대숲 바람소리만 고여 흐르는 게 아니라요
대패랭이 끝에 까부는 오백 년 한숨, 삿갓머리에 후득이는
밤 쏘낙 빗물소리……   화자는 또 대숲 바람소리 속에는 오백 년의 **한숨**과 소
나기 **빗물소리**가 담겨 있대.

머리에 흰 수건 쓰고 **죽창을 깎던**, 간 큰 아이들, 황토 현을 넘어
가던
징소리 꽹과리 소리들……   대숲 바람소리 속에는 징소리와 꽹과리 소리들도
들어 있어.

남도의 마을마다 질펀히 깔리는 대숲 바람소리 속에는
흰 연기 자욱한 모닥불 그을음 내, **몽당 빗자루도 개 터럭도 보리
숭년도 땡볕도**
얼개빗도 쇠그릇도 **문둥이 장타령도**
타는 내음……   대숲 바람소리 속에는 **모닥불** 그을음 내, 몽당 빗자루, 개 터럭 등
남도 마을의 다양한 삶의 모습이 담겨 있네.

아 창호지 문발 틈으로 스미는 남도의 대숲 바람소리 속에는
눈 그쳐 뜨는 새벽녘의 푸른 숨소리, 청청한 청청한
댓닢파리의 맑은 숨소리.   대숲 바람소리를 통해 화자는 **새벽별**의 푸른 숨소
리와 댓닢파리의 맑은 **숨소리**를 듣고 있어.

– 송수권, 「대숲 바람소리」 –

화자와 대상의 관계	대숲 **바람소리**에 담긴 것들을 생각하는 '나'(우리)

1. 〈보기〉를 참고하여 (가)와 (나)를 감상한 내용으로 적절하지 않은 것은?

〈보기〉

(가)와 (나)는 화자가 특정한 공간에서 우리 민족의 역사와 삶을 떠올리고 있는 작품이다. (가)와 (나)의 공통점: 특정한 공간에서 화자가 우리 민족의 역사와 삶을 떠올림 (가)는 북방에 간 화자가 명멸하던 역사 속에서 우리 민족이 광활한 영토를 떠나오던 장면을 상상해 보고 있다. (가)의 화자: 광활한 북방을 떠나오던 민족의 역사를 상상 화자는 축소된 영토 안에서 소박한 안위를 찾으며 살아왔던 우리 민족의 삶의 태도를 일제 강점기 현실과 연결하여 상실감을 드러내고 있다. (나)의 화자는 남도의 대나무 숲에서 불어오는 바람 소리를 들으며 역사 속 민중의 삶을 떠올리고 있다. (나)의 화자: 남도의 대숲에서 역사 속 민중의 삶을 떠올림 수탈과 억압에 맞서고자 했던 동학 운동의 정신과 민중의 남루한 삶에 가치를 부여하고 있다.

정답풀이

⑤ (나): 4연의 '몽당 빗자루', '보리 숭년', '문둥이 장타령' 등은, 남루한 삶 속에서도 민중들이 마음속에 품고 있던 미래에 대한 희망을 나타낸 것이겠군.

〈보기〉에서 (나)의 화자는 '남도의 대나무 숲에서 불어오는 바람 소리를 들으며' '민중의 남루한 삶에 가치를 부여'한다고 하였다. 이를 참고하면 (나)의 4연의 '몽당 빗자루', '보리 숭년', '문둥이 장타령' 등은 남도 마을 민중의 남루한 삶을 드러내는 소재이지, 민중들이 마음속에 품고 있던 미래에 대한 희망을 나타내는 것으로는 보기 어렵다.

오답풀이

① (가): 2연의 '슬퍼하든 것', '붙든 말', '울든 것' 등은, 옛날 우리 민족이 광활한 영토를 떠나면서 벌어졌을 이별의 정황과 관련하여 화자가 상상한 것이겠군.

〈보기〉에서 (가)의 화자는 북방에서 '우리 민족이 광활한 영토를 떠나오던 장면을 상상'한다고 하였다. 이를 참고하면 (가)의 2연에서 '슬퍼하든 것', '붙든 말', '울든 것' 등은 우리 민족이 광활한 영토를 떠날 때 주변 자연물들과 소수 민족들이 슬퍼했을 이별의 정황을 상상한 것으로 볼 수 있다.

② (가): 3연의 '매끄러운 밥을 먹고 단샘을 마시고 낮잠을 잤다'는 것은, 축소된 영토인 '먼 앞대'에서 소박한 안위를 찾으며 살아왔던 우리 민족의 태도를 나타낸 것이겠군.

〈보기〉에서 (가)의 화자는 광활한 영토를 떠나 '축소된 영토 안에서 소박한 안위를 찾으며 살아왔던 우리 민족의 삶의 태도'를 드러낸다고 하였다. 이를 참고하면 (가)의 3연에서 '매끄러운 밥을 먹고 단샘을 마시고 낮잠을 잤다'는 것은 북방을 떠나 축소된 영토인 '먼 앞대'에서 소박한 안위를 찾으며 살아왔던 우리 민족의 삶의 태도를 나타낸 것으로 볼 수 있다.

③ (가): 6연의 '바람과 물과 세월과 같이 지나가고 없다'는 것은, 북방으로 간 화자가 과거의 역사를 자신이 처한 일제 강점기의 현실과 연결하여 느낀 상실감을 드러낸 것이겠군.

〈보기〉에서 (가)의 화자는 '축소된 영토 안에서 소박한 안위를 찾으며 살아 왔던 우리 민족의 삶의 태도를 일제 강점기 현실과 연결하여 상실감을 드러'낸다고 하였다. 이를 참고하면 (가)의 6연에서 '바람과 물과 세월과 같이 지나가고 없다'는 것은 우리 민족의 옛 영토인 북방에 간 화자에게 더 이상 '나의 조상'이나 '형제', '일가친척' 등은 없다는 것으로, 자신이 처한 일제 강점기 현실과 연결하여 느낀 상실감을 드러낸 것이라 볼 수 있다.

④ (나): 3연의 '죽창을 깎던, 간 큰 아이들', '징소리 꽹과리 소리들'은, 억압된 현실에 저항했던 동학 운동의 정신이 대나무 숲에서 부는 바람 소리에 내포되어 있음을 드러낸 것이겠군.

〈보기〉에서 (나)의 화자는 '남도의 대나무 숲에서 불어오는 바람 소리를 들으며 역사 속 민중의 삶을 떠올리고' '수탈과 억압에 맞서고자 했던 동학 운동의 정신'에 가치를 부여한다고 하였다. 이를 참고하면 (나)의 3연의 '죽창을 깎던, 간 큰 아이들', '징소리 꽹과리 소리들'은 억압된 현실에 저항했던 동학 운동에 참여한 민중의 정신이 바람 소리에 담겨 있음을 의미한다고 볼 수 있다.

2. 문학 개념어 OX 확인 문제

① ✕

• (시적) 여운: 시를 읽고 난 뒤 독자의 마음 속에서 일어난 어떠한 감정이나 느낌이 가시지 않고 남아 있는 것. 명사형의 시어나 어순이 도치된 구절 등으로 시가 마무리되어 상대적으로 시상이 완결되지 않은 느낌을 주는 작품인 경우, 시적 여운이 더욱 강하게 남는 경향이 있음.
근거 (나): '우리들의 맑디맑은 사랑', '밤 쏘낙 빗물소리', '꽹과리 소리들' 등

② ◯

• 공감각: 어떤 하나의 감각이 다른 영역의 감각을 일으키는 현상. 공감각적 심상은 하나의 감각이 다른 감각으로 옮겨져 표현되며, 이를 '감각의 전이'라고도 함.
근거 (나): '푸른 숨소리'

🔍 1번 문제의 선지 판단 공식에 대한 답을 확인해 보세요.

〈보기〉 문제 선지 판단의 공식

① 〈보기〉 (가): 북방에 간 화자가 우리 민족이 광활한 영토를 떠나오던 장면을 상상함 ➕ 작품 (가): '자작나무와 이깔나무의 슬퍼하든 것', '갈대와 장풍의 붇드든 말', '쏠론이 십리길을 따러나와 울든 것'

선지 ➡ (가): 2연의 '슬퍼하든 것', '붇드든 말', '울든 것' 등은, 옛날 우리 민족이 광활한 영토를 떠나면서 벌어졌을 이별의 정황과 관련하여 화자가 상상한 것이겠군. ○

② 〈보기〉 (가): 화자는 축소된 영토 안에서 소박한 안위를 찾으며 살아왔던 우리 민족의 삶의 태도를 보여 줌 ➕ 작품 (가): '게을리 먼 앞대로 떠나 나왔다', '매끄러운 밥을 먹고 단샘을 마시고 낮잠을 잤다'

선지 ➡ (가): 3연의 '매끄러운 밥을 먹고 단샘을 마시고 낮잠을 잤다'는 것은, 축소된 영토인 '먼 앞대'에서 소박한 안위를 찾으며 살아왔던 우리 민족의 태도를 나타낸 것이겠군. ○

③ 〈보기〉 (가): 화자는 축소된 영토 안에서 소박한 안위를 찾으며 살아왔던 우리 민족의 삶의 태도를 일제 강점기 현실과 연결하여 상실감을 드러냄 ➕ 작품 (가): '아, 나의 조상은 형제는~바람과 물과 세월과 같이 지나가고 없다'

선지 ➡ (가): 6연의 '바람과 물과 세월과 같이 지나가고 없다'는 것은, 북방으로 간 화자가 과거의 역사를 자신이 처한 일제 강점기의 현실과 연결하여 느낀 상실감을 드러낸 것이겠군. ○

④ 〈보기〉 (나): 화자는 남도의 대나무 숲에서 불어오는 바람 소리를 들으며 수탈과 억압에 맞서고자 했던 동학 운동의 정신에 가치를 부여함 ➕ 작품 (나): '죽창을 깎던, 간 큰 아이들, 황토 현을 넘어가던 / 징소리 꽹과리 소리들……'

선지 ➡ (나): 3연의 '죽창을 깎던, 간 큰 아이들', '징소리 꽹과리 소리들'은, 억압된 현실에 저항했던 동학 운동의 정신이 대나무 숲에서 부는 바람 소리에 내포되어 있음을 드러낸 것이겠군. ○

⑤ 〈보기〉 (나): 화자는 남도의 대나무 숲에서 불어오는 바람 소리를 들으며 민중의 남루한 삶에 가치를 부여함 ➕ 작품 (나): '남도의 마을마다 질펀히 깔리는 대숲 바람소리 속에는 ~문둥이 장타령도 / 타는 내음……'

선지 ➡ (나): 4연의 '몽당 빗자루', '보리 숭년', '문둥이 장타령' 등은, 남루한 삶 속에서도 민중들이 마음속에 품고 있던 미래에 대한 희망을 나타낸 것이겠군. ✕

📅 고3 2017학년도 10월 학평 – 백석, 「나와 나타샤와 흰 당나귀」 / 박남준, 「아름다운 관계」

(가)

가난한 내가
아름다운 나타샤를 사랑해서
오늘밤은 푹푹 눈이 나린다 화자는 가난한 자신이 아름다운 나타샤를 사랑하기 때문에 오늘밤, 푹푹 눈이 내린다고 해.

나타샤를 사랑은 하고
눈은 푹푹 날리고
나는 혼자 쓸쓸히 앉아 소주를 마신다
소주를 마시며 생각한다
나타샤와 나는
눈이 푹푹 쌓이는 밤 흰 당나귀 타고
산골로 가자 출출이 우는 깊은 산골로 가 마가리에 살자 화자는 눈이 푹푹 내리는 밤 쓸쓸하게 앉아 술을 마시며, 나타샤, 흰 당나귀와 함께 깊은 산골로 가서 살기를 바라고 있어.

눈은 푹푹 나리고
나는 나타샤를 생각하고
나타샤가 아니 올 리 없다
언제 벌써 내 속에 고조곤히 와 이야기한다
산골로 가는 것은 세상한테 지는 것이 아니다
세상 같은 건 더러워 버리는 것이다 화자는 나타샤와 함께 산골로 가는 것이 더러운 세상을 버리는 것이라고 말해. 화자는 산골을 순수하고 긍정적인 세계, 세상을 더럽고 부정적인 세계로 보고 있군.

눈은 푹푹 나리고
아름다운 나타샤는 나를 사랑하고
어데서 흰 당나귀도 오늘밤이 좋아서 응앙응앙 울 것이다 화자는 아름다운 나타샤가 자신을 사랑한다는 단정적인 말로 바람을 표현하면서, 흰 당나귀도 오늘밤이 좋아서 울면서 화자와 나타샤의 사랑을 축복해 줄 것이라고 상상해.

– 백석, 「나와 나타샤와 흰 당나귀」 –

화자와 대상의 관계	눈이 푹푹 내리는 밤, 아름다운 나타샤와 함께 흰 당나귀를 타고 깊은 산골로 가 살기를 소망하는 가난한 '나'

(나)

바위 위에 소나무가 저렇게 싱싱하다니
사람들은 모르지 처음엔 이끼들도 살 수 없었어
아무것도 키울 수 없던 불모의 바위였지
작은 풀씨들이 날아와 싹을 틔웠지만
이내 말라버리고 말았어 화자는 바위 위에 소나무가 있는 모습을 관찰하고 있어. 불모는 땅이 거칠고 메말라 식물이 나거나 자라지 않는 것을 말하는데, 처음엔 이끼도 살 수 없었고, 작은 풀씨도 말라버리게 한 불모의 바위가 소나무를 키웠다고 하는군.
돌도 늙어야 품 안이 너른 법
오랜 날이 흘러서야 알게 되었지

그래 아름다운 일이란 때로 늙어갈 수 있기 때문이야
흐르고 흘렀던가
바람에 솔씨 하나 날아와 안겼지 불모의 바위였던 돌이 늙어 품 안이 넓어져서 솔씨가 날아와 안길 수 있었네. 화자는 바위와 소나무의 관계에서 늙어갈 수 있는 것이 아름다운 일이라는 깨달음을 얻었어.
이끼들과 마른풀들의 틈으로
그 작은 것이 뿌리를 내리다니
비가 오면 바위는 조금이라도 더 빗물을 받으려
굳은 몸을 안타깝게 이리저리 틀었지
사랑이었지 가득 찬 마음으로 일어나는 사랑 바위의 틈으로 솔씨가 뿌리를 내리고, 바위가 굳은 몸을 비틀어 빗물을 받아 내며 사랑으로 소나무를 키워 냈음을 표현하고 있군.
그리하여 소나무는 자라나 푸른 그늘을 드리우고
바람을 타고 굽이치는 강물 소리 흐르게 하고
새들을 불러 모아 노랫소리 들려주고 바위의 사랑으로 자라난 소나무는 푸른 그늘을 드리우고 강물 소리를 흐르게 하고, 새들을 불러 노랫소리를 들려주고 있어.

뒤돌아본다
산다는 일이 그런 것이라면
삶의 어느 굽이에 나, 풀꽃 한 포기를 위해
몸의 한편 내어 준 적 있었는가 피워 본 적 있었던가 화자는 산다는 일이란 바위가 소나무에게 몸의 한편을 내어 주는 것처럼 품어주는 일임을 깨닫고, 자신은 그런 적이 있었는지 지난 삶을 성찰하고 있네.

– 박남준, 「아름다운 관계」 –

화자와 대상의 관계	바위와 소나무의 아름다운 관계를 통해 산다는 일이란 몸의 한편을 내어 주는 일이라는 깨달음을 얻고 지난 삶을 성찰하는 '나'

1. 〈보기〉를 바탕으로 (가)와 (나)를 감상한 내용으로 적절하지 **않은** 것은?

〈보기〉

인간은 자신을 둘러싸고 있는 세계와 무수한 관계를 맺으며 살아가는 존재로, 인간은 세계와 관계를 맺으며 살아감 순수를 지향하며 단절과 고립을 자처하기도 하고 ① 단절과 고립을 자처해 순수를 지향함 스스로 변화의 주체가 되어 이질적인 존재들을 포용하며 관계를 확대해 나가기도 한다. ② 변화의 주체가 되어 이질적인 존재들을 포용해 관계를 확대함 이는 주어진 상황 속에서 세계를 대하는 저마다의 존재 방식으로, 우리는 이를 통해 각자가 지향하는 삶의 자세를 탐지할 수 있다. 어떤 관계를 맺는지를 통해 각자가 지향하는 삶의 자세를 확인

정답풀이

③ (나)에서 '바위'는 '작은 풀씨'의 생명력을 원천으로 삼아, '강물 소리'와 새의 '노랫소리'를 매개로 '소나무'와의 관계를 확장해 나가고 있다고 볼 수 있겠군.

(나)에서 '솔씨 하나'는 '바위'가 내 준 '틈'으로 뿌리를 내린 뒤, 비가 오면 솔씨를 위해 '조금이라도 더 빗물을 받으려 / 굳은 몸을 안타깝게 이리저리 틀었'던 '바위'의 사랑 덕분에 '소나무'로 자라나서 '푸른 그늘'을 드리우고, '강물 소리'를 흐르게 하고, '노랫소리'를 들려줄 수 있었다. 즉 '소나무'의 생명력의 원천은 '바위'에 있으며, '바위'의 사랑으로 자란 '소나무'가 '바람', '새' 같은 다른 존재와 관계를 확장해 나가고 있는 것이다. 따라서 '바위'가 '강물 소리'와 '노랫소리'를 매개로 '소나무'와의 관계를 확장한다고 볼 수는 없다. 한편 (나)에서 '바위'로 날아온 '작은 풀씨'는 '말라버'렸기에 '바위'가 '작은 풀씨'의 생명력을 원천으로 삼았다고 볼 수도 없다.

오답풀이

① (가)에서 '나'가 '산골로 가 마가리에 살자'는 것은 속세와의 관계를 단절하고 순수한 세계를 지향하고자 하는 화자의 의지를 드러낸 것으로 볼 수 있겠군.

〈보기〉에서 '인간은 자신을 둘러싸고 있는 세계'와 관계를 맺을 때, '순수를 지향하며 단절과 고립을 자처하기도' 한다고 했다. 이를 참고할 때, (가)의 화자가 '나타샤'와 '깊은 산골로 가 마가리에 살자'고 하며, '세상 같은 건 더러워 버리는 것'이라고 한 것은 속세와의 관계를 단절하고 나타샤와 '깊은 산골' 같은 순수한 세계에서 살고자 하는 의지를 드러낸 것으로 볼 수 있다.

② (가)에서 '눈' 내리는 상황의 지속은 '나'가 자신을 둘러싼 세계로부터 자처한 고립과 '나타샤'에 대한 '나'의 몰입을 심화하는 양상을 드러낸다고 볼 수 있겠군.

〈보기〉에서 '인간은 자신을 둘러싸고 있는 세계'와 관계를 맺을 때, '순수를 지향하며 단절과 고립을 자처하기도' 한다고 했다. 이를 참고할 때, (가)에서 '눈'이 '푹푹 나리'는 상황이 지속되는 것은 '나'가 순수한 세계를 지향하면서 자처한 단절과 고립의 상황과 '나타샤'에 대한 '나'의 몰입이 심화되는 양상을 드러낸다고 볼 수 있다.

④ (나)에서 '불모'의 바위가 '품 안이 너른' 바위가 되고 '몸'을 틀어 '소나무'를 키워낸 것을 통해, 주체가 스스로를 희생하고 변화할 때에 다른 존재를 포용할 수 있게 된다고 볼 수 있겠군.

〈보기〉에서 '인간은 자신을 둘러싸고 있는 세계'와 관계를 맺을 때, '스스로 변화의 주체가 되어 이질적인 존재들을 포용하며 관계를 확대해 나가기도 한'다고 했다. 이를 참고할 때, (나)에서 처음에는 '아무것도 키울 수 없던 불모의 바위'가 늙어서 '품 안이 너른' 바위가 된 뒤에는 '굳은 몸을 안타깝게 이리저리' 트는 희생과 사랑으로 '소나무'를 포용할 수 있게 되었음을 알 수 있다.

⑤ (나)에서 화자가 지향하는 '아름다운' 삶이란 '바위'가 먼저 '솔씨'에게 '틈'을 내어 뿌리를 내리게 했듯이, 내가 먼저 '몸의 한편'을 내어 누군가를 품어 주는 관계를 맺으며 살아가는 것이라고 볼 수 있겠군.

〈보기〉에서 인간이 '주어진 상황 속에서 세계를 대하는 저마다의 존재 방식'을 통해 '각자가 지향하는 삶의 자세를 탐지할 수 있다'고 했다. 이를 참고할 때, (나)의 화자는 '솔씨'가 뿌리를 내릴 수 있도록 '틈'을 내어 준 '바위'가 그러했듯이 누군가를 위해 '몸의 한편'을 내어서 품어 주는 관계를 지향함을 알 수 있다.

2. 문학 개념어 OX 확인 문제

① ○

• 반복: 같은 것을 되풀이함. 음운이나 음절의 반복, 시어나 시구의 반복, 유사한 문장 구조의 반복 등이 있으며, 이를 통해 운율을 형성하고 의미를 강조하는 효과가 있음.

  근거 (가): '푹푹 눈이 나린다', '눈은 푹푹 날리고', '눈은 푹푹 나리고' / (나): '없었어', '말았어', '바위였지', '되었지', '드리우고', '흐르게 하고' 등(동일한 어미 '-어', '-지', '-고')

② ✕

• 극복 의지: 부정적 상황을 이겨내고자 하는 마음가짐.

🔍 1번 문제의 선지 판단 공식에 대한 답을 확인해 보세요.

〈보기〉 문제 선지 판단의 공식

① 〈보기〉 인간은 순수를 지향하며 단절과 고립을 자처하는 방식으로 지향하는 삶의 자세를 드러내기도 함 ➕ 작품 (가): '나타샤와 나는 / 눈이 푹푹 쌓이는 밤 흰 당나귀 타고 / 산골로 가자 출출이 우는 깊은 산골로 가 마가리에 살자'

선지➡ (가)에서 '나'가 '산골로 가 마가리에 살자'는 것은 속세와의 관계를 단절하고 순수한 세계를 지향하고자 하는 화자의 의지를 드러낸 것으로 볼 수 있겠군. ○

② 〈보기〉 인간은 순수를 지향하며 단절과 고립을 자처하는 방식으로 지향하는 삶의 자세를 드러내기도 함 ➕ 작품 (가): '눈은 푹푹 나리고 / 나는 나타샤를 생각하고', '눈은 푹푹 나리고 / 아름다운 나타샤는 나를 사랑하고'

선지➡ (가)에서 '눈' 내리는 상황의 지속은 '나'가 자신을 둘러싼 세계로부터 자처한 고립과 '나타샤'에 대한 '나'의 몰입을 심화하는 양상을 드러낸다고 볼 수 있겠군. ○

③ 〈보기〉 인간은 자신을 둘러싼 세계와 관계를 맺으며 살아가는 존재로 스스로 변화의 주체가 되어 이질적인 존재들을 포용하며 관계를 확대하기도 함 ➕ 작품 (나): '불모의 바위였지 / 작은 풀씨들이 날아와 싹을 틔웠지만 / 이내 말라버리고 말았어', '소나무는 자라나 푸른 그늘을 드리우고 / 바람을 타고 굽이치는 강물 소리 흐르게 하고 / 새들을 불러 모아 노랫소리 들려주고'

선지➡ (나)에서 '바위'는 '작은 풀씨'의 생명력을 원천으로 삼아, '강물 소리'와 새의 '노랫소리'를 매개로 '소나무'와의 관계를 확장해 나가고 있다고 볼 수 있겠군. ✕

④ 〈보기〉 인간은 스스로 변화의 주체가 되어 이질적인 존재들을 포용하며 관계를 확대하기도 함 ➕ 작품 (나): '처음엔 이끼들도 살 수 없었어 / 아무것도 키울 수 없던 불모의 바위였지', '돌도 늙어야 품 안이 너른 법', '비가 오면 바위는 조금이라도 더 빗물을 받으려 / 굳은 몸을 안타깝게 이리저리 틀었지', '그리하여 소나무는 자라나'

선지➡ (나)에서 '불모'의 바위가 '품 안이 너른' 바위가 되고 '몸'을 틀어 '소나무'를 키워낸 것을 통해, 주체가 스스로를 희생하고 변화할 때에 다른 존재를 포용할 수 있게 된다고 볼 수 있겠군. ○

⑤ 〈보기〉 인간이 주어진 상황 속에서 세계와 관계를 맺는 방식을 통해 각자가 지향하는 삶의 자세를 확인할 수 있음 ➕ 작품 (나): '돌도 늙어야 품 안이 너른 법 / 오랜 날이 흘러서야 알게 되었지 / 그래 아름다운 일이란 때로 늙어갈 수 있기 때문이야', '바람에 솔씨 하나 날아와 안겼지 / 이끼들과 마른풀들의 틈으로 / 그 작은 것이 뿌리를 내리다니', '삶의 어느 굽이에 나, 풀꽃 한 포기를 위해 / 몸의 한편 내어 준 적 있었는가'

선지➡ (나)에서 화자가 지향하는 '아름다운' 삶이란 '바위'가 먼저 '솔씨'에게 '틈'을 내어 뿌리를 내리게 했듯이, 내가 먼저 '몸의 한편'을 내어 누군가를 품어 주는 관계를 맺으며 살아가는 것이라고 볼 수 있겠군. ○

하루 30분

선 지 판 단 력
강화 프로그램

현 대 시 트 레 이 닝

4

주차

📅 고3 2018학년도 수능 – 이육사, 「강 건너간 노래」 / 김광규, 「묘비명」 / 삶의 반영으로서 시

(가)

설달에도 보름께 달 밝은 밤
㉠앞내강 쩽쩽 얼어 조이던 밤에
내가 부른 노래는 강 건너 갔소　설달(십이월) 보름 강이 쩽쩽 얼 정도로 추운
겨울 밤에 '나'가 부른 노래는 강을 건너 갔어.

㉡강 건너 하늘 끝에 사막도 닿은 곳
내 노래는 제비같이 날아서 갔소　'나'의 노래는 강을 건너고 하늘 끝에 사막
도 닿은 곳까지 날아서 갔네.

못 잊을 계집애 집조차 없다기에
가기는 갔지만 어린 날개 지치면
㉢그만 어느 모래불에 떨어져 타서 죽겠죠.　'나'의 노래는 못 잊을 계집애
에게 간 것이구나. 그러나 노래는 어린 날개가 지치면 모래불에 떨어져 죽을 수도 있대.

사막은 끝없이 푸른 하늘이 덮여
㉣눈물 먹은 별들이 조상* 오는 밤　사막과 같은 현실을 슬퍼하며 별들이 조상
(위문)을 오네.

㉤밤은 옛일을 무지개보다 곱게 짜내나니
한 가락 여기 두고 또 한 가락 어디멘가
내가 부른 노래는 그 밤에 강 건너 갔소.　밤은 옛일을 아름답게 짜내고,
'나'의 노래는 한 가락은 여기 두었고 나머지 한 가락은 그 밤(설달 보름)에 강을 건너 갔지.

— 이육사, 「강 건너간 노래」 —

*조상: 남의 죽음에 대하여 슬퍼하는 뜻을 드러내어 위문함.

화자와 대상의 관계	밤에 자신의 노래가 강을 건너간 일을 떠올리는 '나'

(나)

한 줄의 시(詩)는커녕
단 한 권의 소설도 읽은 바 없이
그는 한평생을 행복하게 살며
많은 돈을 벌었고
높은 자리에 올라
이처럼 훌륭한 비석을 남겼다　그는 시나 소설을 모르고 살았지만 돈과 지위를
얻으며 행복하게 살다 죽었어.

그리고 어느 유명한 문인이
그를 기리는 묘비명을 여기에 썼다　유명한 문인도 그를 기리는 묘비명을 썼네.
비록 이 세상이 잿더미가 된다 해도
불의 뜨거움 꿋꿋이 견디며
이 묘비는 살아 남아
귀중한 사료(史料)가 될 것이니
역사는 도대체 무엇을 기록하며
시인(詩人)은 어디에 무덤을 남길 것이냐　역사와 시인이 지향해야 할 가치
있는 것에 대해 생각해 봐야 함을 역설하고 있어.

— 김광규, 「묘비명(墓碑銘)」 —

화자와 대상의 관계	묘비명을 통해 세속적 가치만을 추구하는 세상을 비판적으로 바라보는 사람

(다)

[A]
　시는 인간의 삶을 반영한다. 시에서 반영은 현실과 인생을 모방한다는 의미에서 외부 현실을 시 속에 담아내는 것으로, 역사와 현실의 상황을 시를 통해 어떻게 재현할 것인가에 초점을 둔다.　시에서 반영이 어떤 의미인지를 설명해 주고 있어. 여기서 반영은 '있는 그대로의 현실'로서의 반영과 '있어야 하는 현실'로서의 반영으로 구분할 수 있다.　시에서 반영을 둘로 나누어 설명하고 있어. 어떤 차이가 있는지 눈여겨봐야겠지? 전자는 역사와 현실의 모습을 사실 그대로 보여 주는 일상적 진실을 반영하는 것을 말하고, 후자는 일상적 현실을 넘어 화자가 지향하는 당위적 진실을 반영하는 것을 말한다.　반영은 ① 역사와 현실의 상황을 사실 그대로 담아내거나, ② 화자가 지향하는 진실을 담아내는 것을 말하는군!

　한편 '시에 대한 시 쓰기'라는 형식을 통해 시 그 자체를 반영하는 특수한 경우도 있다.　시에서 반영은 하나 더 있어! ③ 시 자체를 반영하는 경우야. 이때 반영의 대상은 외부 현실이 아니라 시 쓰기 상황이나 시를 쓰는 시인이 된다. 이 경우 시는 그 자체로 시론 혹은 시인론의 성격을 지닌다.　반영의 대상이 시 쓰기 상황이나 시인이 될 경우, 시는 시론이나 시인론의 성격을 갖게 되네. 이러한 성격의 작품에서 시는 노래나 기타 여러 갈래의 글로 표상되기도 한다.

　이처럼 시인들은 시 속에 형상화된 세계를 통해 인간이 지향해야 할 바람직한 삶의 방향을 모색한다. 이를 통해 시는 무엇을 말해야 하고, 시인은 어떤 존재로 살아가야 하는가에 대한 자기 성찰의 태도를 드러내는 것이다.　시인은 반영을 통해 인간이 지향해야 할 바람직한 삶의 방향을 모색하고 자기를 성찰하는구나.

1. [A]의 관점에서 ㉠∼㉤을 이해한 내용으로 적절하지 **않은** 것은?

정답풀이

④ ㉣: 자연물에 대한 화자의 태도 변화를 통해, 일상적 현실이 희망적으로 바뀌었음을 보여 주고 있다.

㉣에서 자연물에 대한 화자의 태도가 변화하는 모습은 나타나지 않는다. 또한 '눈물 먹은 별들'이 '노래'의 죽음을 슬퍼하여 '조상 오는' 상황을 통해 일상적 현실이 희망적으로 바뀌었음이 나타난다고 볼 수 없다.

① ㉠: 극한의 추위를 드러내는 시간적 배경을 제시하여, 화자나 인물이 처한 상황을 드러내고 있다.

[A]에서 시는 '역사와 현실의 상황'을 재현한다고 하였고, (가)의 '섣달', '앞내 강 쨍쨍 얼어 조이던 밤'을 통해 시의 배경이 아주 추운 겨울 밤이라는 것을 알 수 있다. 이처럼 화자는 극한의 추위를 드러내는 배경을 제시하여 자신과 자신의 노래가 시련의 상황에 처해 있음을 드러내고 있다.

② ㉡: 현실의 모습을 사막으로 표상하여, 화자나 인물이 직면하게 될 공간적 배경을 드러내고 있다.

[A]를 통해 시는 '외부 현실'을 담아내고 있음을 알 수 있다. (가)의 ㉡에서 는 화자의 노래가 간 '강 건너' 끝은 '사막도 닳은 곳'이라고 표현함으로써 현실의 모습을 사막으로 표상하고 있다. 또한 3연에서 화자의 노래가 '모래 불'(사막)에 떨어져 죽을 수도 있다고 한 것을 통해, 화자나 화자의 노래가 직면하게 될 공간적 배경이 사막과 같이 삭막하고 가혹한 공간임을 드러내고 있다.

③ ㉢: 죽음의 상황을 가정하여, 화자에게 닥친 일상적 현실이 절망적인 상황 임을 노래에 투영하여 드러내고 있다.

[A]에서 시는 '역사와 현실의 모습을 사실 그대로 보여 주는 일상적 진실을 반영'한다고 하였다. (가)의 ㉢에서는 화자가 부른 '노래'의 '어린 날개'가 지 치면 '모래불에 떨어져 타서 죽'을 것이라는 죽음의 상황을 가정하여 화자 의 일상적 현실이 절망적 상황임을 드러내고 있다.

⑤ ㉤: 밤과 무지개의 이미지를 대응시켜, 화자가 추구하는 당위적 진실에 대한 소망을 담아내고 있다.

[A]에서 시는 '일상적 현실을 넘어 화자가 지향하는 당위적 진실을 반영'한 다고 하였다. ㉤에서는 '밤'이 '무지개보다' 고운 '옛일'을 짜낸다고 하여 '밤'과 '무지개'의 이미지를 대응(서로 짝을 이룸)시키고 있다. '밤'이 짜낸 '옛일'이 '무지개'보다도 곱다고 표현하였으므로, '옛일'은 화자가 지향하는 것으로서 긍정적 가치를 지닌 시어라고 볼 수 있다. 따라서 ㉤은 '밤'과 '무지개'의 이미지를 대응시켜 화자가 지향하는 것을 보여 줌으로써 화자가 추구하는 당위적 진실에 대한 소망을 담아내고 있다고 할 수 있다.

2. (다)를 참고하여, (가)의 노래와 (나)의 묘비명을 이해한 것으로 적절하지 않은 것은?

⑤ '묘비명'이 시를 표상한다면, 이 '묘비명'은 한 줄의 시조차 읽지 않아도 '행복 하게 살' 수 있다는, (나)를 쓴 시인의 관점을 드러내는 소재라 할 수 있겠군.

'묘비명'은 '한 줄의 시', '단 한 권의 소설'도 읽지 않고 세속적인 가치를 위해 살았던 '그'를 위해 '어느 유명한 문인'이 쓴 것이다. (나)의 화자는 이를 두고 '훌륭한 비석', '귀중한 사료'라고 표현하였으나, 마지막 두 행에서 '역사' 와 '시인'의 역할에 대해 반문하는 것을 고려했을 때, 이는 반어적 표현이라 할 수 있다. 그렇기에 (나)를 쓴 시인은 한 줄의 시조차 읽지 않아도 행복 하게 살 수 있다고 생각하지는 않을 것이다.

① '노래'가 시를 표상한다면, 이 '노래'는 (가)를 쓴 시인 자신이 추구하는 바람 직한 삶의 방향을 반영하고 있다고 할 수 있겠군.

(다)에서는 시 그 자체를 반영하는 시에서 '시는 노래나 기타 여러 갈래의 글로 표상되기도 한다.'라고 하였다. 또한 이러한 시를 통해 '시는 무엇을 말 해야 하고, 시인은 어떤 존재로 살아가야 하는가에 대한 자기 성찰의 태도'가 드러난다고 하였다. 이를 참고하면 (가)의 '노래'도 시를 표상한 것으로 해석 할 수 있으며, 이는 시인이 추구하는 바람직한 삶의 방향을 반영하고 있다고 할 수 있다.

② '노래'가 시를 표상한다면, 이 '노래'는 시가 '집조차 없'는 처지에 있는 이의 삶에 다가서야 한다는, (가)를 쓴 시인의 관점을 드러내고 있겠군.

(다)에서는 시 그 자체를 반영하는 시에서 '시는 노래나 기타 여러 갈래의 글로 표상되기도 한다.'라고 하였으므로, 이를 참고하면 (가)의 '노래'도 시를 표상한 것으로 해석할 수 있다. 그런데 (가)에서 이 '노래'가 '못 잊을 계집애 집조차 없다기에' 강 건너로 갔다고 하였으므로, 이는 시가 어려운 이들의 삶에 가까이 다가서야 한다는 시인의 관점을 드러내는 것으로 볼 수 있다.

③ '묘비명'이 시를 표상한다면, 이 '묘비명'은 (나)를 쓴 시인 자신이 추구하는 삶과는 거리가 있는 사람의 인생을 반영하고 있겠군.

(다)에서 시 그 자체를 반영하는 시에서 '시는 노래나 기타 여러 갈래의 글로 표상되기도 한다.'라고 하였으므로, 이를 참고하면 (나)의 '묘비명(글)'이 시를 표상한다고 해석할 수 있다. 그런데 이는 세속적인 가치를 위해 살았던 '그'를 기리며 '어느 유명한 문인'이 쓴 것이다. 따라서 '역사'와 '시인'이 진실한 가치를 기록하고 남기는 역할을 해야 한다고 보는 시인의 관점에서 이는 시인이 추구하는 삶과는 거리가 있는 사람의 세속적 인생을 반영한 것으로 볼 수 있다.

④ '묘비명'이 시를 표상한다면, 이 '묘비명'은 (나)를 쓴 시인이 시 쓰기를 통해 '무엇을 기록'해야 하는지에 대해 자기 성찰을 하게 되는 계기라 할 수 있겠군.

> (다)에서 시 그 자체를 반영하는 시에서 '시는 노래나 기타 여러 갈래의 글로 표상되기도 한다.'라고 하였으므로, 이를 참고하면 (나)의 '묘비명(글)'이 시를 표상한다고 해석할 수 있다. (나)의 화자는 '묘비명'에 대해 반어적 표현을 사용함으로써 그것을 풍자하고 있으며, 마지막 두 행에서 '역사'와 '시인'이 무엇을 기록하고 남겨야 하는가에 대해 반문하고 있다. 이를 통해 (나)를 쓴 시인은 '묘비명'을 계기로 시가 말해야 하는 것, 시인이 살아가야 할 방향에 대해 고뇌하며 자기 성찰을 하고 있다고 볼 수 있다.

3. 문학 개념어 OX 확인 문제

> ① ✗
>
> • **청자**: 시에서 화자의 말을 듣고 있는 사람. 화자가 어떤 대상을 호명하거나 어떤 대상과 대화를 나누는 경우 청자를 명시적으로 드러냈다고 할 수 있음.
>
> ② ○
>
> • **의인**: 사람이 아닌 것에 인격을 부여하여 사람인 것처럼 표현하는 것.
>   근거 (가): '내가 부른 노래는 강 건너 갔소', '내 노래는 제비같이 날아서 갔소 // 못 잊을 계집애 집조차 없다기에 / 가기는 갔지만' / (나): '불의 뜨거움 꿋꿋이 견디며 / 이 묘비는 살아 남아'

🔍 1번 문제의 선지 판단 공식에 대한 답을 확인해 보세요.

융합 문제 선지 판단의 공식

① 설명글 시에서 반영은 역사와 현실의 상황을 재현하는 것에 초점
을 둠
➕
작품 (가): '섣달', '㉠앞내강 쨍쨍 얼어 조이던 밤에'

선지➡ ㉠: 극한의 추위를 드러내는 시간적 배경을 제시하여, 화자나 인물이 처한 상황을 드러내고 있다. ○

② 설명글 시에서 반영은 외부 현실을 시 속에 담아내는 것임
➕
작품 (가): '㉡강 건너 하늘 끝에 사막도 닿은 곳 / 내 노래는 제비
같이 날아서 갔소'

선지➡ ㉡: 현실의 모습을 사막으로 표상하여, 화자나 인물이 직면하게 될 공간적 배경을 드러내고 있다. ○

③ 설명글 '있는 그대로의 현실'로서의 반영은 역사와 현실의 모습을
사실 그대로 보여 주는 일상적 진실을 반영함
➕
작품 (가): '어린 날개 지치면 / ㉢그만 어느 모래불에 떨어져 타
서 죽겠죠.'

선지➡ ㉢: 죽음의 상황을 가정하여, 화자에게 닥친 일상적 현실이 절망적인 상황임을 노래에 투영하여 드러내고 있다. ○

④ 설명글 시는 역사와 현실의 모습을 사실 그대로 보여 주는 일상적
진실을 반영함
➕
작품 (가): '㉣눈물 먹은 별들이 조상 오는 밤'

선지➡ ㉣: 자연물에 대한 화자의 태도 변화를 통해, 일상적 현실이 희망적으로 바뀌었음을 보여 주고 있다. ✕

⑤ 설명글 '있어야 하는 현실'로서의 반영은 일상적 현실을 넘어 화자
가 지향하는 당위적 진실을 반영함
➕
작품 (가): '㉤밤은 옛일을 무지개보다 곱게 짜내나니'

선지➡ ㉤: 밤과 무지개의 이미지를 대응시켜, 화자가 추구하는 당위적 진실에 대한 소망을 담아내고 있다. ○

🔍 2번 문제의 선지 판단 공식에 대한 답을 확인해 보세요.

융합 문제 선지 판단의 공식

① **설명글** 시의 반영에는 시 자체를 반영하는 특수한 경우가 있는데, 이때 시는 노래나 기타 여러 갈래의 글로 표상됨. 시인들은 시를 통해 시는 무엇을 말해야 하고, 시인은 어떤 존재로 살아가야 하는가에 대한 자기 성찰의 태도를 드러냄 ➕ **작품** (가): '내가 부른 노래'

선지 '노래'가 시를 표상한다면, 이 '노래'는 (가)를 쓴 시인 자신이 추구하는 바람직한 삶의 방향을 반영하고 있다고 할 수 있겠군. ○

② **설명글** '시에 대한 시 쓰기'라는 형식에서 시는 노래나 기타 여러 갈래의 글로 표상됨 ➕ **작품** (가): '못 잊을 계집애 집조차 없다기에 / 가기는 갔지만'

선지 '노래'가 시를 표상한다면, 이 '노래'는 시가 '집조차 없'는 처지에 있는 이의 삶에 다가서야 한다는, (가)를 쓴 시인의 관점을 드러내고 있겠군. ○

③ **설명글** 시 그 자체를 반영하는 특수한 경우에 시는 노래나 기타 여러 갈래의 글로 표상됨. 시인들은 시에 형상화된 세계를 통해 인간이 지향해야 할 바람직한 삶의 방향을 모색함 ➕ **작품** (나): '한 줄의 시는커녕 / 단 한 권의 소설도 읽은 바 없이 / 그는', '많은 돈을 벌었고 / 높은 자리에 올라', '어느 유명한 문인이 / 그를 기리는 묘비명을 여기에 썼다

선지 '묘비명'이 시를 표상한다면, 이 '묘비명'은 (나)를 쓴 시인 자신이 추구하는 삶과는 거리가 있는 사람의 인생을 반영하고 있겠군. ○

④ **설명글** 시 그 자체를 반영하는 특수한 경우에 시는 노래나 기타 여러 갈래의 글로 표상됨. 시인들은 시를 통해 시는 무엇을 말해야 하고, 시인은 어떤 존재로 살아가야 하는가에 대한 자기 성찰의 태도를 드러냄 ➕ **작품** (나): '역사는 도대체 무엇을 기록하며 / 시인은 어디에 무덤을 남길 것이냐'

선지 '묘비명'이 시를 표상한다면, 이 '묘비명'은 (나)를 쓴 시인이 시 쓰기를 통해 '무엇을 기록'해야 하는지에 대해 자기 성찰을 하게 되는 계기라 할 수 있겠군. ○

⑤ **설명글** 시 그 자체를 반영하는 특수한 경우에 시는 노래나 기타 여러 갈래의 글로 표상됨. 시인들은 시에 형상화된 세계를 통해 인간이 지향해야 할 바람직한 삶의 방향을 모색함 ➕ **작품** (나): '한 줄의 시는커녕 / 단 한 권의 소설도 읽은 바 없이 / 그는', '많은 돈을 벌었고 / 높은 자리에 올라 / 이처럼 훌륭한 비석을 남겼다', '역사는 도대체 무엇을 기록하며 / 시인은 어디에 무덤을 남길 것이냐'

선지 '묘비명'이 시를 표상한다면, 이 '묘비명'은 한 줄의 시조차 읽지 않아도 '행복하게 살' 수 있다는, (나)를 쓴 시인의 관점을 드러내는 소재라 할 수 있겠군. ✕

📅 고3 2018학년도 6월 모평 – 자연적 시간과 문학적 시간 / 조지훈, 「고풍 의상」 / 이수익, 「결빙의 아버지」

(가)

　문학적 시간은 작가의 체험이나 의식에 따라 자연적 시간을 <u>의도적으로 재구성하여 미적 효과를 드러낸다.</u> 문학적 시간은 자연적 시간을 의도적으로 재구성함 <u>삶의 과정과 시간의 흐름을 담은 사건은 주로 과거형으로</u>, 대상의 특징을 감각적으로 형상화하는 이미지는 주로 현재형으로 표현한다. 문학적 시간: ① 삶의 과정과 시간의 흐름을 담은 **사건**(과거형), ② 대상의 특징을 감각적으로 형상화하는 **이미지**(현재형)

　하지만 과거형과 현재형의 적용은 작품 내적 상황에 따라 달라질 수 있다. 과거의 사건이나 동작의 변화를 실감나게 드러내기 위해 현재형으로 표현하기도 하고, 이미지 묘사를 시간의 흐름이 드러나도록 과거형으로 표현하기도 한다. 문학적 시간 표현은 작품 내적 **상황**에 따라 과거형과 현재형이 뒤바뀌기도 함

[A] ⌈ 　특히 서정시는 현재의 순간에 과거의 경험들이 공존해 있다는 점에서 이러한 <u>시간의 모호성</u>이 두드러진다. 시간의 모호성: 현재의 순간에 과거의 경험들이 공존 즉 서정시는 과거와 현재를 분리하지 않고 시적 현재로 통합하는 시간의 의도적 변형을 드러내는 것이다. ⌊

(나)

하늘로 날을 듯이 길게 뽑은 부연* 끝 풍경이 운다
처마 끝 곱게 늘이운 주렴에 반월(半月)이 숨어
아른아른 봄밤이 ㉠두견이 소리처럼 깊어 가는 밤 화자는 **봄밤**에 풍경 소리를 듣고 있네.

㉡곱아라 고아라 진정 아름다운지고
파르란 구슬빛 바탕에 자줏빛 호장*을 받친 호장저고리
호장저고리 하얀 동정이 환하니 밝도소이다 시의 제목이 **고풍 의상**이지? 화자는 지금 고풍 의상의 **아름다움**(고운 모습)에 감탄하는 거야. 먼저 저고리의 하얀 **동정**이 환하고 밝다고 해.

살살이 퍼져나린 곧은 선이 스스로 돌아 곡선을 이루는 곳
열두 폭 기인 치마가 사르르 물결을 친다 저고리의 고운 모습에 감탄한 뒤엔 **치마**의 아름다움을 감상하고 있어. 치마의 곡선이 사르르 **물결**을 친다고 하네.

초마* 끝에 곱게 감춘 운혜(雲鞋) 당혜(唐鞋)
㉢발자취 소리도 없이 대청을 건너 살며시 문을 열고 치마 끝에 곱게 감춰진 신을 신고 **소리**도 없이 살며시 움직인대.

그대는 어느 나라의 고전(古典)을 말하는 한 마리 호접(蝴蝶)
호접인 양 사푼이 춤을 추라 아미(蛾眉)를 숙이고…… 우아한 고풍 의상을 입은 **그대**에게 한 마리 **나비**(호접)처럼 춤을 추라고 하네.

나는 ㉣이 밤에 옛날에 살아 눈 감고 거문곳줄 골라 보리니
㉤가는 버들인 양 가락에 맞추어 흰 손을 흔들어지이다 '**나**'는 고풍 의상의 아름다움에 취해 **거문고**를 연주해.

　　　　　　　　　　　　　　– 조지훈, 「고풍 의상」 –

*부연(附椽): 긴 서까래 끝에 덧얹는 네모지고 짧은 서까래.
*호장: 회장(回裝). 여자 저고리를 색깔 있는 헝겊으로 꾸민 것.
*초마: '치마'의 방언.

화자와 대상의 관계	**고풍 의상**과 춤사위의 예스러운 **아름다움**을 감상하는 '나'

(다)

어머님,
제 예닐곱 살 적 겨울은
목조 적산 가옥 이층 다다미방의
벌거숭이 유리창 깨질 듯 울어 대던 외풍 탓으로
한없이 추웠지요, 밤마다 나는 벌벌 떨면서
아버지 가랑이 사이로 시린 발을 밀어 넣고
그 가슴팍에 벌레처럼 파고들어 얼굴을 묻은 채
겨우 잠이 들곤 했었지요. '**나**'는 어머니에게 말을 건네고 있어. 예닐곱 살의 '나'가 **추운 겨울**(외풍, 추위)에 아버지 품에 안겨 겨우 잠이 들었던 때를 떠올리고 있네.

요즈음도 추운 밤이면
곁에서 잠든 아이들 이불깃을 덮어 주며
늘 그런 추억으로 마음이 아프고, '**나**'는 세월이 흘러 어른이 되었어. 요즈음 추운 밤이면 **아이들**의 이불깃을 덮어 주며 아버지 품에 안겼던 **추억**이 떠올라 마음이 아프대.
나를 품어 주던 그 가슴이 이제는 한 줌 뼛가루로 삭아
붉은 흙에 자취 없이 뒤섞여 있음을 생각하면
옛날처럼 나는 다시 아버지 곁에 눕고 싶습니다. '**나**'의 **아버지**는 돌아가셨구나. 아버지를 그리워하며 옛날처럼 아버지 곁에 눕고 싶다고 해.

그런데 어머님,
오늘은 영하(零下)의 한강교를 지나면서 문득
나를 품에 안고 추위를 막아 주던
예닐곱 살 그 겨울밤의 아버지가
이승의 물로 화신(化身)해 있음을 보았습니다. '**나**'는 한강교(한강 다리)를 지나면서 아버지의 화신을 보았어.
품 안에 부드럽고 여린 물살은 무사히 흘러
바다로 가라고,
꽝 꽝 얼어붙은 잔등으로 혹한을 막으며
하얗게 얼음으로 엎드려 있던 아버지,
아버지, 아버지…… 기온이 **영하**인 추운 날씨 속에서 한강물은 얼어 있었겠지? 얼어붙은 강의 표면 아래 흘러가는 **여린 물살**을 보며 추운 겨울 '나'를 품에 안아 주셨던 아버지를 연상하는 거야.

　　　　　　　　　　　　　　– 이수익, 「결빙(結氷)의 아버지」 –

화자와 대상의 관계	얼어붙은 **한강물**을 보며 어린 시절에 자신을 감싸 주던 **아버지**를 떠올리는 '나'

1. (가)를 바탕으로 (나)의 ㉠~㉤을 이해한 내용으로 가장 적절한 것은?

정답풀이 ▶

① ㉠은 자연적 시간이 작가의 의식에 의해 문학적으로 재구성된 경우에 해당한다.

(가)에서 '문학적 시간은 작가의 체험이나 의식에 따라 자연적 시간을 의도적으로 재구성'한다고 하였다. ㉠은 '밤'이라는 자연적 시간을 작가가 '두견이 소리처럼 깊어' 간다고 표현하여 감각적으로 형상화한 것으로, 자연적 시간을 작가의 의식에 따라 문학적으로 재구성한 경우에 해당한다.

오답풀이 ▶

② ㉡은 과거형과 현재형의 적용이 작품 내적 상황에 따라 달라진 경우에 해당한다.

(가)에서 '과거형과 현재형의 적용은 작품 내적 상황에 따라 달라질 수 있다.'라고 하였다. 하지만 ㉡은 현재형을 활용하여 시적 대상인 '호장저고리'의 아름다움을 감각적으로 형상화하고 있을 뿐이므로, 과거형과 현재형의 적용이 작품 내적 상황에 따라 달라진 경우에 해당하지 않는다.

③ ㉢은 서정시에서 동작의 변화를 현재형으로 묘사하지 않은 경우에 해당한다.

(가)에서 '동작의 변화를 실감나게 드러내기 위해 현재형으로 표현하기도'한다고 하였다. ㉢은 '대청을 건너' 문을 여는 동작의 변화를 현재형으로 묘사하고 있으므로 동작의 변화를 현재형으로 묘사하지 않은 경우에 해당한다고 볼 수 없다.

④ ㉣은 과거와 현재를 통합적으로 인식함으로써 시간의 정확성을 드러낸 경우에 해당한다.

(가)에서 '특히 서정시는 현재의 순간에 과거의 경험이 공존해 있다는 점에서 이러한 시간의 모호성이' 나타난다고 하였다. ㉣에는 현재인 '이 밤'을 과거인 '옛날에' 사는 것처럼 표현하여 과거와 현재를 분리하지 않고 시적 현재로 통합하는 시간의 의도적 변형이 나타난다. 즉 '시간의 정확성'이 아닌 '시간의 모호성'이 드러난 경우에 해당한다.

⑤ ㉤은 시간의 흐름이 드러나도록 과거형을 사용한 경우에 해당한다.

(가)에서 '이미지 묘사를 시간의 흐름이 드러나도록 과거형으로 표현하기도'한다고 하였다. ㉤에서는 거문고를 타는 동작을 실감나게 드러내기 위해 현재형으로 표현하고 있으므로, 시간의 흐름이 드러나도록 과거형을 사용했다는 설명은 적절하지 않다.

2. [A]를 중심으로 (다)를 이해할 때 적절하지 않은 것은?

정답풀이 ▶

② '목조 적산 가옥 이층 다다미방'이라는 현재 위치에서 화자가 과거의 이야기를 전해 주는 방식으로 시적 현재의 의미를 생성해 낸다.

화자는 과거 '예닐곱 살 적 겨울밤'에 '목조 적산 가옥 이층 다다미방'이라는 장소에서 겪었던 유년 시절의 이야기를 '어머님'께 전해 주며, 현재 '영하의 한강교'를 지나며 느낀 아버지에 대한 그리움을 드러내고 있다. 따라서 '목조 적산 가옥 이층 다다미방'이 화자의 현재 위치라는 설명은 적절하지 않다.

오답풀이 ▶

① 화자가 '아버지'와 겪었던 유년 시절을 '어머님'에게 들려주는 시상 전개 방식으로 과거와 현재의 시간을 이어 준다.

화자는 '어머님, / 제 예닐곱 살 적 겨울은'이라고 말하며 과거 추운 겨울 아버지와 겪었던 유년 시절의 일을 어머니에게 이야기한다. 이는 '그런데 어머님, / 오늘은 영하의 한강교를 지나면서 문득'에서 현재의 상황에 대한 이야기로 이어지면서 과거와 현재의 시간이 연결된다. 즉 현재의 시점에서 '어머님'에게 과거의 이야기를 들려주는 시상 전개 방식을 통해 과거와 현재의 시간이 이어지고 있음을 알 수 있다.

③ '옛날처럼 나는'에서 현재의 순간에 과거의 경험들이 공존해 있는 시적 상황을 설정하고 있다.

화자는 '옛날처럼 나는 다시 아버지 곁에 눕고 싶'다고 하였다. 즉 '추운 밤이면 / 곁에서 잠든 아이들 이불깃을 덮어 주는 현재의 순간에도, 화자는 '아버지 가랭이 사이로 시린 발을 밀어 넣'은 자신을 품어주던 아버지를 떠올리고 있는 것이다. 이를 통해 현재의 순간과 과거의 경험들이 공존해 있는 시적 상황을 설정했음을 알 수 있다.

④ '예닐곱 살 적 그 겨울밤'을 '영하의 한강교를 지나면서' 떠올리는 데서 과거와 현재의 통합이 드러난다.

화자가 현재 '영하의 한강교를 지나면서' 과거 '예닐곱 살 적 그 겨울밤'을 떠올리는 것을 볼 때, [A]에 언급된 것처럼 '과거와 현재를 분리하지 않는' 통합 방식이 나타나고 있음을 알 수 있다.

⑤ '그 겨울밤의 아버지'가 '이승의 물로 화신'했다고 표현함으로써 과거와 현재를 분리하지 않는 시간의 모호성을 드러낸다.

화자는 과거 '그 겨울밤의 아버지'가 현재 '이승의 물로 화신'했다고 생각한다. [A]에서 '현재의 순간에 과거의 경험이 공존해 있다'고 한 것을 볼 때, 과거의 존재인 아버지가 현재 물로 화신해 있다는 표현은 과거와 현재를 분리하지 않고 시적 현재로 통합하여 '시간의 모호성'을 드러낸 것이라고 볼 수 있다.

3. 문학 개념어 OX 확인 문제

① ○

• **시적 허용(=시어의 의도적 변형)**: 시에서만 허용하는 비문법성. 띄어쓰기나 맞춤법에 어긋나는 표현, 비문법적인 문장 등이 해당되며, 운율감을 살리거나 시어의 아름다움과 시인이 의도한 특별한 정서, 시적 의미 등을 강조하는 효과가 있음.

> 근거 (나): '날을 듯이(날 듯이)', '곱아라 고아라(고와라 고와라)'

② ✕

• **정적**: 움직임이 없고 고요한 느낌을 불러일으키는 것.
• **(역)동적**: 무언가 (활기차게) 움직이는 느낌을 불러일으키는 것.

Q 1번 문제의 선지 판단 공식에 대한 답을 확인해 보세요.

융합 문제 선지 판단의 공식

① 설명글 문학적 시간은 작가의 체험이나 의식에 따라 자연적 시간을 의도적으로 재구성한 것 ⊕ 작품 (나): '㉠두견이 소리처럼 깊어 가는 밤'

선지 ➡ ㉠은 자연적 시간이 작가의 의식에 의해 문학적으로 재구성된 경우에 해당한다. ○

② 설명글 과거형과 현재형의 적용은 작품 내적 상황에 따라 달라질 수 있는데, 이 경우 과거의 사건이나 동작의 변화를 실감나게 드러내기 위해 현재형으로 표현하기도 함 ⊕ 작품 (나): '㉡곱아라 고아라 진정 아름다운지고'

선지 ➡ ㉡은 과거형과 현재형의 적용이 작품 내적 상황에 따라 달라진 경우에 해당한다. ✕

③ 설명글 과거의 사건이나 동작의 변화를 실감나게 드러내기 위해 현재형으로 표현하기도 함 ⊕ 작품 (나): '㉢발자취 소리도 없이 대청을 건너 살며시 문을 열고'

선지 ➡ ㉢은 서정시에서 동작의 변화를 현재형으로 묘사하지 않은 경우에 해당한다. ✕

④ 설명글 서정시는 현재의 순간에 과거의 경험들이 공존해 있다는 점에서 시간의 모호성이 나타남 ⊕ 작품 (나): '㉣이 밤에 옛날에 살아'

선지 ➡ ㉣은 과거와 현재를 통합적으로 인식함으로써 시간의 정확성을 드러낸 경우에 해당한다. ✕

⑤ 설명글 이미지 묘사를 시간의 흐름이 드러나도록 과거형으로 표현하기도 함 ⊕ 작품 (나): '㉤가는 버들인 양 가락에 맞추어 흰 손을 흔들어지이다'

선지 ➡ ㉤은 시간의 흐름이 드러나도록 과거형을 사용한 경우에 해당한다. ✕

🔍 2번 문제의 선지 판단 공식에 대한 답을 확인해 보세요.

융합 문제 선지 판단의 공식

① 설명글 · 서정시는 과거와 현재를 분리하지 않고 시적 현재로 통합하는 시간의 의도적 변형을 드러냄 작품 · (다): '어머님, / 제 예닐곱 살 적 겨울은', '그런데 어머님, / 오늘은 영하의 한강교를 지나면서 문득'

선지 ➡ 화자가 '아버지'와 겪었던 유년 시절을 '어머님'에게 들려주는 시상 전개 방식으로 과거와 현재의 시간을 이어 준다.   ○

② 설명글 · 서정시는 현재의 순간에 과거의 경험들이 공존해 있다는 점에서 시간의 모호성이 두드러짐 · 작품 · (다): '제 예닐곱 살 적 겨울은 / 목조 적산 가옥 이층 다다미 방의~한없이 추웠지요.', '오늘은 영하의 한강교를 지나면서 문득'

선지 ➡ '목조 적산 가옥 이층 다다미방'이라는 현재 위치에서 화자가 과거의 이야기를 전해 주는 방식으로 시적 현재의 의미를 생성해 낸다.   ✕

③ 설명글 · 서정시는 현재의 순간에 과거의 경험들이 공존해 있다는 점에서 시간의 모호성이 두드러짐 · 작품 · (다): '요즈음도 추운 밤이면~옛날처럼 나는 다시 아버지 곁에 눕고 싶습니다.'

선지 ➡ '옛날처럼 나는'에서 현재의 순간에 과거의 경험들이 공존해 있는 시적 상황을 설정하고 있다.   ○

④ 설명글 · 서정시는 과거와 현재를 분리하지 않고 시적 현재로 통합하는 시간의 의도적 변형을 드러냄 · 작품 · (다): '오늘은 영하의 한강교를 지나면서 문득 / 나를 품에 안고 추위를 막아 주던 / 예닐곱 살 적 그 겨울밤의 아버지가'

선지 ➡ '예닐곱 살 적 그 겨울밤'을 '영하의 한강교를 지나면서' 떠올리는 데서 과거와 현재의 통합이 드러난다.   ○

⑤ 설명글 · 서정시는 과거와 현재를 분리하지 않고 시적 현재로 통합하며, 이렇게 현재의 순간에 과거의 경험이 공존해 있다는 점에서 시간의 모호성이 두드러짐 · 작품 · (다): '예닐곱 살 적 그 겨울밤의 아버지가 / 이승의 물로 화신해 있음을 보았습니다.'

선지 ➡ '그 겨울밤의 아버지'가 '이승의 물로 화신'했다고 표현함으로써 과거와 현재를 분리하지 않는 시간의 모호성을 드러낸다.   ○

📅 고3 2018학년도 7월 학평 – 백석, 「두보나 이백같이」 / 문태준, 「가재미 3 – 아궁이의 재를 끌어내다」 / 시에서의 장소감

(가)

오늘은 정월(正月) 보름이다
대보름 **명절**인데
나는 멀리 고향을 나서 남의 나라 쓸쓸한 객고에 있는 신세로다
_{화자는 **명절**에 고향이 아닌 타국에 머물고 있는 쓸쓸한 처지야.}
옛날 두보나 **이백** 같은 이 나라의 시인도
먼 타관에 나서 이 날을 맞은 일이 있었을 것이다 _{**두보**나 **이백** 같은}
_{유명한 시인들도 고향이 아닌 먼 타관에서 화자처럼 명절을 맞이한 일이 있을 거라고}
_{추측하고 있어. 이 시인들과 일종의 **동질감**을 느끼고 있는 거지.}
오늘 ㉠고향의 내 집에 있다면
새 옷을 입고 새 신도 신고 떡과 고기도 억병 먹고
일가친척들과 서로 모여 즐거이 웃음으로 지날 것이언만 _{만약}
_{오늘 같은 명절에 **고향**에 있었다면 새 옷, 새 신발에 맛있는 음식을 먹고 **일가친척**들과}
_{즐거운 시간을 보냈을 거야.}
나는 오늘 때묻은 입든 옷에 마른 물고기 한토막으로
혼자 외로이 앉아 이것저것 쓸쓸한 생각을 하는 것이다 _{하지만}
_{화자의 현실은 그와 정반대. 혼자 외롭게 쓸쓸한 생각을 하고 있어.}
옛날 그 두보나 이백 같은 이 나라의 시인도
이날 이렇게 마른 물고기 한토막으로 외로히 쓸쓸한 생각을 한
적도 있었을 것이다 _{화자는 두보나 이백도 자신과 같은 상황에 처해 쓸쓸한 생각을}
_{했을 것이라 생각하며 **위안**을 얻고 있어.}
나는 이제 어늬 먼 외진 거리에 한고향 사람의 조고마한 가업집이
있는 것을 생각하고
이 집에 가서 그 맛스러운 떡국이라도 한 그릇 사먹으리라 한다
_{먼 타관이지만 고향 음식인 **떡국**을 한 그릇 사먹고 명절의 따뜻함을 느껴보려 해.}
우리네 조상들이 먼먼 옛날로부터 대대로 이날엔 으례히 그러
하며 오듯이
먼 타관에 난 그 두보나 이백 같은 이 나라의 시인도
이날은 그 어늬 한고향 사람의 ㉡주막이나 반관(飯館)을 찾아가서
그 조상들이 대대로 하든 본대로 원소(元宵)라는 떡을 입에 대며
스스로 마음을 느꾸어 위안하지 않았을 것인가 _{두보나 이백도 이런}
_{명절에 조상 대대로 먹던 음식을 먹으면서 **위안**을 얻었으리라 생각하고 있는 거야.}
그러면서 이 마음이 맑은 옛 시인들은
먼 훗날 그들의 먼 훗자손들도
그들의 본을 따서 이날에는 원소를 먹을 것을
외로히 타관에 나서도 이 원소를 먹을 것을 생각하며
그들이 아득하니 슬펐을 듯이
나도 떡국을 놓고 아득하니 슬플 것이로다 _{두보와 이백을 마음이 **맑은**}
_{옛 시인들로 칭하고 있네. 그들이 그러했듯 화자도 고향을 추억하는 음식 앞에서 **슬픔**을}
_{느낄 거야.}
아, 이 정월(正月) 대보름 명절인데
㉢거리에는 오독도기 탕탕 터지고 호궁(胡弓) 소리 뺄뺄 높아서
_{명절을 맞이해서 **거리**의 분위기는 즐겁고 흥겨워.}
내 쓸쓸한 마음엔 자꾸 이 나라의 옛 시인들이 그들의 쓸쓸한
마음들이 생각난다 _{하지만 화자는 쓸쓸한 마음으로 두보와 이백을 떠올리고 있지.}
내 쓸쓸한 마음은 아마 두보(杜甫)나 이백(李白) 같은 사람들의
마음인지도 모를 것이다

아무려나 이것은 옛투의 쓸쓸한 마음이다 _{지금 화자가 가진 마음이}
_{두보와 이백이 느꼈던 **쓸쓸한 마음**과 같다고 하면서 그들의 예술적 경지에 대한 지향을}
_{드러내고 있어.}

– 백석, 「두보(杜甫)나 이백(李白)같이」 –

화자와 대상의 관계	두보와 이백을 생각하며 타국에서 홀로 **명절**을 맞이하는 외롭고 쓸쓸한 처지를 위로받는 '나'

(나)

그녀의 함석집 귀퉁배기에는 늙은 고욤나무 한 그루가 서 있다
_{그녀의 집 귀퉁이에 늙은 나무 한 그루가 있대.}

방고래에 불 들어가듯 고욤나무 한 그루에 눈보라가 며칠째
밀리며 밀리며 몰아치는 오후 _{그 나무에 **눈보라**가 며칠째 치고 있으니 계절적}
_{배경은 **겨울**이겠네.}

그녀는 없다, 나는 ㉣그녀의 빈집에 홀로 들어선다 _{그녀가 없는}
_{그녀의 집에 화자가 홀로 들어갔어.}

물은 얼어 끊어지고, 숯검댕이 **아궁이**는 퀭하다 _{물도 얼어 끊어지고}
_{**아궁이**도 퀭하다는 걸 보니 집이 빈 지 꽤 오래되었나 봐.}

저 먼 나라에는 춥지 않은 ㉤그녀의 방이 있는지 모른다 _{춥지 않은}
_{그녀의 방이 저 먼 **나라**에 있을지도 모른다고 해. 그녀는 이 집을 떠나 먼 곳으로 간 거}
_{구나.}

이제 그녀를 위해 나는 그녀의 집 아궁이의 재를 끌어낸다

이 세상 저물 때 그녀는 바람벽처럼 서럽도록 추웠으므로 _{그녀는}
_{이 세상에서 저문, 즉 이미 죽은 사람이야.}

그녀에게 해줄 수 있는 일은 식은 재를 끌어내 그녀가 불의
감각을 잊도록 하는 것 _{화자는 죽기 전까지 춥게 살다 간 그녀가 **불의 감각**을 잊고}
_{평온하게 잠들기를 소망하며 아궁이에서 **재**를 끌어내고 있어.}

저 먼 나라에는 눈보라조차 메밀꽃처럼 따뜻한 그녀의 방이
있는지 모른다

저 먼 나라에서 그녀는 오늘처럼 밖이 추운 날 방으로 들어서며
맨 처음 맨손바닥으로 방바닥을 쓸어볼지 모르지만, 습관처럼 그럴
줄 모르지만 _{살아있을 적의 그녀는 방으로 들어설 때 맨 처음 손으로 **방바닥**을 쓸어}
_{보며 방이 얼마나 차가운지 확인했던 거야.}

이제 그녀를 위해 나는 그녀의 집 아궁이의 재를 모두 끌어낸다

그녀는 나로부터도 자유로이 빈집이 되었다 화자는 그녀의 집 아궁이
에서 재를 끌어내는 행위를 통해 평생 춥고 힘겹게 살았던 그녀가 따뜻한 안식을 취하고
자유로운 영혼이 될 것이라 생각하고 있어.

　　　　　　　　　　－ 문태준, 「가재미 3 － 아궁이의 재를 끌어내다」 －

화자와 대상의 관계	그녀가 죽은 뒤 그녀의 집 **아궁이**에서 재를 끌어내며 그녀가 평온히 잠들기를 소망하는 '나'

(다)

　시에서 장소는 실재하는 물리적 공간, 또는 형상화된 상상의 공간으로서 화자의 경험이나 감정과 관련하여 주관적으로 해석되는데, 특정 장소에 대해 화자가 느끼는 이러한 정서를 '장소감'이라 한다. 시의 장소는 물리적 공간일 수도, 상상의 공간일 수도 있어. 특정 장소에 대해 화자가 느끼는 주관적 정서를 **장소감**이라고 하는구나.

　장소는 안과 밖으로 이루어져 있으며, 화자는 물리적으로는 물론 심리적으로도 장소의 안 또는 밖에 자리하게 된다. 화자가 특정 장소의 안에 있다고 느끼는 소속감이나 일체감은 장소와 화자 사이에 정서적 유대를 형성해 내는데, 이렇게 유대감을 바탕으로 한 긍정적 장소감을 '장소애'라 일컫는다. 화자가 특정 장소에 정서적 유대를 가지면 **소속감**이나 **일체감** 등에 의한 장소애를 느끼는구나. 한편, 화자가 장소의 밖에 있다고 느끼는 소외감은 화자로 하여금 부정적인 장소감을 갖게 만든다. 화자가 장소의 밖에 있다고 느끼면 **소외감**으로 인해 부정적 장소감을 느끼네. 이때 장소에 대해 화자가 느끼는 소외감은 크게 두 가지 상황에서 비롯되는데, 과거에 진정한 장소애를 경험했다가 자의든 타의든 이를 잃게 되어 상실감을 느끼게 되는 경우가 그 하나이고, 특정한 장소감이 형성되지 않았거나 아직 장소에 익숙하지 않아 특정 장소에서 공감을 느끼지 못하는 경우가 그 다른 하나이다. 소외감을 느끼는 이유: ① 과거에 장소애를 경험했다가 **상실함**, ② 장소에 익숙하지 않아 **공감**을 느끼지 못함

　[A] 시에 나타난 화자의 장소감은 화자가 처한 현실 상황과 내면 의식, 지향점 등에 대해 알게 해 준다. 또한 장소의 시간적 배경이나 그 장소에 놓인 어떤 특정 대상들은 이러한 화자의 장소감, 즉 그 내면의 정서를 강화나 확장, 또는 약화시키는 기제로 작용하기도 하며, 과거에서 현재로, 혹은 현재에서 미래로 시간과 공간의 경계를 넘나드는 매개가 되기도 한다. 장소의 **시간적 배경**이나 장소에 놓인 **대상**들은 화자의 정서를 강화, 확장, 약화시키거나 **시간과 공간**의 경계를 넘나드는 매개가 되네.

1. (다)를 바탕으로 ㉠~㉤을 이해할 때 적절하지 <u>않은</u> 것은?

② ㉡은 화자가 과거에 두보나 이백이 겪었던 상황을 경험한 곳으로서 화자에게 장소애를 유발하는 장소라 볼 수 있다.

> ㉡(주막이나 반관)은 화자 자신처럼 과거 언젠가 '먼 타관'에서 쓸쓸히 명절을 보냈을 두보나 이백이 찾아갔을 것이라고 화자가 상상해 본 장소이다. 화자가 ㉡에서 두보나 이백이 과거에 겪었던 상황을 직접 경험한 것은 아니다.

① ㉠은 화자가 물리적으로도 심리적으로도 그 안에 소속되어 있던 곳으로서 정서적 유대를 경험한 장소라 할 수 있다.

> ㉠(고향의 내 집)은 화자에게 '일가친척들과 서로 모여 즐거이 웃음으로' 명절을 보내던 기억이 있는 곳이므로, 화자가 물리적으로도 심리적으로도 소속되었던 곳으로서 정서적 유대를 경험한 곳에 해당한다고 볼 수 있다.

③ ㉢은 화자의 정서와 대비되는 분위기가 조성된 곳으로서 공감을 느끼지 못하는 화자에게 소외감을 불러일으키는 장소라 볼 수 있다.

> ㉢(거리)은 대보름 명절의 축제 분위기가 나타나는 곳으로, 화자는 그곳에 소속되지 못하고 소외감을 느끼고 있다. 따라서 ㉢은 쓸쓸함과 외로움을 느끼는 화자의 정서와 대비되는 곳으로 볼 수 있다.

④ ㉣은 과거에 존재했던 그녀가 현재에는 부재하는 곳으로서 화자에게 상실감을 느끼게 하는 장소라 할 수 있다.

> ㉣(그녀의 빈집)은 '물은 얼어 끊어지고, 숯검댕이 아궁이는 퀭'한 곳으로, 화자로 하여금 '그녀'가 더 이상 존재하지 않음을 실감하게 하는 곳이다. 화자는 ㉣에서 '그녀는 없다'고 하며 상실감을 드러내고 있다.

⑤ ㉤은 화자의 내면 의식이 만들어낸 곳으로서 그녀에 대한 화자의 연민이 투영된 상상의 장소라고 볼 수 있다.

> ㉤(그녀의 방)은 '저 먼 나라'에 있을지 모르는 '춥지 않은' 공간으로, 실재하는 공간이 아니라 화자가 떠올린 상상의 장소이다. 화자는 춥고 힘겨운 삶을 살았던 그녀에 대한 연민을 투영하여 ㉤과 같은 장소를 떠올린 것이라고 볼 수 있다.

2. [A]를 바탕으로 (가)를 감상한 내용으로 적절하지 <u>않은</u> 것은?

정답풀이

③ '한고향 사람의 조고마한 가업집'은 화자 내면의 지향점에 해당하는 장소로서 현재의 장소에 대한 화자의 부정적 장소감을 긍정적으로 변화시키는 기능을 하고 있어.

> '한고향 사람의 조고마한 가업집'은 낯선 타관에서 명절을 맞이한 화자가 일시적으로 정서적 유대를 경험하기를 소망하는 장소이므로, 화자 내면의 지향점에 해당하는 장소로 보기는 어렵다. 즉 이 장소가 현재 화자가 머물고 있는 타관에서 느끼는 소외감, 외로움을 잠시나마 위로한다고 볼 수는 있어도, 화자의 부정적 장소감을 긍정적으로 변화시키는 기능을 한다고 볼 수는 없다.

오답풀이

① '남의 나라'에서 맞이하는 '대보름 명절'이라는 시간적 배경은 타관에서 느끼는 화자의 소외감을 더욱 고조시키고 있어.

> 화자는 '남의 나라'에서 '대보름 명절'을 맞이하며 고향을 떠올리고 '외로히 쓸쓸한 생각'을 하고 있다. 타관을 나타내는 '남의 나라'와 화자의 향수를 자극하는 '대보름 명절'이라는 공간적, 시간적 배경은 화자의 소외감을 더욱 고조시킨다고 볼 수 있다.

② '마른 물고기 한토막'은 '일가친척들'과 함께한 고향에서의 경험과 연결되어 화자가 현재의 장소에서 느끼는 결핍감을 심화시키고 있어.

> 화자는 과거 고향에서 '일가친척들'과 함께 '떡과 고기'를 실컷 먹고 명절을 즐겁게 보낸 기억을 떠올리며, 현재 '마른 물고기 한토막'을 먹고 있는 자신의 처지에 외로움, 결핍감을 느끼고 있다.

④ '떡국'은 화자가 자신이 처해 있는 현실 상황에서 느끼게 되는 외로움을 위로해 주는 동시에 그 외로움의 정서를 심화시키기도 하는 이중적인 의미를 지니고 있어.

> '떡국'은 타관에서 외로움을 느끼는 화자가 옛 시인들처럼 '스스로 마음을 느꾸어 위안'하게 하는 소재이기도 하지만, 동시에 '아득하니 슬'프게 만드는 소재이기도 하다.

⑤ '원소'는 화자에게 시간과 공간의 경계를 넘어 다른 대상과 동질감을 느끼게 하는 매개로서 화자의 장소감을 다른 대상으로까지 확장하여 사고하게 만드는 계기가 되고 있어.

> 화자는 '떡국'과 유사한 음식인 '원소'를 떠올리며 과거 자신과 비슷하게 타관에서 외로움을 느꼈을 '두보나 이백 같은 이 나라의 시인'들과 시·공간의 경계를 넘어 동질감을 느끼고 있다.

3. 문학 개념어 OX 확인 문제

> ① ○
>
> • 반복: 같은 것을 되풀이함. 음운이나 음절의 반복, 시어나 시구의 반복, 유사한 문장 구조의 반복 등이 있으며, 이를 통해 운율을 형성하고 의미를 강조하는 효과가 있음.
> • 변주: 일정한 주제나 형식을 유지하면서 내용을 조금씩 바꿔나가는 것.
>
> 근거 (가): '옛날 두보나 이백 같은 이 나라의 시인도', '옛날 그 두보나 이백 같은 이 나라의 시인도', '먼 타관에 난 그 두보나 이백 같은 이 나라의 시인도' / (나): '저 먼 나라에는 춥지 않은 그녀의 방이 있는지 모른다', '저 먼 나라에는 눈보라조차 메밀꽃처럼 따뜻한 그녀의 방이 있는지 모른다'
>
> ② ✕
>
> • 음성 상징어: 사람이나 사물의 소리를 흉내 낸 말인 '의성어'와 사람이나 사물의 모양이나 움직임을 흉내 낸 말인 '의태어'를 통틀어 이르는 말.
>
> 근거 (가): '탕탕', '뻘뻘'

Q 1번 문제의 선지 판단 공식에 대한 답을 확인해 보세요.

융합 문제 선지 판단의 공식

① 설명글 화자는 물리적으로는 물론 심리적으로도 장소의 안 또는 밖에 자리하게 되는데, 화자가 특정 장소의 안에 있다고 느끼는 소속감이나 일체감은 장소와 화자 사이에 정서적 유대를 형성함

➕ 작품 (가): '오늘 ⊙고향의 내 집에 있는다면 / 새 옷을 입고 새 신도 신고 떡과 고기도 억병 먹고 / 일가친척들과 서로 모여 즐거이 웃음으로 지낼 것이언만'

선지➡ ⊙은 화자가 물리적으로도 심리적으로도 그 안에 소속되어 있던 곳으로서 정서적 유대를 경험한 장소라 할 수 있다. ○

② 설명글 화자가 특정 장소의 안에 있다고 느끼는 소속감이나 일체감은 장소와 화자 사이에 정서적 유대를 형성해 내는데, 이렇게 유대감을 바탕으로 한 긍정적 장소감을 '장소애'라고 함

➕ 작품 (가): '먼 타관에 난 그 두보나 이백 같은 이 나라의 시인도 / 이날은 그 어늬 한고향 사람의 ⓒ주막이나 반관을 찾아가서 / 그 조상들이 대대로 하든 본대로 원소라는 떡을 입에 대며 / 스스로 마음을 느끼어 위안하지 않았을 것인가'

선지➡ ⓒ은 화자가 과거에 두보나 이백이 겪었던 상황을 경험한 곳으로서 화자에게 장소애를 유발하는 장소라 볼 수 있다. ✕

③ 설명글 화자는 물리적으로는 물론 심리적으로도 장소의 안 또는 밖에 자리하게 되는데, 화자가 장소의 밖에 있다고 느끼는 소외감은 화자로 하여금 부정적인 장소감을 갖게 함

➕ 작품 (가): '아, 이 정월 대보름 명절인데 / ⓒ거리에는 오독도기 탕탕 터지고 호궁 소리 뺄뺄 높아서 / 내 쓸쓸한 마음엔 자꾸 이 나라의 옛 시인들이 그들의 쓸쓸한 마음들이 생각난다'

선지➡ ⓒ은 화자의 정서와 대비되는 분위기가 조성된 곳으로서 공감을 느끼지 못하는 화자에게 소외감을 불러일으키는 장소라 볼 수 있다. ○

④ 설명글 과거에 진정한 장소애를 경험했다가 자의든 타의든 이를 잃게 되면 상실감을 느낌

➕ 작품 (나): '그녀는 없다, 나는 ⓔ그녀의 빈집에 홀로 들어선다'

선지➡ ⓔ은 과거에 존재했던 그녀가 현재에는 부재하는 곳으로서 화자에게 상실감을 느끼게 하는 장소라 할 수 있다. ○

⑤ 설명글 시에서 장소는 실재하는 물리적 공간, 또는 형상화된 상상의 공간으로서 화자의 경험이나 감정과 관련하여 그 의미는 주관적으로 해석됨

➕ 작품 (나): '저 먼 나라에는 춥지 않은 ⓜ그녀의 방이 있는지 모른다'

선지➡ ⓜ은 화자의 내면 의식이 만들어낸 곳으로서 그녀에 대한 화자의 연민이 투영된 상상의 장소라고 볼 수 있다. ○

🔍 2번 문제의 선지 판단 공식에 대한 답을 확인해 보세요.

융합 문제 선지 판단의 공식

① 설명글
시에 나타난 화자의 장소감은 화자가 처한 현실 상황과 내면을 알려 주며, 장소의 시간적 배경은 화자의 장소감, 즉 그 내면의 정서를 강화나 확장, 또는 약화시키는 기제로 작용함

➕ 작품
(가): '오늘은 정월 보름이다 / 대보름 명절인데 / 나는 멀리 고향을 나서 남의 나라 쓸쓸한 객고에 있는 신세로다'

선지➡ '남의 나라'에서 맞이하는 '대보름 명절'이라는 시간적 배경은 타관에서 느끼는 화자의 소외감을 더욱 고조시키고 있어.　○

② 설명글
장소에 놓인 어떤 특정 대상들은 화자의 장소감, 즉 그 내면의 정서를 강화나 확장, 또는 약화시키는 기제로 작용함

➕ 작품
(가): '오늘 고향의 내 집에 있는다면～일가친척들과 서로 모여 즐거이 웃음으로 지날 것이언만 / 나는 오늘 때문은 입든 옷에 마른 물고기 한토막으로 / 혼자 외로히 앉아 이것저것 쓸쓸한 생각을 하는 것이다'

선지➡ '마른 물고기 한토막'은 '일가친척들'과 함께한 고향에서의 경험과 연결되어 화자가 현재의 장소에서 느끼는 결핍감을 심화시키고 있어.　○

③ 설명글
시에 나타난 화자의 장소감은 화자가 처한 현실과 내면 의식, 지향점 등에 대해 알게 해 줌

➕ 작품
(가): '나는 이제 어늬 먼 외진 거리에 한고향 사람의 조고마한 가업집이 있는 것을 생각하고 / 이 집에 가서 그 맛스러운 떡국이라도 한 그릇 사먹으리라 한다', '나도 떡국을 놓고 아득하니 슬플 것이로다'

선지➡ '한고향 사람의 조고마한 가업집'은 화자 내면의 지향점에 해당하는 장소로서 현재의 장소에 대한 화자의 부정적 장소감을 긍정적으로 변화시키는 기능을 하고 있어.　✕

④ 설명글
장소의 시간적 배경이나 그 장소에 놓인 어떤 특정 대상들은 화자의 장소감, 즉 그 내면의 정서를 강화나 확장, 또는 약화시키는 기제로 작용함

➕ 작품
(가): '나는 이제 어늬 먼 외진 거리에 한고향 사람의 조고마한 가업집이 있는 것을 생각하고 / 이 집에 가서 그 맛스러운 떡국이라도 한 그릇 사먹으리라 한다', '나도 떡국을 놓고 아득하니 슬플 것이로다'

선지➡ '떡국'은 화자가 자신이 처해 있는 현실 상황에서 느끼게 되는 외로움을 위로해 주는 동시에 그 외로움의 정서를 심화시키기도 하는 이중적인 의미를 지니고 있어.　○

⑤ 설명글
장소에 놓인 어떤 특정 대상들은 화자가 과거에서 현재로, 혹은 현재에서 미래로 시간과 공간의 경계를 넘나들게 하는 매개가 되기도 함

➕ 작품
(가): '먼 타관에 난 그 두보나 이백 같은 이 나라의 시인도 / 이날은 그 어늬 한고향 사람의 주막이나 반관을 찾아가서 / 그 조상들이 대대로 하든 본대로 원소라는 떡을 입에 대며 / 스스로 마음을 느꾸어 위안하지 않았을 것인가'

선지➡ '원소'는 화자에게 시간과 공간의 경계를 넘어 다른 대상과 동질감을 느끼게 하는 매개로서 화자의 장소감을 다른 대상으로까지 확장하여 사고하게 만드는 계기가 되고 있어.　○

📅 고3 2018학년도 4월 학평 – 조지훈, 「동물원의 오후」 / 김현승, 「밤은 영양이 풍부하다」 / 시에 활용되는 이미지의 기능

(가)

마음 후줄근히 시름에 젖는 날은
동물원으로 간다. 화자는 마음이 **시름**에 젖는 날 동물원으로 간대.

사람으로 더불어 말할 수 없는 슬픔을
짐승에게라도 하소해야지. 화자가 동물원에 가는 이유는 **슬픔**을 하소연하기 위해서군.

난 너를 구경오진 않았다
뺨을 부비며 울고 싶은 마음.
혼자서 숨어 앉아 시를 써도
읽어줄 사람이 있어야지
쇠창살 앞을 걸어가며
정성스레 써서 모은 시집을 읽는다. 화자는 동물원의 짐승들 앞을 걸어가며, 숨어 앉아 정성스럽게 쓴 **시**를 모은 시집을 읽고 있어.

철책 안에 갇힌 것은 나였다
문득 돌아다보면
사방에서 **창살 틈**으로
이방(異邦)의 **짐승**들이 들여다본다. 동물원의 **철책** 안에 갇힌 것은 동물일 텐데, 화자는 철책 안에 갇힌 자신을 이방의 짐승들이 들여다보고 있다고 생각해. 동물원의 짐승들과 화자의 위치가 전도되었다고 볼 수 있지.

'여기 나라 없는 시인이 있다'고
속삭이는 소리…… 시름과 슬픔을 하소연하기 위해 동물원에 온 화자는 오히려 자신의 현실을 재확인하게 되었어. 화자는 일제 강점 하, 숨어서 시를 써야만 하는 현실을 철책 안에 **갇힌** 것으로 인식하게 되고, **나라 없는** 시인이라는 속삭임을 듣지.

무인(無人)한 동물원의 오후 전도(顚倒)된 위치에
통곡과도 같은 **낙조(落照)**가 물들고 있었다. 화자는 낙조(지는 해)를 **통곡**에 비유하여, 나라를 잃은 슬픔을 형상화하고 있어.

– 조지훈, 「동물원의 오후」 –

화자와 대상의 관계	시름과 슬픔을 하소연하기 위해 **동물원**에 가서 갇혀 있는 **짐승**들을 보며 망국민의 현실을 재확인하고 **통곡**과도 같은 심정을 느끼는 '나'

(나)

무르익은
과실의 밀도(密度)와 같이
밤의 내부는 달도록 고요하다. 화자는 **밤**이 달도록 고요하다고 표현했어. 고요하다고 했으니 이때 밤은 시간으로서의 밤[夜]임을 알 수 있고, 달도록이라고 했으니 시간으로서의 밤을 과실 밤[栗]에 비유하여 표현하고 있다는 점도 알 수 있지.

잠든 **내** 어린것들의 숨소리는
작은 벌레와 같이
이 고요 속에 파묻히고, 고요한 밤은 **내** 어린것들이 잠드는 쉼의 시간이야.

별들은 나와
자연(自然)의 구조에
질서있게 못을 박는다. 밤하늘에 별들이 나타나는 모습을 **못**을 박는다고 새롭게 표현하고 있네.

한 시대 안에는 밤과 같이 해체(解體)나 분석(分析)에는
차라리 무디고 어두운 시인들이 산다.
그리하여 토의의 시간이 끝나는 곳에서
밤은 상상으로 저들의 나래를 이끌어 준다. 해체나 분석이 이뤄지는 낮과 달리 **밤**의 시간은 시인을 **상상**으로 이끌어 준대.

꽃들은 떨어져 열매 속에
그 화려한 자태를 감추듯……

그리하여 시간으로 하여금
새벽을 향하여
이 풍성한 밤의 껍질을
서서히 탈피케 할 줄을 안다. 밤의 시간은 내 어린것들이 잠드는 쉼의 시간이면서, 해체와 분석에 무딘 시인들이 상상으로 시를 창작하는 시간이고, 열매인 밤[栗]의 껍질이 **탈피**되는 성장의 시간으로 표현되고 있네.

– 김현승, 「밤은 영양이 풍부하다」 –

화자와 대상의 관계	과실의 이미지와 결합하여 **밤**을 성장, 생명, 창조의 시간으로 여기는 '나'

(다)

문학에서 이미지를 활용한다는 것은 좁은 의미에서는 시각적으로 인지할 수 있는 대상이나 장면을 묘사하는 것을 의미하고, 넓은 의미에서는 감각적 체험을 통해 얻은 심리적 인상 체계나 비유적 표현 등을 통해, 시적 의미를 드러내는 것을 말한다. 문학에서 **이미지**를 활용하는 것이 어떤 의미인지 설명해 주고 있어. 1. 시각적 인지 대상을 묘사하는 것, 2. 감각적 체험으로 얻은 인상, 비유적 표현 등으로 시적 의미를 드러내는 것 특히 시에서의 이미지는 ① 추상적이고 관념적인 것을 구체화함으로써 내용을 보다 선명하게 인식하게 하고, ② 시적 상황을 암시하여 독자의 정서적 반응을 유발하는 기능을 갖고 있다. 따라서 ㉠이미지란 독자의 상상력에 호소하는 방법으로서, 작가의 상상력에 의해 그려진 그림인 것이다.

한편 이미지의 기능으로 ③ 신선감, ④ 강렬성, ⑤ 환기력 등을 들기도 한다. 이미지는 추상적·관념적인 것을 **구체화**하여 선명하게 인식하게 하는 것 외에, 정서적 반응 유발, 신선감, 강렬성, 환기력 등 다양한 기능을 하는군. 신선감이란 어휘나 소재의 이미지를 바탕으로 빚어내는 새로움을 뜻한다. 예를 들어 낯익은 대상을 낯설게 드러내어 독자들이 참신함을 느끼는 경우가 이에 해당한다. 강렬성이란 작품 속 이미지 간의 긴밀한 관계를 통해 의미를 집중시키는 것을 말하고, 환기력이란 이미지를 통해 특정한 정서가 환기되는 것을 뜻한다.

1. (다)를 바탕으로 (가)와 (나)를 감상한 내용으로 적절하지 <u>않은</u> 것은?

<u>정답풀이</u>

⑤ (나)의 '꽃들'이 '그 화려한 자태를 감추듯'과 같이 비유를 통해 대상의 변화 과정을 표현한 것으로 보아, 이미지를 통해 삶의 유한함이라는 화자의 인식이 형상화되었다고 할 수 있군.

> (다)에서 이미지의 활용은 '넓은 의미에서는~비유적 표현 등을 통해, 시적 의미를 드러내는 것을 말한다.'라고 하였다. 이를 참고할 때, (나)의 '꽃들은 떨어져 열매 속에 / 그 화려한 자태를 감추듯……'은 '새벽을 향하여 / 이 풍성한 밤의 껍질을 / 서서히 탈피케' 하는 '밤'이라는 시간이 지닌 의미를 비유적 표현을 통해 형상화한 것일 뿐, 삶의 유한함이라는 화자의 인식을 형상화한 것이라고 보기는 어렵다.

<u>오답풀이</u>

① (가)의 '쇠창살', '철책', '창살 틈' 등의 유사한 이미지가 반복되어 긴밀성이 강조된 것으로 보아, 이미지의 강렬성을 통해 단절과 속박이라는 시적 의미가 형상화되었다고 할 수 있군.

> (다)에서 이미지의 기능 중 하나인 '강렬성이란 작품 속 이미지 간의 긴밀한 관계를 통해 의미를 집중시키는 것을 말'한다고 하였다. (가)에서 '쇠창살', '철책', '창살 틈' 등은 어딘가에 갇힌 이미지를 환기하는 것으로, 이러한 유사한 이미지의 반복을 통해 이미지 간의 긴밀성이 강조되면서, 단절과 속박이라는 시적 의미가 형상화되었다고 볼 수 있다.

② (가)의 '사방'에서 '짐승들이 들여다본다'와 같이 시각적 체험으로 얻은 인상을 표현한 것으로 보아, 이미지를 통해 대상과 전도된 화자의 상황이 형상화되었다고 할 수 있군.

> (다)는 '문학에서 이미지를 활용한다는 것'은 '넓은 의미에서는 감각적 체험을 통해 얻은 심리적 인상 체계'를 통해 '시적 의미를 드러내는 것을 말한다.'라고 하였다. (가)의 화자는 동물원의 우리 안에 갇힌 동물들을 보는 시각적 체험을 하고 있다. 이를 통해 얻은 인상을 '사방'에서 '짐승들이 들여다본다'와 같이 표현함으로써 대상인 동물들과 위치가 전도된 화자의 상황을 형상화했다고 볼 수 있다.

③ (가)의 '낙조가 물들고 있었다'와 같은 하강의 이미지가 사용된 것으로 보아, 이미지의 환기력을 통해 비통한 화자의 정서가 형상화되었다고 할 수 있군.

> (다)에서 '환기력이란 이미지를 통해 특정한 정서가 환기되는 것을 뜻한다.'라고 하였다. (가)의 화자는 동물원에서 우리 안에 갇힌 동물들을 바라보다 '철책 안에 갇힌 것은 나였다'고 느끼며, '나라 없는 시인'인 자신의 처지를 인식하고 있다. 따라서 '통곡과도 같은 낙조(저녁에 지는 햇빛)가 물들고 있'는 동물원의 풍경은 해가 지는 하강의 이미지를 통해 화자가 느끼는 비통한 정서를 형상화한 것이라고 볼 수 있다.

④ (나)의 '별들'이 '질서있게 못을 박는다'와 같이 친숙한 대상을 낯설게 드러낸 것으로 보아, 이미지의 신선감을 통해 시간적 상황이 형상화되었다고 할 수 있군.

> (다)에서 '신선감이란 어휘나 소재의 이미지를 바탕으로 빚어내는 새로움을 뜻하며, '낯익은 대상을 낯설게 드러내어 독자들이 참신함을 느끼는 경우가 이에 해당한다.'라고 하였다. (나)에서 '별들'이 '질서있게 못을 박는다.'라고 한 것은 친숙한 대상인 '별'을 낯설게 표현하여 이미지의 신선감을 드러냄으로써 밤이라는 시간적 상황을 형상화하기 위해서라고 볼 수 있다.

2. ㉠과 〈보기〉를 바탕으로 (나)를 이해한 내용으로 적절하지 <u>않은</u> 것은?

> 〈보기〉
>
> 작가는 과실 '밤[栗]'과 시간 '밤[夜]'의 이미지를 의도적으로 중첩시키고 있다. 과실이 지니는 속성과 가치는, 시간적 배경인 '밤'의 의미와 연결되어 성장이라는 시적 의미를 강조한다. 작가는 과실 '밤'과 시간 '밤'의 이미지를 중첩시켜 성장이라는 의미를 강조함 한편 시간으로서의 '밤'은 이성적 사유의 시간과 대비되며 '시인'의 감성을 자극하는 배경으로 형상화되어 있다. 시간 '밤'은 시인의 감성을 자극하는 배경으로 형상화됨 이 경우에도 과실로서의 '밤'의 속성은, '시인'의 창작 능력을 배가시키는 시간으로서의 '밤'과 중첩된다.

<u>정답풀이</u>

② 2연의 '어린것들의 숨소리'가 '파묻히고'를 통해 독자는 '밤'이 '새벽'이 오기 전 '시인'의 감성이 위축된 시간임을 짐작할 수 있겠군.

> 〈보기〉에 따르면 '시간으로서의 '밤'은 "시인'의 감성을 자극하는 배경으로 형상화되'어 있다고 했으므로, 이를 고려할 때 '밤'을 '시인'의 감성이 위축된 시간으로 볼 수는 없다.

<u>오답풀이</u>

① 1연의 '과실의 밀도'처럼 '달도록 고요하다'는 것을 통해 독자는 '밤'이라는 것에서 과실과 시간의 중첩된 이미지를 떠올릴 수 있겠군.

> 〈보기〉에서 '작가는 과실 '밤'과 시간 '밤'의 이미지를 의도적으로 중첩시키고 있다.'라고 하였다. 이를 고려할 때 1연의 '과실의 밀도'처럼 '달도록 고요하다'는 것에서는 '달다'는 과실 '밤'의 이미지와 '고요하다'는 시간 '밤'의 중첩된 이미지를 떠올릴 수 있다.

③ 4연의 '해체나 분석'과 '상상'의 대비를 통해 독자는 '밤'이 이성적 사유의 시간과 대비되는 시간임을 알 수 있겠군.

> 〈보기〉에서 '시간으로서의 '밤'은 이성적 사유의 시간과 대비되며 '시인'의 감성을 자극하는 배경'이자 "'시인'의 창작 능력을 배가시키는 시간'이라고 하였다. 이를 고려할 때 '해체나 분석'은 '이성적 사유'에, '상상'은 '감성'에 대응되므로 서로 대비된다고 볼 수 있으며, '밤'은 '해체와 분석'에는 무딘 시인들을 '상상'으로 이끄는 역할을 하므로 이성적 사유의 시간과 대비되는 시간으로 그려지고 있음을 알 수 있다.

④ 4연의 '저들의 나래를 이끌어 준다'는 것을 통해 독자는 '밤'이 '시인'의 창작 능력을 배가시키는 시간임을 느낄 수 있겠군.

> 〈보기〉에서 '시간으로서의 '밤'은 이성적 사유의 시간과 대비되며 '시인'의 감성을 자극하는 배경'이자 "'시인'의 창작 능력을 배가시키는 시간'이라고 하였다. 이를 고려할 때 '상상으로 저들의 나래를 이끌어' 주는 '밤'이 '시인'의 창작 능력을 배가시키는 시간임을 알 수 있다.

⑤ 6연의 '껍질'을 '서서히 탈피케'하는 것을 통해 독자는 '밤'이 성장이 이루어지는 시간이라는 시적 의미를 짐작할 수 있겠군.

> 〈보기〉에서 '밤'은 '성장이라는 시적 의미를 강조'한다고 하였다. 이를 고려하면 '시간으로 하여금 / 새벽을 향하여 / 이 풍성한 밤의 껍질을 / 서서히 탈피케 할 줄을 안다'는 구절을 통해 '밤'이 성장이 이루어지는 시간이라는 시적 의미를 지녔음을 짐작할 수 있다.

3. 문학 개념어 OX 확인 문제

> ① ✕
>
> • 수미상관: 시의 처음과 끝에 동일하거나 유사한 시구를 배치시키는 것. 형태적 안정감을 주고, 시상에 통일성을 부여하며, 의미를 강조하는 효과가 있음.
>
> ② ✕
>
> • 반어: 말하고자 하는 바와 반대로 표현하여 그 의미를 강화하는 것.

🔍 1번 문제의 선지 판단 공식에 대한 답을 확인해 보세요.

융합 문제 선지 판단의 공식

① 설명글 이미지의 기능 중 강렬성은 작품 속 이미지 간의 긴밀한 관계를 통해 의미를 집중시키는 것을 뜻함 ➕ 작품 (가): '쇠창살 앞을 걸어가며', '철책 안에 갇힌 것은 나였다', '사방에서 창살 틈으로 / 이방의 짐승들이 들여다본다.'

선지➡ (가)의 '쇠창살', '철책', '창살 틈' 등의 유사한 이미지가 반복되어 긴밀성이 강조된 것으로 보아, 이미지의 강렬성을 통해 단절과 속박이라는 시적 의미가 형상화되었다고 할 수 있군. ○

② 설명글 문학에서 이미지의 활용은 감각적 체험으로부터 얻은 심리적 인상 체계를 통해 시적 의미를 드러내는 것을 뜻함 ➕ 작품 (가): '철책 안에 갇힌 것은 나였다', '사방에서 창살 틈으로 / 이방의 짐승들이 들여다본다.'

선지➡ (가)의 '사방'에서 '짐승들이 들여다본다'와 같이 시각적 체험으로 얻은 인상을 표현한 것으로 보아, 이미지를 통해 대상과 전도된 화자의 상황이 형상화되었다고 할 수 있군. ○

③ 설명글 이미지의 기능 중 환기력은 이미지를 통해 특정한 정서가 환기되는 것을 뜻함 ➕ 작품 (가): '여기 나라 없는 시인이 있다', '무인한 동물원의 오후 전도된 위치에 / 통곡과도 같은 낙조가 물들고 있었다.'

선지➡ (가)의 '낙조가 물들고 있었다'와 같은 하강의 이미지가 사용된 것으로 보아, 이미지의 환기력을 통해 비통한 화자의 정서가 형상화되었다고 할 수 있군. ○

④ 설명글 이미지의 기능 중 신선감은 어휘나 소재의 이미지로 빚어내는 새로움을 뜻하며, 낯익은 대상을 낯설게 드러내는 경우가 이에 해당됨 ➕ 작품 (나): '별들은 나와 / 자연의 구조에 / 질서있게 못을 박는다.'

선지➡ (나)의 '별들'이 '질서있게 못을 박는다'와 같이 친숙한 대상을 낯설게 드러낸 것으로 보아, 이미지의 신선감을 통해 시간적 상황이 형상화되었다고 할 수 있군. ○

⑤ 설명글 문학에서 이미지의 활용은 비유적 표현을 통해 시적 의미를 드러내는 것을 뜻함 ➕ 작품 (나): '꽃들은 떨어져 열매 속에 / 그 화려한 자태를 감추듯……', '시간으로 하여금 / 새벽을 향하여 / 이 풍성한 밤의 껍질을 / 서서히 탈피케 할 줄을 안다.'

선지➡ (나)의 '꽃들'이 '그 화려한 자태를 감추듯'과 같이 비유를 통해 대상의 변화 과정을 표현한 것으로 보아, 이미지를 통해 삶의 유한함이라는 화자의 인식이 형상화되었다고 할 수 있군. ✕

🔍 2번 문제의 선지 판단 공식에 대한 답을 확인해 보세요.

융합 문제 선지 판단의 공식

① 설명글 ①이미지란 독자의 상상력에 호소하는 방법으로서, 작가의 상상력에 의해 그려진 그림인 것이다

〈보기〉 작가는 과실 밤[栗]과 시간 밤[夜]의 이미지를 의도적으로 중첩시켜 성장이라는 시적 의미를 강조함

➕ 작품 (나): '무르익은 / 과실의 밀도와 같이 / 밤의 내부는 달도록 고요하다.'

[선지] ➡ 1연의 '과실의 밀도'처럼 '달도록 고요하다'는 것을 통해 독자는 '밤'이라는 것에서 과실과 시간의 중첩된 이미지를 떠올릴 수 있겠군. ○

---

② 설명글 ①이미지란 독자의 상상력에 호소하는 방법으로서, 작가의 상상력에 의해 그려진 그림인 것이다

〈보기〉 밤은 이성적 사유의 시간과 대비되며 시인의 감성을 자극하는 배경으로 형상화되어 있음

➕ 작품 (나): '잠든 내 어린것들의 숨소리는 / 작은 벌레와 같이 / 이 고요 속에 파묻히고,'

[선지] ➡ 2연의 '어린것들의 숨소리'가 '파묻히고'를 통해 독자는 '밤'이 '새벽'이 오기 전 '시인'의 감성이 위축된 시간임을 짐작할 수 있겠군. ✕

---

③ 설명글 ①이미지란 독자의 상상력에 호소하는 방법으로서, 작가의 상상력에 의해 그려진 그림인 것이다

〈보기〉 밤은 이성적 사유의 시간과 대비되며 시인의 감성을 자극하는 배경으로 형상화되어 있음

➕ 작품 (나): '한 시대 안에는 밤과 같이 해체나 분석에는 / 차라리 무디고 어두운 시인들이 산다. / 그리하여 토의의 시간이 끝나는 곳에서 / 밤은 상상으로 저들의 나래를 이끌어 준다.'

[선지] ➡ 4연의 '해체나 분석'과 '상상'의 대비를 통해 독자는 '밤'이 이성적 사유의 시간과 대비되는 시간임을 알 수 있겠군. ○

---

④ 설명글 ①이미지란 독자의 상상력에 호소하는 방법으로서, 작가의 상상력에 의해 그려진 그림인 것이다

〈보기〉 밤은 시인의 창작 능력을 배가시키는 시간임

➕ 작품 (나): '한 시대 안에는 밤과 같이 해체나 분석에는 / 차라리 무디고 어두운 시인들이 산다. / 그리하여 토의의 시간이 끝나는 곳에서 / 밤은 상상으로 저들의 나래를 이끌어 준다.'

[선지] ➡ 4연의 '저들의 나래를 이끌어 준다'는 것을 통해 독자는 '밤'이 '시인'의 창작 능력을 배가시키는 시간임을 느낄 수 있겠군. ○

---

⑤ 설명글 ①이미지란 독자의 상상력에 호소하는 방법으로서, 작가의 상상력에 의해 그려진 그림인 것이다

〈보기〉 과실인 밤이 지니는 속성과 가치가 시간적 배경인 밤의 의미와 연결되며 성장이라는 시적 의미를 강조함

➕ 작품 (나): '그리하여 시간으로 하여금 / 새벽을 향하여 / 이 풍성한 밤의 껍질을 / 서서히 탈피케 할 줄을 안다.'

[선지] ➡ 6연의 '껍질'을 '서서히 탈피케'하는 것을 통해 독자는 '밤'이 성장이 이루어지는 시간이라는 시적 의미를 짐작할 수 있겠군. ○

4 주차

📅 고3 2018학년도 3월 학평 – 서정주, 「외할머니네 마당에 올라온 해일」 / 장석남, 「살구꽃」 / 은유의 본질

(가)

외할먼네 마당에 올라온 **해일(海溢)**엔요.
예쉰 살 나이에 스물한 살 얼굴을 한
그리고 천 살에도 이젠 안 죽기로 한
신랑이 돌아오는 풀밭길이 있어요. 외할머니네 마당에 올라온 **해일**에는 할아버지가 돌아오는 풀밭길이 있다고 하네. 할아버지가 예순 살 나이에 스물한 살 얼굴을 하고, 천 살에도 안 죽기로 했다는 것은 **할아버지**가 오래 전 이미 죽었음을 나타내.

생솔가지 울타리, 옥수수밭 사이를
올라오는 해일 속 신랑을 마중 나와 외할머니는 마당에 올라온 해일을 죽은 할아버지로 여기고 마중 나가고 있어.
하늘 안 천 길 깊이 묻었던 델 파내서
새각시 때 연지를 바르고, 할머니는 연지를 바르고 할아버지를 맞이한다는 데에서 할머니가 죽은 남편을 변함없이 사랑해 왔음을 알 수 있지.

다시 또 파, 무더기 웃는 청사초롱에
불 밝혀선 노래하는 나무나무 잎잎에
주절히 주절히 매어달고, 할머니는 **청사초롱**에 불을 밝혀 마치 혼례식 때의 모습처럼 꾸민다는 것과, 나무와 잎들도 노래한다는 것에서 할아버지와 재회하는 할머니의 기쁨과 설렘을 느낄 수 있어.

갑술년이라던가 바다에 나갔다가
해일에 넘쳐오는 할아버지 혼신(魂神) 앞
열아홉 살 첫사랑쩍 얼굴을 하시고 할아버지는 오래 전 **바다**로 나갔다가 죽음을 맞이했고, 할머니는 **해일**을 죽은 할아버지로 여기며 설렘을 느끼는 거야. 변함없는 사랑과 기다림의 자세를 엿볼 수 있지.

— 서정주, 「외할머니네 마당에 올라온 해일」 —

화자와 대상의 관계	마당에 올라온 **해일**을 바다에서 죽은 남편으로 여기고 설레는 마음으로 맞이하는 **할머니**를 보고 있는 사람

(나)

마당에 **살구꽃**이 피었다
밤에도 흰 돛배처럼 떠 있다 화자는 마당에 핀 **살구꽃**을 보고 있어.
흰빛에 분홍 얼룩 혹은
제 얼굴로 넘쳐 버린 눈빛
더는 알 수 없는 빛도 스며서는
손 닿지 않은 데가 걸리듯
담장 바깥까지도 훤하다 눈빛이 얼굴로 넘쳐 버린 것 같다고 하고, 담장 바깥까지도 **훤**하다고 하는 것으로 보아 나무에 살구꽃이 만발한 광경을 보고 있는 듯해.

지난 겨울엔 빈 가지 사이사이로
하늘이 틀어진 채 쏟아졌었다 꽃이 피기 전 겨울에는 나무의 가지 사이로 **하늘**이 보였던 거야.
그 하늘을 어찌지 못하고 지금
이 꽃들을 피워서 제 몸뚱이에 꿰매는가?

꽃은 드문드문 굵은 가지 사이에도 돋았다 살구꽃이 만발한 지금 화자는 바느질로 나무에 꿰매듯이 **살구꽃**이 피어 있다고 표현하는 거지.

아무래도 이 꽃들은 지난 겨울 어떤,
하늘만 여러 번씩 쳐다보던
살림살이의 사연만 같고 또
그 하늘 아래서는 제일로 낮은 말소리, 발소리 같은 것 들려서 내려온
신(神)과 신(神)의 얼굴만 같고
어스름녘 말없이 다니러 오는 **누이**만 같고 살구꽃을 여러 대상에 비유하고 있어. 살림살이의 어려움으로 인해 **하늘**만 쳐다보던 이들의 사연 같고, 낮은 곳을 보듬으러 내려온 **신**의 얼굴 같고, 말없는 **누이** 같다고 하네.

(살구가 익을 때,
시디신 하늘들이
여러 개의 살구빛으로 영글어 올 때 **우리**는
늦은 밤에라도 한번씩 불을 켜고 나와서 바라다보자 살구 열매가 익으면 **늦은 밤**에라도 나와서 열매를 바라보자고 하고 있어.
그런 어느 날은 한 끼니쯤은 굶어라도 보자) 그 열매가 화자에게는 위안과 풍족감을 주나 봐. 한 끼니쯤 굶어도 좋다고 하네.

그리고 또한, 멀리서 **어머니**가 오시듯 살구꽃은 피었다 살구꽃을 어머니에 비유하고 있어.
흰빛에 분홍 얼룩 혹은
어머니에, 하늘에 우리를 꿰매 감친 굵은 실밥, 자국들 살구꽃이 어머니와 우리를, 하늘과 우리를 바느질로 **꿰매**듯 이어 준다는 거야.

— 장석남, 「살구꽃」 —

화자와 대상의 관계	**살구꽃**을 보고 꿰맨 **실밥**과 같다고 여기며 상처의 치유와 화합을 바라는 '**나**'(우리)

(다)

'내 마음은 호수'로 대표되는 **은유**는 흔히 '마음=호수'라는 등식과 함께 원관념과 보조 관념이 유사성을 바탕으로 1:1로 대응되는 차원에서 언급되고 있다. 수사법으로서의 은유는 흔히 원관념과 보조 관념이 유사성을 바탕으로 1:1 대응되는 차원에서 언급돼. 하지만 이 구절은 단순히 '마음'을 '호수'로 대체한 것이 아니라, 시의 전체적인 맥락 속에서 '마음'과 '호수'가 상호 작용하면서 사랑의 심리 상태와 관련한 새로운 의미를 생성하고 있다. 시의 전체 맥락 속에서 은유를 통해 새로운 의미가 생성된다는 거야. 이에 따라 다음 행인 '그대 노 저어 오오'도 실제가 아닌 은유적 의미로 읽히게 된다. 이는 은유가 단어에 국한된 것이 아니라 작품 전반에 걸쳐 관여하며, 은유의 본질이 이질적인 층위 간의 상호 작용에서 발생하는 의미의 생산과 창조에 있음을 보여 준다. 은유의 본질: **이질적인** 층위 간의 상호 작용에서 발생하는 의미의 **생산**과 창조

이런 관점에서 (가)를 보면, '해일'이 일어난 것은 실제이지만 '신랑이 돌아오는 풀밭길이 있어요.'의 진술을 통해 '해일'과 '풀밭길'은 상호 작용하며 작품 전반에 걸쳐 각각 그 이상의 의미를 생성하게 된다. 이를 통해 '신랑'이 돌아오는 허구적 상황을 시적 진실로 받아들일 수 있게 되고, 그를 기다리는 '할머니'의 심정이 드러나며, 일상적인 삶의 공간인 '마당'은 죽음의 공간인 '바다'에서 재생한 '할아버지'가 '할머니'와 만나는 신비스러운 공간으로 변모한다. 여기에는 순환성과 영원성을 추구하는 시인의 세계관이 작용하고 있다.

[A]

(가)에서는 **해일**과 풀밭길이 상호 작용하면서 죽은 신랑이 돌아오는 시적 상황, 할머니의 심정, 마당이라는 공간의 신비스러움이 부각되지. 여기에는 **순환성**과 **영원성**에 대한 시인의 지향이 반영되어 있어. 한편 (나)는 살구꽃이 핀 광경을 바탕으로 '살구꽃'과 바느질이라는 이질적인 속성을 연결하여 의미를 확장해 간다. '살림살이의 사연'을 안고 살아가는 사람들의 하늘을 향한 간구와 그들의 소리를 듣고 내려온 '신(神)'의 위로가 '살구꽃'으로 형상화되고 있다. 따라서 꽃이 핀 자리는 삶의 상처로 인한 흉터가 아닌 그 상처를 감싸고 꿰맨 봉합의 흔적이다. 결국 시는 하늘과 땅의 경계에서 피어난 '살구꽃'을 통해 치유와 화합의 세계를 추구하고 있음이 드러난다. (나)에서는 **살구꽃**과 바느질이 연결되면서 사연 있는 사람들을 위로하는 마음이 살구꽃으로 형상화되었어. 그리고 여기에는 **치유**와 **화합**에 대한 시인의 지향이 반영되었지.

이처럼 은유는 단순한 수사적 기교의 차원을 넘어 층위가 다른 대상 간의 상호 작용을 통해 작품 전반에 걸쳐 역동적으로 작용하며 주제에 관여하고 시인의 세계관을 반영하는 세계 인식의 한 방법이라 할 수 있다. 이러한 은유의 본질을 제대로 읽어 낼 때 우리는 시가 주는 깊은 울림에 좀 더 다가설 수 있게 된다. 정리하자면 은유는 층위가 다른 대상 간의 **상호 작용**을 통해 작품 전반에 작용하고, 주제에 관여하고, 시인의 **세계관**을 반영한다는 거네.

1. [A]를 바탕으로 (가)의 해일과 (나)의 살구꽃을 이해한 내용으로 적절하지 않은 것은?

④ '해일'은 '청사초롱'에 '불 밝'히는 '할머니'의 행위를, '살구꽃'은 '늦은 밤에라도' '불을 켜'는 '우리'의 행위를 이끌어 내어, 화자의 간절한 기다림의 회한을 드러내고 있군.

[A]를 통해 (가)는 '해일'을 죽은 '신랑'의 귀환으로 인식하여 그를 기다리는 할머니의 심정을 나타내었음을 알 수 있다. 따라서 '해일'은 '신랑'을 맞이하기 위해 '청사초롱'에 '불 밝'히는 할머니의 행위를 이끌어 낸다고 볼 수 있지만, 화자의 간절한 기다림의 회한을 드러낸다고 보기는 어렵다. 한편 (나)의 화자는 '늦은 밤에라도 한번씩 불을 켜고 나와서' '살구'를 바라보자고 하였으므로, '살구꽃'은 '늦은 밤에라도' '불을 켜'는 '우리'의 행위를 이끌어 낸다고 볼 수 있다. 그러나 '살구꽃'을 통해 화자의 간절한 기다림에 대한 회한을 드러내지는 않았다.

① '해일'은 '풀밭길'과의 상호 작용을 통해 '할머니'가 '신랑'을 '마중' 나가는 허구적 상황이 시적 진실로 받아들여질 수 있도록 하고 있군.

[A]에서 (가)의 '해일'과 '풀밭길'의 상호 작용을 통해 "신랑'이 돌아오는 허구적 상황을 시적 진실로 받아들일 수 있게" 된다고 하였다. 따라서 '해일'은 '풀밭길'과의 상호 작용을 통해 할머니가 '해일' 속 신랑을 '마중' 나가는 허구적 상황이 시적 진실로 받아들여질 수 있도록 한다고 볼 수 있다.

② '해일'로 인해 '바다'가 죽음의 공간에서 재생의 공간으로 전이되는 것으로 보아, '해일'에는 영원성을 지향하는 세계관이 반영되어 있다고 볼 수 있군.

[A]에서 (가)의 '할아버지'가 '죽음의 공간인 '바다'에서 재생'한다고 하였으며, 이는 '영원성을 추구하는 시인의 세계관이 작용'한 것이라고 하였다. 따라서 '해일'은 '바다'를 죽음의 공간에서 재생의 공간으로 전환하며, 여기에는 영원성을 지향하는 세계관이 반영되어 있다고 볼 수 있다.

③ '살구꽃'은 '하늘'을 '여러 번씩 쳐다보던' 시선에서 비롯되는 상승의 심상과 '내려온'에서 비롯되는 하강의 심상이 공존하고 있는 것이라고 볼 수 있군.

[A]에서 (나)에서는 "'살림살이의 사연'을 안고 살아가는 사람들의 하늘을 향한 간구와 그들의 소리를 듣고 내려온 '신'의 위로가 '살구꽃'으로 형상화"된다고 하였다. 따라서 '살구꽃'에는 하늘을 '쳐다보던' 사람들의 시선이 향하는 방향에서 나타나는 상승의 이미지와 그들의 소리를 듣고 '내려온 / 신'의 하강의 이미지가 공존한다고 볼 수 있다.

⑤ '해일'은 '마당'과 '바다'의 경계를 허물고 있다는 측면에서, '살구꽃'은 '마당'과 '하늘'의 사이에서 꽃을 피우고 있다는 측면에서 모두 세계의 만남에 관여한다고 볼 수 있군.

[A]를 통해 (가)에서는 죽음의 공간인 '바다'에서 재생한 할아버지가 '해일'이 되어 '마당'으로 돌아옴으로써 '마당'과 '바다'의 경계를 허물었으며, (나)의 '살구꽃'은 '하늘과 땅의 경계에서 피어'났음을 알 수 있다. 따라서 '해일'과 '살구꽃'은 모두 경계적 존재로서 두 세계의 만남에 관여한다고 볼 수 있다.

2. (다)를 고려하여 (나)를 감상한 내용으로 적절하지 <u>않은</u> 것은?

정답풀이

⑤ '흰 돛배처럼 떠 있는', '제 얼굴로 넘쳐 버린 눈빛'으로 나타낸 땅의 이미지를 '신과 신의 얼굴'로 변주하여 하늘과 땅의 조화를 추구하는 작가의 의식을 드러낸다고 볼 수 있겠군.

(나)의 '흰 돛배처럼 떠 있는', '제 얼굴로 넘쳐 버린 눈빛'은 나무에 핀 '살구꽃'을 표현한 구절이다. (다)에서 '살구꽃'은 '하늘과 땅의 경계에서 피어난'다고 하였으므로, '흰 돛배처럼 떠 있다'와 '제 얼굴로 넘쳐 버린 눈빛'이 땅의 이미지를 나타낸다고 볼 수 없다.

오답풀이

① '어머니'를 바느질의 속성과 연결하여 '살구꽃'을 통해 치유와 화합의 세계를 드러낸다고 볼 수 있겠군.

(다)에서 (나)는 "'살구꽃'과 바느질이라는 이질적인 속성을 연결'함으로써 '치유와 화합의 세계'에 대한 지향을 드러낸다고 하였다. (나)에서 '멀리서 어머니가 오시듯 살구꽃은 피었다'고 하면서, '어머니에, 하늘에 우리를 꿰'맨 것이 '살구꽃'이라고 한 것을 보았을 때, (나)는 '어머니'를 바느질의 속성과 연결하여 '살구꽃'을 통해 치유와 화합의 세계를 드러냈다고 볼 수 있다.

② '굵은 실밥, 자국들'은 바느질의 속성을 통해 상처를 봉합한 흔적으로서의 '살구꽃'의 의미를 드러내며 주제 의식에 관여한다고 볼 수 있겠군.

(다)에서 (나)는 "'살구꽃'과 바느질이라는 이질적인 속성을 연결'한다고 하였다. (나)에서 '꿰매 감친 굵은 실밥, 자국들'은 '살구꽃'의 모습을 바느질이라는 속성과 연결하여 형상화한 것이며, 이를 통해 상처를 봉합하고 치유하는 '살구꽃'의 의미를 드러내어 주제 의식을 나타냈다고 볼 수 있다.

③ '틀어진', '꿰매는가', '꿰매 감친'과 같은 시어를 통해 바느질의 속성을 '살구꽃'과 연결하여 작품 전반의 시적 의미를 형성한다고 볼 수 있겠군.

(다)에서 (나)는 "'살구꽃'과 바느질이라는 이질적인 속성을 연결'한다고 하였다. (나)의 '틀어진', '꿰매는가', '꿰매 감친' 등은 바느질의 속성을 보여 주며, 화자는 이를 '살구꽃'과 연결하여 상처를 봉합하는 치유의 의미를 작품 전반에 형상화했다고 볼 수 있다.

④ '살림살이의 사연'과 '제일로 낮은 말소리, 발소리'는 삶의 상처를 떠오르게 하며 삶의 위안적 존재로서의 '살구꽃'의 의미를 생성하는 데에 기여한다고 볼 수 있겠군.

(다)에서 (나)는 "'살림살이의 사연'을 안고 살아가는 사람들의 하늘을 향한 간구와 그들의 소리를 듣고 내려온 '신'의 위로'를 '살구꽃'으로 형상화했다고 하였다. (나)의 '살림살이의 사연'과 '제일로 낮은 말소리, 발소리'는 힘겨운 삶을 살아가는 이들의 사연과 상처를 떠오르게 하며, 이를 듣고 '신'과 같이 내려온 '살구꽃'은 그런 이들을 위로하고 그들의 상처를 치유하는 존재로서 의미를 지닌다고 볼 수 있다.

3. 문학 개념어 OX 확인 문제

① ✕

- 계절의 변화(흐름): 작품에서 계절을 직접 언급하거나 특정 계절임을 알려 주는 구체적인 사물이나 현상을 활용해 계절이 변화했음을 드러내는 것.

  근거 (나): '마당에 살구꽃이 피었다'(봄) → '지난 겨울엔 빈 가지 사이사이로'(겨울) → '살구가 익을 때'(여름)

② ○

- 색채 이미지: 대상이 어떤 빛깔을 연상시키는 것. 사물의 빛깔을 표현하는 어휘, 즉 색채어가 사용되면 당연히 색채 이미지가 나타난다고 볼 수 있으며, 색채어가 사용되지 않더라도 대상이 특정 색상을 떠오르게 하면 색채 이미지가 나타난다고 할 수 있음. 색채어가 등장하면 당연히 시각적 심상이 나타나며, 두 가지 색채가 뚜렷한 대비를 이루면 '색채 대비'를 이룬다고 함.

  근거 (가): '풀밭길', '생솔가지', '연지', '청사초롱' 등 / (나): '살구꽃', '흰 돛배', '흰빛에 분홍 얼룩', '살구빛' 등

🔍 1번 문제의 선지 판단 공식에 대한 답을 확인해 보세요.

융합 문제 선지 판단의 공식

①

설명글 | (가): '해일'과 '풀밭길'이 상호 작용하며 새로운 의미를 생성하고, 이를 통해 '신랑'이 돌아오는 허구적 상황을 시적 진실로 받아들일 수 있게 됨

➕

작품 | (가): '외할먼네 마당에 올라온 해일엔요.', '신랑이 돌아오는 풀밭길이 있어요.', '해일 속 신랑을 마중 나와'

선지 ➡ '해일'은 '풀밭길'과의 상호 작용을 통해 '할머니'가 '신랑'을 '마중' 나가는 허구적 상황이 시적 진실로 받아들여질 수 있도록 하고 있군.　○

②

설명글 | (가): 죽음의 공간인 '바다'에서 재생한 '할아버지'는 '해일'이 넘쳐오면서 '할머니'와 만나게 되며, 이는 순환성과 영원성을 추구하는 시인의 세계관이 작용한 것임

➕

작품 | (가): '외할먼네 마당에 올라온 해일엔요.', '신랑이 돌아오는 풀밭길이 있어요.', '바다에 나갔다가 / 해일에 넘쳐오는 할아버지 혼신'

선지 ➡ '해일'로 인해 '바다'가 죽음의 공간에서 재생의 공간으로 전이되는 것으로 보아, '해일'에는 영원성을 지향하는 세계관이 반영되어 있다고 볼 수 있군.　○

③

설명글 | (나): '살림살이의 사연'을 안고 살아가는 사람들의 하늘을 향한 간구와 그들의 소리를 듣고 내려온 '신'의 위로가 '살구꽃'으로 형상화됨

➕

작품 | (나): '하늘만 여러 번씩 쳐다보던 / 살림살이의 사연만 같고 또 / 그 하늘 아래서는 제일로 낮은 말소리, 발소리 같은 것 들려서 내려온 / 신과 신의 얼굴만 같고'

선지 ➡ '살구꽃'은 '하늘'을 '여러 번씩 쳐다보던' 시선에서 비롯되는 상승의 심상과 '내려온'에서 비롯되는 하강의 심상이 공존하고 있는 것이라고 볼 수 있군.　○

④

설명글 | (가): '해일'과 '풀밭길'이 상호 작용함으로써 '신랑'이 돌아오는 허구적 상황을 시적 진실로 받아들일 수 있게 되며, 그를 기다리는 '할머니'의 심정이 드러남
(나): '살구꽃'이 핀 자리는 삶의 상처로 인한 흉터가 아닌 그 상처를 감싸고 꿰맨 봉합의 흔적임

➕

작품 | (가): '해일 속 신랑을 마중 나와', '할머니는 // 다시 또 파, 무더기 웃는 청사초롱에 / 불 밝혀선'
(나): '여러 개의 살구빛으로 영글어 올 때 우리는 / 늦은 밤에라도 한번씩 불을 켜고 나와서 바라다보자'

선지 ➡ '해일'은 '청사초롱'에 '불 밝'히는 '할머니'의 행위를, '살구꽃'은 '늦은 밤에라도' '불을 켜'는 '우리'의 행위를 이끌어 내어, 화자의 간절한 기다림의 회한을 드러내고 있군.　✕

⑤

설명글 | (가): 일상적인 삶의 공간인 '마당'은 죽음의 공간인 '바다'에서 재생한 '할아버지'가 '해일'을 통해 '할머니'와 만나게 되는 신비스러운 공간으로 변모함
(나): 하늘과 땅의 경계에서 피어난 '살구꽃'을 통해 치유와 화합의 세계를 추구하고 있음을 드러냄

➕

작품 | (가): '외할먼네 마당에 올라온 해일엔요.', '신랑이 돌아오는 풀밭길이 있어요.'
(나): '마당에 살구꽃이 피었다 / 밤에도 흰 돛배처럼 떠 있다', '하늘에 우리를 꿰매 감친 굵은 실밥, 자국들'

선지 ➡ '해일'은 '마당'과 '바다'의 경계를 허물고 있다는 측면에서, '살구꽃'은 '마당'과 '하늘'의 사이에서 꽃을 피우고 있다는 측면에서 모두 세계의 만남에 관여한다고 볼 수 있군.　○

🔍 2번 문제의 선지 판단 공식에 대한 답을 확인해 보세요.

융합 문제 선지 판단의 공식

① 설명글 '살구꽃'과 바느질이라는 이질적인 속성을 연결하여 의미를 확장하였으며, '살구꽃'을 통해 치유와 화합의 세계에 대한 지향을 드러냄 ➕ 작품 (나): '멀리서 어머니가 오시듯 살구꽃은 피었다', '어머니에, 하늘에 우리를 꿰매 감친 굵은 실밥, 자국들'

선지 ➡ '어머니'를 바느질의 속성과 연결하여 '살구꽃'을 통해 치유와 화합의 세계를 드러낸다고 볼 수 있겠군. ○

② 설명글 '살구꽃'과 바느질이라는 이질적인 속성을 연결하였으며, 이를 통해 상처를 감싸고 꿰맨 봉합의 흔적이라는 '살구꽃'의 의미를 드러냄 ➕ 작품 (나): '살구꽃은 피었다 / 흰빛에 분홍 얼룩 혹은 / 어머니에, 하늘에 우리를 꿰매 감친 굵은 실밥, 자국들'

선지 ➡ '굵은 실밥, 자국들'은 바느질의 속성을 통해 상처를 봉합한 흔적으로서의 '살구꽃'의 의미를 드러내며 주제 의식에 관여한다고 볼 수 있겠군. ○

③ 설명글 '살구꽃'과 바느질이라는 이질적인 속성을 연결하여 의미를 확장해 감 ➕ 작품 (나): '빈 가지 사이사이로 / 하늘이 틀어진 채 쏟아졌었다', '이 꽃들을 피워서 제 몸뚱이에 꿰매는가?', '하늘에 우리를 꿰매 감친 굵은 실밥, 자국들'

선지 ➡ '틀어진', '꿰매는가', '꿰매 감친'과 같은 시어를 통해 바느질의 속성을 '살구꽃'과 연결하여 작품 전반의 시적 의미를 형성한다고 볼 수 있겠군. ○

④ 설명글 '살림살이의 사연'을 안고 살아가는 사람들의 하늘을 향한 간구와 그들의 소리를 듣고 내려온 '신'의 위로가 '살구꽃'으로 형상화됨 ➕ 작품 (나): '하늘만 여러 번씩 쳐다보던 / 살림살이의 사연만 같고 또 / 그 하늘 아래서는 제일로 낮은 말소리, 발소리 같은 것 들려서 내려온 / 신과 신의 얼굴만 같고'

선지 ➡ '살림살이의 사연'과 '제일로 낮은 말소리, 발소리'는 삶의 상처를 떠오르게 하며 삶의 위안적 존재로서의 '살구꽃'의 의미를 생성하는 데에 기여한다고 볼 수 있겠군. ○

⑤ 설명글 하늘과 땅의 경계에서 피어난 '살구꽃'을 통해 치유와 화합의 세계에 대한 지향을 드러냄 ➕ 작품 (나): '마당에 살구꽃이 피었다 / 밤에도 흰 돛배처럼 떠 있다', '제 얼굴로 넘쳐 버린 눈빛', '내려온 / 신과 신의 얼굴만 같고'

선지 ➡ '흰 돛배처럼 떠 있는', '제 얼굴로 넘쳐 버린 눈빛'으로 나타낸 땅의 이미지를 '신과 신의 얼굴'로 변주하여 하늘과 땅의 조화를 추구하는 작가의 의식을 드러낸다고 볼 수 있겠군. ✕

📅 고2 2018학년도 9월 학평 – 백석,「수라」/ 송수권,「까치밥」/ 시적 공간의 의미

(가)

거미 새끼 하나 방바닥에 나린 것을 **나**는 아모 생각 없이 **문 밖**으로 쓸어 버린다

차디찬 밤이다 추운 밤, 방바닥에 나타난 **거미 새끼**를 문 밖으로 **쓸어 버린** 것이 시적 상황으로 제시되었어.

어니젠가 새끼 거미 쓸려나간 곳에 큰 거미가 왔다
나는 가슴이 짜릿한다 조금 전 새끼 거미가 나타나 화자가 쓸어 버렸던 곳에 이번엔 **큰 거미**가 나타났대. 이를 본 화자의 심정이 직접적으로 제시되고 있어.
나는 또 큰 거미를 쓸어 문 밖으로 버리며
찬 밖이라도 새끼 있는 데로 가라고 하며 서러워한다 화자는 아까와 마찬가지로 큰 거미를 문 밖으로 쓸어내면서 **서러움**을 느끼고 있어.

이렇게 해서 아린 가슴이 싹기도 전이다
어데서 좁쌀알만 한 알에서 가제 깨인 듯한 발이 채 서지도 못한 **무척 작은 새끼 거미**가 이번엔 큰 거미 없어진 곳으로 와서 아물거린다
나는 가슴이 메이는 듯하다 화자의 서러움이 가라앉기도 전에 큰 거미를 쓸어낸 자리에 이번엔 **무척 작은 새끼 거미**가 나타났대. 이는 화자의 서러운 심정을 더욱 심화시키는 일이었나 봐. 화자는 가슴이 메이는 듯하다고 말하고 있어.
내 손에 오르기라도 하라고 나는 손을 내어 미나 분명히 울고불고 할 이 작은 것은 나를 무서우이 달아나 버리며 나를 서럽게 한다
화자는 무척이나 작은 새끼 거미를 위하는 마음으로 **손**을 내밀지만, 이를 알 리 없는 거미는 그저 **달아나** 버릴 뿐이야.
나는 이 작은 것을 고이 ㉠**보드러운 종이**에 받아 또 **문 밖**으로 버리며 결국 화자는 이 새끼 거미도 문 밖으로 내보냈대. 이때 화자가 새끼 거미를 받쳐 드는 데 **보드러운 종이**를 사용한 것에서는 거미를 향한 화자의 배려심, 연민의 정서 등을 엿볼 수 있겠군.
이것의 엄마와 누나나 형이 가까이 이것의 걱정을 하며 있다가 쉬이 만나기나 했으면 좋으련만 하고 슬퍼한다 화자는 지금까지 방바닥에 나타난 거미들을 모두 한 **가족**인 것으로 생각했구나. 그렇다면 화자가 거미를 문 밖으로 쓸어 버리는 행위를 반복하면서 서러움을 점차 강하게 느꼈던 것은, 의도하지는 않았지만 자신 때문에 거미 가족이 뿔뿔이 흩어지게 되었다는 생각 때문인 것으로 해석할 수 있겠네. 화자는 거미 가족들이 문밖에서 다시 **만날** 수 있기를 바라며 **슬픔**을 느끼고 있어.

– 백석,「수라(修羅)」–

화자와 대상의 관계	거미 **가족**의 이산에 슬퍼하며 그들이 다시 만날 수 있기를 **소망**하는 '나'

(나)

고향이 고향인 줄도 모르면서
긴 장대 휘둘러 **까치밥** 따는
서울 조카아이들이여

그 까치밥 따지 말라 화자가 서울의 **조카아이들**에게 까치밥을 **따지** 말라고 말하고 있어. 고향이 고향인 줄도 모른다는 것으로 보아 서울 조카아이들은 까치밥에 담긴 의미를 모르기에 이를 따려고 하는 것으로 짐작할 수 있군.
남도의 빈 겨울 하늘만 남으면
우리 마음 얼마나 허전할까 참고로 까치밥은 가을걷이 때, 날짐승을 위해 따지 않고 남겨 두는 감이나 대추 등의 과실을 말해. 새들을 위한 따뜻한 배려심이 담겨 있는 것이지. 그렇기에 까치밥이 사라져 빈 겨울 하늘만 남게 된다면, 이를 보는 우리의 마음도 무척이나 **허전**할 것이라고 하는 거야.
살아온 이 세상 어느 물굽이
소용돌이치고 휩쓸려 배 주릴 때도
공중을 오가는 **날짐승에게 길을 내어주는**
그것은 **따뜻한 등불**이었으니 따뜻한 등불은 **까치밥**을 뜻해. 물굽이가 소용돌이치는 것과 같은 삶의 고난 속에서도 **날짐승**을 위해 까치밥을 남겨 놓는 배려심을 잊지는 않았음을 말하고 있어.
철없는 조카아이들이여
그 까치밥 따지 말라 그렇기에 화자는 그런 까치밥을 따려고 하는 조카아이들을 **철없**다고 하며, 따지 말 것을 다시금 강조하여 말하고 있는 거야.
사랑방 말쿠지에 **짚신** 몇 죽 걸어놓고
할아버지는 무덤 속을 걸어가시지 않았느냐 시적 대상이 까치밥에서 할아버지가 남겨 놓고 가신 **짚신** 몇 죽으로 바뀌었네.
그 짚신 더러는 외로운 길손의 길보시가 되고
한밤중 동네 개 컹컹 짖어 그 짚신 짊어지고
아버지는 다시 새벽 두만강 국경을 넘기도 하였느니 짚신 역시 까치밥과 마찬가지로 외로운 **길손**이나 새벽 두만강 국경을 넘어가던 **아버지**와 같은 다른 이들을 위한 따뜻한 배려심이 담긴 소재로 나타나고 있어.
아이들아, 수많은 기다림의 세월
그러니 서러워하지도 말아라
눈 속에 익은 ㉡**까치밥** 몇 개가
겨울 하늘에 떠서
아직도 너희들이 **가야 할 머나먼 길**
이렇게 등 따숩게 비춰 주고 있지 않으냐. 화자는 조카아이들의 앞날에도 **까치밥**이나 **짚신** 같은 따뜻한 배려와 인정이 있을 것이라고 말하고 있어.

– 송수권,「까치밥」–

화자와 대상의 관계	서울 **조카아이들**에게 까치밥과 짚신에 담긴 **배려**와 인정의 의미를 일깨워주는 '나'(우리)

(다)

우리는 시를 감상하면서 시인이 시 속에 감추어 놓은 여러 장치들을 발견해 내는 즐거움을 경험할 수 있다. 여러 장치 중 하나인 시적 공간은 시인이 주제를 형상화하기 위해 설정한 곳으로 우리가 일상적 경험을 통해 지각하며 생활하게 되는 공간과는 성격이 다르다. 시의 주요 장치 중 하나인 **시적 공간**에 대한 정의가 제시되었어.

시적 공간은 시인이 특별한 의미를 부여하는 순간부터 구성된다. 시인은 이러한 시적 공간을 우리가 일상에서 볼 수 없는 공간으로 설정하기도 하고, 사람들이 일반적으로 생각하는 공간과는 다른 의미의 공간으로 설정하기도 하고, 동일한 공간도 한 편의 시에서 다른 의미를 담은 공간으로 설정하기도 한다. 시인이 설정하는 시적 공간의 세 가지 유형에 대해 설명하였어.

또한 시적 공간은 시인이 살아온 삶과 가치관의 영향을 받기 때문에 주제를 이해하기 위해서는 시인에 대한 이해가 필요하다. 그리고 독자가 주체적으로 체득한 공간에 대한 인식도 중요하다. 이처럼 시적 공간은 감상의 실마리가 되며 나아가 창조적 의미를 구성하는 요소로 기능하기도 한다. 시적 공간은 시인이 설정한 것이기에 이를 바탕으로 한 작품의 주제를 정확히 이해하기 위해서는 시인에 대한 이해 역시 필요한 것이지. 다만 시인뿐만 아니라 독자가 직접 체득한 공간에 대한 인식도 함께 고려될 수 있는 요소라는 점!

1. ㉠과 ㉡에 대한 이해로 가장 적절한 것은?

정답풀이

② ㉠, ㉡은 모두 다른 대상에 대한 배려를 나타낸다.

㉠(보드러운 종이)은 화자가 방바닥에 나타난 '무척 작은 새끼 거미'를 문 밖으로 버릴 때 쓴 것으로, 화자가 손을 내밀자 무서워하며 달아나 버렸던 새끼 거미를 배려하기 위한 마음이 담겨 있다. 또한 ㉡(까치밥 몇 개)은 '이 세상 어느 물굽이 / 소용돌이치고 휩쓸려 배 주'라는 삶의 고난 속에서도 잊지 않고 '공중을 오가는 날짐승'을 위해 남겨 놓은 것으로, 다른 대상에 대한 배려를 나타낸다.

오답풀이

① ㉠, ㉡은 모두 수고에 대한 보상을 나타낸다.

㉠은 '무척 작은 새끼 거미'를 배려하는 화자의 마음을 나타내는 소재일 뿐, 화자나 거미의 수고에 대한 보상을 나타내지는 않는다. 또한 ㉡ 역시 추운 겨울 공중을 오갈 날짐승을 배려하는 마음으로 남겨 놓은 것일 뿐, 수고에 대한 보상과는 관련이 없다.

③ ㉠은 미물에 대한 용서를, ㉡은 미물에 대한 사랑을 나타낸다.

(가)의 화자는 '거미 새끼 하나 방바닥에 나린 것'을 '아모 생각 없이 문 밖으로 쓸어 버린' 후, 같은 자리에 반복해서 나타나는 거미들을 보며 서러움과 슬픔을 느끼고 있다. 따라서 '무척 작은 새끼 거미'를 문 밖으로 쓸어 버릴 때 사용한 ㉠이 미물인 거미에 대한 화자의 용서를 나타낸다고 보기는 어렵다. 한편 (나)의 ㉡은 추운 겨울 공중을 오갈 날짐승을 배려하기 위해 남겨 놓은 것이므로 미물에 대한 사랑이 담겨 있다고 볼 수 있다.

④ ㉠은 이상에 대한 동경을, ㉡은 현실에 대한 비판을 나타낸다.

(가)에서는 방바닥에 나타난 거미를 문밖으로 쓸어 버린 화자가 그 이후 같은 자리에 반복해서 나타나는 거미들을 보며 서러움과 슬픔을 느끼는 모습이 나타날 뿐, 이상에 대한 동경을 보여 주는 내용은 찾을 수 없다. 또한 (나)의 ㉡은 삶의 고난 속에서도 '공중을 오가는 날짐승'을 위해 까치밥 몇 개를 남겨 두었던 따뜻한 인정을 보여 주므로 현실에 대한 비판을 나타낸다고 볼 수 없다.

⑤ ㉠은 인간과 자연의 합일을, ㉡은 인간과 자연의 조화를 나타낸다.

(가)에서 화자인 '나'가 '거미'에게 연민을 느끼는 모습은 나타나지만 인간과 자연의 합일은 찾을 수 없다. 한편 (나)의 ㉡은 '공중을 오가는 날짐승'을 위해 남겨 둔 것이므로 자연과 공생하고자 하는 인간의 마음, 즉 인간과 자연의 조화를 나타낸다고 볼 수 있다.

2. (다)를 바탕으로 (가), (나)를 이해한 내용으로 적절하지 않은 것은?

정답풀이

④ 독자는 (나)의 '날짐승에게 길을 내어주는'에서의 '길'을 일상에서 지각하는 '길'이 아닌, 시인의 고된 삶이 반영된 '길'로 이해할 수 있겠군.

(다)에서 '시적 공간은 시인이 주제를 형상화하기 위해 설정'하는 공간으로, '우리가 일상적 경험을 통해 지각'하는 공간과는 성격이 다르다고 하였다. (나)의 '공중을 오가는 날짐승에게 길을 내어 주는'은 날짐승을 향한 배려와 인정의 의미를 담고 있다. 따라서 이때의 '길'은 일상에서 지각하는 '길'과 다르다고 볼 수 있으나, 시인의 고된 삶이 반영되어 있다고 보기는 어렵다.

오답풀이

① 시인은 (가)의 1연에서 '문 밖'을 일상적 경험을 통해 지각하는 공간과는 다른, 가족 공동체가 해체된 공간으로 설정했겠군.

(다)에서 '시적 공간은 시인이 주제를 형상화하기 위해 설정'하는 공간으로, '우리가 일상적 경험을 통해 지각'하는 공간과는 성격이 다르다고 하였다. (가)의 1연에서 '거미 새끼 하나 방바닥에 나린 것'을 '아모 생각 없이 문 밖으로 쓸어 버린' 화자는 이후 같은 자리에 반복해서 나타나는 거미들을 마찬가지로 문 밖으로 버리면서 '쉬이 만나기나 했으면 좋'겠다고 바란다. 즉 화자는 자신이 '문 밖'으로 쓸어 버린 거미들을 서로 가족 관계인 것으로 생각하며 의도치 않게 이들이 서로 헤어지게 만들었다고 생각하고 있으므로, 1연의 '문 밖'은 거미들이 가족 공동체의 해체를 겪게 되는 공간을 의미하여 일상적 경험을 통해 지각하는 공간과는 다른 의미를 갖는다고 볼 수 있다.

② (가)의 3연의 '문 밖'은 1연의 '문 밖'과 동일한 공간이지만, 시인은 특별한 의미를 부여하여 1연의 '문 밖'과는 다른 의미를 가진 공간으로 설정했겠군.

(다)에서 시인은 '동일한 공간도 한 편의 시에서 다른 의미를 담은 공간으로 설정하기도 한'다고 하였다. (가)에서 1연의 '문 밖'은 '거미 새끼 하나 방바닥에 나린 것'을 '아모 생각 없이' 쓸어 버린 화자로 인해 거미들이 가족 공동체의 해체를 겪게 되는 공간이라면, 3연의 '문 밖'은 화자가 '무척 작은 새끼 거미'를 쓸어 버리면서 그것이 '엄마와 누나나 형'을 만날 수 있기를 바라는 공간이다. 따라서 1연과 3연의 '문 밖'은 동일한 공간이지만 서로 다른 의미를 가지고 있음을 알 수 있다.

③ 시인은 (나)의 '남도의 빈 겨울 하늘'을 일반적으로 생각하는 공간과는 다른, 화자가 지키려는 가치관이 사라졌을 때를 가정한 공간으로 설정했겠군.

(다)에서 시인은 '사람들이 일반적으로 생각하는 공간과는 다른 의미의 공간'을 시적 공간으로 설정하기도 한다고 하였다. (나)에서 '남도의 빈 겨울 하늘'은 서울 조카아이들에 의해 까치밥이 사라지면 느끼게 될 마음의 허전함을 형상화한 공간이다. 따라서 화자가 지키려는 가치관이 사라졌을 때를 가정한 공간으로 볼 수 있다.

⑤ 독자는 (나)의 '가야 할 머나먼 길'에서의 '길'을 일상에서 지각하며 생활하는 공간으로서의 '길'이 아닌, 주체적으로 체득한 '길'로 이해할 수 있겠군.

(다)에서 시의 주제를 이해할 때에는 작품에 설정된 시적 공간과 관련하여 '독자가 주체적으로 체득한 공간에 대한 인식도 중요'하다고 하였다. 따라서 작품을 감상할 때, (나)의 '가야 할 머나먼 길'에서의 길은 일상에서 지각하며 생활하는 공간으로서의 '길'의 의미보다는, 독자가 주체적으로 체득한 의미로서의 '길'의 의미로 이해될 수 있다.

3. 문학 개념어 OX 확인 문제

① ✕

• 설의: 쉽게 판단할 수 있는 사실을 의문의 형식으로 표현하여 상대편이 스스로 판단하게 하는 것. 의미를 강조하기 위한 것으로 실제적인 답을 요구하는 것이 아님.

② ○

• 말을 건네는 방식: 시에서 표면적 청자가 있거나 가상의 청자를 고려한 종결 표현을 사용하여 화자가 누군가에게 말을 건네는 느낌이 나타나게 하는 것.

근거 (나): '서울 조카아이들이여 / 그 까치밥 따지 말라', '아이들아, 수많은 기다림의 세월 / 그러니 서러워하지도 말아라' 등

🔍 1번 문제의 선지 판단 공식에 대한 답을 확인해 보세요.

선지 판단의 공식

① **작품**
(가): 화자는 방바닥에 나타난 '무척 작은 새끼 거미'를 문 밖으로 쓸어 버리기 위해 '㉠보드러운 종이'를 사용함
(나): '㉡까치밥 몇 개'는 추운 겨울 '공중을 오가는 날짐승'을 위해 따지 않고 남겨 둔 것임

선지 ㉠, ㉡은 모두 수고에 대한 보상을 나타낸다. ✕

② **작품**
(가): 화자는 방바닥에 나타난 '무척 작은 새끼 거미'를 '㉠보드러운 종이'로 고이 받아 문 밖으로 내보냄
(나): '㉡까치밥 몇 개'는 추운 겨울 '공중을 오가는 날짐승'을 위해 따지 않고 남겨 둔 것임

선지 ㉠, ㉡은 모두 다른 대상에 대한 배려를 나타낸다. ○

③ **작품**
(가): 화자는 앞서 방바닥에 나타났던 '거미 새끼 하나'와 '큰 거미'를 문 밖으로 쓸어 버린 일에 서러움을 느끼며 마지막으로 나타난 '무척 작은 새끼 거미'를 '㉠보드러운 종이'에 받아 문 밖으로 내보냄
(나): '㉡까치밥 몇 개'는 추운 겨울 '공중을 오가는 날짐승'을 위해 따지 않고 남겨 둔 것임

선지 ㉠은 미물에 대한 용서를, ㉡은 미물에 대한 사랑을 나타낸다. ✕

④ **작품**
(가): 화자는 방바닥에 나타난 거미를 문 밖으로 쓸어 버리는 행위를 반복하면서 서러움을 느끼며, 문 밖에서나마 거미들이 다시 '만나기나 했으면 좋으련만 하고 슬퍼'함
(나): 화자는 서울 조카아이들에게 '㉡까치밥 몇 개'를 따지 말라고 하면서 그 안에 담긴 타인을 위한 배려와 인정의 가치를 일깨워 줌

선지 ㉠은 이상에 대한 동경을, ㉡은 현실에 대한 비판을 나타낸다. ✕

⑤ **작품**
(가): 화자는 '아모 생각 없이' 거미를 문 밖으로 쓸어 버린 자신의 행위에 서러움을 느끼고, 거미들이 문 밖에서나마 다시 '만나기나 했으면 좋으련만 하고 슬퍼'함
(나): 화자는 '㉡까치밥 몇 개'가 '물굽이 / 소용돌이치고 휩쓸려 배 주리는 삶의 고난 속에서도 잊지 않고 남겨 두었던 날짐승을 위한 배려의 마음임을 강조하고 있음

선지 ㉠은 인간과 자연의 합일을, ㉡은 인간과 자연의 조화를 나타낸다. ✕

🔍 2번 문제의 선지 판단 공식에 대한 답을 확인해 보세요.

융합 문제 선지 판단의 공식

①

| 설명글 | 시적 공간은 시인이 주제를 형상화하기 위해 설정한 공간으로, 일상적 경험을 통해 지각하는 공간과는 성격이 다름 |

| 작품 | (가): '거미 새끼 하나 방바닥에 나린 것을 나는 아모 생각 없이 문 밖으로 쓸어 버린다', '어니젠가 새끼 거미 쓸려나간 곳에 큰 거미가 왔다~나는 또 큰 거미를 쓸어 문 밖으로 버리며 / 찬 밖이라도 새끼 있는 데로 가라고 하며 서러워한다' |

선지 시인은 (가)의 1연에서 '문 밖'을 일상적 경험을 통해 지각하는 공간과는 다른, 가족 공동체가 해체된 공간으로 설정했겠군. ○

②

| 설명글 | 시인은 동일한 공간도 한 편의 시에서 다른 의미를 담은 공간으로 설정하기도 함 |

| 작품 | (가): '거미 새끼 하나 방바닥에 나린 것을 나는 아모 생각 없이 문 밖으로 쓸어 버린다', '나는 이 작은 것을 고이 보드러운 종이에 받어 또 문 밖으로 버리며 / 이것의 엄마와 누나나 형이~쉬이 만나기나 했으면 좋으련만' |

선지 (가)의 3연의 '문 밖'은 1연의 '문 밖'과 동일한 공간이지만, 시인은 특별한 의미를 부여하여 1연의 '문 밖'과는 다른 의미를 가진 공간으로 설정했겠군. ○

③

| 설명글 | 시인은 시적 공간을 사람들이 일반적으로 생각하는 공간과는 다른 의미의 공간으로 설정하기도 함 |

| 작품 | (나): '그 까치밥 따지 말라 / 남도의 빈 겨울 하늘만 남으면 / 우리 마음 얼마나 허전할까' |

선지 시인은 (나)의 '남도의 빈 겨울 하늘'을 일반적으로 생각하는 공간과는 다른, 화자가 지키려는 가치관이 사라졌을 때를 가정한 공간으로 설정했겠군. ○

④

| 설명글 | 시적 공간은 시인이 주제를 형상화하기 위해 설정한 공간으로, 일상적 경험을 통해 지각하는 공간과는 성격이 다름. 시적 공간을 이해하는 데에는 시인에 대한 이해도 필요함 |

| 작품 | (나): '공중을 오가는 날짐승에게 길을 내어주는 / 그것은 따뜻한 등불이었으니 / 철없는 조카아이들이여 / 그 까치밥 따지 말라' |

선지 독자는 (나)의 '날짐승에게 길을 내어주는'에서의 '길'을 일상에서 지각하는 '길'이 아닌, 시인의 고된 삶이 반영된 '길'로 이해할 수 있겠군. ✕

⑤

| 설명글 | 시적 공간을 이해하는 데에는 작품을 감상하는 독자가 주체적으로 체득한 공간에 대한 인식도 중요함 |

| 작품 | (나): '눈 속에 익은 까치밥 몇 개가 / 겨울 하늘에 떠서 / 아직도 너희들이 가야 할 머나먼 길 / 이렇게 등 따숩게 비춰 주고 있지 않으냐.' |

선지 독자는 (나)의 '가야 할 머나먼 길'에서의 '길'을 일상에서 지각하며 생활하는 공간으로서의 '길'이 아닌, 주체적으로 체득한 '길'로 이해할 수 있겠군. ○

📅 고2 2018학년도 6월 학평 – 시의 현실 반영 양상 / 정희성, 「저문 강에 삽을 씻고」 / 나희덕, 「못 위의 잠」

(가)

　우리는 시를 통해 삶 속의 다양한 인물들을 만날 수 있다. 그중에는 특정 시대나 사회, 혹은 특정 계층을 대표할 만한 인물들이 있는데, 이런 인물을 '전형적 인물'이라고 한다. <u>시에 나타나는 **전형적** 인물에 대한 정의를 제시하였어.</u> 시 속 전형적 인물은 두 가지 양상으로 드러난다. 어떤 시에서는 화자 자신이 전형적 인물이 되기도 하고, 또 어떤 시에서는 화자가 관찰한 대상이 전형적 인물이 되기도 한다. <u>시 작품 속 전형적 인물의 두 유형 ① **화자** 자신, ② 화자가 **관찰**한 대상</u> 전자는 화자가 체험한 현실을 자신의 생생한 목소리로 직접 전달할 수 있고, 후자는 시적 대상이 처한 현실과 그의 정서를 관찰자적 입장에서 객관적으로 담아낼 수 있다. <u>전형적 인물이 화자인 경우: 자신이 **체험**한 현실을 생생하게 전달 가능 / 전형적 인물이 화자가 관찰한 대상인 경우: 대상이 처한 현실과 이에 따른 정서를 **객관**적으로 전달 가능</u>

　또한 시는 전형적 인물이 처해 있는 상황을 통해 현실을 보다 구체적으로 보여줄 수 있다. 일제 강점기의 상황을 보여 줄 수도 있고, 산업화와 도시화로 인해 피폐해진 농촌의 상황을 보여 줄 수도 있다. 따라서 독자는 전형적 인물이 어떤 상황에 놓여 있으며, 그 상황을 어떻게 인식하고 그에 어떻게 대응하는지를 면밀히 살펴야 한다. <u>전형적 인물은 작품이 배경으로 하는 현실의 모습을 구체화해서 보여 줄 수 있구나. 따라서 시 작품을 감상할 때는 전형적 인물이 처해 있는 **상황**과 이에 대한 인물의 **인식과 대응**을 중요하게 살펴보아야 한다는 점!</u>

(나)

흐르는 것이 물뿐이랴
<u>우리</u>가 저와 같아서 <u>화자는 흐르는 **물**과 자신을 **동일시**하고 있어.</u>
강변에 나가 삽을 씻으며
거기 슬픔도 퍼다 버린다 <u>강변에서 삽을 씻을 때 **슬픔**도 함께 씻어 버린다는 것에서 화자가 현재 부정적 현실에 처해 있음을 짐작할 수 있어.</u>
일이 끝나 저물어
스스로 깊어 가는 강을 보며
쭈그려 앉아 담배나 피우고
<u>나</u>는 돌아갈 뿐이다 <u>하루의 일이 모두 끝나고 저무는 때가 **시간**적 배경으로 제시되었네. 강을 바라보면서 담배나 피우고 **돌아갈** 뿐이라는 화자의 말을 통해 현실에 대한 체념적이고 소극적인 태도를 엿볼 수 있어.</u>
삽자루에 맡긴 한 생애가 <u>앞서 일을 마친 화자가 강물에 삽을 씻는 모습이 나타난 것과 **삽자루**에 맡긴 한 **생애**라고 한 이 구절을 엮어서 보면, 화자는 노동자라는 것을 알 수 있어.</u>
이렇게 저물고, 저물어서
샛강 바닥 썩은 물에
달이 뜨는구나 <u>하루하루 반복되는 노동자로서의 고달픈 삶에 대해 말하고 있네.</u>
우리가 저와 같아서
흐르는 물에 삽을 씻고
먹을 것 없는 사람들의 마을로
다시 어두워 돌아가야 한다 <u>하루종일 일을 하였지만 저녁이 되면 **먹을 것** 없는 사람들의 마을로 돌아가야 한다는 것에서 경제적으로 궁핍한 화자의 처지와 이로 인한 비애감이 드러나고 있어. 즉 이 시는 노동자로서 고된 일상을 반복하지만 나아지지 않는 현실에 대한 답답함과 슬픔을 주제로 한 작품인 것이지.</u>

– 정희성, 「저문 강에 삽을 씻고」 –

화자와 대상의 관계	흐르는 강물을 보며 빈곤하고 고달픈 **노동자**로서의 **삶**에 **비애감**(슬픔)을 느끼는 '나'(우리)

(다)

저 지붕 아래 제비집 너무도 작아
갓 태어난 새끼들만으로 가득 차고
어미는 둥지를 날개로 덮은 채 간신히 잠들었습니다 <u>작은 **제비집**에서 어미와 새끼들이 잠이 든 모습이 제시되었네.</u>
바로 그 옆에 누가 박아 놓았을까요, 못 하나
그 못이 아니었다면
아비는 어디서 밤을 지냈을까요
못 위에 앉아 밤새 꾸벅거리는 제비를
눈이 뜨겁도록 올려다 봅니다 <u>제비집이 너무나 작은 탓에 **아비** 제비는 집 옆에 박아 놓은 **못** 위에서 밤을 지새야 했던 모양이야. 화자는 그런 아비 제비를 보며 안쓰러운 심정을 느끼고 있어.</u>
종암동 버스 정류장, 흙바람은 불어오고
한 **사내**가 아이 셋을 데리고 마중 나온 모습 <u>못 위에 앉아 잠들어 있던 아비 제비에서 시상이 전환되어 아이들을 데리고 **버스** 정류장으로 누군가를 마중 나온 **사내**의 모습이 제시되고 있네.</u>
수많은 버스를 보내고 나서야
피곤에 지친 한 여자가 내리고, 그 창백함 때문에
반쪽 난 달빛은 또 얼마나 창백했던가요 <u>사내와 아이들은 아내이자 엄마인 여자를 마중 나왔던 상황인 것이군. 이때 달빛마저 **창백**하게 느껴지도록 하는, **피곤**에 지친 여인의 창백한 얼굴은 그녀가 매우 힘든 하루를 보내고서 귀가하는 길임을 짐작하게 해.</u>
아이들은 달려가 엄마의 옷자락을 잡고
제자리에 선 채 달빛을 좀 더 바라보던
사내의, 그 마음을 오늘 밤은 알 것도 같습니다 <u>그런 아내를 바라보는 사내의 마음은 편치 않겠지. 사내의 그 마음을 오늘 밤은 **알** 것 같다는 말에서 화자가 아버지에 대한 과거의 기억을 떠올리고 있는 상황임을 알 수 있어.</u>
실업의 호주머니에서 만져지던
때 묻은 호두알은 쉽게 깨어지지 않고
그럴듯한 집 한 채 짓는 대신
못 하나 위에서 견디는 것으로 살아온 아비, <u>사내는 **실업**한 처지인가 봐. 그렇다면 사내 대신 여자가 가족의 **생계**를 책임지고 있으며, 그러한 아내의 퇴근길을 마중 나온 사내가 피곤에 지쳐 창백해진 아내의 얼굴을 보며 안쓰러움과 미안함 등의 복잡한 심정을 느꼈던 상황으로 볼 수 있겠군.</u>
거리에선 아직도 흙바람이 몰려오나 봐요
돌아오는 길 희미한 달빛은 그런대로
식구들의 손잡은 그림자를 만들어 주기도 했지만
그러기엔 골목이 너무 좁았고
늘 한 걸음 늦게 따라오던 아버지의 그림자
그 꾸벅거림을 기억나게 하는
못 하나, 그 위의 잠 <u>집으로 돌아가는 **골목길**이 너무 좁은 탓에 온 가족이 함께 걷지 못하고 아버지 혼자 한 걸음 뒤에서 걸어가고 있는 모습이야. 이는 제비집이 너무 작은 탓에 그 옆에 박아둔 못 위에서 홀로 꾸벅이며 밤을 지새는 **아비 제비**와 비슷한 모습이지? 그렇기에 화자는 아비 제비를 보면서 과거 자신이 보았던 아버지의 모습을 연상하게 되었던 거야.</u>

– 나희덕, 「못 위의 잠」 –

화자와 대상의 관계	못 위에서 잠든 **아비 제비**를 보며 **아버지(사내)**에 대한 과거의 기억을 떠올리는 사람

1. (가)를 바탕으로 (나)와 (다)를 이해한 내용으로 가장 적절한 것은?

정답풀이

① (나)는 화자가 전형적 인물이 되어, (다)는 화자가 전형적 인물을 관찰하여 현실을 드러내고 있다.

(가)에서 시 작품에 나타나는 '전형적 인물'의 두 가지 유형에 대해 설명하며, '화자 자신이 전형적 인물이 되기도 하고,~화자가 관찰한 대상이 전형적 인물이 되기도 한'다고 하였다. (나)의 화자는 흐르는 강물과 자신을 동일시하면서 '삽자루에 맡긴 한 생애가 / 이렇게 저물고, 저물어'가는 반복되는 일상과 '먹을 것 없는 사람들의 마을로 / 다시 어두워 돌아가' 하는 답답한 현실의 상황에 대해 이야기하고 있다. (다)의 화자는 못 위에 앉아 잠든 아비 제비를 통해 과거에 보았던 아버지의 모습을 연상하며 실업으로 인해 가족의 생계를 책임지지 못하였던 아버지의 처지와 그 당시 아버지가 느꼈을 심정에 대해 이야기하고 있다. 따라서 (나)의 화자는 자신이 가난한 노동자라는 전형적 인물이 되어, (다)의 화자는 실업한 처지의 전형적 인물을 관찰하여 현실을 드러내고 있다고 볼 수 있다.

오답풀이

② (나)는 화자가 전형적 인물을 관찰하여, (다)는 화자가 전형적 인물이 되어 현실을 드러내고 있다. / ③ (나)와 (다) 모두 화자가 전형적 인물을 관찰하여 보여 주는 방식으로 현실을 담아내고 있다.

(나)의 전형적 인물은 화자 자신으로 자신이 체험한 현실을 직접적으로 이야기하고 있으며, (다)의 전형적 인물은 화자가 떠올린 과거의 아버지로, 화자는 그 당시 아버지가 처해 있던 현실을 중심으로 시상을 전개하고 있다.

④ (나)와 (다) 모두 화자가 전형적 인물이 되어 정서를 직접 표출하는 방식으로 현실을 보여 주고 있다.

(나)에서는 화자가 전형적 인물이 되어 '강변에 나가 삽을 씻으며 / 거기 슬픔도 퍼다 버린다'에서와 같이 정서를 직접 드러내고 있다. 하지만 (다)에서는 화자가 떠올린 과거의 아버지가 전형적 인물이므로 화자가 전형적 인물이 되어 직접 정서를 표출한다고 보기 어렵다.

⑤ (나)와 (다) 모두 전형적 인물이 처해 있는 구체적인 시대 상황을 부각하는 방식으로 현실을 반영하고 있다.

(가)에서 '전형적 인물이 처해 있는 상황'을 통해 '일제 강점기' 혹은 '산업화와 도시화로 피폐해진 농촌의 상황'을 보여줄 수 있다고 하였다. 그러나 (나)와 (다)에 전형적 인물이 처해 있는 구체적 시대 상황이 제시되어 있지는 않다.

2. (가)를 바탕으로 (나)를 감상한 내용으로 적절하지 <u>않은</u> 것은?

정답풀이

⑤ '다시 어두워 돌아가야 한다'에서 반복되는 일상을 극복하려는 의지를 느낄 수 있군.

(가)에서 '독자는 전형적 인물이 어떤 상황에 놓여 있으며, 그 상황을 어떻게 인식하고 그에 어떻게 대응하는지를 면밀히 살펴야 한'다고 하였다. (나)의 '다시 어두워 돌아가야 한다'는 하루하루 고된 노동을 반복하지만 궁핍한 처지가 나아지지 않는 현실에 대한 화자의 답답한 심정을 보여 주는 구절일 뿐, 반복되는 일상을 극복하려는 의지를 드러낸다고 보기는 어렵다.

오답풀이

① '슬픔도 퍼다 버리'는 모습에서 현실에 대한 고뇌를 덜어내려는 마음을 읽을 수 있군.

(나)의 화자가 '강변에 나가 삽을 씻으며 / 거기 슬픔도 퍼다 버'리는 것은 삶 속에서 느끼는 고뇌를 덜어내고자 하는 모습으로 볼 수 있다.

② '쭈그려 앉아 담배나 피우'는 모습에서 현실에 대한 소극적인 대응 태도를 엿볼 수 있군.

(나)의 화자가 하루 일이 끝난 뒤 강을 바라보며 '쭈그려 앉아 담배나 피우고' '먹을 것 없는 사람들의 마을'로 다시 '돌아가야 한다'라고 한 것에서 궁핍하고 고되게 살아가야 하는 현실에 적극적으로 대응하기보다는 체념적·소극적으로 대응하는 태도가 드러난다고 할 수 있다.

③ '샛강 바닥 썩은 물'에서 인물이 부정적인 상황에 처해 있음을 확인할 수 있군.

'삽자루에 맡긴 한 생애가 / 이렇게 저물고, 저물어서 / 샛강 바닥 썩은 물에 / 달이 뜨'는 것은 화자가 처한 부정적 현실이 반복되고 있음을 나타낸 것으로 볼 수 있다.

④ '먹을 것 없는 사람들의 마을'에서 인물과 유사한 상황에 놓인 사람들이 적지 않음을 알 수 있군.

화자는 흐르는 강물과 '우리'를 동일시하고 있는데, '흐르는 물에 삽을 씻고 / 먹을 것 없는 사람들의 마을로 / 다시 어두워 돌아가'는 주체가 '우리'로 나타나고 있다는 점에서, 화자와 유사한 상황에 놓인 이들이 적지 않음을 짐작할 수 있다.

3. 문학 개념어 OX 확인 문제

① ✕

· 냉소: 불합리한 상황이나 대상을 쌀쌀한 태도로 비웃음.

② ✕

· 공간의 이동: 화자가 장소나 배경을 옮겨가며 시상을 전개하는 방식.

🔍 1번 문제의 선지 판단 공식에 대한 답을 확인해 보세요.

융합 문제 선지 판단의 공식

① 설명글 | 특정 시대나 사회, 계층을 대표할 만한 작품 속 인물을 전형적 인물이라 함. 화자 자신 혹은 화자가 관찰한 대상이 전형적 인물이 되며 그 인물이 처한 상황을 통해 현실을 구체적으로 보여줌 작품 | (나): '흐르는 것이 물뿐이랴 / 우리가 저와 같아서', '나는 돌아갈 뿐이다' 등
(다): '한 사내가 아이 셋을 데리고 마중 나온 모습', '제자리에 선 채 달빛을 좀 더 바라보던 / 사내', '늘 한 걸음 늦게 따라오던 아버지의 그림자' 등

선지➡ (나)는 화자가 전형적 인물이 되어, (다)는 화자가 전형적 인물을 관찰하여 현실을 드러내고 있다. ○

② 설명글 | 특정 시대나 사회, 계층을 대표할 만한 작품 속 인물을 전형적 인물이라 함. 화자 자신 혹은 화자가 관찰한 대상이 전형적 인물이 되며 그 인물이 처한 상황을 통해 현실을 구체적으로 보여줌 작품 | (나): '흐르는 것이 물뿐이랴 / 우리가 저와 같아서', '나는 돌아갈 뿐이다' 등
(다): '한 사내가 아이 셋을 데리고 마중 나온 모습', '제자리에 선 채 달빛을 좀 더 바라보던 / 사내', '늘 한 걸음 늦게 따라오던 아버지의 그림자' 등

선지➡ (나)는 화자가 전형적 인물을 관찰하여, (다)는 화자가 전형적 인물이 되어 현실을 드러내고 있다. ✕

③ 설명글 | 특정 시대나 사회, 계층을 대표할 만한 작품 속 인물을 전형적 인물이라 함. 화자 자신 혹은 화자가 관찰한 대상이 전형적 인물이 되며 그 인물이 처한 상황을 통해 현실을 구체적으로 보여줌 작품 | (나): '흐르는 것이 물뿐이랴 / 우리가 저와 같아서', '나는 돌아갈 뿐이다' 등
(다): '한 사내가 아이 셋을 데리고 마중 나온 모습', '제자리에 선 채 달빛을 좀 더 바라보던 / 사내', '늘 한 걸음 늦게 따라오던 아버지의 그림자' 등

선지➡ (나)와 (다) 모두 화자가 전형적 인물을 관찰하여 보여 주는 방식으로 현실을 담아내고 있다. ✕

④ 설명글 | 전형적 인물이 어떤 상황에 놓여 있으며, 이를 어떻게 인식하고 이에 어떻게 대응하는지를 살펴보아야 함. 화자가 전형적 인물이 될 경우 체험한 현실을 생생하게 직접 전달 가능함 작품 | (나): '흐르는 것이 물뿐이랴 / 우리가 저와 같아서 / 강변에 나가 삽을 씻으며 / 거기 슬픔도 퍼다 버린다'
(다): '한 사내가 아이 셋을 데리고 마중 나온 모습', '사내의, 그 마음을 오늘 밤은 알 것도 같습니다'

선지➡ (나)와 (다) 모두 화자가 전형적 인물이 되어 정서를 직접 표출하는 방식으로 현실을 보여 주고 있다. ✕

⑤ 설명글 | 전형적 인물이 처해 있는 상황을 통해 구체적인 시대 상황을 보여 줄 수 있음 | 작품 | (나): '삽자루에 맡긴 한 생애', '먹을 것 없는 사람들의 마을'
(다): '실업의 호주머니', '늘 한 걸음 늦게 따라오던 아버지의 그림자 / 그 꾸벅거림을 기억나게 하는 / 못 하나, 그 위의 잠'

선지➡ (나)와 (다) 모두 전형적 인물이 처해 있는 구체적인 시대 상황을 부각하는 방식으로 현실을 반영하고 있다. ✕

Q 2번 문제의 선지 판단 공식에 대한 답을 확인해 보세요.

융합 문제 선지 판단의 공식

① 설명글 전형적 인물이 어떤 상황에 놓여 있으며, 이를 어떻게 인식하고 이에 어떻게 대응하는지를 살펴보아야 함 ➕ 작품 (나): '강변에 나가 삽을 씻으며 / 거기 슬픔도 퍼다 버린다'

선지➡ '슬픔도 퍼다 버리'는 모습에서 현실에 대한 고뇌를 덜어내려는 마음을 읽을 수 있군. ○

② 설명글 전형적 인물이 어떤 상황에 놓여 있으며, 이를 어떻게 인식하고 이에 어떻게 대응하는지를 살펴보아야 함 ➕ 작품 (나): '일이 끝나 저물어 / 스스로 깊어 가는 강을 보며 / 쭈그려 앉아 담배나 피우고 / 나는 돌아갈 뿐이다', '먹을 것 없는 사람들의 마을로 / 다시 어두워 돌아가야 한다'

선지➡ '쭈그려 앉아 담배나 피우'는 모습에서 현실에 대한 소극적인 대응 태도를 엿볼 수 있군. ○

③ 설명글 전형적 인물이 어떤 상황에 놓여 있으며, 이를 어떻게 인식하고 이에 어떻게 대응하는지를 살펴보아야 함 ➕ 작품 (나): '삽자루에 맡긴 한 생애가 / 이렇게 저물고, 저물어서 / 샛강 바닥 썩은 물에 / 달이 뜨는구나'

선지➡ '샛강 바닥 썩은 물'에서 인물이 부정적인 상황에 처해 있음을 확인할 수 있군. ○

④ 설명글 전형적 인물이 어떤 상황에 놓여 있으며, 이를 어떻게 인식하고 이에 어떻게 대응하는지를 살펴보아야 함 ➕ 작품 (나): '흐르는 것이 물뿐이랴 / 우리가 저와 같아서', '흐르는 물에 삽을 씻고 / 먹을 것 없는 사람들의 마을로 / 다시 어두워 돌아가야 한다'

선지➡ '먹을 것 없는 사람들의 마을'에서 인물과 유사한 상황에 놓인 사람들이 적지 않음을 알 수 있군. ○

⑤ 설명글 전형적 인물이 어떤 상황에 놓여 있으며, 이를 어떻게 인식하고 이에 어떻게 대응하는지를 살펴보아야 함 ➕ 작품 (나): '나는 돌아갈 뿐이다', '삽자루에 맡긴 한 생애가 / 이렇게 저물고, 저물어서 / 샛강 바닥 썩은 물에 / 달이 뜨는구나', '먹을 것 없는 사람들의 마을로 / 다시 어두워 돌아가야 한다'

선지➡ '다시 어두워 돌아가야 한다'에서 반복되는 일상을 극복하려는 의지를 느낄 수 있군. ✕